二〇二一年一月七号

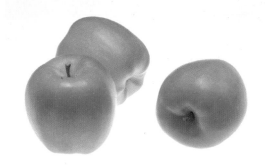

家庭生活万事通

最新营养治病

李莉　编著

内蒙古人民出版社

图书在版编目(CIP)数据

家庭生活万事通/李莉 编著. ——呼和浩特:内蒙
古人民出版社,2005.1
ISBN 7 - 204 - 07861 - 6

Ⅰ.家… Ⅱ.李… Ⅲ.家庭 - 生活 - 知识
Ⅳ.TS976.3

中国版本图书馆 CIP 数据核字(2005)第 007964 号

家庭生活万事通

李 莉 编著

内蒙古人民出版社出版发行

(呼和浩特市新城区新华大街祥泰大厦)

三河市华东印务有限公司印刷

开本:787×1092 印张:24.5 字数:720 千

2007 年 1 月第 2 版 2007 年 1 月第 2 次印刷

印数:1 - 5000 册

ISBN 7 - 204 - 07861 - 6/Z · 433

总定价:720.00 元(本册:25.80 元)

前 言

在 1977 年我结识了两位杰出的营养学家,布莱恩·怀特和赛莉亚·怀特(Brian and Celia Wright)夫妇。他们向我讲解了大多数疾病是如何由亚营养状态引起的。而他们则只吃一大碗色拉、一些"豆制香肠"和一把维生素片。当时我觉得很难接受他们的观点,但是出于冒险的精神还是请他们为我设计一个饮食方案。那时候,我正在大学里学习心理学,没有了以前经常吃的炸鱼和土豆片以及每天一品脱的苦啤酒,我的饮食完全变为素食,不吃小麦,每天只吃大量的水果和蔬菜,以及一大把从美国进口的增补剂,因为当时英国还没有这些东西。我的同事、朋友以及家人都认为我疯了。但我还是坚持下来了。

在两个月之内我的体重减轻了 14 磅,而且再也没有反弹;曾经如月球表面一般的皮肤变得富有光泽;周期性偏头痛的症状也消失了;最明显的是充沛的精力。我不再需要长时间的睡眠,大脑变得更加敏锐,身体充满活力。于是我开始研究这门"最佳营养学"。作为一名心理学学生,我查阅了有关精神分裂症的研究报告,这是当今精神健康领域存在的最严重的问题。在科学刊物中有清楚的证据表明"最佳营养学"的效果比药物和精神疗法的效果都要好。美国医生及精神病学家卡尔·普非佛(Carl Pfeifer)医生是该领域的先驱,他认为其康复率可以达到 80%。我对此非常着迷,不久就去了美国,想自己亲眼看个究竟。

普非佛医生很有才气,他将毕生的大部分时间都致力于大脑化学的研究。在他 50 岁的时候,心脏病严重发作,他存活的机会非常渺茫——即使装上心脏起搏器,最多也只能活 10 年。他决定不装心脏起搏器,并在接下去的 30 年中不断地研究最佳营养学。他告诉我说:"我坚信如果我们摄入适量的微营养物质——即滋养我们所必需的基本物质,大多数的慢性疾病就会消失。未来的药物将是良好的营养疗法,为此我们已经等了太久。"

最佳营养学的方法久已有之:许多伟大的预言家都信奉这一点。早在公元前 390 年,希波克拉底(Hippocrates,古希腊的名医,被称为医药之父——译者)就曾说过:"让食物成为你的药物,而不要让药物成为你的食

家庭生活万事通

物。"在 20 世纪初，爱迪生曾这样说过："未来的医生不再给病人药物，而是引导病人关注人类结构、饮食的保养以及疾病的起因和预防。"在 1960 年，我们这个时代的天才之一，两次诺贝尔奖得主莱纳斯·鲍林（Linus Pauling）创造了"调整分子营养学"一词。他认为通过向体内移入正确的（调整）分子，大多数疾病都可以被根除。他说道："最佳营养学将成为未来的医学。"

1984 年，我在伦敦成立了最佳营养学研究院，研究并推进这个观念的发展。我们宣传健康进食和维生素增补剂的益处；我们提醒人们注意各种危害，如汽油中的铅、食品中的添加剂、水中的污染物、煎炸食物以及自由基；我们还讲解抗氧化剂维生素 A、维生素 C、维生素 E 以及诸如硒、锌等矿物质的功效，以及营养学、精神健康和行为之间的关系。令人欣慰的是，这些概念中有许多已经被人们牢记于心中。汽油中含有的铅和食品中的添加剂正逐渐被消除，而有关水中污染物的控制将渐渐加强。政府正出资研究维生素 A、维生素 C 以及维生素 E 的最佳摄入量，以预防癌症和心脏病。营养学还逐渐进入了处理精神健康问题、包括犯罪行为的领域。看来最佳营养学的广泛发展指日可待。

本书的目的在于告诉您如何通过最佳营养学实现充满活力的健康状态增强抵抗疾病的能力。第一部分讲述了最佳营养学的原理，并提出了全新的健康、卫生保健和药物的定义。第二部分定义了最佳饮食——虽然很难在一夜之间就实现，但可以一直为之努力。第三、第四和第五部分以营养科学领域最新的突破为基础证明了最佳营养学的益处。第六部分告诉您如何一步一步地将最佳营养学用于实际生活之中，帮助您改进饮食并设计出您自己的增补方案。第七部分是一个详细的特殊健康问题的指导，以及如何利用最佳营养学医治这些疾患。第八部分是一个详细的营养物质指导；讲解它们的功效，缺乏的症状和起因，应该吃什么食物以及应该服用哪些增补剂进行补充。第九部分为您提供一个食物档案以及表格，帮助您将最佳营养学应用到您的实际生活中。

从我发现最佳营养学到现在已经有 20 年了。在这 20 年中，有成千的科学论文被发表，都可以证明其功效，且其中没有一篇是要对其进行否定。我现在完全相信最佳营养学概念的提出是本世纪医学领域的进步，如果从小时候就开始应用，完全可以保证健康长寿。

帕特里克·霍尔福德

目 录

家庭生活万事通

1

家庭生活万事通

第七章　营养学疗法完全档案

第八章　营养物质完全档案

第九章　食物档案

家庭生活万事通

第一章 最佳营养

☞ 1. 健康百分百

本书将为您提供一种实现健康的方法。健康不仅仅意味着远离疾病，更意味着充满活力。积极的健康，有时也被称作机能健康，可以从以下三个方面进行衡量：

- 工作状况——完成体力和脑力工作的情况
- 远离疾病——没有疾病的迹象和症状
- 长寿——健康的一生

我相信每个人都有可能体验到那种强烈地处于良好健康状态的感觉。它表现为：持续、清晰、充沛的精力，稳定的情绪，敏锐的头脑，希望保持身体健康的意愿，且十分清楚什么适合我们的身体，什么可以促进我们的健康以及我们在任何时候需要什么。这种健康状态包括对传染性疾病的复原能力，以及预防主要致命疾病如心脏病和癌症的能力。它可以减缓衰老的过程，使我们健康长寿。当处于最佳状态时，健康不仅仅意味着没有疼痛和紧张的情绪，它还是一种生活的喜悦，一种对拥有健康躯体，享受世界上无尽快乐的感激。

对我来说，这不仅仅是一种信仰，也是我自己亲身经历的体验，而且，从开始研究最佳营养学以来的这些年中，我从同我一起工作的人们身上也看到了它的作用。健康不是一个静止的状态，而是一个从自身所经历的疾病和失衡状态中了解自己的永无止境的过程，一个不断发现更充沛、更清晰的精力的过程。通过这些自身的体验以及对上千名患有各种疾病的病人的研究，我确信所有的疾病都可以被消除，不是通过药物和手术，而是通过最佳营养学，锻炼，在合适的环境中居住，以及改变造成紧张和压力的陈旧观念及行为模式的意愿。

卫生保健——发展最快的失败产业

在西方文化中,没有什么东西真正教我们如何保持健康。我们的父母或许可以传授给我们一些经验,但他们中的大多数人在晚年却要忍受越来越多的疼痛。除此之外,中小学、大学和媒体从未教过我们如何保持健康。政府的宣传活动可能会劝告人们不要吸烟和酗酒,但是很少提供指导性服务,因此也没有什么效果。每年仅在英国,我们就要消费 260 亿瓶酒精饮料和 830 亿支香烟。

人们所说的"卫生保健"事实上是"疾病保健"。现代医学并没有提供真正的卫生保健,相反却从中赚取了高额的利润。阿拉巴马大学医学院的名誉教授伊曼纽尔·切拉斯金(Enlanuel Cheraskin)医生将其称为"发展最快的失败产业"。切拉斯金医生认为:"医学只是预防健康状况恶化的主要手段。"

以心脏病为例。目前人类在一生中患心脏病的可能性是 50%。65 岁之前死亡的人中有四分之一是死于心脏病,四个人中就会有一个在退休之前有过心脏病发病史。高血压被普遍认为是严重心血管问题的最主要的征兆。对此,传统医学会建议减肥并推荐降低高血压的药物,但是很少有人注意已知的众多可以达到同样效果的食物要素。1000 毫克的维生素 C 就可以显著地降低高血压,然而很少有人推荐这个方法。在剑桥大学医学院进行的大范围的无效对照剂控制试验结果表明,仅 500 毫克的维生素 E 就可以使心血管病人心脏病发病率降低 75%。

与多数人所认为的相反,许多普通类型癌症的死亡率正在上升,而不是下降。例如乳腺癌,被诊断患有癌症的女性中有三分之一患有乳腺癌。如果治疗有效,患乳腺癌的女性的死亡率应该会降低,从而可以活更长的时间。我们得知在过去的 30 年中,其存活率已经从 60% 上升到 75%。但是同一时期内癌症的死亡率也在逐步上升。事实上,人们只是更早地被诊断出患有癌症,因此从表面上看存活的时间显得更长。在对抗癌症的战争中,我们没有胜利,相反我们失败了。

根据医学专家约翰·李(John Lee)医生的观点,与 20 世纪 80 年代中期相比,现在女性乳腺癌的发病率更高,而且发病时间更早。乳房 X 光照片可以显示出乳房中存在的微钙化症状,这在以前是无法做到的。通常的治疗方法是先进行手术,然后服用一种叫做它莫西芬的药物(Tamoxifen,一种抗雌激素,用于治疗妇女乳腺癌或不育症——译者),然而经过治疗和未经治疗的患者的情况没有多少区别。李医生认为乳腺癌主要的病因是"失控的雌激素"(在正常情况下,与黄体酮在体内达到均衡),而很多种因素都可能造成这种状况。例如,压力会使得与黄体酮竞争的荷尔蒙皮质醇的水平上升,造成黄体酮水平下降。来自于环境的外来雌激素,如在杀虫剂和塑料等普通来源中发现的外来雌激素能够破坏组织并增加日后患癌症的可能性。很显然,我们也是可以考虑利用营养物质进行治疗的。然而医生们为女性提供的依然是荷尔蒙相关疗法,还是要服用雌激素。伯格非斯特(Bergflst)医生在斯堪的纳维亚半岛进行的研究表明,如果一位妇女接受荷尔蒙替换疗法的时间超过5年,她患乳腺癌的风险就会增加一倍。艾莫利大学公共卫生学院进行的一项研究在8年中跟踪了24万位妇女,发现服用雌激素的妇女中患致命的卵巢癌的几率比正常人要高72%。

让我们再考虑另外一个例子。60岁的人中有90%患有关节炎。一旦疼痛发展到无法忍受的程度,医生就会建议病人服用类固醇或非类固醇类抗发炎的药物。这两类药物都可以减轻疼痛和肿胀,然而它们又都会加速疾病的发展。在美国,非类固醇类药物的行业产值已达到95亿美元——50亿美元用于购买药物以及另外45亿美元用于治疗其副作用。上千的人就死于这些药物的副作用。然而没有人采用已被证明安全有效的营养疗法,它们同样具有抗发炎的功效,且没有有害的副作用。

把这些因素以及其他的风险带入健康等式,就不难理解为什么现代人的平均预期寿命只有少得可怜的75年,且后20年还要在糟糕的健康状况下苟延残喘,而医学上已经得以确定的事实却是健康人类的寿命至少可以达到100岁。更令人悲哀的是,这些数据并没有得到任何提高。尽管我们拥有先进的药物、手术和医学技术,现在一位45岁的男子预期可以活到74岁,这只比1920年时预期的72岁多两年。很显然,传统的卫生保健方法选错了方向。或许我们需要做的正是开辟一个新的方向。

健康新概念

医学科学家们已不再把人体看做一台机器,把疾病看做必须用药物或手术进行清除的破坏因素,相反他们现在开始将人类看做是复杂的自适应系统,它更类似于一片能够进行自我调节的丛林而不是一台复杂的电脑。

现在出现了一种新的看待健康的方法,它不再试图以高科技的药物充当上帝"控制"人的健康,相反它将人视为一个整体,互相连接的大脑和身体可以在合适的环境下进行调节以达到健康。

当然,每个人的适应能力是不尽相同的。我们生来就具有不同的优势和不足以及不同水平的复原能力——我们中的一些人拥有通常所说的"优质基因"或属于"优良品种",而另外一些人则不是这样。所以,根据这种新观念,我们的健康状况就是我们先天继承的适应能力(从物理/医学的层次来说,就是我们的基因)和我们所处的环境相互作用的结果。举例来说,如果我们所处的环境非常恶劣(糟糕的饮食、污染、充满病毒、过敏原等等),我们的适应能力不足以进行调节,我们就会生病。

让我们再回到癌症问题上。大家都知道如果我们吸烟、嗜酒、食用肉类、服用某些药物和激素以及接触排放的烟雾和其他污染物等,我们患癌症的几率就会高一些。而在另一方面,如果我们大量食用某些蔬菜、纤维、抗氧化维生素如 β-胡萝卜素、维生素 C 和维生素 E,并生活在没有污染的环境中,那么这些风险就会相对低一些。证据表明,当增益大大超过负作用,健康就能够得到恢复。

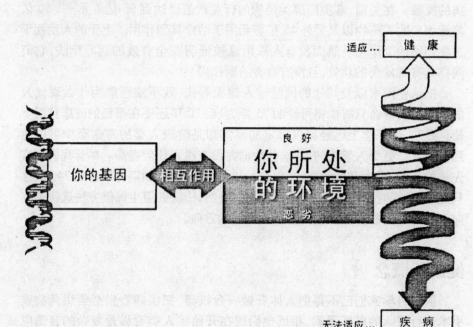

基因和环境的关系就如同小鸡和鸡蛋的关系。科学证明我们的基因受到我们进化时所处环境的影响。同样我们与环境之间的相互作用——例如,我们消化某些营养物质的能力——也取决于我们的遗传基因。我相信医学的将来将主要着眼于遗传学和环境医学,作为影响健康的方法,营养学将在其中起很大的作用。但是,改变基因比改变饮食要难得多,因此营养学与降低"抗营养物质"(干扰营养物质活动的物质,如环境污染物、杀虫剂和食品添加剂等)策略很有可能构成新的卫生保健方法的主要部分。

要知道,我们时刻都在接受挑战——可能是邻近的寒冷或是无可避免的废气。我们身体摄入的任何东西——可能是健康的食品、饮品,也可能是药物或垃圾——都会显著地影响我们保持健康的能力。

☞ 2. 定义最佳营养学

我们中的大多数人都是营养学早餐麦片学派不知情的追随者。日复一日,我们盯着麦片包,读上面的说明"……推荐日摄食量……每包可提供……维生素 B1、维生素 B2、维生素 B3"……和其他一些巧妙制作的广告一样,它们无不信誓旦旦地保证,合理、均衡的饮食可以为我们提供所需要的一切营养。然而这却是当今卫生保健领域最大的谎言——这个观念存在的基础本身就是错误的信息和对人体性质完全错误的理解。

人体机器

人体机器的概念源于牛顿和笛卡尔等哲学家的思想以及工业革命,他们设想了一种时钟结构的世界,而人类则被设想为思考的机器。我们的祖先在度过了数百万年的捕猎采集生活,以及上万年的耕作生活后,在几百年前的工业革命中,像许多农村人口一样被迫来到了城镇和都市,以满足那里的劳动力需求。新的产业工人的饮食成分包括脂肪、糖分和精制面粉。饼干和面包就是很好的例子。面粉经过精制后不容易生谷蠹,而且像精制糖和饱和脂肪一样,精制面粉不会变质。这些既廉价又能够提供能量的食物被看做是"燃料",如同汽车需要的汽油一般。毫不奇怪,人们的健康状况下降了。到 1900 年左右,人们的体形已经开始变小。随后人们发现了蛋白质——它是食物中支持人体生长的要素。糖分可以提供能量,而蛋白质则是肌肉生长所不可或缺的营养物质。随着这个概念的出现,产生了西方高糖分、高脂肪、高蛋白质的饮食方式。

然而人们还是在生病。尽管随着新的维生素被发现,传统的维生素缺乏疾病如坏血病和软骨病一个接一个地得到解决。人们已经认识到矿物质的重要性,但是他们却仍然以一种非常机械的方法处理这些至关重要的营养物质。每个人所需要的仅仅是摄入达到推荐日摄食量(RDA)的各种营养物质——这个摄入水平被认为是足够保护人体免受营养物质缺乏疾病的侵袭。然而,根据世界著名的营养生物化学家杰弗里·布兰德(Jeffery Bland)医生的观点,"推荐日摄食量与每个人营养需求的确定是毫不相关的。它们只是恒定的标准,虽然这些标准理论上可以满足所有健康人群抵御已知的营养紊乱病症的需要,如脚气病、糙皮病、坏血病、恶性营养不良、软骨病和消瘦症,但是它们与西方社会常见的营养紊乱现象没有任何关系。"

食品、基因、环境和疾病

你的身体完全是由来自食物的各种分子构成的。在你的一生中,你将要吃掉100吨的食物,这些食物在消化道中被富含各种消化酶的分泌液所分解,而这些分泌液的制造速度大概为每天10升。常量营养物质(脂肪、蛋白质、碳水化合物)和微量营养物质(维生素、矿物质)都是通过消化道被吸收的,而消化道的健康与完整在根本上取决于你所吃的食物。因此你的健康状况在很大程度上决定了你适应和保持健康的能力。由数代人的亚营养状况所引起的生化失衡被记录下来并在基因上表现为个别身体发育的优劣差异。你的基因在你所处的不同环境(食品、空气、水等等)中会有不同的表现。如果你所处的环境过于恶劣,你将无法适应,就会生病;相反,如果你所处的环境营养丰富,那么你对疾病就具有更强的抵抗力,而且保持健康身体和充沛活力的可能性也就更大。

最佳营养学意味着什么?

最佳营养学就是为你提供最好的营养物质,使你的身体尽可能地保持健康,并尽可能好地进行工作。这并不是一套固定的规则。例如,尽管确实有人需要只吃素食、服用增补剂或禁食某些食品,但是你并不一定也要如

家庭生活万事通

此。你的需要是完全与众不同的,它取决于许多因素,包括从先天的优势和不足到你现在所处环境对你的影响。就像我们看待每个人的才能和人格那样,你只有用这种方法看待众多不同的情况才能认识到,我们的营养需要是不可能完全相同的。尽管有一些对我们普遍适用的指导方法,但是没有一种饮食方案是能够适合所有人的需要的。

你的最佳营养学方案包括摄入下列营养物质,它们——

- 能够促进你最佳的脑力工作状况和情绪稳定
- 能够促进你最佳的体力工作状况
- 能够带来最低的发病率
- 能够带来最长的健康寿命

到目前为止,已知的健康必需的营养物质已有 50 种。通过每天摄入最佳数量的各种营养物质,你就可以促进并保持最佳的健康状态。渐渐地,你的身体包括你的骨骼,都会得以重建并恢复活力。通过最佳营养学方案,你可以——

- 使头脑更清晰、精神更集中
- 提高智商
- 改善体力工作状况
- 增进睡眠质量
- 提高对传染病的抵抗能力
- 保护自身免受疾病侵袭
- 延长健康寿命

这些听起来似乎只是大夸海口,然而事实上每一点都已通过适当的科学研究得以证实。最近,我给两位医生打了电话,他们在发现最佳营养学的方法之前,作为全科医师工作了很多年。其中一位告诉我说:"我相信在可以预见的将来,营养学将成为医学一个非常重要的组成部分。我已看到饮食和增补剂的效果要好于药物的效果。"另外一位全科医师在都柏林行医,他说:"证明营养疗法有效性的证据十分有力,如果现在的医生不能成为营养学家,那么营养学家将成为未来的医生。"

家庭生活万事通

发现你的最佳营养方案

老式的营养学观念在确定你的需要中只是分析你所吃的食物,并与每种营养物质的推荐日摄食量进行比较。这种方法非常原始,因为有一些主要的营养物质没有推荐日摄食量;而推荐日摄食量与最佳健康的需要没有多大关系,且没有考虑到个人需要的差别,以及改变营养需要的生活方式因素,如接触污染、压力程度或锻炼水平。

本书将为您提供三种已经得以证实的方法,每一种方法都代表了计算你的营养需要时,相互联系的各个方面中的一个,通过这三种方法,你将可以确定自己的最佳营养方案。能够使用的方法越多,由此得出的营养计划就会越有效。此外,营养咨询师还可以使用生物化学测试,以更准确地确定一个人的营养需要。以下列出的三种方法同时还考虑到了四条基本的原理——进化动力、生化特性、协同作用以及环境负载——这四条原理是最佳营养学方法的根本,在后面的章节中我们将对其加以详细解释。

50 种必需的营养物质

脂肪	氨基酸	矿物质	维生素	其他
亚油酸	亮氨酸	钙	A(视黄醇)	碳水化合物
亚麻酸	赖氨酸	镁	B1(硫胺)	纤维
	异亮氨酸	磷	B2(核黄素)	光
	苏氨酸	钾	B3(烟酸)	氧气
	色氨酸	钠	B5(泛酸)	水
	蛋氨酸	硫	B6(吡哆醇)	
	缬氨酸	铁	B12(氰钴维生素)	
	苯基丙氨酸	锌	叶酸	
	组氨酸	铜	维生素 H	
		锰	C	
		铬	D	
		硒	E	
		钴	K	
		氟		
		硅		

碘

钼

? 钒

? 砷

? 镍

? 锡

注:前面带问号的矿物质被认为是必需的,但是尚未得到研究确认。

症状分析

这个方法使你可以从一系列的迹象和症状(精力缺乏、口腔溃疡、肌肉痉挛、容易受伤以及很难回忆起做过的梦等等)中看出你可能缺少的营养物质。

生活方式分析

这个方法有助于找出生活中改变你的营养需要(如锻炼水平、压力程度、污染程度等等)的因素。

饮食分析

这个方法不是将你的饮食与推荐日摄食量进行比较,而是将它与营养物质的最佳摄入水平进行比较,同时这个方法还考虑到了你摄入的"抗营养物质"——那些掠夺身体中营养物质的物质。

☞ 3. 从猿到人——营养学与进化

你比想象的要老得多。你用以进行活动的身体是数百万年进化的结果,而这其中绝大部分时间你都是生活在和现在截然不同的环境,吃着与如今完全两样的食物。了解我们进化的动力可以为促进健康提供基本的启示与参考。

要不要维生素 C

以维生素 C 为例。基本上所有的动物都可以在体内制造维生素 C,因此没有必要额外食用。例外的是天竺鼠、食果类的蝙蝠、红尾夜莺以及灵长类的动物,包括人类。大多数的动物每天可以制造相当于 3000~16000 毫克的维生素 C——尽管与推荐日摄食量规定的 60 毫克有不小差异,但是这个数值更接近已知的能够增进免疫力和最大限度降低癌症风险的水平。事实上,能够制造维生素 C 的动物对某些癌症和病毒疾病是具有免疫力的。

莱纳斯·鲍林(Linus Pauling,美国化学家,曾获 1954 年诺贝尔化学奖及 1963 年诺贝尔和平奖——译者)认为人类原本可以制造维生素 C,但是由于我们的食物中富含果类,可以从中摄取足够的维生素 C,于是我们丧失了这种能力。的确,我们和其他丧失这种能力的物种所共有的一个特征就是我们从前的食物中富含果类。但是现在大多数人生活在混凝土的高楼大厦中,很容易患维生素 C 缺乏症,由于免疫系统机能低下而引起的感染和疾病的高发病率已证明了这一点。一只大猩猩一天能摄入 3000 毫克的维生素 C(66 个橘子),而孩子们平均每周才吃一个水果,成人平均的摄入量也只有 50 毫克左右。这种极低的摄入水平与我们进化需要是不符的,不足以达到最佳的健康状态。由于各年龄段人类的体形都比大猩猩要小,每天吃 22 个橘子大概更合适一些——但是吃一片 1 克的维生素 C 片要简单得多!

人类水生理论

人类进化过程中的谜团之一关系到我们如何变成直立行走并形成了复杂的大脑、灵巧的双手以及使用语言的能力。按照相对于身体的比例,我们的大脑比和我们一起进化的几乎所有其他动物的大脑要大 10 倍。众所周知,我们和住在树上的灵长类动物有很多相似的特征,例如婴儿时期的黑猩猩和人类都具有抓握反射,即很善于在树枝上摇摆,那么那些令我们成为为类的特征又是如何形成的呢?

一种在科学界越来越广为接受的理论是,我们早期的祖先可能选择了一个从营养学角度讲最适宜的环境。根据《营养学与进化》(*Nutrition and Evolution*)一书的作者麦克尔·克罗夫德(Michael Crawford)教授和大卫·马什(David Marsh)教授的观点,一个特种生存的环境是决定其进化的主要因素。加拿大维多利亚大学生物学教授德里克·艾利期(Derek Ellis)认为在进化过程中极其重要的一个阶段,我们的祖先居住在水边并很好地利用了这个环境中丰富的营养,他们食用贝类、甲壳类动物和鱼类,因此摄入了大量的必需脂肪和营养物质,这些是形成现代人类复杂的大脑和神经系统所必需的,惟恐天下不乱一能与之相比的只有水生的哺乳动物。

这显然可以解释人类大脑和其他动物大脑的化学上的一个重大区别——合成必需脂肪高度集中,它们形成了人类大脑的主要部分。根据艾琳·摩根(Elaine Morgan)和马克·维赫根(Marc Verhaegen)的理论,这还可以解释为什么我们变得能够直立行走、失去了毛以并形成了一层皮下脂肪,这使得人类成为少有的几个歇脚患肥胖的物种之一。他们认为早期人类可能需要涉水才能找到食物来源,上述特征可使人类更好地在半水的环境中生存。

这个理论还可以解释婴儿在出生后 6 个月表现出的不同寻常的"潜水反射"。如果一个婴儿落入水中,他会潜在水里,停止呼吸,放缓心率,然后重新浮出水面,将头转到另外一边,呼吸并再次潜入水中。这种反射与水生哺乳动物例如海豚鳍状肢的每一块骨骼都和组成我们手臂的完全相同。这个证据表明它们是在陆地上进化,然后又回到海洋中的。你是否曾经为自己对水的喜爱而感到惊讶呢?

历史给予的启示——对未来的希望

尽管这些理论尚未得到广泛的接受,但是"人类水生理论"的支持者,如现在正专门研究大脑生物化学的动物学家麦克尔·克罗夫德教授已经指出,为了使大脑可以正常地发育,婴儿需要大量鱼类中富含的必需脂肪。以前婴儿的配方牛奶中都去除了这些脂肪,现在根据世界卫生组织(WHO)的推荐又被重新加入其中。其他获取这些必需脂肪的食物来源是植物种子以及由它们制成的油类,这对于婴儿和他们的母亲都是至关重要的。那些以母乳喂养但又因害怕体重增加而避免摄入脂肪的母亲需要食用海鲜、植物种子以及由植物种子制成的油类,这既有利于她们自身的健康,同时也有利于孩子的大脑发育。

不再与自然同步

现代生活在许多方面与数百万年的进化规律背道而驰。例如,清早你听到闹钟的铃声,在大脑和身体还没做出反应的情况下,摇摇晃晃地起身去厨房,煮一杯浓咖啡或吸一支香烟,然后吃两片涂有橘子酱的吐司面包加一

家庭生活万事通

杯橙汁。像大多数人一样，你的生活方式并不符合自然的生理构造的需要。这可能引起注意力不集中、失眠、情绪起伏、精力减退、食欲旺盛、体重失衡、抑郁以及不可避免地危及生命的疾病。

我们的祖先没有闹钟。黎明的时候，阳光通过眼睛进入大脑中半透明的部分，刺激松果腺和脑下垂体，它们接下来又会刺激肾上腺向血液中释放肾上腺素。随着肾上腺素含量的提高，我们会自然地醒来，精神饱满，体力充沛。这与在黑夜中听到闹钟的铃声而起床是不同的。我们没有让身体自然的做出反应，反而摄入大量刺激性物质如咖啡因或尼古丁。这对身体的影响就是使得肾上腺素超负荷工作。当然，你确实是醒了——但是身体内的化学成分却要匆忙地制造诸如胰岛素和胰增血糖素等激素，以使迅速上升的血糖水平重新稳定。所以如果你想度过精力充沛的一天，还是让阳光照进来，然后早早地起床。

细嚼慢咽还是狼吞虎咽?

我们的生理构造同样也不适合起床后立即进食。身体在睡眠状态下只进行少量的消化活动。最好在完全清醒之前，即醒来之后大约 1 小时之内不要进食任何食物。另外一种促使身体醒来的方法是用热水淋浴之后，简单地用冷水沐浴，这样可以加速血液循环，促进消化。尽管如此，易于消化的以碳水化合物为基础的早饭，如水果或麦片，能使大多数人更好地工作，而含有高蛋白、经过烹制的早饭则相反。

早饭——事实上所有的饭餐——都应该清淡。我们的生理构造要求我们细嚼慢咽而不是狼吞虎咽。大量的进食很难被消化，还会造成消化不良、无法人眠。我们的祖先只在饥饿的时候才进食，而不是在固定的时间进餐，同时他们的进餐也不受情绪的影响。通过比较少食多餐和每天两到三次大量进食的效果，有关研究已经表明少食多餐更有利于健康。正像我们居住在丛林中的祖先那样——以新鲜水果作为小食——即每天在正餐之间吃三到四个水果。这样做还有助于保持我们血糖水平的稳定，带来更持久的精力、情绪和注意力。锻炼是另外一种稳定食欲的好方法。与生活方式更积极的人相比，惯于久坐的人通常对食欲的控制力较差，他们总会摄入多于其消耗的热量。体育锻炼可以平衡食欲，使之符合身体的需要。

拒绝谷物

现代人的饮食习惯已经彻底地改变,我们所选择的食物也是如此。灵长类动物以碳水化合物为食并天生喜好甜食。但是我们却学会了欺骗自然,一方面将糖分从食物中分离出来,另一方面又选择糖分浓缩的食物,如果汁、水果干和蜂蜜。这些食物含糖分太多,身体很难消化。正常的饮食应该不包括任何浓缩的糖分,无论它是蜂蜜,还是麦芽或蔗糖。我们应该选择糖分完整、未被破坏的食物,减少食用水果干,除非它们已被浸泡过,或只吃少量并配有碳水化合物缓慢释放的食物,如麦片。果汁最好也要限量或用水稀释后再喝。

我们的远祖不吃任何乳制品和谷物。谷物只是在一万年前才开始被种植,而且一些科学家认为与那些以草和谷物为食的反刍动物不同,我们尚未完全适应食用谷物。这可以解释为什么谷物过敏现象如此普遍。在所有的谷物中,小麦是罪魁祸首。现代的小麦和青铜时代生长的小麦相差很多。在现代种植的小麦中,总蛋白的78%是由一种被称为麸质的物质构成的,而麸质中又含有对肠道有刺激作用的麸朊。当酵母和糖起反应时,麸质被激活并制成松软的面包。对于面包公司来说这是个能够带来利润的好消息,因为这些原料的成本很低。但是对于我们的肠道来说却是个坏消息。对面包的敌对反应比面食要普遍得多,因为面食是由含较少麸质的硬质小麦制成的。

生食还是烹制?

烹制食物是另外一项相对较晚才进入人类厨房的做法。人类在40万年前才发现火,但是即使在那个时候,大多数的食物还是生食的。在那之前的数百万年,所有的食物都是生食的。烹饪改变了食物中的分子并破坏了很多有价值的营养物质和消化酶,而这些消化酶可以将食物分解成为能够被身体利用的成分。因此自然的饮食应该包括大量生食的食物和少量轻微烹制的食物。生食的食物需要更多的咀嚼,这不仅可以将食物切碎,并将其与口腔中的消化酶进行混合,还可以向消化道发出信号,使其根据口腔中的食物制造出相应种类的消化酶。大多数的快餐食品非常柔软,不需要太多的咀嚼,因此现代人的颚比其祖先的要小。

家
庭
生
活
万
事
通

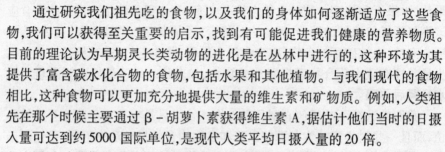

进化的饮食

你前面读到是有关进化动力原理的一些例子,而进化动力学正是最佳营养学方法的基础。这些例子同时也清楚地说明由于选择了高糖分、高脂肪和高度加工及合成的食物,现代人正用手中的刀叉为自己挖掘坟墓。

通过研究我们祖先吃的食物,以及我们的身体如何逐渐适应了这些食物,我们可以获得至关重要的启示,找到有可能促进我们健康的营养物质。目前的理论认为早期灵长类动物的进化是在丛林中进行的,这种环境为其提供了富含碳水化合物的食物,包括水果和其他植物。与我们现代的食物相比,这种食物可以更加充分地提供大量的维生素和矿物质。例如,人类祖先在那个时候主要通过 β − 胡萝卜素获得维生素 A,据估计他们当时的日摄入量可达到约 5000 国际单位,是现代人类平均日摄入量的 20 倍。

通过对进化的研究,人们同样清楚地看到,我们所行选择的环境闻定了我们的饮食,而我们的饮食又改变了我们的生理构造和我们未来生存的前景。人类现在操纵环境的能力是前人所不及的,我们可以自由地选择自己的食物。我们是选择一种既能滋养自己又不破坏地球资源的方法呢,还是选择继续污染、大量生育并掠夺地球的资源呢?如果我们选择后者,地球以及那些最能适应这些变化的物种将继续生存,但人类很可能会灭亡。如果我们选择前者,那么这个世界将变得更加美好。毕竟环境宜人的星球是很难找到的。

这里是一些简单的提示,帮助你适应自己的生理构造:

■ 根据太阳自然升起的时间起床,夏季要早起,冬季可以稍晚一些。深夜不要进餐,在完全醒来之前也不要进餐。

■ 不要按照习惯的时间进餐,要等到饥饿的时候再进餐。要细嚼慢咽,不要狼吞虎咽。在要食多餐,餐间以大量的水果作为小食。

■ 主要以素食为主,食物中半数以上应为水果、蔬菜、籽芽、坚果和植物种子。如果你食用肉类,可以选择鱼类或野味,要慢免食用集中饲养的动物,且这些食物只能与蔬菜一起搭配食用。

■ 尽可能生食食物,尽量减少对食品的加工。避免食用合成的化学品。

■ 避免食用浓缩的食品如糖分和甜味剂。果汁要稀释后饮用。要喝大量的水

■　尽量减少食用乳制品、精制小麦和谷物。
■　经常锻炼，保持积极的生活方式。

☞ 4. 抗营养物质——躲避维生素强盗

　　最佳营养学不仅仅是研究你吃什么——同样重要的是你不能吃什么。自从 20 世纪 50 年代以来，已有 3500 多种人造的化学制品被应用于加工食品，包括杀虫剂、抗生素以及主食如谷物和肉类中的荷尔蒙残留。这些化学制品中有很多是"抗营养物质"，因为它们会阻碍营养物质的吸收和利用，或者增加其排泄，导致营养物质的流失。

　　健康的饮食就是从你的食物中获得平衡的营养物质，这样的日子已经一去不复返了。而现在健康等式中同样重要的一部分是避免摄入有害的化学制品，并防止不可避免摄入的化学制品对健康的有害影响。现在，由于摄入过多抗营养物质引起的疾病已赶上了由于营养缺乏引起的疾病。以癌症为例，3/4 的癌症和摄入过多的抗营养物质有关，其中可能是致癌的化学制品，也可能只是由于吸烟而摄入的大量的自由基。包括从关节炎到慢性疲劳的许多健康问题，都可能是由于摄入过量的抗营养物质，从而超过了身体自身的解毒能力而造成的。一旦超过了这个限度，毒素如杀虫剂残余就会在脂肪组织中堆积。普通的药物如酒精和止痛片的毒性已经变得越来越大，甚至在正常情况下，人体制造能量过程中无害的副作用也会逐渐积累，造成肌肉疼痛以及疲劳。

　　令人惊愕的是，如今仅在英国，每年就要消费 25 万吨的食品化学制品，260 亿瓶酒精饮品，830 亿支香烟，8000 万片止痛片和 5000 万片抗生素。此外，工业还会向环境排放 5 万种化学制品，并有 4 亿升的杀虫剂和除草剂喷洒于食物和牧场上。这一切都形成了人造化学制品和污染物对人类的冲击，并对全球健康和环境造成了不可否认的后果。

弥补赤字

　　即使是不含人工添加剂的精制食物也不一定适合食用。你食用的任何一种食物，只要身体为利用它需要消耗的营养物质多于它自身可以提供给身体的营养物质,那么它事实上就是一种抗营养物质。长期食用这些食物就会逐渐消耗掉体内重要的营养物质。事实上,在西方世界普通人饮食中2/3 的热量都来源于这些食物。这就使得其余 1/3 的食物不仅要提供足够的营养物质以使身体达到基本的健康水平,还要提供足够的营养物质以弥补这些缺乏营养的食品造成的赤字,并抵抗汽车污染以及杀虫剂等诸多抗营养物质对身体的侵害。

我们并不清楚为了抵抗这些抗营养物质对身体的侵害,我们的身体究竟额外需要多少主要的营养物质,但可以肯定的是这个数量要超过推荐日摄食量规定的数量。以维生素 C 为例,假设一名吸烟者和一名不吸烟者都通过饮食摄入推荐日摄食量要求的营养物质的数量,那么吸烟者每天需要摄入多少维生素 C 才可以和不吸烟者保持同等的维生素 C 血液含量呢? 根据威斯康星医学院的谢克特曼(schectman)及其同事进行的研究,其答案是吸烟者每天需要的维生素 C 的数量超过 200 毫克,大概是推荐日摄食量的四倍。如果你将大量饮酒者与不饮酒者的情况加以比较,其结果也是如此。为了能够保持与不饮酒者同等的维生素 c 血液含量,大量饮酒者每天至少需要摄入 500 毫克的维生素 C,这个数量是推荐日摄食量的 6 倍。那么污染呢? 如果你在城市中心区生活或者工作,你又需要多少抗氧化剂保护呢? 你需要的维生素 C 的数量肯定要超过推荐日摄食量规定的数量。维生素 C 对于包括废气在内的 50 多种有害物质都具有解毒作用。在这种情况下,每天摄入 1000 毫克(1 克)可能是更加理想的。

化学制品的自我防御

在很大程度上,人造化学制品只要不对健康造成伤害,就被加以使用,进入人类的食物链。它们都属于“抗营养物质”,但很少有人关心这一点。酒石黄,即 E102 就是一个典型的例子,它是一种比较常见的食品色素。长期以来人们一直知道它可以引起敏感儿童的过敏反应和过度活跃。萨里大学的内尔·沃德(Neil Ward)医生和他的研究小组想知道这究竟是为什么。他们分别给两组儿童饮用包装和口味都相同的饮料,只是其中一组饮用的饮料中含有酒石黄。然后他们分别测量两组儿童饮用饮料前后体内矿物质的含量。饮用了含有酒石黄饮料的儿童表现出过度活跃,体内血液中锌的含量下降,而尿液中锌的排出量却有所上升。研究人员发现酒石黄消耗了儿童体内的锌,而锌缺乏可能导致患行为和免疫系统疾病的风险上升。

这是在上百种食品化学制品中通过这种方法进行测试的首例,当然它回避了问题的实质,那就是,一种化学制品在被允许进入人类食物链之前必须通过什么样的安全标准?或者新的化学制品在被证实是有害之前都是对人体无害的?尽管有关"新奇食品"的立法已越来越严格,但是检验反营养作用的做法还没有被提到议事日程之上。

杀虫剂问题

食品上的标签并不能说明什么。大多数的食品中都含有杀虫剂的残余,除非你只选择有机食物。事实上,一个普通人一年食用的水果和蔬菜上洒有数量相当于 1 加仑的杀虫剂。

杀虫剂家族中的第一代产品是有机氯杀虫剂。这些杀虫剂由于被证明毒性很强且不能被生物降解,因此其中很多已经被禁止使用了。代替它们的是有机磷酸酯杀虫剂,它在市场上有大约 100 个品种。仅在英国,每年就要花费 4 亿英镑用于购买杀虫剂,这相当于 23.5 万吨,即每人 420 克。

和其早期产品一样,有机磷酸酯杀虫剂可以致癌,诱导有机体变质,并对大脑和神经系统造成伤害。目前使用的杀虫剂中有 40% 被证明可能加重癌症,引起出生缺陷或生育能力下降。根据威廉姆·瑞(William Rea)教授的研究,接触杀虫剂可能导致抑郁、记忆力衰退、情绪不稳定和爆发攻击行为、帕金森症以及哮喘、湿疹、偏头痛、肠易激综合症和鼻粘膜炎。过量接触杀虫剂的现象比我们所认为的要普遍得多。1994 年一项有关胡萝卜的调查表明,有些胡萝卜上杀虫剂残余的数量超过安全限度的 25 倍。在 1995 年研究发现 10% 的生菜上杀虫剂的残余超过安全限度。

基因工程食品

目前我们还不清楚基因工程食品对生态系统和我们健康长期的影响会是怎样。基因工程的一个主要目的就是要使植物如大豆对某些种类的杀虫剂具有抵抗能力。换句话说,这种大豆植株可以喷洒杀虫剂,所有的害虫会被杀死,植株会被污染,而产量却会提高。作为消费者,我们付钱,而农民和农用化学品公司(既拥有新品种大豆的专利,同时又拥有该种大豆可以抵抗的杀虫剂的专利)则可以获利——而且我们被告知这些先进的技术是有益于人类的。消费者群体一直要求食品标签上明确注明其中是否含有基因工

17

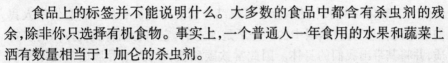

程成分,并建议明智的消费者避免食用这些产品。

你的水源适合饮用吗?

水并不仅仅是 H_2O。天然水可以提供大量的矿物质:例如 1 升的普通泉水中含有 100 毫克的钙。推荐的日饮水量为每日至少 1 升,而钙的推荐日摄食量却是 600 毫克。所以天然水只能提供你所需的钙的 1/6。并非所有的瓶装水都是泉水。而人工制造的苏打水事实上会消耗我们体内的矿物质。天然含二氧化碳的水中的碳分子可以结合岩层中的矿物质并将它们带入我们的体内,但是苏打饮料中的碳分子是独立的,它们会结合我们体内的矿物质,并将其带出我们的身体。因此常饮碳酸饮料的人的骨质通常比不常饮碳酸饮料的人的骨质要疏松一些。

软水区的自来水每天只能提供 30 毫克的钙。此外,自来水中含有大量的硝酸盐、三卤代甲烷、铅以及铝,所有这些都是抗营养物质。在英国大多数地区和美国,这些抗营养物质的含量都超过了安全限度。全英国大约 1/4 的自来水中含有的杀虫剂超过了欧盟为了我们的安全而规定的最大容许浓度。对水中污染物的关注使得很多人转向饮用瓶装水、蒸馏水或过滤水。但是对水进行过滤或蒸馏不仅可以去除杂质,同时还会除去很多其中富含的矿物质。这再一次提高了从食物中获取矿物质的需要。

不再使用煎炸烹饪

食品的烹饪方法可以改变其中营养物质和抗营养物质之间的平衡。用油煎炸食物会产生自由基,它是非常活泼的化学成分,可以破坏食物中的必需脂肪,还能够破坏细胞,增加患癌症、心脏病和早衰的风险,并破坏那些可以保护我们免受这些疾病侵袭的营养物质,如维生素 A 以及维生素 E。

煎炸的破坏作用取决于油、温度和时间的长短。具有讽刺意味的是,对身体有益的多不饱和油脂(见第 33 页)氧化得最快,成为无用的"逆"脂肪。所以使用黄油(饱和脂肪)或者橄榄油(单不饱和脂肪)会更加安全一些。两分钟的嫩煎比油炸要好一些,之后还可以加一些水基的沙司并在煎锅上盖一个盖子,这样食物就可以在较低的温度下"蒸炸"。但是,烤、蒸、煮和烘都是比任何形式的煎炸更好的烹饪方法。最后,任何烹饪如果过度都会大大降低食物中营养物质的含量。

重要的不仅仅是食物中含有的营养成分——盛放食物的器皿同样也很重要。在20世纪90年代中期出现了酞酸酯恐慌,它是一种用来软化塑料的物质,并被发现用于九个品牌的婴儿食品中,到底有多少这种能够造成荷尔蒙紊乱的化学制品已进入了人类的食物链,这个问题的实质又被回避了。检查一下普通的购物车你就能发现其中的原因。通常不仅仅是新鲜的产品用软塑料包着,盒装的饮料也是如此,因为盒子的内壁是一层塑料内层。现在食品罐的内层也是一层塑料,一项对20种罐装食品进行的分析发现其中含有大量的双酚A——其含量超过已知的可以导致乳腺癌细胞扩散数量的27倍。

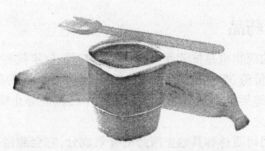

不幸的是,没有规定要求塑料生产商标明他们的产品中使用了哪种化学制品。另外,尽管不断发现新的可以导致荷尔蒙紊乱的化学制品,但是仍无法确定哪些是要避免使用的,而哪些是安全的。目前,最好的建议就是尽量减少购买直接用软塑料包装的食物,特别是潮湿的或富含脂肪的食品。这就意味着玻璃瓶比塑料瓶或有塑料内层的包装盒更安全一些,纸袋比塑料袋更安全。而且硬塑料不大可能成为问题。因此在保存干酪时,用一个塑料的容器,而不要直接用塑料膜将它包起来。

你的抗营养物质负载是多少?

对每一个问题,如果你的答案是肯定的就加1分
——你饮用自来水吗?
——你食用的食物中有机食物的比例小于一半吗?
——你每天在路上花费的时间超过1小时吗?
——你居住在城市里吗?
——你吸烟吗?你与吸烟者一起居住或工作吗?
——你经常吃煎炸的食物吗?
——你每年服用的止痛片超过20片吗?

——你平均每年服用一个疗程的抗生素吗？

——在你食用的食品和饮料中,大部分是用软塑料或食品薄膜包装的吗?

——你在多数时间饮酒吗?

总分 最理想的分数是 0 分。如果你的分数是 5 分或超过了 5 分,那么你有可能正在摄入大量的抗营养物质。任何答案为肯定的地方都是你的饮食和生活方式需要注意的地方。

尽量少使用药品

很多常见的药物也是抗营养物质。仅在英国,每年就要开出 4.61 亿份处方,总共消耗价值 35 亿英镑的药物;在美国每年要消耗的药物价值 580 亿美元。在英国,每年仅用于诸如阿司匹林和扑热息痛等止痛药的花费就高达 5.77 亿英镑。

水杨酸是阿司匹林和其他止痛药的有效成分,它会刺激胃肠,并增加肠壁的渗透性。这使得未完全消化的食物可以进入血液,刺激免疫系统,并引起对普通食物的过敏反应,进而打乱身体对营养物质的吸收。从长远的角度看,这将会削弱免疫系统的能力,引发炎症,消耗掉健康的免疫能力所必需的维生素和矿物质,并引起肠道出血。

另外一种功效相近的药物是扑热息痛,每年全世界有 40 亿人在使用这种药物。虽然扑热息痛不像阿司匹林那样会刺激肠道,但是它却会对肝脏造成刺激。因此,仅在英国每年就有 3 万人死于医院。1994 年,英国有 115 起与扑热息痛相关的死亡。根据爱丁堡大学教授大卫·卡特(David Carter)爵士的研究,1/10 的肝脏移植是由于服用过量的扑热息痛引起的。20 片扑热息痛能够置你于死地,即使 1 片对肝脏来说也是额外的负担。如果一个人一天服用 6 片扑热息痛,并缺乏帮助肝脏解毒的营养物质,就会降低他们抵抗其他毒素——如酒精——的能力。同时服用酒精和扑热息痛是极其危险的;扑热息痛会产生有毒的副产品,它只有在体内存有足够的氨基酸谷胱甘肽时,才能被肝脏分解。如果你体内缺乏这些物质,那么你的健康就会有麻烦了。

许多常见的药物对你的营养状况都有直接或间接影响。例如,抗生素会消灭可以制造大量 B 族维生素的有益肠道细菌。它们还有助于有害细菌的繁殖,由于对免疫系统造成压力,还增加了感染的风险,并有可能导致营养缺乏。同时,据美国全国健康学会(US National Institutes of Heahh)估计,到2000年为止,全世界每年使用的抗生素的总量将达到5万吨。

总之,20世纪彻底改变了每一个物种生存的化学环境。我们希望21世纪能以同样的热情,清理这种混乱的局面。就营养学而言,我们所有人都将需要考虑最佳"营养学"是什么,不仅要看我们的身体为了保持健康状态需要什么,还要看为避免抗营养物质侵害额外还需要什么。我们可以对我们的饮食和生活方式进行一些简单的改变,以减轻我们的环境负载,这也是最佳营养学的一个基本原理。

这里是一些简单的提示,可以帮助你减轻自己的环境负载:

■ 购买一个优质的接在水管上的过滤器并每6个月更换一次滤筒。也可使用罐过滤器,并根据说明更换滤筒。

■ 购买有机食物。如果无法做到,要对水果和蔬菜进行清洗或削皮。一切忌油炸食物。要蒸炸,不要煎炸。

■ 不要购买塑料容器或盒装的饮料,要购买瓶装的饮料,并进行回收利用。

■ 重新安排你的日常时间表,尽量减少在路上花费的时间。

■ 少饮酒,避免吸烟人多的地方。

■ 避免服用化学药品,除非它们是治疗健康问题的惟一选择。如果你经常感染或疼痛,检查一下根本的原因,而不要只是依赖止痛药或抗生素。

第二章 理想饮食

☞ 5. 平衡饮食之谜

　　人体的63%是由水构成的,另外还有22%的蛋白质、13%的脂肪以及2%的矿物质和维生素。身体内的每一个分子都是由你摄人的食物和水分构成的。因此适量的优质食物有助于你保持健康和活力并免受疾病困扰。

　　现今的饮食已经无法保证人体摄入理想数量的营养物质,且无法达到理想的营养均衡。下页的饼状图标明了我们从脂肪、蛋白质和碳水化合物中摄入的热量占摄入总量的百分比。尽管在人类历史上99%的时间内没有发生多少整体上的变化,但是在过去的一个世纪中,特别是最近的20年,我们开始摄入过多的饱和脂肪和糖分,而淀粉(合成碳水化合物)和多不饱和脂肪的摄入量则大大减少。即使是政府的指导也远远不符合我们祖先的饮食方式,无法成为通常认为的理想健康指导。

　　这个问题一部分是由于舆论宣传造成的。宣传使我们相信只要我们的饮食达到平衡,我们就可以获得所需要的所有营养物质。然而调查不断表明,即使那些深信自己的饮食已达到平衡的人们,也无法实现维生素、矿物质、必需脂肪和合成碳水化合物的理想摄入量。在现代社会要做到这一点更不容易,因为食品的生产与利润的获得是紧紧相连的。精制食物的保质期要长一些,这样就可以带来更多的利润,但同时所含有的必需营养物质也更少。食品业渐渐地使我们习惯了甜食。食糖的销量很好,我们摄入的食糖越多,为稍淡的碳水化合物留下的空间就越少。随着我们生活节奏的加快,我们在准备新鲜食物上花费的时间越来越少,相反我们越来越依赖现成的食物,而生产它们的公司更多关心的是它们自己的利润,而不是我们的健康。

　　自从1985年以来,最佳营养学研究院一直致力于对理想饮食的研究。到目前为止,我们的结论已概括于第39页上的十佳日常饮食提示之中。尽管对于大多数人来说,这样的平衡并非一夜之间就可以实现,但是它至少明确地指明了你的饮食需要达到的目标。下面是一些一般性的指导,在后面的章节中还会具体加以论述。

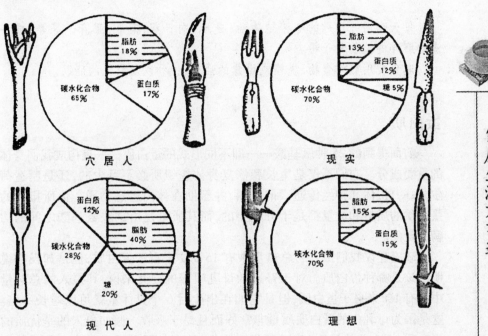

穴 居 人　　　　　　现 实

现 代 人　　　　　　理 想

脂肪

脂肪有两种基本的类型:饱和(固体)脂肪和不饱和脂肪。饱和脂肪并不是人体必需的,摄入过多对身体也无益。其主要来源是肉类和乳制品。不饱和脂肪也分为两类:单不饱和脂肪,主要含于橄榄油中;多不饱和脂肪,主要见于坚果、植物油和鱼类。

某些多不饱和脂肪,即亚油酸和亚麻酸也被称为 $\Omega-6$ 系列和 $\Omega-3$ 系列油类,它们是大脑和神经系统、免疫系统、心血管系统以及皮肤必不可少的营养成分。缺乏这些物质的一个常见迹象就是皮肤干燥。而最佳饮食可以实现这两种基本物质的平衡。南瓜和亚麻子富含亚麻酸($\Omega-3$ 系列),而芝麻和向日葵子则富含亚油酸($\Omega-6$ 系列)。亚麻酸在体内可以被转化为DHA(二十二碳六烯酸)和EPA(二十碳五烯酸),它们也存在于鲭鱼、鲱鱼、大马哈鱼和金枪鱼体内。加热和氧化的过程都会破坏这些必需脂肪,因此

23

每天食用新鲜的食物是非常重要的。

加工食品通常含有硬化的或称为"氢化"的多不饱和脂肪。它们对身体的伤害甚于饱和脂肪，因此最好避免食用。

每天食用一汤匙的冷榨植物油（芝麻、向日葵、南瓜、亚麻子等等）或一满匙磨碎的植物种子粉。

避免食用煎炸食物、烧糊或烘焦的油脂、饱和以及氢化的脂肪。

蛋白质

前面提到的 25 种氨基酸——即不同形式的蛋白质——是构成我们身体的重要成分。它们不仅是生长和修复身体组织所必不可少的，还是制造荷尔蒙、酶、抗体和神经传递素的原料，并帮助在体内运送物质。你所摄入的蛋白质的质量和数量都是十分重要的，而其质量是由这些氨基酸之间的均衡决定的。

政府建议我们摄入的总热量中有 15% 要来自于蛋白质，但是却没有说明应该是哪种蛋白质。对于普通的母乳喂养的婴儿来说，其摄入的总热量中只有 1% 来自于蛋白质，但是它们在出生后 6 个月体重就可以增长一倍。这是因为母乳中的蛋白质质量非常好而且易于吸收。假如摄入的是优质的蛋白质，那么总热量的 10%，即每天大概 35 克的蛋白质对于大多数成年人来说就是最佳的摄入量了，除非是在怀孕期间、手术恢复阶段、需要进行大量的体育锻炼或繁重的体力劳动。

优质的蛋白质食品，其氨基酸的含量应该是均衡的，这样的食品包括：蛋类、奎奴亚藜（quinoa，产于北美安第斯山脉地区的一种粟类——译者）、大豆、肉类、鱼类、蚕豆以及小扁豆。含有动物性蛋白质的食品中通常含有很多无用的饱和脂肪。而含有植物性蛋白质的食品中通常还含有更多对身体有益的合成碳水化合物，且酸性弱于肉类。最好的办法就是将每周食用肉类的次数限制在 3 次。事实上，从日常的每日三餐中，我们可以摄入足够的蛋白质，不管你是严格的素食者、一般的素食者、还是肉类食用者。许多植物，特别是"种子类"植物，如红花菜豆、豌豆、玉米或椰菜都富含大量的蛋白质，并有助于中和体内过多的酸度，从而避免矿物质的流失，特别是钙的流失——因此经常食用肉类的人患骨质疏松症的可能性更高。

家庭生活万事通

每天食用两份蚕豆、小扁豆、奎奴亚藜、豆腐（大豆）、"种子类"蔬菜（如豌豆和蚕豆）或者其他植物性脂肪，也可以食用一小份肉类、鱼类、干酪或一个由农场自由放养的鸡生的鸡蛋。

　　避免摄入过多的动物性蛋白质。

碳水化合物

　　碳水化合物是我们身体主要的能量来源。它通常以两种形式存在：一种可以"快速释放能量"，如糖类、蜂蜜、麦芽、糖果和大多数精制食品中含有的碳水化合物；另外一种可以"缓慢释放能量"，如粗粮、蔬菜和新鲜水果中含有的碳水化合物。后一种食物中含有更多的合成碳水化合物和/或纤维，这两者都有助于减缓糖分释放的速度。快速释放能量的碳水化合物通常会在短时间内释放出大量的热量，紧随其后的就是精力的衰退，相反缓慢释放能量的碳水化合物可以提供更持续的能量，而且更有利于身体健康。精制食品中，如糖类和精白面粉都缺乏身体恰当利用它们所需要的维生素和矿物质，因此最好避免食用。长期食用快速释放能量的碳水化合物可能导致综合的病症及健康问题。有一些水果，如香蕉、椰枣以及葡萄干中含有可以快速释放能量的糖分，患有与葡萄糖相关健康问题的病人应尽量避免食用。你每天的食物中应该有2/3是缓慢释放能量的碳水化合物食物，如新鲜水果、蔬菜、豆子以及粗粮食品，也就是说这些食物应该在你摄入的全部热量中占大概70%。每天你要尽力做到：

　　吃至少3份深绿色、多叶的根菜类蔬菜，如豆瓣菜、胡萝卜、甘薯、椰菜、球芽甘蓝、菠菜、青豆或辣椒，要生食或仅轻微加热。

　　吃至少3份新鲜水果，如苹果、梨、香蕉、浆果、瓜类或柑橘类水果。

　　吃至少4份粗粮食物，如稻米、小米、黑麦、燕麦、全麦、玉米、由奎奴亚藜做的麦片、各种面包、面食或豆子。

　　避免摄入任何形式的糖分，避免食用添加糖分的食品、精白或精制食品。

纤维

　　居住在非洲乡村的居民每天食用大约55克的食物纤维，相比之下，英国人平均的摄入量只有 22 克。由于摄入大量的食物纤维,这些非洲人患肠道疾病,如阑尾炎、憩室炎、大肠炎和肠癌的几率是世界上最低的。食物纤维每天的理想摄入量应该不少于 35 克。如果每天食用粗粮、蔬菜、水果、坚果、植物种子、小扁豆以及蚕豆,那么摄入 35 克的纤维并不困难,它们可以吸收消化道中的水分,使食物膨胀,更易于通过身体。水果和蔬菜纤维有助于减缓糖分被吸收进血液的速度,有助于维持良好的精力水平。谷物纤维能够很好地预防便秘并防止食物腐败,很多的肠道不适都是由食物腐败造成的。毫无疑问,以肉类、蛋类、鱼类和乳制品为主的饮食中缺乏足够的纤维。

食用天然食品——粗粮、小扁豆、蚕豆、坚果、植物种子、新鲜水果和蔬菜。

避免食用精制、精白以及过度烹制的食物。

水分

我们身体的 2/3 是由水构成的,因此水是我们最重要的营养物质。身体每天要通过皮肤、肺部、内脏以及肾脏产生的尿液散失 1.5 升的水分,以保证毒素从体内排出。当葡萄糖燃烧释放能量时,每天还需要额外消耗 1/3 升的水。因此,我们每天通过食物和饮料摄入的水分至少要达到 1 升。理想的日摄入量大约在 2 升左右。

水果和蔬菜中水的含量大约有 90%,它易于身体的吸收和利用,并同时提供大量的维生素和矿物质。总共 1.1 千克左右的 4 个水果和 4 份蔬菜可以提供 1 升的水分,另外所需的 1 升则可以通过水、稀释的果汁、香草茶或水果茶来补充。酒类、茶和咖啡会导致身体缺水,因此我们并不推荐通过这些饮料来补充水分。它们同时还会使身体失去宝贵的矿物质。

每天饮用 1 升的水或者是稀释的果汁、香草茶以及水果茶。

尽量减少饮用酒类、咖啡和茶。

维生素

尽管维生素的需要量比脂肪、蛋白质或碳水化合物要小得多,但是它的重要性丝毫不亚于以上三类营养物质。维生素可以促使酶开始工作,进而使整个身体进入工作状态。维生素可以用来平衡荷尔蒙,产生能量,促进免疫系统,维持肌肤健康,并保护动脉。维生素 A、维生素 C 以及维生素 E 是抗氧化剂:它们可以减缓衰老,预防癌症、心脏病并保护身体不受污染侵害。B 族和 C 族维生素是将食物转化为能量的关键营养物质。牛奶、蛋类、鱼类和肉类中含有维生素 D,它有助于控制钙的平衡。光照也可以在皮肤中产生维生素 D。天然食物中富含大量的 B 族和 C 族维生素,如新鲜的水果和蔬菜。维生素 A 以两种形式存在:一种是动物形式的视黄醇,常见于肉类、鱼类、蛋类和乳制品。另外一种是 β - 胡萝卜素,常见于红色、黄色和橙色的水果和蔬菜中。维生素 E 有助于防止必需脂肪腐败,它常见于植物种子、坚果以及植物油中。

每天吃至少 3 份深绿色、多叶的根茎类蔬菜,至少 3 份新鲜水果,再加上一些坚果或植物种子。

每天补充多种维生素,其种类和数量至少要包括以下列出的这些:2250 微克维生素 A、10 微克维生素 D、100 毫克维生素 E、25 毫克维生素 B1、25 毫克维生素 B2、50 毫克维生素 B3(烟酸)、50 毫克维生素 B5(泛酸)、50 毫克维生素 B6、5 微克维生素 B12、50 微克叶酸以及 50 微克维生素 H。另外每天还要补充 1000 毫克的维生素 C。

矿物质

和维生素类似,矿物质也是每天身体活动不可缺少的营养物质。钙、镁和磷有助于骨骼和牙齿的健康。神经信号对大脑和肌肉是至关重要的,它的传送需要依靠钙、镁、钠以及钾。氧气在体内的传输是由一种铁化合物完成的。铬有助于控制体内血糖的水平。体内所有的修复过程、活力的恢复以及发育都需要锌元素。硒和锌有助于增强免疫系统。大脑活动需要足够的镁、锰、锌以及其他的必需矿物质。这些只是矿物质在维持人体健康中所起的众多作用的一小部分。

我们每天需要大量的钙和镁,它们常见于蔬菜中,如羽衣甘蓝、卷心菜以及根茎类蔬菜。坚果和植物种子中的含量也很高。钙通常大量存在于乳制品中。水果和蔬菜可以提供大量的钾以及少量的钠,而这正是有利于健康的比例关系。所有的"种子类"食物都富含铁、锌、锰和铬,这些食物包括植物种子、坚果、小扁豆和干蚕豆以及豌豆、蚕豆、红花菜豆、粗粮甚至还包括椰菜(它的顶端就是种子)。硒常见于坚果、海鲜、海藻以及植物种子,特别是芝麻。

每天吃 1 份富含矿物质的食物,如羽衣甘蓝、卷心菜、根茎类蔬菜、低脂的乳制品如酸奶、植物种子或坚果,以及大量的新鲜水果、蔬菜、天然食品如小扁豆、蚕豆和粗粮。

每天补充多种矿物质,至少要包括:150 毫克钙、75 毫克镁、10 毫克铁、10 毫克锌、2.5 毫克锰、50 微克铬以及 25 微克硒。

纯天然食物

很久以来,有机的纯天然食物形成了人类饮食的基础。只是到了 20 世纪我们才开始接触食品和环境中数不尽的人工化学制品。

健康的基础之一就是食物提供的能量恰好等于保持身体健康所需要的数量。分解这些外来的且通常有毒的化学制品浪费了大量的能量,一些化学制品甚至无法排出体外,而存积在身体的组织之中。要避免接触这些物质是不可能实现的,因为在我们所居住的这个星球上,现在已找不到任何一处未被污染的地方。我们所能做的就是尽量选择有机食品。化学污染是人类未来将要面对的一个威胁,通过提倡人们选择这些食物,我们可以帮助他们降低化学污染造成的危害。

生食和有机食物对身体是最有益的。进行咀嚼的时候,许多食物都可以产生有助于消化它们自身的酶。生的食物中含有极为重要的植物化学成分,它对我们健康的作用不亚于维生素和矿物质。烹制的食物破坏了其中的酶,并降低了植物化学成分的活性。

尽量食用有机食物。确保你的饮食中有一半是生的水果、蔬菜、粗粮、植物种子和坚果。

避免食用含有添加剂的加工食品,尽量少食烹制食物。

☞ 6. 蛋白质之争

提起蛋白质,你会联想到什么? 肉类、蛋类、干酪、肌肉、生长。你只有

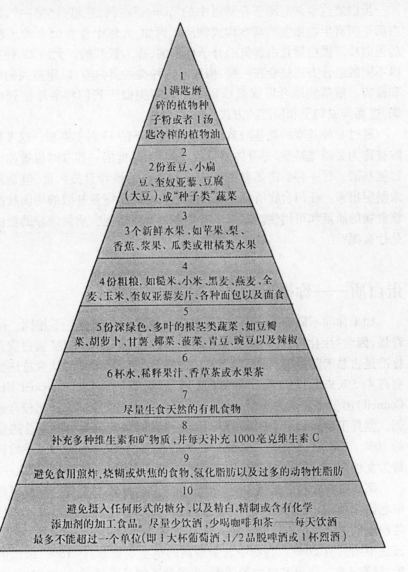

1

1满匙磨碎的植物种子粉或者1汤匙冷榨的植物油

2

2份蚕豆、小扁豆、奎奴亚藜、豆腐（大豆），或"种子类"蔬菜

3

3个新鲜水果，如苹果、梨、香蕉、浆果、瓜类或柑橘类水果

4

4份粗粮，如糙米、小米、黑麦、燕麦、全麦、玉米、奎奴亚藜麦片、各种面包以及面食

5

5份深绿色、多叶的根茎类蔬菜，如豆瓣菜、胡萝卜、甘薯、椰菜、菠菜、青豆、豌豆以及辣椒

6

6杯水、稀释果汁、香草茶或水果茶

7

尽量生食天然的有机食物

8

补充多种维生素和矿物质，并每天补充1000毫克维生素C

9

避免食用煎炸、烧糊或烘焦的食物、氢化脂肪以及过多的动物性脂肪

10

避免摄入任何形式的糖分，以及精白、精制或含有化学添加剂的加工食品。尽量少饮酒，少喝咖啡和茶——每天饮酒最多不能超过一个单位（即1大杯葡萄酒、1/2品脱啤酒或1杯烈酒）

十佳日常饮食提示

吃这些食物才能长大并变得强壮。肉类中的蛋白质比植物中的蛋白质更有用。如果你做肌肉练习，就需要更多的蛋白质……真是这样吗？现在关于蛋白质、你身体需要的蛋白质的数量以及它的最佳食物来源这些问题，存在很多谜团。

蛋白质这个词起源于希腊语中的"protos"一词,意思是"第一",因为蛋白质是所有生物细胞的基本构成物质。例如,人体中含有65%的水和25%的蛋白质。蛋白质是由含氮的分子构成的,称为氨基酸。大约25种氨基酸以不同的组合方式结合在一起,构成不同种类的蛋白质,以建造我们的细胞和器官。氨基酸结合形成蛋白质的方式很类似于我们将字母排列组成单词,进而构成句子和段落的方式。

通过8种基本的氨基酸就可以制造出剩下的17种氨基酸。这8种氨基酸被称为必需氨基酸,是身体不可或缺的,而其他的一些有时也被称作半必需氨基酸。每一种必需氨基酸都应该有各自的推荐日摄入量,但是目前尚未制定出来。任何食物所含的蛋白质中这8种必需氨基酸的均衡状况决定该食物的质量和可用性。那么你需要多少蛋白质呢?质量最好的蛋白质又是什么呢?

蛋白质——你摄入的足够吗?

如果你问不同的人,他们对蛋白质需要量的估计会各不相同。这并不奇怪,因为"生化特性"是广泛存在的。数量比较低的说法是,蛋白质充足的标准是占总卡路里摄入量的2.5%。世界卫生组织(WHO)认为总热量中需要有4.5%来自蛋白质。而美国国家研究委员会(US National Research Council)出于更安全的考虑,认为对于95%的人口来说,8%是比较合适的比例。世界卫生组织出于同样的原因,建议人们从蛋白质中摄入总热量的大约10%,即每天35克左右。根据英国健康部的估算,蛋白质的平均日需要量为女性36克,男性44克。如果蛋白质的质量很好,则可以少摄入一些。

那么哪些食物中蛋白质的的含量超过总热量的10%呢?结果可能让你很吃惊,事实上所有的小扁豆、蚕豆、坚果、植物种子和谷物以及大多数的蔬菜和水果都符合这个标准。在大豆中,54%的热量来自于蛋白质,相比之下,云豆中则只有26%。谷物中含量最高的是奎奴亚藜,达16%,最低的是玉米,只有4%。坚果和植物种子中,含量最高的是南瓜子,达到21%,最低的是腰果,为12%。水果中含量最高的是瓜类,达到16%,最低的是苹果,只有1%。蔬菜中最高的是含量为49%的菠菜,最低的是马铃薯,含量为11%。这就说明如果你摄入的热量足够了,那么你摄入的蛋白质几乎也就足够了——除非你以高糖分、高脂肪的垃圾食品为食。

这听起来可能有些让人吃惊,似乎有悖于我们从前所学的有关蛋白质

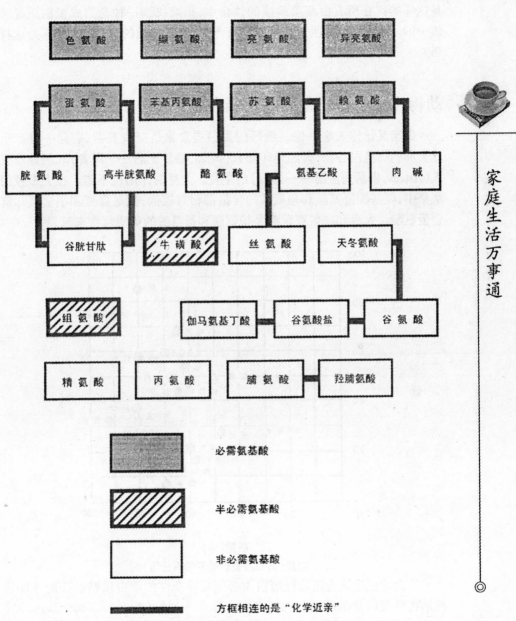

氨基酸家族

的知识。引用哈佛大学研究素食饮食的科学家们的话来解释,实际的情况是这样的:"在所有由蔬菜组成的饮食中,很难找到一种会造成蛋白质显著流失的。"但是,动物性蛋白质是优于植物性蛋白质的,难道事实不是这样吗?

动物性蛋白质还是植物性蛋白质?

　　事实又让你大吃一惊。最好的蛋白质食物是奎奴亚藜,它是一种产于北美洲的高蛋白谷物,曾经是印加人(Ineas,秘鲁土著——译者)和阿兹特克人(Aztecs,墨西哥土著——译者)的主食。大豆的作用也不错。在大多数的蔬菜中,氨基酸蛋氨酸和赖氨酸的含量都相对较低;但是蚕豆和小扁豆却富含蛋氨酸。大豆和奎奴亚藜都是赖氨酸和蛋氨酸的优质食物来源。

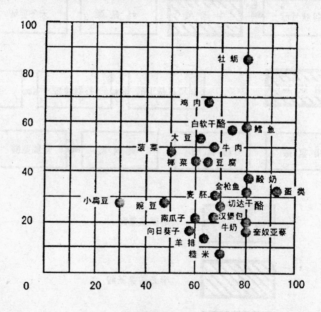

质量(%)

数量(蛋白质提供热量的百分比)

　　早期的理论认为植物性蛋白质必须与补充性的蛋白质精心搭配才能达到动物性蛋白质的质量。弗朗西斯·摩尔·拉帕(Frances Moore Lappe)在她的《小行星的饮食》(*Diet for Small Planet*)一书中详细阐明了这个观点。后来,我们发现那种做法是完全没有必要的。正如拉帕在其著作的修订版中所提到的,"对于我们中的大多数人来说,如果饮食健康、丰富,并不需要进行蛋白质补充。"

尽管如此,你还是可以利用这种方法提高蛋白质的有效质量,你可以将不同种类的食物进行搭配,一种食物中含量较低的氨基酸,可能在另外一种食物中的含量很高,这样就可以得到补充了。下图中列出了不同组别的食物,请在48小时内选择所有组别中的食物,以构成丰富的饮食。例如,米饭与小扁豆的组合可以将蛋白质的质量提高1/3。这正是印度次大陆上的基本饮食。

最佳蛋白质食物

最适合食用的蛋白质食物不一定是那些蛋白质含量最高的食物。因为我们还要考虑到该种食物中其他营养物质的含量。例如,一块羊排中,蛋白质提供的热量占25%,其余的75%来自脂肪,且多数是饱和脂肪。而在大豆中,蛋白质提供总热量的1/2,因此它事实上是一种优于羊肉的蛋白质食物来源,但是它真正的价值在于其余的热量都来自对身体有益的合成碳水化合物,且不含任何饱和脂肪。这使得大豆制品成为一种理想的食物,对素食者而言更是如此。

食用大豆最简单的方式就是食用豆腐,它是一种由豆类制成的凝乳状食物。豆腐有很多种类——软的、硬的、醋渍的、熏制的以及焖制的。软豆腐会令做出的汤口感更加细腻。硬豆腐可以切成丁,和蔬菜一起煸炒、焖炖或用砂锅来炖。由于豆腐没有什么味道,所以最好用味道重一些的食物和调味料进行烹制。

奎奴亚藜的种植已经有5000年的历史,且很长时间以来一直被誉为高海拔地区工作者的力量之源。人们将其称为"谷物之母",因为它具有持续提供能量的特性,它所含有的蛋白质质量要优于肉类之中含有的蛋白质。尽管一直被认作谷物,但是从技术角度讲,它其实是一种水果。它的营养价值是独一无二的,其蛋白质的含量超过谷物,而且必需脂肪的含量多于水果。此外它还富含维生素和矿物质,其中钙的含量是小麦的4倍,还有铁、B族维生素以及维生素E。奎奴亚藜的脂肪含量很低:它所含有的油脂大部分是多不饱和脂肪,可以提供必需脂肪酸。因此,奎奴亚藜大概是你可以找到的最理想的食物了。

很多健康食品商店都出售奎奴亚藜,并将其用做稻米的替代品。烹制时,将奎奴亚藜和水按1:2的比例配制,然后煮15分钟就可以食用了。

肉类

在英国每人平均每周食用 21 磅(900 克)的各种肉类。传统的观点认为肉类中含有大量的蛋白质和铁元素,对身体是有益的。但是最近由牛海绵状脑病(BSE,即俗称的疯牛病——译者)引起的恐慌使得人们越来越担心现代的畜牧手段是不是走得太远了。随着越来越多的人成为素食者甚至绝对素食者(指连蛋类、牛奶及奶制品也不吃的素食者——编者),肉类的消费量逐渐下降。除了道德上的考虑之外,另外一些安全方面的因素,包括抗生素、生长激素以及杀虫剂的使用,也日益引起人们的关注。

微生物学家理查德·拉西(Richard Lacey)教授将超市和肉店出售的肉类称为"假肉",因为其中大多数含有生长激素、性激素、抗生素和大量的杀虫剂残余,而且最糟糕的是,还有可能感染了疯牛病。

疯牛病——人类健康的重大威胁?

造成疯牛病传染的是一种被称为朊毒体的病原体,它侵入大脑中的蛋白质细胞,然后改变这些细胞并导致疾病发生。现已证明疯牛病可以在物种之间传播,人类同样有被传染的可能。这种发生在人体上的疯牛病被称为克雅氏症,在最初感染此病的 14 名患者中,他们大脑中被改变的蛋白质细胞和被疯牛病感染的大脑蛋白质细胞具有相同的遗传标记。这足以证明二者之间的联系。基因研究还发现这 14 名患者共有的一些特性,这些特性使得他们更容易患克雅氏症。在英国,有 2000 万人基因上具有这种特性;但是这并没有排除其他 4000 万人患此病的可能性,尽管他们不那么容易被传染,但是他们对此并不具有免疫力。

现在还有两个很关键的问题需要解答。食用多少含菌的肉类会引发疾病? 又有多少人会被传染呢? 对于牛来说,一茶匙含菌的肉类就可以引发致命的疯牛病。对于鼠类来说,其所需的数量,相对于它们自身的重量,比牛要高数百倍。人类又如何呢? 这个问题至今还没有答案。

关于疫情可能波及的范围,人们的预测从数百人到数十万人不等。1977年,英国克雅氏症观测小组成员詹姆斯·艾恩塞德(James Ironside)医生在《柳叶刀》杂志(Lancet,一份权威医学杂志——译者)上发表了他的论文,他

认为"在疫情发展的整个过程中,总共被波及的人数将不会达到数千人,只是数百人而已"。但是国家卫生服务制度顾问理查德·拉西(Richard La-

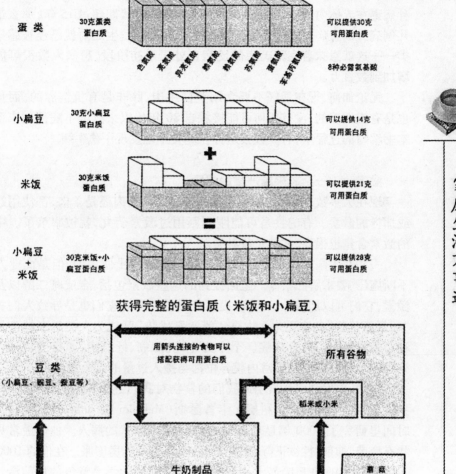

获得完整的蛋白质（米饭和小扁豆）

搭配食物以获得更完整的蛋白质

cey)教授并没有这么乐观。他认为,这些预测只是猜测而已。没有人知道这种病毒在人体内的潜伏期是多长。如果它的潜伏期超过15年,那么最初的几例病人的患病原因则是由于食用了在疯牛病发生之前就已经被感染的肉类——这就意味着克雅氏症的发病正处于最初阶段,患病人数很可能逐渐增加到数百万。

无论如何,现在最好不要食用英国牛肉,除非是有机饲养的,而且母体也是有机饲养的,没有任何可能接触自80年代以来感染了病菌的家畜。在本书编写的过程中,有少数报道称在鸡类中也发现了疯牛病。

激素——一个越来越严重的问题

现在大多数的肉类中,不管是鸡肉、牛肉、猪肉还是羊肉,都使用过这样或那样的激素。有的牲畜可能刚刚服用过激素药丸,就被宰杀了。牛奶中的激素含量也很高,尤其是雌激素。

一些在美国广泛使用的激素在欧洲是被禁止使用的,但是商业方面却不断施压,要求解除禁令。上面提到的这些激素包括,合成雌二醇以及睾丸激素,它们可以加快生长速度,提高产奶量。同时它们也是导致人们关注的"雌激素优势"的主要化学物质,"雌激素优势"已成为人类越来越常见的一种与激素相关的综合病症。至今为止,乳腺癌、纤维瘤、卵巢癌、宫颈癌、前列腺癌和睾丸癌以及子宫内膜异位都与摄入过量的雌激素相关。

当然,要发现将激素引入我们的食物对我们健康长期的影响并不容易。男性激素疾病专家马尔科姆·卡鲁瑟斯(Malcolm Carruthers)医生在7年的时间里研究了1000例显现出"男性更年期"症状的病人。他们最常见的症状有疲劳、抑郁、性欲下降、睾丸萎缩、阳痿以及乳房膨胀。在他的1000例病人中,农民的职业风险最大,因为他们处于农用化学品竞争的最前沿。卡鲁瑟斯认为,"对于其中的一些人来说,致病原因是显而易见的。他们在农场上工作,用雌激素药丸阉割小鸡或火鸡,这样它们就会长得更胖,肉质更嫩。这似乎是非常理想的做法,但不幸的是肯定有大量的雌激素进入了他们的体内,使得他们自己也在一定程度上失去了男性特征。"杀虫剂也是一种可以破坏男性荷尔蒙平衡的物质。间接接触激素和杀虫剂的农民出现"男性更年期"症状的几率也很高。

你吃的肉带病菌吗?

现在人类和动物都广泛使用抗生素。仅在英国每年就要消耗500吨的抗生素。人类只在治疗感染的时候才短期地使用抗生素,然而动物饲料中却长期添加抗生素,以预防感染并促进生长:其目的是更快获得更高的利润。但是,这却使得消费者处于腹背受敌的境地。在抽样的肉类、鱼类和蛋类中经常可以发现抗生素的残余。更糟糕的是其中还有已经对抗生素产生抵抗力的传染病原体——超级细菌。人们现在越来越关注的是一种粪肠球菌,它是一种在鸡肉中发现的非常危险的细菌,可以抵抗万古霉素,而万古霉素是抗生素中药效最强的一种。幸运的是,与沙门氏菌或弯曲杆菌感染相比,肠球菌感染非常少见。每年由于肉类和蛋类引起的沙门氏菌感染可以达到 35 万例,而弯曲杆菌感染则更高,可以达到 40 万例。人们担心这些能够引起食物中毒的普通细菌将来有一天会对现有的抗生素产生抵抗力,看来这样的担心是不无道理的。最近,英国每年有 100 人死于食物中毒。而更多的人都通过使用抗生素得救了。

肉类对你的健康有益吗?

食肉者的健康状况都不是很好。食用肉类会增加患心脏病和癌症的几率,特别是胃癌和结肠癌与食用肉类有直接关系。其他消化系统的疾病也与食用肉类有关,如憩室炎、大肠炎和阑尾炎。大量喝奶和食用乳制品还更可能导致心血管疾病。总之,食肉者看医生或住院的机会会更多,大概是素食者的两倍。而且根据萨里大学的迪克森(Dickerson)教授以及戴维斯(Davies)教授的调查,食肉者患变性疾病的时间要比素食者早 10 年。

对于大多数人来说,危险的不是摄入的蛋白质太少而是太多。过多的蛋白质会导致骨质疏松症、胃酸过多以及其他很多常见的健康问题。一条很好的健康提示就是减少食用肉类的数量,特别是那些含有大量饱和脂肪的肉类,并代之以素食,鸡肉或鱼肉。

肉类有助肌肉生长的神话

不管你吃的是牛排(总热量的 52% 来自于蛋白质)还是被誉为大力水手力量之源的菠菜(总热量的 49% 来自于蛋白质),你都会认为还需要更多的营养才能长出结实的肌肉,但事实是这样吗?作为希尔韦斯特·史泰龙的前任营养师以及众多美国奥运会运动员的顾问,麦克尔·柯尔根(Michael Colgan)医生认为这只是人们认识的误区。他指出通过大量训练,一个人一年内至多可以增加不到 8 磅(3.6 千克)的肌肉。平均算来,就是每周 2.5 盎司(71克)或每天0.3盎司(9.5克)。而肌肉中只有22%是蛋白质构成的,因此每天只要多摄入不足1/10盎司或者说2.8克的蛋白质就足够增加肌肉所用了,而这个数量其实只相当于1/4茶匙而已。所以与其摄入过多的蛋白质消耗体内的营养物质,不如按照最佳营养学的方法更好地利用食物中的蛋白质。

牛奶

牛奶和牛奶制品是英国饮食的主要组成部分。尽管英国的人口在欧盟总人口中只占20%,但是英国人消费的乳制品却占欧盟总消费量的40%,平均每人每周饮用4品脱牛奶。人们认为牛奶是蛋白质、铁和钙的基本食物来源。现已关闭的牛奶销售委员会曾宣传牛奶对我们的健康大有裨益,你可能很难想象离开了牛奶我们将如何生存。但是既然牛奶中富含矿物质,为什么很多机构却不鼓励人们饮用牛奶呢?

不要理睬那些广告

事实上,牛奶含有的矿物质的数量并不高。锰、铬、硒和镁在水果和蔬菜中的含量都超过了它们各自在牛奶中的含量。最重要的镁,它通常与钙共同发生作用。如果经常饮用乳制品来补充钙,就很有可能造成镁的缺乏和失衡。植物种子、坚果以及相对较脆的蔬菜,如羽衣甘蓝、卷心菜、胡萝卜以及花椰菜都含有这两种以及其他的矿物质,而且更符合我们身体的需要。牛奶毕竟是为儿童设计的,不适合成人饮用。

不推荐婴儿饮用牛奶

人们的另外一个误区就是用母乳喂养婴儿的母亲需要喝奶才能产出更多的乳汁。这其实没有任何科学依据。越来越多的母亲不再用母乳喂养她们的婴儿,这使得牛奶渐渐替代了人乳。牛奶事实上是为小牛设计的,它的成分在很多方面与人乳是不同的,包括蛋白质、钙、磷、铁和必需脂肪酸成分的含量。现已证实,早期给婴儿喂食牛奶会增加婴儿对牛奶过敏的可能性,每1000名婴儿中就有75名对牛奶过敏。常见的过敏症状包括腹泻、呕吐、持续疝气、湿疹、风疹、粘膜炎、支气管炎、哮喘以及失眠。美国微生物学家学会认为,有些婴儿的猝死综合症就是由牛奶过敏造成的。4个月以下的婴儿不应饮用牛奶。

过敏症及其影响

牛奶过敏现象在儿童和成人中都很普遍。有的时候这是由于乳糖过敏造成的,因为许多成人已经丧失了消化乳糖的能力。其症状为胃胀、腹痛、肠胃气胀以及腹泻,只有服用可以分解乳糖的乳糖分解酵素才能减轻患者的症状。乳制品过敏大概是另外一种同样相当普遍的现象。其原因我们现在还未完全了解,最常见的症状为鼻塞、粘液分泌过多、呼吸不畅如哮喘以及胃肠疾病。长期大量食用乳制品的人更容易出现过敏现象。对牛奶过敏的人可能对酸奶并不过敏,有的人对羊奶也不过敏。

越来越多的证据表明儿童型糖尿病与对乳制品中牛血清白蛋白(BSA)的过敏有关。这种类型的糖尿病通常在儿童十几岁的时候发病,在英国每年有8000名儿童死于这种糖尿病。它通常先攻击免疫系统,破坏制造胰岛素的胰腺细胞。但是这种糖尿病的起因至今还是一个谜。

尽管有些人的体质易患胰岛素依赖型糖尿病(IDD),但这并不是全部的原因。基因方面易患该病的儿童如果经过至少7个月的母乳喂养或者至少3到4个月的完全母乳喂养,那么他们的发病率就会大大降低,这一点为我们提供了另外一个因素。在4个月之后才开始饮用牛奶的儿童,其患此病的风险同样大大降低。在芬兰,胰岛素依赖型糖尿病的发病率是最高的,而芬兰的牛奶制品消费量也是全世界最高的。

动物研究表明基因方面易患糖尿病的老鼠,如果喂食含有牛奶或小麦麸质的食物,其感染该病的危险就会增加。在一项研究中,老鼠食物中添加的仅1%的脱脂牛奶就使得它们患胰岛素依赖型糖尿病的几率从15%上升到了52%。1993年,纽约西奈山医院的免疫学教授汉斯·麦克尔·多士(Hans–Michael Dosch)医生发现乳制品中的牛血清白蛋白是导致糖尿病发病率升高的原因,并表明它可以与胰腺细胞发生交叉反应。他和一起工作的研究人员共同建立了他们的理论,即自身易患糖尿病的婴儿如果在4个月左右就接触牛血清白蛋白,就会形成对牛血清白蛋白的过敏反应,因为这时他的肠壁尚未发育成熟,渗透性很强。因此他们的免疫细胞不仅会破坏牛血清白蛋白分子,还会错将胰腺组织也破坏掉。他继续指出,在新近被诊断患有胰岛素依赖型糖尿病的142名儿童中,所有人的体内都存在牛血清白蛋白抗体,而正常儿童中只有2%体内存在这种抗体。多士医生认为这些牛血清白蛋白抗体的存在表明这些儿童今后患儿童型糖尿病的可能性有80%到90%。

家庭生活万事通

他相信在婴儿出生后的6个月内不应食用乳制品,这样可以降低他们患病的风险。但是牛血清白蛋白可以通过母亲的饮食进入她的乳汁。所以如果以母乳喂养婴儿的母亲应该避免食用牛肉和乳制品,那么就可以完全消除基因方面易患此病的儿童的发病风险。目前基因方面易患此病的儿童占儿童总数的1/4。

牛奶与肉类——最终裁决

鉴于现有的证据以及集约农业的现状,我们认为食用肉类(特别是牛肉)和牛奶(特别是年龄小的儿童)都不利于你实现最佳营养学的目标。你的健康饮食中完全可以不包括乳制品和肉类,而且几乎可以肯定,这样可以降低你患常见致命疾病的可能性。对于喜欢食肉的人来说,如果他们不愿意成为素食者,那么我建议他们不要食用英国牛肉,每周吃肉的次数不要超过3次,以更多的新鲜蔬菜和天然食物来代替肉类,如蚕豆、小扁豆和粗粮并选择有机肉类和自由放养的鸡类及鱼类。用豆奶或牛奶糊替代牛奶,或选择有机牛奶。如果你担心会出现过敏反应,停止食用所有的乳制品14天。如果没有任何异常,你可以将饮用量限定在每周两品脱。

下面是一些蛋白质摄入的一般原则:

- 每天食用两份蚕豆、小扁豆、奎奴亚藜、豆腐、"种子类"蔬菜或其他植物性蛋白质,或者一小份肉类、鱼肉、干酪或自由放养的鸡产的鸡蛋。
- 减少食用乳制品,如果你有过敏反应,要停止食用并替代以豆奶或牛奶糊。
- 减少摄入动物性蛋白质,选择瘦肉或鱼肉,且每周食肉不要超过3次。
- 尽量选择有机食品,避免可能发生的激素和抗生素污染。

☞ 7. 生命中的脂肪

脂肪是有益于你的健康的!要实现最佳健康状态,选择食用合适种类的脂肪绝对至关重要。必需脂肪可以降低癌症、心脏病、过敏症、关节炎、湿疹、抑郁、疲劳、感染和经前期综合症的发病率——这些列举的症状和疾病都与脂肪缺乏有关,且发病数量在逐年上升。如果你是因为担心体重增加而避免摄入脂肪,那么你就失去了身体必不可少的有益健康的营养物质,并增加了自身健康状态不良的可能性。如果你食用的是固体脂肪,即乳制品、肉类和大多数人造奶油中的脂肪,那么结果是相同的。

脂肪概说

营养学家认为摄入的总热量中来自脂肪的部分应该不超过20%,这个比例最有益于健康。目前英国人的热量摄入中,平均有40%以上是来自脂肪。在日本、泰国以及菲律宾,与脂肪相关的疾病的发病率相对较低,那里的居民只从脂肪中摄取总热量的15%。例如,日本人平均每天摄入40克的脂肪,而英国人每天摄入142克。

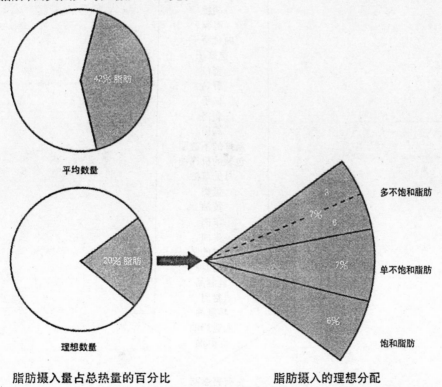

脂肪摄入量占总热量的百分比　　　　脂肪摄入的理想分配

脂肪摄入量

家庭生活万事通

41

饱和脂肪和单不饱和脂肪并不是营养物质:尽管人体可以利用它们产生能量,但是你并不需要它们。相反多不饱和脂肪或油脂则是身体不可缺少的。

几乎所有含有脂肪的食物中都含有不同数量的上述三种脂肪。一块肉中主要含有的是饱和脂肪和单不饱和脂肪,多不饱和脂肪的含量却很低。橄榄油中的成分主要是单不饱和脂肪。而向日葵子中则主要含有多不饱和脂肪。

家庭生活万事通

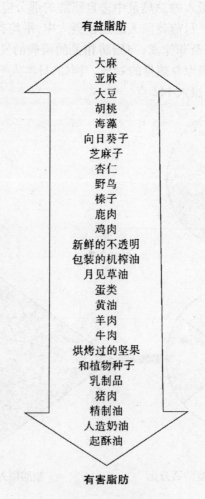

有益脂肪

大麻
亚麻
大豆
胡桃
海藻
向日葵子
芝麻子
杏仁
野鸟
榛子
鹿肉
鸡肉
新鲜的不透明
包装的机榨油
月见草油
蛋类
黄油
羊肉
牛肉
烘烤过的坚果
和植物种子
乳制品
猪肉
精制油
人造奶油
起酥油

有害脂肪

有益脂肪与有害脂肪

现在大多数的机构都同意,我们摄入的脂肪中,饱和(固体)脂肪的数量不应超过总量的1/3,而多不饱和脂肪的数量则不应少于1/3,它主要提供两种必需脂肪:亚油酸族,即 Ω－6 系列脂肪以及 α－亚麻酸族,即 Ω－3 系列脂肪。这两者之间理想的平衡关系大约是 2∶1 的比例,即亚油酸是亚麻酸的两倍。因此,理想的脂肪摄入应该不超过我们总热量摄入的20%,并包括

- 4.7% 亚油酸
- 2.3% 亚麻酸
- 7% 单不饱和脂肪
- 6% 饱和脂肪

大多数人都缺乏亚油酸和亚麻酸。此外大量摄入饱和脂肪和已被破坏的多不饱和脂肪,即逆脂肪,会妨碍身体利用每天所摄入的数量极小的必需脂肪。

Ω－6 系列脂肪家族

Ω－6 系列脂肪家族的老祖母是亚油酸,在人体内被转化为 γ－亚麻酸(GLA)。月见草油和琉璃苣油是已知的 GLA 含量最高的食物来源。如果你选择它们来补充 Ω－6 系列脂肪,那么你所需的总量就会少一些。GLA 理想的摄入量是每天 150 毫克,这相当于 1500 毫克的月见草油或 750 毫克的高效玻璃苣油——即每天一粒 GLA 胶囊。

GLA 随后又被转化为二十碳三烯酸(DGLA),并由此转化为异常活跃的类激素物质——前列腺素。这些由 Ω－6 系列脂肪制成的前列腺素被称为 I 型前列腺素。它们可以保持血液不出现粘稠,这样就可以预防凝块或阻塞的出现,还可以舒张血管、降低血压并有助于维持体内水分的均衡。这些前列腺素还可以减轻炎症和疼痛,改善神经和免疫系统功能并有助于胰岛素正常工作,从而帮助调节血糖平衡。而这还仅仅是个开始。每年人们都不断发现前列腺素具有一些新的促进人体健康的功能。但是由于它的生命期很短,所以无法直接补充,因此我们只能通过摄入适量的 Ω－6 系列脂肪来进行补充。

Ω-6 系列脂肪缺乏症状

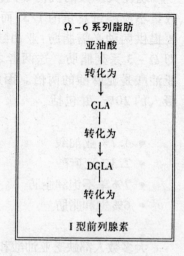

□ 你患有高血压吗？

□ 你是否患有经前期综合症或乳房疼痛？

□ 你患湿疹吗？皮肤干燥吗？

□ 你的眼部感觉干涩吗？

□ 你是否患有炎症，如关节炎？

□ 你是否很难减轻体重？

□ 你的血糖是否正常？是否患有糖尿病？

□ 你是否患有多发性硬化症？

□ 你每日饮酒吗？

□ 你是否有任何精神健康问题？

□ 你是否经常感到口渴？

Ω-6 系列脂肪
亚油酸
↓
转化为
↓
GLA
↓
转化为
↓
DGLA
↓
转化为
↓
Ⅰ型前列腺素

你的得分如何？如果你有5个或者更多的问题的答案是肯定的，那么你可能确实缺乏 Ω-6 系列脂肪。检查下你的饮食，看看是否包括了以下列出的食物。

Ω-6 系列脂肪家族的脂肪全部来自于植物的种子以及用它们制成的油。最好的食物来源是：大麻、南瓜、向日葵、红花、芝麻、玉米、胡桃、大豆以及麦胚油。这些食物中所含的脂肪有一半以上是来自 Ω-6 系列脂肪家族，主要是亚油酸。最佳的食用量是每天1至2汤匙上述的油类，或者2至3汤匙磨碎的植物种子粉。

Ω-3 系列脂肪家族

与 Ω-6 系列脂肪相比，现代的饮食更容易造成 Ω-3 系列脂肪缺乏。这是因为 Ω-3 系列脂肪家族的老祖母是 α-亚麻酸，她的产物是代谢作用活跃的二十碳五烯酸（EPA）和二十二碳六烯酸（DHA）。它们全部是制造Ⅲ型前列腺素的原料。由于处于更加不饱和的状态，因此更容易在烹制和食品加工的过程中被破坏。这些脂肪在体内转化为活性更强的物质，因此变得更加不饱和，而通常它们的名字也变得更长（如油酸：1度不饱和；亚油酸：2度不饱和；亚麻酸：3度不饱和；二十碳五烯酸：5度不饱和）。

随着我们沿着食物链由低向高的层次进行研究，你就会发现这种复杂性的递增。例如小型鱼类的主要食物浮蝣生物中含有大量的 α – 亚麻酸。这些小型鱼类将其中的一部分 α – 亚麻酸转化为更加复杂的脂肪。肉食性鱼类如鲭鱼或鲱鱼猎食这些小型鱼类并继续进行这种转化。海豹又会捕食这些肉食性鱼类，它们的体内聚积的 EPA 和 DHA 最多。在食物链的最顶端，爱斯基摩人捕猎海豹，食用海豹体内现成的 EPA 和 DHA 为原料，以制造Ⅲ型前列腺素。

　　这些前列腺素是大脑正常功能必不可少的，它会影响视觉、听力、协调能力以及情绪。和Ⅰ型前列腺素相似，它们可以降低血液粘稠度、控制血液胆固醇和脂肪水平、增强免疫系统功能和新陈代谢、减轻炎症并维持水分平衡。

家庭生活万事通

Ω – 3 系列脂肪缺乏症状

□你的皮肤干燥吗？
□你是否患有炎症？
□你的患有水肿？
□你的胳膊和腿部是否有刺痛感？
□你是否患有高血压或高血脂？
□你是否容易被感染？
□你是否很难将体重减轻？
□你的记忆力和学习能力下降了吗？
□你是否缺乏协调性或视力不佳？
□如果你还是儿童，你的身体是否和你的年龄不相称或生长缓慢？

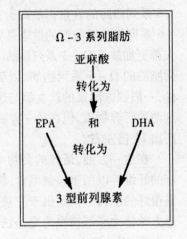

　　你的得分如何？ 如果你有 5 个或者更多的问题的答案是肯定的，那么你可能确实缺乏 Ω – 3 系列脂肪。检查一下你的饮食，看看是否包括了以下列出的食物。

　　Ω – 3 系列脂肪的最佳植物油来源是亚麻（也称为亚麻子）、大麻和南瓜子制成的油类。就如同月见草油越过了亚油酸的第一个"转化"阶段一样，如果你食用肉食性鱼类，如鲭鱼、鲱鱼、金枪鱼、大马哈鱼或者它们的鱼油，你就可以越过仅一亚麻酸的前两个转化阶段，而直接获得 EPA（二十碳五烯酸）以及 DHA（二十二碳六烯酸）。因此经常食用鱼类的日本人体内的 Ω –

3 系列脂肪含量比美国人高 3 倍。严格素食者食用的植物种子和坚果比普通人稍多,他们体内的 $\Omega-3$ 系列脂肪的含量是美国人的 2 倍。

必要的均衡

玻璃苣油或月见草油是 $\Omega-6$ 系列脂肪的最佳食物来源,而鱼油是 $\Omega-3$ 系列脂肪的最佳食物来源,尽管如此,它们都不能够全面地同时提供这两种营养物质,而必需脂肪最理想的食物来源必须同时富含这两种脂肪。关于这二者之间最理想的比例关系,大家各执己见。我们的祖先曾经依靠狩猎采集为生,一些研究人员对他们的摄入量进行了估算,并认为我们对这两种脂肪的需要量是相同的。但是即使是大量食用鱼类的人,他们血液中 $\Omega-6$ 系列脂肪的含量仍然高于 $\Omega-3$ 系列脂肪,大约是后者的 5 倍,这说明 $\Omega-6$ 系列脂肪对我们的健康是更加重要的。如果不是这样,那只能说明所有人都更加缺乏 $\Omega-3$ 系列脂肪。一些研究人员建议我们摄入两倍于 $\Omega-3$ 系列脂肪的 $\Omega-6$ 系列脂肪,以满足身体对它们各自不同的需要量。不管怎样,一般西方国家的饮食都与这两个比例相去甚远,西方的饮食中同时缺乏这两种营养物质,但在另一方面,$\Omega-6$ 系列脂肪的含量比 $\Omega-3$ 系列脂肪要高出 10 倍左右。

在这一方面,最佳的食物来源是从大麻植株中提炼出的大麻子油。大麻的纤维可以用于编制绳索,其种子可用于大麻黄油的生产,而它的叶子也是很好的肥料。但是由于它被大量作为毒品进行交易,因此在世界上很多地方种植大麻都被视为是违法的。尽管如此,大麻的种子和纤维并不会使人上瘾,因此可以在市场上合法地进行销售。作为营养物质和衣物纤维,大麻确有卷土重来之势。大麻子油中含有 19% 的 α - 亚麻酸($\Omega-3$ 系列脂肪),57% 的亚油酸和 2% 的 GLA(后两种都是 $\Omega-6$ 系列脂肪)。这是目前惟一的一种常见的可以满足身体对所有必需脂肪酸需要的植物油。

要满足身体对 $\Omega-3$ 和 $\Omega-6$ 系列脂肪的需要,另外一种方法是将不同种类的植物种子进行搭配食用。向日葵子和芝麻子是 $\Omega-3$ 很好的食物来源,南瓜子中同时含有这两种脂肪,且含量可观。而亚麻子中 $\Omega-3$ 系列脂肪的含量最高,达到 50%,另外它还含有 10% 的 $\Omega-6$ 系列脂肪。将 1 份芝麻子、向日葵子和南瓜子以及 2 份的亚麻子放入一个密封的罐子,保存在冰箱中,避免阳光、加热和空气。每天取出 2 汤匙放入咖啡研磨机,磨成粉末后加入早餐的麦片中,这样就可以保证每日必需脂肪酸的摄入量了。或者也

家庭生活万事通

可以每天只取 1 汤匙,其余的通过食用冷榨植物油的沙拉调味汁来补充,当然也可以再多吃一些坚果或植物种子来补充。(热榨的过程会破坏必需脂肪,而冷榨油则可以避免这一点。)

在所有这些植物种子中,亚麻子含有的不饱和脂肪最多,因此也最容易被破坏。所以在购买的时候,一定要选择避热、避光、密封保存的新鲜种子,这一点是非常重要的。一些公司专门出售经过特殊处理的植物油,它不会氧化,因此也就保持了其中必需脂肪的成分。我建议你只选购利用有机植物种子制成的冷榨油,并要选用避光的容器保存,最好充入氮气以防止氧气进入发生氧化。这样保证每日必需脂肪酸的均衡摄入就非常简单了:每天食用 1 汤匙的亚麻子油或 1 粒高效的 EPA/DHA 胶囊,再加上 2 汤匙磨碎的植物种子粉(如芝麻子、向日葵子或南瓜子)或 1 粒高效的月见草玻璃苣油胶囊。

橄榄油的功用

橄榄油中必需的 $\Omega-3$ 和 $\Omega-6$ 系列脂肪的含量并不很高,但其中大部分都是冷榨的,且未经过精制加工。因此它比精制的植物油,如你在超市中可以买到的葵花子油更有利于你的健康。此外,尽管从肉类和乳制品中摄入大量饱和脂肪可能会导致心血管疾病,但橄榄油却是例外。地中海国家居民的饮食中含有大量的橄榄油,但是他们患心血管疾病的几率却相对较低。当然,他们饮食中许多积极的因素都可能有一定的作用,如他们食用大量的蔬菜和水果而且鱼类的食用量也比肉类多。冷榨橄榄油中植物化学成分的含量非常小,食用它也就意味着产生的逆脂肪数量会更少。

逆脂肪的危险

植物油精制和加工的过程会改变多不饱和脂肪的性质。制造人造奶油的过程就是一个例子。油脂经过一个称为氢化作用的过程后,植物油被转化为固体脂肪。尽管从技术角度讲,这些脂肪还是多不饱和的,但是人体却无法利用它们。更糟糕的是,它还会降低身体利用有益的多不饱和脂肪的能力。这种脂肪被称为逆脂肪,因为它的性质已经被改变——它就像是一把钥匙,表面上可以插进代表身体化学物质的锁中,但是却打不开。大多数人造奶油中都含有这种"氢化多不饱和油脂",因此最好避免食用。含有氢化脂肪的人造食品也是如此,因此在食用食品前,要仔细地检查配料表。

如同前面所讲过的,煎炸是另外一种破坏健康脂肪的方法。高温使得烹调油被氧化,因此它不但对身体无益,还会在体内产生有害的"自由基"(第13章中有详细介绍)。因此要尽可能地避免对食品进行煎炸,并避免食用烤糊或烘焦的油脂。如果你确实需要煎炸食品,只用少量的橄榄油或黄油,它们比质量最好的冷榨植物油更不易于被氧化。冷榨植物油应该密封置于冰箱中保存,要冷藏、避光、密封,且只能直接用于色拉调味汁,它还可以代替黄油涂在焙烤的马铃薯或豌豆上。

从饮食中摄入适量脂肪的一般原则是:
- 每天食用1汤匙的冷榨植物油(芝麻子、向日葵子、南瓜子、亚麻子等制成的油类)或1满汤匙磨碎的植物种子粉。
- 避免食用煎炸食物、烤糊或烘焦的肉类、饱和脂肪以及氢化脂肪。
- 如果确实需要煎炸食物,请选用橄榄油或黄油。

☞ 8. 糖分——甜蜜的真相

人体的结构决定它需要以碳水化合物为能量来源。虽然我们可以使用蛋白质和脂肪来获得能量,但是最简单的无烟能源却是碳水化合物。植物通过将阳光转化为碳、氢和氧的合成物,制造出碳水化合物。植物根部的水分提供了氢元素和氧元素(H_2O),而空气中的二氧化碳(CO_2)则提供了碳元素和更多的氧元素。植物的主要成分就是碳水化合物。利用空气中的氧气,我们将食入的碳水化合物分解,并释放出其中储存的太阳能,这些能量进而可以提供给身体和大脑,进行各种活动。

当我们摄入合成碳水化合物,如粗粮、蔬菜、蚕豆和小扁豆,或者简单一些的碳水化合物,如水果,身体就会按照程序按部就班地工作,消化这些食物并逐步释放出其中的能量。而且,那些天然食物中含有了人体消化和新陈代谢必需的全部营养物质。这些食物中还含有一种不大易于消化的碳水化合物,即纤维,它们有助于消化系统的顺利工作。

猫喜欢蛋白质的味道,而人类主要喜欢碳水化合物的味道——甜味。这种对甜味与生俱来的喜好对于早期的人类不会造成什么问题,因为自然界中大多数甜的食物都是无毒的。这对于植物也不会造成任何问题。它们将种子藏在果实中,等待动物经过,吃掉果实并将种子遗落到远离原植物的地方,并且还有"有机肥料"包裹!

但是我们却发现了如何提取食物中的甜味并抛弃其余的部分——这对我们的营养来说可是个坏消息。各种形式浓缩的糖分——白糖、红糖、麦芽、葡萄糖、蜂蜜以及果汁——都是快速释放能量的糖分,并会引起血糖水平的迅速上升。如果身体不需要这些能量,它们就被储存起来,最终形成脂肪。与自然形式的糖分来源(如苹果)不同,大多数浓缩形式的糖分还缺乏维生素和矿物质,白糖中90%的维生素和矿物质已经被去除。缺少了维生素和矿物质,我们新陈代谢的效率就会降低,导致精力缺乏且无法更好地控制体重。

水果中含有一种被称为果糖的简单糖分,像葡萄糖和蔗糖一样,它不需要被消化就可以很快地进入血液。但不同是,果糖是一种缓慢释放能量的糖分。这是由于果糖如果不经过分解转化成为葡萄糖,就无法被身体利用,因为细胞只能分解葡萄糖释放能量。于是果糖首先要被身体转化为葡萄糖,这样就减缓了它对新陈代谢的影响。一些水果如葡萄和椰枣还含有纯

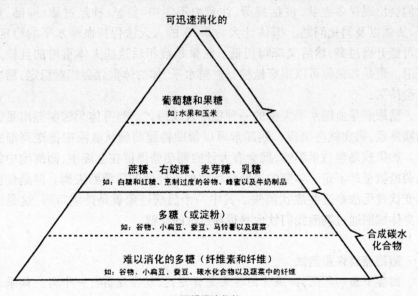

可迅速消化的

葡萄糖和果糖
如:水果和玉米

蔗糖、右旋糖、麦芽糖、乳糖
如:白糖和红糖、烹制过度的谷物、蜂蜜以及牛奶制品

多糖(或淀粉)
如:谷物、小扁豆、蚕豆、马铃薯以及蔬菜

合成碳水化合物

难以消化的多糖(纤维素和纤维)
如:谷物、小扁豆、蚕豆、碳水化合物以及蔬菜中的纤维

可缓慢消化的

糖类家族

49

葡萄糖,因此释放能量的速度要稍快一些。另一方面,苹果主要含果糖,所以能量的释放速度就慢。香蕉中同时含有果糖和葡萄糖,所以会比较快速地提高血糖的水平。

精制的碳水化合物如精白面包、精白稻米和精制谷物的作用与精制的糖分类似。精制的过程,甚至是烹制都会将合成碳水化合物分解成为简单碳水化合物,即事实上预先进行了消化的过程。当你食用简单的碳水化合物,你的血糖水平就会迅速升高,并相应出现精力高峰。但是这种高峰很快就会被低落所代替,因为身体正匆忙地平衡你的血糖水平。

平衡你的血糖

在维持精力和体重方面,保持血糖平衡可能是最重要的一个因素了。血液中葡萄糖水平在很大程度上决定了你的食欲。当血糖水平下降,你就会感觉饥饿。细胞可以分解血液中的葡萄糖释放能量。当血糖水平过高的时候,身体将多余的葡萄糖转化为肝糖元(可以短期储存的能源物质,主要在肝脏和肌肉细胞中)或者长期的能量储备——脂肪。当血糖水平过低时,我们会出现很多症状,包括疲劳、注意力不集中、易怒、神经过敏、抑郁、发汗、头痛以及消化问题。据估计大约 3/10 的人无法保持血糖水平的稳定。它可能升得过高,然后又降得很低。结果是数年后这些人体重增加且精力衰退。但是如果你可以很好地控制血糖水平,你的体重就会相对稳定,精力也会持久。

糖尿病是血糖水平失衡的一种极端表现形式。当身体无法制造出足够的胰岛素,病症就会出现。胰岛素可以帮助将葡萄糖从血液中传送到细胞中。如果胰岛素数量不够,就会有大量的葡萄糖停留在血液中,而细胞中的葡萄糖数量却不足。早期的报警症状类似于轻微的葡萄糖失衡。但是仅仅改变饮食无法令这些症状消失。其中一个患病迹象就是持续口渴,这是因为身体试图通过刺激我们饮水来稀释过浓的血糖。

葡萄糖容许量测试

回答下面的问题,如果你的答案是肯定的,就在题前打一个勾。如果你打的勾有 4 个或更多,那么你的身体很有可能已经难以保持血糖水平的平衡了。

□你是否在起床后 20 分钟内还无法完全醒来?

□早晨是否需要一杯茶或咖啡,一支烟或一些甜的东西提神?

□你在一天中或饭后,是否经常感觉昏昏欲睡?

□你是否傍晚很早就会入睡或者需要午睡?

□你是否因为没有精力所以不进行锻炼?

□你如果 6 个小时不进食,是否会感觉头晕目眩或容易发怒?

□你现在的精力水平比从前下降了吗?

□你是否有盗汗现象或经常头痛?

那么是什么造成你的血糖水平不稳定呢? 答案显而易见,就是食用了过多的糖分和甜的食物。但是,你可能并不清楚哪一种食物对血糖水平的影响最大(见 65 页表)。影响最大的是葡萄糖,这是结构最简单的糖分。麦芽糖、Lucozade 运动型饮料以及 Mars 巧克力中都含有葡萄糖,大多数出售的蜂蜜中也含有葡萄糖(私营养蜂人出售的未经过加热和加工的蜂蜜释放能量的速度比较缓慢)。水果中的果糖对血糖浓度的影响微乎其微。

在水果中,香蕉和水果干对血糖浓度的影响最大,而苹果最小。水果干中的水分已经全部被去除掉,因此人们容易吃得更多,于是摄入更多的糖分。另外,水果干中的纤维不能有效造成饱腹的感觉。一把葡萄干事实上就相当于一磅葡萄。粗粮未进行精制之前不会对血糖有什么影响。商店出售的面包,包括黑面包和精面面包,以及精白稻米和面食对血糖的影响都大于它们未进行加工的原料。最理想的面包是斯堪的纳维亚或德国的全黑麦谷物面包,如黑麦粉粗面包。燕麦饼对血糖浓度的影响也很小。玉米片最不适合清晨食用,而燕麦粥则是早餐的最佳选择。

豆类是所有食品中的最佳选择——包括豌豆、蚕豆和小扁豆。它们对血糖都没有太大的影响。含有乳糖的牛奶制品同样也不错。

烹制或高度加工过的蔬菜可能对血糖浓度造成很大影响。速食马铃薯泥对血糖的影响不亚于 Mars 巧克力。胡萝卜和欧洲防风根是最甜的蔬菜——但是如果生食或者轻微烹制,它们对血糖水平的影响并不是很大。

酒精是糖类的化学近亲,它们同样会打破血糖的平衡。类似的刺激物还有茶、咖啡、可乐饮料以及香烟。这些物质和压力一样会刺激肾上腺素以及其他激素的分泌,并导致"战斗或逃跑"反应的出现,身体做好一切作战准备,释放储备的糖分,血糖浓度升高,为大脑和肌肉提供能量。与我们的祖先不同,他们的压力(如避免被一只牙齿锋利的老虎当做晚餐吃掉)仅仅需要身体做出一定的反应,如爬上一棵大树,生活在 20 世纪的我们面临的压力主要来自于精神和感情方面。为了降低过高的血糖浓度,身体必须制造更多的激素以将多余的葡萄糖带出血液循环。过量的糖分、刺激物和持续的压力使得身体负担加重,无法控制血糖水平,如果程度严重,就会发展成为糖尿病。

　　避免这种恶性循环惟一的方法就是减少或避免食用各种浓缩的糖类、茶、咖啡、酒类以及香烟,并选择有助于控制血糖水平,使其保持平衡的食物。所有的食物中效果最好的是蚕豆、豌豆和小扁豆、燕麦以及粗粮。它们中都含有大量的合成碳水化合物以及帮助缓慢释放糖分的特殊成分。同时这些食物中纤维的含量都很高,它不仅有助于消化过程的进行,还可以帮助实现血糖水平的平衡。

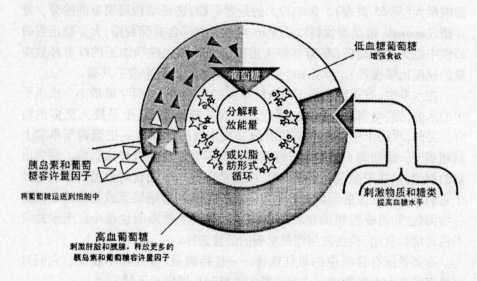

糖类循环

打破不良习惯

　　对浓缩糖分的喜好通常都是在儿童时期形成的。如果用糖果作为奖励或给孩子鼓劲,它们逐渐就成了感情上的安慰品。要打破这个习惯,最好的方法就是避免食用浓缩的糖类,如食糖、糖果、甜点、水果干以及纯果汁。你应该做的是将果汁稀释,并要逐渐习惯于吃水果而不是甜点。如果想使早餐尝起来甜一些,就加一些水果。当你想吃小甜点的时候,也可以用一些水果来替代。如果你逐渐减少食物中的糖分,慢慢地你就会习惯于这种不太甜的味道。要记住,我们的生理结构决定了我们需要的食物是从树上摘下来的或是从土里挖出来的。留意一下你平时逛超市时推车里的食物,有哪一样是长在树上的?

糖类替代物

除了食糖之外,蜂蜜和糖枫汁也只比它稍好一些。这两种糖类中矿物质的含量都高于精制糖;但是大多数出售的蜂蜜在生产过程中都要经过加热,这样就可以使它的流动性更强,易于清理并装于罐中。在加热的过程中,蜂蜜中的天然糖分,d-果糖被转化为更接近葡萄糖的一种快速释放能量的糖分。如果你喜欢吃蜂蜜,还是到当地小生产商那里购买未经过加工的蜂蜜。

纤维

并非所有的碳水化合物都可以被消化并转化为葡萄糖。难以消化的碳水化合物被称为纤维。它是健康饮食不可或缺的一个组成部分,水果、蔬菜、小扁豆、蚕豆以及粗粮中的含量较高。食用高纤维的食物可以降低患肠癌、糖尿病和憩室疾病的可能性。而且也不易出现便秘现象。

通常人们认为纤维就是"粗草料",但是事实并非如此,纤维可以吸收水分。因此它可以使食物残渣膨胀变松,更容易通过消化道。由于食物残渣在体内停留的时间缩短了,因此感染的风险被降低;而且,当一些食物特别是肉类变质时,会产生致癌物质并引起细胞变异,食物残渣在体内停留时间的减短同样可以降低出现这种情况的可能性。经常食肉者的饮食中纤维的含量很低,这会将食物在肠道中停留的时间增加到24~72小时,在这段时间内,有一些食物可能出现变质。因此如果你喜欢吃肉,那么你必须确保饮食中同时含有大量纤维。

纤维有很多种类,其中一些是蛋白质而不是碳水化合物。有些种类的纤维,如燕麦中含有的那一类被称为"可溶性纤维",它们与糖类分子结合在一起可以减缓碳水化合物的吸收速度。这样它们就可以帮助保持血糖浓度的稳定。有一些纤维的吸水性比其他种类的纤维要强很多。小麦纤维在水中可以膨胀到原来体积的10倍,而日本魔芋中的葡甘露聚糖纤维在水中可以膨胀到原来体积的 100 倍。由于纤维可以使食物膨胀,减缓糖类中能量的释放速度,因此高吸水性纤维可以帮助控制食欲,有助于保持适当的体重。

纤维理想的摄入量是每天不少于 35 克。如果食物选择得恰当,很容易就可以达到这个标准而不需要进行额外的补充。萨里大学的营养学家约翰·迪克森(John Dickerson)曾强调指出,在营养本不丰富的饮食中加入麦麸会对健康造成危害。其原因是麦麸中含有大量的肌醇六磷酸,这是一种抗营养物质,它会降低身体对包括锌在内的各种矿物质的吸收。总之,最好还是从大量不同的食物来源中获得纤维,这些食物来源包括燕麦。小扁豆、蚕豆、植物种子、水果以及生食或轻微烹制的蔬菜。蔬菜中大部分的纤维在烹制过程中都被破坏了,因此蔬菜最好还是生食。

保证你摄取足够身体所需碳水化合物的提示:

■ 食用天然食物——粗粮、小扁豆、蚕豆、坚果、植物种子以及新鲜水果和蔬菜——并避免食用精制的、精白的或烹制过度的食物。

■ 每天食用 5 份深绿色、多叶根茎类蔬菜,如豆瓣菜、胡萝卜、甘薯、椰菜、球芽甘蓝、菠菜、青豆以及辣椒,可以生食也可以进行轻微的烹制。

■ 每天食用至少 3 份的新鲜水果如苹果、梨、香蕉、浆果、瓜类或柑橘类水果。

■ 每天食用至少 4 份的粗粮如稻米、小米、黑麦、燕麦、全麦、玉米、奎奴亚藜麦片、面包、面食或豆类。

■ 避免食用任何形式的糖分、添加的糖分、已经精白或精制的食物。

■ 果汁要稀释后再饮用,不要经常大量食用水果干,如果食用最好先用水浸泡一下。

☞ 9. 维生素丑闻

自 20 世纪 80 年代以来,在英国进行的每一次有关饮食习惯的调查都表明,即使是那些自认为饮食平衡的人们,他们还是达不到美国、欧盟或世界卫生组织制定的推荐日摄食量的标准。但是,这些营养物质的推荐日摄食量都是由政府制定的,以预防营养缺乏造成的疾病如坏血病;它们并不能够确保最佳的健康状态,而且不生疾病和身体健康有很大区别。例如,普通人平均每年感冒 3.5 次。而在一项对 1038 名医生以及他们的妻子进行的研究表明,这些人每天都服用410毫克的维生素C,因而很少出现疾病的迹象,感冒的发病率也是最低的。但是他们摄入的维生素C的数量大约是维生素C推荐日摄食量的10倍。

各国的科学家们根据已知的预防常见营养缺乏症的知识,通过讨论制定出各种营养物质的推荐日摄食量。问题是这些科学家们经常无法达成统一的意见。各国之间,经常会出现营养物质推荐日摄食量相差10倍的情况。医学研究员史蒂芬·戴维斯(Stephen Davies)医生对数千人血液中B族维生素的含量进行了测试,并发现有7/10的人缺乏这些维生素。推荐日摄食量没有考虑到每个人的不同情况,也没有考虑到最佳的问题。例如,在下列情况下,你对营养物质的需要很可能加倍,如果你吸烟、饮酒、居住在空气污染的城市、在经前期或绝经期需要服药、需要大量进行锻炼、患有感染病症或压力过大。

而且,很难使饮食符合推荐日摄食量的标准。大多数人认为的营养均衡的饮食事实上并不符合推荐日摄食量的要求。1985年出版的Bateman报告指出,在那些认为自己的饮食已达到营养均衡标准的人中,有85%无法达到推荐日摄食量的要求。而在另一方面,只有25%有收入来源的女性在8种营养物质的摄入量方面,稍稍超过了已知的可能导致严重营养缺乏症的限度(食品委员会,1992年)。事实上,只有不足1/10的人的饮食符合推荐日摄食量的标准。

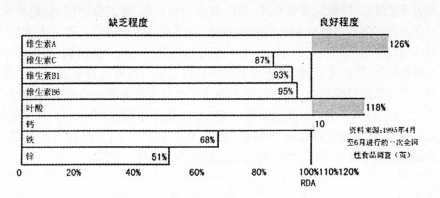

平均摄食量占欧盟推荐日摄食量的百分比

空白热量

一般情况下,我们摄入的热量中有 2/3 来自脂肪、糖分和精制面粉。这些食物中的热量被称为"空白"热量,因为它们无法提供任何营养物质,加工食品和小食品中通常含有很多这种热量,它们很轻但是却能够迅速满足我们的食欲。例如,两块甜饼干的热量甚至超过了 1 磅(0.45 千克)胡萝卜的热量并且吃起来更容易——但是它们无法提供任何维生素和矿物质。在你的饮食中,如果有 1/4 的重量或者 2/3 的热量是由这些零杂食物构成的,那么身体就很难再摄入足够的必需营养物质。例如,小麦在被加工成精白面粉的过程中,有 25 种营养物质被去除,只有 4 种(铁、维生素 B1、维生素 B2 以及维生素 B3)被保留下来。平均有 87% 的重要矿物质锌、铬和锰都流失了。我们是否并没有获得应该获取的营养物质? 这给我们提出了三个问题。我们的"需要"到底是什么? 推荐日摄食量是否足够满足我们的需要? 我们如何实现必需的摄入量?

为什么感觉"还好"其实并不够好?

证据显示,目前大多数人无法获得保持健康必需的营养物质,这是由于维生素和矿物质的摄入量不足造成的。自 20 世纪 80 年代以来,营养学家的科学研究显示,适当补充多种营养物质可以增强免疫力、提高智商、减少出生缺陷、改善儿童发育、降低感冒发病率、消除经前期综合症、增加骨密度、稳定情绪、增强精力并降低患癌症和心脏病的风险,总之它有益于健康长寿。大多数人都认为"感觉还好"就可以了——认为偶尔的感冒、头痛、口腔溃疡、肌肉痉挛、经前期综合症、情绪波动、注意力不集中和精力缺乏是可以接受的。1982 年,最佳营养学研究院为 76 名志愿者实行了 6 个月的营养补充疗程。疗程结束后,报告显示 79% 的人认为精力在一定程度上得到了增强,60% 的人认为记忆力得到改善,大脑更加敏捷,66% 的人感到情绪更加稳定,另外还有 57% 的人感冒的发病率降低,以及 55% 的人认为皮肤状况得到了改善。

什么是最佳?

推荐日摄食量不足以实现最佳健康状态。我们现在可以进一步地定义最佳营养学,这要感谢伊曼纽尔·切拉斯金(Emanuel Cheraskin)医生和他在阿拉巴马大学的同事们所做的工作。他们在 15 年的时间里,对居住在美国 6 个地区的 1.35 万人进行了研究。每个人都填写了详尽的健康调查问卷,并进行了身体、牙齿、眼睛和其他方面的检查,以及大量血液测试、心脏功能测试和详细的饮食分析。其目的在于发现与最佳健康状态相关的各种营养物质的摄入量。研究结果不断表明,那些最健康的人,也就是说那些临床患病迹象与症状最少的人,都服用了营养增补剂,而且饮食中富含大量营养物质而非热量。研究人员发现实现最佳健康状态需要摄入的各种营养物质的数量大概是推荐日摄食量的 10 倍或更多。在此基础上,他们设立了维生素的建议最佳营养物质摄入量,简称 SONA。在下面表格中列出的数量更接近于维持最佳健康状态所需要的摄入量。

建议最佳营养物质摄入量与推荐日摄食量的比较

	RDA	建议最佳摄入量	
	男性/女性	男性/女性 25 ~ 50 岁	男性/女性 51 岁以上
维生素 A(视黄醇)	700/600 微克 RE	2000 微克 RE	2000 微克 RE
维生素 C	40 毫克	400 毫克	800/1000 毫克
维生素 E	3/4 微克	400 毫克	800 毫克
维生素 B1(硫胺)	1/0.8 毫克	7.5/7.1 毫克	9.2/9.0 毫克
维生素 B2(核黄素)	1.3/1.1 毫克	2.5/2 毫克	2.5/2 微克
维生素 B3(烟酸)	17/13 毫克	30/25 毫克	30/25 毫克
维生素 B6(吡哆醇)	1.4/1.2 毫克	10 毫克	25/20 毫克
维生素 B12	1.5 微克	2 微克	3/2 微克
叶酸	200 微克	800 微克	1000 微克

(RDA 指 1991 年英国卫生部制定的《营养物质摄入量参考》)

结果是 SONA 的数量通常是 RDA 的 10 倍,这一点在许多大型的营养增补剂研究中得到确认。例如,在一项研究中,96 位健康老人被分为两组,一组按照 SONA 规定的摄入量补充营养物质,而另外一组则服用无效对照剂。进行营养物质补充的一组发生感染的几率更小,血液测试表明他们的免疫系统更加强健;事实上,他们在各个方面都更加健康。在 2.2 万名怀孕女性中,一些进行营养物质的补充,而另外一些则不进行任何补充,结果表明进行营养补充的一组出现婴儿出生缺陷的比例比另外一组要小 75%。在另外一项研究中,90 名学龄儿童被分为三组,分别补充营养物质、服用无效对照剂或什么都不服用。7 个月后,进行了营养物质补充的那一组儿童的智商成

绩比其余两组高 10%。一位医学教授检查了所有的研究,以确定维生素 C
抵抗普通感冒的作用,他选择了所有为研究对象补充了 1000 毫克或以上的
研究,并包括了一个对照组(这种做法被称作双盲测试)。在这些测试中,38
项中有 37 项都表明每日补充 1000 毫克的维生素 c 可以预防普通感冒,而这
个数值是推荐日摄食量的 20 倍。剑桥大学的摩里斯·布朗教授为 2000 名
患心脏病的病人分别服用维生素 E 或无效对照剂。服用维生素 E 的一组病
人的心脏病发病率降低了 75%。

　　服用超过推荐日摄食量的维生素可以增强对感染的抵抗力、提高学习
成绩、降低出生缺陷以及降低癌症和心脏病的发病率,关于这一方面的科学
研究有很多,以上只是上百个发表在权威医学杂志上的研究中的一部分。
尽管如此,一些"顽固坚持陈旧观点的人"继续声称增补剂只是浪费金钱。
《营养学评论》(*Nutrition Review*)杂志上曾刊登了一项对服用增补剂的人们
进行的反对营养补充的调查,其中写道,"那些体重正常、健康状况良好的成
人反而比健康状况差一些的人更经常地服用增补剂,这简直太具有讽刺意
味了。"一个不可思议的巧合!

维生素 A

　　这种维生素对生育非常重要,同时它还有助于维持身体内部和外部皮
肤的上皮组织,如肺部、胃肠道、子宫等处皮肤的上皮组织。β - 胡萝卜素是
维生素 A 最活跃的前体。大剂量服用维生素 A 可能会引起中毒,但是大剂
量服用 β - 胡萝卜素则不会出现这种问题。维生素 A 有助于预防癌症,还可
以用于癌症前期的治疗。例如,β - 胡萝卜素摄入量较低的人患肺癌的几率
比常人要高 30% ~220%。维生素 A 的最佳摄入量至少要达到推荐日摄食
量的 2 倍。如果更多可能会给带来更多的裨益。

维生素 B 合成物

　　这组维生素包括 8 种必需的营养物质。除非你摄取大量的精制碳水化
合物,否则维生素 B1(硫胺)的需要量一般不会超过推荐日摄食量的 11 倍。
一项针对 1009 名牙医和他们的妻子进行的调查表明,最健康的人每天平均
摄入 9 毫克的硫胺。

　　经常进行体育锻炼的人对维生素 B2(核黄素)的需要量会很大。至今

还没有证据表明需要建议人们摄入超过推荐日摄食量 2 倍的核黄素。

众所周知,维生素 B3(烟酸)可以去除无用的胆固醇,但是如果大剂量服用,可能会引起血管扩张和面色潮红的反应。一项研究显示,最健康的人每天摄入 115 毫克的维生素 B3,这个数量是推荐日摄食量的 9 倍。

维生素 B6(吡哆醇)是 B 族维生素中另外一种服用剂量超过推荐日摄食量 10 倍时,会对身体产生较大裨益的营养物质。它是蛋白质利用过程中必不可少的营养物质,对很多症状都有一定的功效,如经前综合症(PMS)、腕管综合症(一种影响手腕神经功能的扭伤)以及心血管疾病。

现在,叶酸被公认为对预防妊娠期的神经管缺陷有至关重要的作用。英国政府推荐孕期妇女每天补充 400 微克的叶酸,而最佳摄入量,特别是对年老者而言,可能会更高。但是,有一点必须注意:叶酸的补充摄入可能会掩盖维生素 B12 缺乏贫血症。因此,最好在额外补充叶酸的同时,补充维生素 B12。

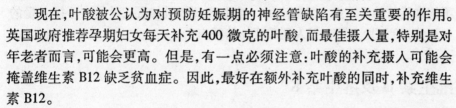

维生素 C

这种维生素对于强健免疫系统、促进胶原质和骨骼的生长以及能量的制造都很有必要,还可以作为抗氧化剂。对 1038 名医生和他们的妻子进行的调查表明,每天摄入 410 毫克维生素 C 的研究对象生病或患变性疾病的迹象最少。这样的摄入量相当于推荐日摄食量的 10 倍,它更接近我们的原始祖先的摄入量。大量的试验表明在大量摄入维生素 C 的人群中,患癌症的风险更低。维生素 C 状态和骨质密度从 35 岁起开始衰减。很多试验表明维生素 C 与骨质密度的改善,以及保持身体对铁元素的吸收密切相关,从而使我们有理由在年龄增大时增加维生素 C 的摄入量。

维生素 C 帮助人体抵抗各种癌症、心血管疾病以及普通的感冒伤风病的作用只有在每天的摄入量超过 400～1000 毫克以上时才会明显表现出来。在美国,由安斯特罗姆(Enstrom)医生以及鲍林(Pauling)医生主持分析的大型调查表明,在补充摄入维生素 E 和维生素 C 的研究对象中,其总体死亡率以及患癌症和心血管疾病的死亡率有显著下降。

由于 1000 毫克的维生素 C 相当于 22 个橙子,因此补充摄入维生素 C 是很重要的。维生素 C 的推荐日摄食量只有 60 毫克,即相当于每天一个橙子。

维生素 E

维生素 E 是最为重要的抗氧化剂之一,它有助于身体合理地利用氧气。许多研究都表明缺乏维生素 E 可能导致较高的癌症发病率。实验表明补充摄入这种维生素有助于增强老年人的免疫力并降低感染的发病率,还可以将患白内障的风险降低 50%。尽管其重要性已得到证实,但是英国并未对维生素 E 制定推荐日摄食量。而预计的推荐摄入量是根据含维生素 E 的多不饱和脂肪的推荐摄入量制定的。维生素 E 的最佳摄入量是推荐摄入量的一百倍,50 岁以上的老年人则需要加倍补充。

维生素 D 及维生素 K

这两种维生素平时并不缺乏。维生素 K 是由肠道的细菌产生的,而维生素 D 则可以通过阳光照射在皮肤中生成。牛奶、肉类以及蛋类里也含有维生素 D。只有不常晒太阳的肤色较深的素食者有可能缺乏这类维生素。

水果与蔬果质量的下降

令人痛心的事实是,今天的食物已不同于往日。蔬菜和水果质量与其生长的土壤质量息息相关。植株从土壤中吸收矿物质,这些矿物质进一步帮助植物的生长以及维生素的制造。问题是,现代农业大量使用人工肥料和杀虫剂,使得土壤中的养分流失且无法弥补。肥料和杀虫剂中的磷酸盐与土壤中的矿物质结合,从而使植物无法利用这些矿物质。由于过度耕种,土壤的养分不足。但是,增加使用化肥(氮盐、磷酸盐和钾盐)可以使植物继续生长,只是其中矿物质的含量不足。于是,植物中维生素含量不足,最后导致我们自己也缺乏维生素。

鉴于上述原因,再考虑到我们储藏食物的时间,蔬菜和水果中营养物质含量下降的幅度是惊人的。一个橙子中维生素 c 的含量可以从 180 毫克下降到零,而平均水平则为 60 毫克。某些超市中出售的橙子甚至根本就不含维生素 C!100 克麦胚(大约三杯)中所含的维生素 E 可能从 2.1 毫克到 14 毫克不等。一根大胡萝卜(100 克)可以提供 70 到 1.85 万个国际单位的维生素 A。尽管多食用蔬菜和水果对身体健康是有益的,但质量也同样重要。

因此,最好的做法是买当季新鲜的水果,并尽快食用。最不明智的做法就是购买从世界的另一端经过长途运输的水果,然后放上两个星期后才食用。

普通食物中营养物质含量的变化

营养成分	含量的变化范围(以100克食物为单位)
胡萝卜中的维生素A	70~1.85万国际单位
全麦面粉中的维生素B5	0.3~3.3毫克
橙子中的维生素C	0~116毫克
麦胚中的维生素E	3.2~21国际单位
菠菜中的铁质	0.1~158毫克
生菜中的锰元素	0.1~16.9毫克

精制食物也变质

食品加工比农业问题更严重,它是造成维生素流失的最主要原因。食物经过精制就可以保存更长的时间。面粉、大米和糖类在加工过程中会损失掉77%的锌、铬以及锰元素。加工后的食品中还不含其他一些身体必需的营养物质,因为它们以及其他营养物质(不包括维生素A、维生素C以及维生素E,它们是抗氧化剂,可以保存食品)会缩短食品的保质期。营养学家们常说"精制食物也变质"——因此最好的做法是及早食用。

精制食物会怎样?

根据你选择的食物、储存的方式以及烹制的方法不同,在食用食物之前,其中一半以上的营养物质可能已经被破坏了。食物经过的每个加工阶段,水煮、烘烤、油炸或冷冻都会消耗其中的营养物质。现在让我们来想一想红花菜豆。经过采摘、储藏、加热、冷冻以及超市存放等阶段,你将它买回家。回家的路上它被解冻,然后再冷冻、水煮,最后食用,到那时还有多少营养物质呢?

维生素和矿物质的三大天敌是热量、水分以及氧化。维生素C很容易被氧化,有害的氧化物会使食物发出恶臭。尽管这有助于保护食物,但对你就不一样了,等你食用的时候食物中可能已经没有任何维生素C了。食物储藏的时间越长,接触气体和光照的面积就越大,维生素C的损失也就越大。橙汁使用一种特殊的包装技术,以减少包装时与氧化物的接触,在22周后它会损失其中三分之一的维生素 C,而这段时间正是橙子从树上采摘到榨成汁饮用的可能时间。当你打开橙汁的盒盖时,氧化过程就迅速开始了,特别是如果你没有将橙汁放回冰箱,那么氧化的速度就更快了,因为冰箱也可以避免阳光的照射。对袋装野玫瑰果茶进行的调查表明,尽管用沸水泡茶可能破坏其中所有的维生素 C,但是在此之前,其中的维生素 C 的含量也少得可怜,甚至根本就没有。

维生素 C 不是惟一一种容易被氧化的维生素:抗氧化剂维生素 A 和维生素 E 也很容易被破坏。作为脂溶性维生素,这些维生素在含脂肪多的食物中更容易得到保护。β－胡萝卜素是维生素 A 的蔬菜形式,它是一种水溶性的维生素,非常容易被氧化。尽管阴冷的地方有助于保存食物,但即使在冰箱中氧化过程也能进行。保存在未封闭容器中的菠菜每天会损失掉 10%的维生素 C。

总体而言,冷冻食物能够更好地保存其中的营养物质。但冷冻的食物,先在超市中储藏两个星期,再在你家的冰箱里保存一个星期后,也将失去全部的维生素。而无论是冷冻的豌豆还是新鲜的豌豆,在煮过后都会失去其中大部分的营养物质。

任何形式的加热都会破坏食物中的营养物质。破坏程度视加热的时间以及煮锅是否能够平均散热而定,但最主要还是取决于温度。平均而言,多叶蔬菜在加热过程中会损失其中 20~70% 的营养物质。

油炸的温度会超过 200 摄氏度,从而使脂肪发生氧化,将必需脂肪酸转变为毫无用处的逆脂肪。用这种油饲养的动物会患动脉硬化症。精制油在超市货架摆上几个星期,日光的照射其实已经破坏了其中的成分。这些油不应用于食物的煎炸,因为它们会增加对食物中抗氧化剂,如维生素 A、维生素 C 以及维生素 E 的破坏,进而会破坏体内的抗氧化剂。如果你还想使用这种煎炸的烹制方法,请参阅本书第 65 页上煎炸食物的最佳方法。

矿物质和水溶性维生素会溶于烹制的汤中。用的水越多,煮的时间越长,溶解的可能性就越大。如果温度超过 50 摄氏度,细胞结构就开始分解,从而使其中的营养物质溶出。高温还会破坏部分维生素,尽管矿物质不会被破坏。如果你将食物蒸煮一段时间,食物内部的温度会大大低于食物表面的温度。因此,整个或大块大块烹制食物可以起到保护的作用。煮制的过程一般会破坏食物中 20~50% 的营养物质。因此将溶解了大量矿物质的水作为汤或调味的汁料倒是一个很好的方法。

在微波炉中对水基食物如蔬菜进行加热,可以通过振动水的粒子产生热量,而维生素和矿物质的损失则很少。但是,微波产生的热量会迅速破坏必需脂肪,因此千万不要将含油脂、坚果或植物种子的菜放在微波炉中加热。

以下是保存食物中维生素的指导方法:

■ 尽量食用新鲜未加工的食物。

■ 将新鲜的食物冷冻、封闭保存在冰箱中。

■ 要生食食物。试试将甜菜根和胡萝卜叶拌在色拉中。

■ 尽可能准备冷的食物(胡萝卜汤),加热食用。

■ 在加工的过程中尽量保持食物的完整,在食用之前再切片或混合。

■ 在蒸煮食物时,尽量少加水,并将水作为汤料。

■ 尽量少煎炸食物,不要过度烹制、烧糊或烘焦。

■ 补充摄入维生素以达到最佳的摄入量。

☞ 10. 抗氧化剂——预防的力量

自 20 世纪 80 年代以来,越来越多的实验证实,许多最常见疾病与人体缺乏抗氧化的营养物质有关,而补充抗氧化营养物质则有助于对这些疾病的治疗。抗氧化剂的作用是如此重要,以至于医学界已经开始考虑下列疾病是否都与缺乏抗氧化剂有关,就像坏血病是缺乏维生素 C 的表现一样。在未来,我们不仅需要测试血糖、胆固醇以及血压,可能还要测试血液中抗氧化剂的水平。体内抗氧化的营养物质的含量能够预测生理年龄和预期寿命,从而成为人体最重要的生命力数值。

衰老过程常见的标志及其相关的疾病被称为"氧化损坏"。这就使人们关注抗氧化剂的使用——通过预防和治疗疾病使人体免受这种损坏的营养物质。迄今为止,已有数百种抗氧化剂被发现,更有数百份甚至上千份调查报告罗列了这些抗氧化剂的好处。主要的抗氧化剂有维生素 A、维生素 C 以及维生素 E,再加上在蔬菜和水果中发现的维生素 A 的前体,即 β - 胡萝卜素。你的饮食中是否包含这些抗氧化剂,以及血液中这些抗氧化剂的含量可能是你延迟死亡以及预防疾病能力的最好标志。

家庭生活万事通

什么是抗氧化剂?

氧气是所有动植物生命的基础。它是我们最重要的营养物质,每时每刻每个细胞都需要氧气。没有氧气,我们就无法从食物中释放出能量,并驱动身体的所有反应。但氧气的化学特性很活泼,也很危险:在正常的生物化学反应中,氧气会变得很不稳定,并能够"氧化"邻近的分子。这可能会引起细胞损伤,从而导致癌症、发炎、动脉损伤以及衰老。这种被称为自由氧化基的物质就相当于人体的核废料,必须予以排除,以解除危险。自由基能在所有氧化过程中产生,其中包括吸烟、汽油燃烧产生废气的过程、辐射、煎炸和烧烤食物以及正常的生理作用过程。能够使自由基失效的化学物质被称为"抗氧化剂",其中一些是人体必需的营养物质,如维生素 A 和 β – 胡萝卜素、维生素 C 以及维生素 E。其他一些物质,如生物类黄酮、花色素以及最近在普通食物中发现的数百种其他保护性物质则都不属于抗氧化剂。

人体抗氧化剂的摄入量与接触自由基之间的平衡正如生与死的平衡。我们可以简简单单地改变饮食和对抗氧化剂的补充,从而使这个平衡向有利于我们生命的方向变动。

健康与疾病中的抗氧化剂

延缓衰老的过程已不再是一个不可捉摸的秘密。给动物喂食低卡路里、高营养成分的食物能够使试验取得最佳效果,也就是说,只给它们所需要的营养物质。这样可以减少"氧化应激",并确保获得最大的抗氧化保护。以这种方式喂养的动物不仅生命时间会延长 40%,而且会表现得更加活跃。尽管长期性试验尚未完成,我们仍有理由相信同样的道理对人类也适用。而且大规模的调查也表明,血液或饮食中抗氧化剂含量高的人死亡概率会显著降低。

而另一方面,维生素 A 和维生素 E 含量偏低则与老年性痴呆症有关。患老年性痴呆症的病人血液中维生素 E 以及 β – 胡萝卜素的含量是其他未患此病的老年人的一半。血液中维生素 C 含量低的老人患白内障的可能性比血液中维生素 C 含量高的老人要高 11 倍。同样,维生素 E 含量低的老人患白内障的可能性也要大一倍,而每天摄入 400 单位维生素 E 的人只有一半的可能性会患白内障。

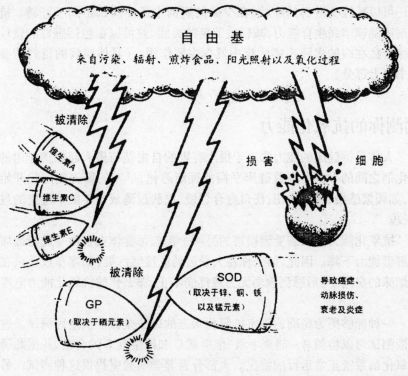

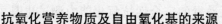

抗氧化营养物质及自由氧化基的来源

肺癌病人体内的维生素 A 含量普遍较低。事实上,维生素 A 含量偏低会使患肺癌的可能性增加一倍。同样,从水果和蔬菜中大量摄入 β-胡萝卜素会减少非吸烟人士患肺癌的可能性。在一项试验中,每天补充 30 毫克 β-胡萝卜素使 71% 患口腔前期癌症(粘膜白斑病)病人的病情得到改善,而在每天补充 20 万国际单位维生素 A 的病人中,有 57% 的病人病情得到完全好转。

有效补充维生素 E 以及维生素 C 甚至可以使患心脏病的可能性下降一半。一项对护士进行的大规模研究表明,每天摄入 15～20 毫克 B-胡萝卜素的护士患中风和心脏病的几率比每天仅服用 6 毫克 β-胡萝卜素的护士分别低 40% 和 22%。饮食中较高的 β-胡萝卜素含量会使心血管疾病发病的几率减少一半。补充摄入 1000 毫克维生素 C 还可以降低血压。

抗氧化剂还能加强人体免疫系统的功能,增加抵抗感染的能力。对于儿童而言,经常补充维生素 A 可以显著降低呼吸道感染的可能性。抗氧化剂还可以减轻艾滋病的症状,在少数的病例中还使病状得到了好转。抗氧化剂还能够增强生育能力,减轻关节炎的炎症,并可以在包括感冒和慢性疲乏综合症在内的多种疾病治疗中发挥主要作用。(具体疾病的资料请参阅本书第七部分)

测测你的抗氧化能力

人体保持健康的能力取决于摄入有害的自由基与摄入起保护作用的抗氧化剂之间的平衡。随着健康平衡的逐渐恶化,早期的警告性症状开始显现,如频繁感染、容易淤伤、伤口愈合缓慢、皮肤过薄或与年龄不适应的过多皱纹。

抗氧化能力的状态受到损害的另一个标志是身体在自由基进行破坏后的解毒能力下降。因此,如果你在大量运动或接触污染(如塞车或是呆在满是烟味的房间中)后感到软弱无力或疼痛不止,那么你的抗氧化能力急需加强。

一种能够更为精确地确定抗氧化状态的做法是做一次生理测试。这项血液测试可以检测 β－胡萝卜素、维生素 C 和维生素 E 的含量,并据此确定抗氧化酶系统正常运行的情况。大部分营养学实验室提供这种测试。另一种更全面但价格更昂贵的完全性抗氧化能力测试也是可行的。但是,这项测试虽然能够表明是否存在抗氧化方面的问题,但却无法指出缺乏何种营养物质。由于公众无法直接了解这些测试,敬请咨询医生和营养师。

抗氧化剂——最好的食物

每年,人类都会在自然中找到更多的抗氧化剂,包括浆果、葡萄、番茄、芥末和花椰菜中的物质,以及如姜黄和银杏等药草中的物质。这些物质,如生物类黄酮、番茄红素和花色素,并非是必需的营养物质,但是对人体却很有好处。这些物质被归类为植物化学类物质,在第 14 章中有详细解释。

最主要的必需抗氧化维生素包括维生素 A、维生素 C 和维生素 E,以及 β－胡萝卜素(维生素 A 的前体)。β－胡萝卜素存在于红色/橙色/黄色的蔬菜和水果之中子。维生素 C 还大量存在于生食的蔬菜以及水果中,但是加热过程会迅速破坏这种维生素。维生素 E 存在于"种子类"食物中,包括坚果、种子和植物油以及豌豆、蚕豆、玉米和粗谷之类的蔬菜——所有上述食物都被归类为"种子类"食物。最好的营养成分全面的食物都列于下表。经常吃甘薯、胡萝卜、豆瓣菜、豌豆和花椰菜是增加人体抗氧化能力的好办法。当然,前提是不要对这些食物进行煎炸烹制。

另一种很有益的食物是西瓜。西瓜果肉中的β-胡萝卜素和维生素 C 含量很高,而西瓜子则含有大量的维生素 E 以及锌和硒等抗氧化矿物质。将果肉和西瓜子混入好喝的饮料就可以得到一杯上好的抗氧化鸡尾酒。植物种子和海鲜是最好最全面的硒和锌的食物来源。

氨基酸半胱氨酸和谷氨酸也有抗氧化作用。它们能够生成一种人体中主要的抗氧化酶——谷胱甘肽过氧化物酶,而这种酶本身依赖于硒元素。这种酶有解毒功能,可以保护人体免受汽车废气、抗癌物质、感染源、过多酒精以及有毒金属的侵害。半胱氨酸和谷氨酸在白肉、金枪鱼、小扁豆、蚕豆、坚果、植物种子、洋葱以及大蒜中含量最多,研究表明它们不仅能够增强免疫系统还可以加强抗氧化能力。

家庭生活万事通

个人的抗氧化能力档案

测试你的预防能力,每选一个"是"得 1 分

症状分析

· 你是否经常患感染(咳嗽、感冒)? 　　　　　　　　　　　是/否

· 你是否患了感染后很难康复? 　　　　　　　　　　　　　是/否

· 你是否定期复发感染(如膀胱炎、鹅口疮以及耳痛等)? 　　是/否

· 你是否容易淤伤? 　　　　　　　　　　　　　　　　　　是/否

· 你是否曾经患有本书第 79 页列出的病症? 　　　　　　　　是/否

· 你的父母是否出现过两种或以上这样的病症? 　　　　　　是/否

· 你在运动后是否容易感到筋疲力尽? 　　　　　　　　　　是/否

· 你的皮肤是否需要很长时间才能恢复? 　　　　　　　　　是/否

· 你是否患有痤疮、皮肤干燥以及与年龄不称的过多皱纹? 　是/否

· 你是否超重? 　　　　　　　　　　　　　　　　　　　　是/否

□你的分数

生活方式分析

· 在不到五年之前,你的烟龄是否就已超过五年? 　　　　　是/否

· 你现在吸烟吗? 　　　　　　　　　　　　　　　　　　　是/否

·你每天吸烟的数量是否超过 10 支？　　　　　　　　　　　　是／否
·你是否常呆在有人吸烟的地方？　　　　　　　　　　　　　　是／否
·你是否每天喝酒？　　　　　　　　　　　　　　　　　　　　是／否
·你所居住的城市是否受到污染，或你的住所是否靠近马路？　　是／否
·你每天花费在路上的时间是否超过两个小时？　　　　　　　　是／否
·你每天受强烈阳光照射的时间是否很长？　　　　　　　　　　是／否
·你是否认为自己不够健康？　　　　　　　　　　　　　　　　是／否
·你是否运动过度，且很容易感到疲劳？　　　　　　　　　　　是／否

□你的分数

饮食分析

·你是否经常吃煎炸食品？　　　　　　　　　　　　　　　　　是／否
·你每天吃的新鲜水果和生蔬菜是否少于一份？　　　　　　　　是／否
·你每天吃的新鲜水果是否少于两个？　　　　　　　　　　　　是／否
·你每天是否很少吃坚果、种子或粗粮食物？　　　　　　　　　是／否
·你是否食用熏肉或烤肉或烤肉用黄油？　　　　　　　　　　　是／否
·你每日补充的维生素 C 是否少于 500 毫克？　　　　　　　　　是／否
·你每日补充的维生素 E 是否少于 100 国际单位？　　　　　　　是／否
·你每日补充的维生素 A 或 β－胡萝卜素是否少于 100 国际单位？　是／否

□你的分数

□总分

0～10 理想分数，表明你的健康、饮食和生活方式与高抗氧化保护水平一致。要继续努力哦！

11～15 常分数，你可以将"是"项改善为"否"项，从而提高预防能力。

16～20 低分，表示有很大改进的余地。咨询营养师，改善饮食和生活方式，以增强抗氧化保护能力。

20＋ 分数极差，表明你有迅速衰老的危险。咨询营养师，并要求做一次抗氧化能力情况的血液测试。你必须改变饮食和生活方式，增补抗氧化剂，以改变或延缓衰老过程。

抗氧化剂——最佳的食物

最佳的全面抗氧化食物后面标的星星最多。下面的食物是按照它们抗氧化能力顺序排列的。要确保你的饮食中有很大一部分是由这些食物构成的。

食物	富含 维生素 A	维生素 C	维生素 E
甘薯	★★★	★	★★★
胡萝卜	★★★	★★★	
豆瓣菜	★★★	★★★	
豌豆	★	★★	★★
椰菜	★★	★★★	
花椰菜			
柠檬	★	★★★	
芒果	★	★★★	
肉类	★★	★★	
瓜类	★★	★★	
辣椒	★★	★★	
南瓜	★	★★★	
草莓	★★	★★	
番茄			
卷心菜	★★★		
柚子	★	★★	
猕猴桃	★	★★	
橙子	★	★★	
种子以及坚果	★★★		
西葫芦	★★★		
金枪鱼、鲭鱼以及大马哈鱼	★★★		
麦胚	★★★		
杏	★★		
豆类	★★		

硒

　　每日建议最佳营养物质摄入量是儿童 50 微克,成人 100 微克。为得到最大的抗氧化保护,可以每天服用 100～200 微克。

锌

每日建议最佳营养物质摄入量是儿童 7 毫克,成人 15～20 毫克。为得到最大的抗氧化保护,可以每天服用 10～20 毫克。

下面是一些简单的提示,有助于增强你的抗氧化能力和预防疾病的能力:

■ 多吃新鲜水果。

■ 多吃蔬菜,特别是甘薯、胡萝卜、豌豆、芥末以及椰菜。

■ 每日增补抗氧化剂。

■ 尽量避免接触污染、吸烟的场所、强烈的阳光照射以及煎炸食品。

■ 不要过量运动或使运动量超过自身的需求潜能。

☞ 11. 天然食物——植物化学革命

迄今为止,人类已经发现了一百多种抗氧化营养物质,更有数千份调查报告罗列了这些抗氧化剂的好处。主要的抗氧化营养物质包括维生素 A、维生素 C 和维生素 E,以及 β－胡萝卜素。但是,我们仍不能忽视大多数蔬菜和水果中发现的非必需抗氧化剂的重要性。这些营养物质包括:

花色素和原花色素 在浆果和葡萄中的含量特别丰富。这些都是不同种类的生物类黄酮,有助于治疗痛风和某些类型的关节炎。

生物类黄酮 一组主要存在于柑橘类水果中的抗氧化剂。

姜黄素 一种效力强大的抗氧化剂,常见于芥末、姜黄、玉米和黄色辣椒之中。

番茄红素 一种效力强大的具有抗癌特性的抗氧化剂,主要存在于番茄中。

叶黄素 一种效力强大的抗氧化剂,存在于多种蔬菜以及水果之中。叶黄素在加热的过程中仍然能够保持稳定的性质,经过烹制不会被破坏。

玉米植物黄质 使玉米呈现金黄色的物质,存在于菠菜、卷心菜、椰菜以及豌豆之中。

植物化学物质——大自然的药房

这些物质被称为植物化学物质,对人体的系统起巨大的作用,它们有助于促进健康,预防疾病。植物化学物质是食物中活跃的化合物,它们并不属于营养物质的范畴,因为人类无需像依赖维生素那样依赖这些物质。但是,这些物质的确会对人体的生物化学作用起重要作用,其影响人体健康的程度并不亚于维生素以及矿物质。从这个意义上讲,我们可以将这些物质视为半必需营养物质。由于人体并不储存这些物质,因此最好能够经常吃一些含有丰富植物化学物质的食品。目前已经有一百多种植物化学物质被确认,其中许多都能够对免疫系统和内分泌系统起到调节作用。以下所列为已被证明对健康有益的植物化学物质。

现在,让我们来看一看这些植物化学物质是如何保持身体健康的。

葱属植物 葱属科的成员包括大蒜、洋葱、韭菜、细香葱和青葱。大蒜一直以健康食物闻名于世。尽管大蒜也含有丰富的维生素和矿物质,但最主要的活性成分是硫化合物,包括蒜素、己二烯二硫化物以及己二烯三硫化物。许多对动物的研究表明大蒜对免疫系统非常有益,能够预防癌症。

生物类黄酮 这些物质对人体有许多好处。它们是有效的抗氧化剂;能够与有毒金属结合,并将它们排出体外;它们与维生素 C 有协同效应,可以使维生素 C 在人体组织中趋于稳定;它们由于具有抑制细菌和/或抗生的作用,因而具有抗感染的特性;它们还能够抵抗致癌物质。生物类黄酮被用于治疗毛细血管脆弱、牙龈出血、静脉曲张、痔疮、淤伤、拉伤以及血栓症。生物类黄酮包括芦丁(荞麦中含量很高)以及橙皮苷,主要存在于柑橘类水果中。最好的食物来源是野玫瑰果、荞麦叶、柑橘类水果、浆果、椰菜、樱桃、葡萄、木瓜、哈密瓜、李子、茶、红酒以及番茄。黄瓜中也含有特殊的生物类黄酮,它可以阻止致癌的激素与细胞结合。

71

辣椒素 红辣椒中含有大量的辣椒素,它有助于保护 DNA(脱氧核糖核酸)免受破坏。

叶绿素 使绿色植物呈现绿色的物质。含叶绿素丰富的食物包括冰草属、海藻、海草以及绿色植物,它们都有助于"制造"血液。维生素 C、维生素 B12、维生素 B6、维生素 A、维生素 K 以及叶酸是保持血液健康所需的营养元素。研究表明,如果能摄入少量纯净的食物叶绿素,它们可以刺激骨髓中红血球的生成。叶绿素能够帮助抵抗癌症和部分辐射,杀死细菌,并具有强力的疗伤作用。

香豆素和绿原酸 这些物质能够预防致癌的亚硝胺的生成,它们主要存在于很多种水果以及蔬菜之中,如番茄、青椒、菠萝、草莓以及胡萝卜。

鞣花酸 鞣花酸常见于草莓、葡萄以及覆盆子中,它能够在抗癌物质破坏 DNA 之前将其中和。

染料木黄酮 大豆中含有大量染料木黄酮。这种物质是植物雌激素(见下文)中的一种,能够预防乳房肿块、前列腺肿块以及其他肿块的增大和扩散。

异硫氰酸盐(ITCs)和吲哚 这两种物质在十字花科植物中含量丰富,如椰菜、球芽甘蓝、卷心菜、花椰菜、水芹、山葵、羽衣甘蓝、苤蓝、芥菜、萝卜以及芜箐甘蓝。食用 ITCs 含量高的蔬菜可以降低癌症的发病率,特别是结肠癌的发病率。研究表明,如果你一周至少吃两次卷心菜,那么你得结肠癌的可能性就要比从不吃卷心菜的人低三分之一。这意味着一周吃一次卷心菜能使结肠癌的发病率降低 60%。根据不同的摄入量,花椰菜和球芽甘蓝也对癌症有一定的抵抗作用。最好的方法当然是食用有机肥料灌溉的蔬菜,但这并不是惟一的保护方法。

植物雌激素 这些物质对身体的保护作用可以解释如下:它们能够使体内分泌过多的雌激素以及通过杀虫剂、塑料或者其他类雌激素化学制品摄入体内的雌激素与血液中产生的蛋白质结合。这样就可以减少对雌激素敏感的组织获得雌激素的数量。富含植物雌激素的食物包括大豆(特别是豆腐和日本豆面酱)、其他豆类植物、柑橘类水果、小麦、甘草、紫花苜蓿、茴香以及芹菜。大量摄入植物雌激素可以降低患乳腺癌和前列腺癌、更年期综合症、纤维瘤以及其他与荷尔蒙相关的疾病的发病率。

菜菔硫烷 常见于椰菜、花椰菜、球芽甘蓝、芜菁甘蓝以及羽衣甘蓝之中,它可以降低动物患乳腺癌的可能性。

酶——生命的钥匙

众所周知,我们的食物决定我们的健康状况。但事实并不是完全如此——事实上是我们所能够消化和吸收的食物决定了我们的健康状况。食物只有首先被分解成为身体可以吸收的成分,才能够为我们提供营养物质。而这个过程是由酶来完成,酶是消化食物并将大块食物分解为小块颗粒的化合物。在这个过程中,蛋白质被分解为氨基酸;碳水化合物被分解为单糖;脂肪被分解为脂肪酸和甘油。每天会有10升消化液进入消化道,它们主要是由胰腺、肝脏、胃以及肠壁分泌的。

身体需要营养物质来制造这些酶。营养不良会迅速导致酶缺乏(这就意味着身体利用已经摄入的营养物质的能力会下降,从而使酶缺乏加剧——于是形成了恶性循环)。例如,胃酸和可以分解蛋白质的蛋白酶的分泌都需要锌元素。患锌缺乏症的人不能有效地将蛋白质分解,使得较大的食物分子停留在它们本不应该停留的小肠中。如果肠壁有损伤(这是锌缺乏症导致的常见缺陷),这些未被消化的食物分子就会进入人体内部,并被视为侵略者而遭到攻击。这是大多数食物过敏症的基本原理。

一旦一种食物成为过敏反应的对象,每次进食这种食物的时候,肠道的反应都会导致炎症的发生。这种反应会破坏肠道内有益菌与其他微生物的平衡。如果你患有消化不良、肿胀、肠胃气胀、消化疼痛、结肠炎、肠易激综合症、节段性回肠炎以及念珠菌病,那么由消化酶缺乏引起的食物过敏很可能就是一个致病的原因。

消化酶主要包括消化碳水化合物的淀粉酶、消化蛋白质的蛋白酶和消化脂肪的脂肪酶。许多营养增补剂中都含有这些酶,以辅助消化。冻干的植物酶常用于这个目的。其中最常见的是菠萝中含有的菠萝蛋白酶以及木瓜中含有的木瓜蛋白酶。木瓜蛋白酶的化学特性与胃蛋白酶非常相似,它是一种效力极强的蛋白质消化酶,可以消化相当于自身重量35～100倍的食物。

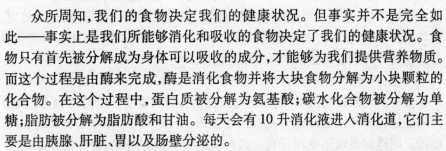

家庭生活万事通

生食物中的酶

生食食物是一种增强酶的能力的好方法,因为生的食物含有大量的酶。对食物进行烹制会破坏其中的酶。阿图里·维尔塔嫩(Artturi virtanen)教授是芬兰的生物化学家,曾获诺贝尔化学奖。他通过实验证明,口腔在咀嚼生的食物时会分泌酶,酶与食物接触,并开始消化过程。一些研究成果表明,胃酸并不能改变这些酶的特性,它们在消化道中始终保持其特性。德国魏茨堡市的卡斯帕·乔普(Kaspar Tropp)在大量试验后说明,人体有保护酶通过肠道的功能,从而使半数以上的酶能完整的到达结肠。在那里,这些酶通过与自由氧结合而改变肠菌群,从而减少可能引发结肠癌的发酵和腐化。这样也能为乳酸性有益菌的形成创造条件。

但是,有些食物中却含有酶的阻滞抗体。例如,小扁豆、蚕豆以及鹰豆中都含有胰岛素抑制因子,它会妨碍蛋白质被彻底吸收。但是,豆子发芽或烹制的过程却可以破坏这些抗酶因子。因此,豆芽或煮熟的豆子是没有问题的。同样的道理还适用于富含植酸盐的谷物,因为植酸盐会与有益的矿物质相结合。

淀粉酶和蛋白酶是最主要的两种消化酶,能在许多食物中找到。几个世纪以来,人类在食用食物之前一直使用这些食物酶进行预消化。发酵食物与陈年食物是很好的例子。但是,生的食物同样含有这些酶,而这些酶在我们咀嚼食物时会变得很有活性。食物需要经过适当咀嚼,以释放和激活这些酶。诸如苹果、葡萄和芒果之类的食物中还含有抗氧化酶中的过氧化酶以及过氧化氢酶,因此有助于消除自由基。上表中列出了迄今为止已被发现富含能促进健康的酶的食物名称,另有许多食物尚待检验。

生的食物中天然存在的酶

	淀粉酶（消化糖分）	蛋白酶（消化蛋白质）	脂肪酶（消化脂肪）	过氧化酶以及过氧化氢酶（消除自由基）
苹果				★
香蕉	★			
卷心菜	★			
蛋类(生)	★	★	★	★
葡萄				★
蜂蜜(未经加工/未经高温消毒)	★			★

菜豆	★	★	
芒果			★
牛奶(未经加工/未经高温消毒)	★		★
蘑菇	★	★	★
菠萝	★	★	
大米	★		
大豆		★	
甜玉米	★		★
甘薯	★		
小麦	★	★	

实际生活中的天然食物

每次当你进食多种新鲜的天然食物时,如不同的蔬菜和水果,你都会摄入大量的必需维生素、矿物质、氨基酸、抗氧化剂、酶以及植物化学物质,而这些物质能共同促进你的健康。如果将每种成分独立出来并视其为治疗特定疾病的药物,这一做法不仅不切实际,而且非常荒谬。

最有指导意义的做法就是吃刚刚从地里或树上采摘的食物。

以下列出一些好的饮食习惯,它们可以保证天然食物及其含有的营养物质成为你日常饮食中的一部分。

- 每天至少吃三个新鲜水果。
- 每天将色拉作为一餐的主要部分。
- 经常吃富含抗氧化剂和植物化学物质的食物,如甘薯、椰菜、豆瓣菜、豌豆、胡萝卜以及浆果。
- 吃多种颜色的食物,因为每种自然的颜色都含有不同但都能促进健康的植物化学物质。
- 食用天然食物,避免摄入含人造化合物的精制食物。
- 尽量生食食物。对于像汤之类的热食,以生食准备,在进食之前才加热。对食物多蒸少炸。
- 如有可能,购买有机食物。如不可能,则削皮并洗涤以减少杀虫剂残余。
- 经常购买新鲜食物,但量不宜多。保存食物会破坏其营养物质。

■ 补充摄入能互相促进的维生素、矿物质、抗氧化剂以及其他植物化学物质(见本书第六部分)。

☞ 12. 食物组合——现实与误区

许多人发现有些食物或食物组合并不适合他们。1930年,霍华德·海(Howard Hay)医生根据观察以及对健康和营养的研究,发明了一种饮食方案,称为"食物组合"。这个方案已经帮助过数百万人获得更好的健康。海医生推荐的健康饮食与最佳营养学方案相吻合,并规定了哪些食物可以一起食用的原则。海博士最初理论的核心是食用"碱性"食物,并避免摄入精制食物,要生食水果,不要把蛋白质丰富的食物与碳水化合物丰富的食物混合食用。

蛋白质和碳水化合物被人体消化的方式是不同的。这的确是事实。碳水化合物的消化过程从口腔开始。唾液中的淀粉酶从咀嚼食物时起开始对食物进行消化。一旦食物被咽下进入酸性相对较大的胃部,淀粉酶便停止工作。只有当食物离开胃部进入碱性相对较大的环境时,从胰腺进入小肠的淀粉酶才能继续完成对碳水化合物的消化过程。

另一方面,蛋白质完全不是在口腔中消化的。蛋白质的消化需要胃的酸性环境,因此它可能在胃中停留三个小时,直至所有的合成蛋白质都被分解成更小的氨基酸组合,即所谓的"肽"。这个过程只可能在胃部进行,因为胃中含有激活消化蛋白质的胃蛋白酶所需的足量盐酸。一旦肽离开胃部,胰腺的肽酶会将肽分解为可以直接吸收的单氨基酸。

豆子的秘密

对食物组合最简单的认识是将碳水化合物食物与蛋白质食物分开,因为二者被消化的方式不同。食用某些豆类食物后会产生胃胀,而这个事实也常被引述为负面影响的一个例子,因为豆类中同时含有大量的蛋白质和碳水化合物。但是,现在已证实这并不是原因的真正所在。某些豆类含有诸如血凝素一类的蛋白质,不能被消化系统的酶消化,即使是单独食用也是如此。但是,这些蛋白质能被大肠的细菌消化。因此,在你吃豆子的时候,你不仅喂饱你自己,还喂饱了这些细菌。当这些细菌消化了豆子后,会排出气体,从而使你感到胃胀。这与食物如何组合无关。在世界上许多健康的民族,都以蚕豆或小扁豆作为主食,但是他们同样没有出现消化问题。

蛋白质和碳水化合物——无法共存的食物?

显而易见,由于食物并不是只含有碳水化合物或蛋白质,将二者分离实际上是指不将高蛋白质食物与多淀粉食物进行组合。肉类有一半是蛋白质,但不含碳水化合物。土豆只含 8% 的蛋白质,但有 90% 是碳水化合物。在两类食物之间还存在着蚕豆、小扁豆、大米、小麦和奎奴亚藜。如果非要划清界限,那么应该怎么分呢?

简单了解一下人类的原始历史就能解决这个难题。现在的共识是原始人主要食用素食,偶尔才会尝一下肉味,而且这种状况维持了几百万年。猿猴可以分为两类:一种具有类似于反刍动物的消化道,慢慢消化即使是最不易消化的纤维食物,这一点很像牛;另一种的消化速度更快,消化系统更发达,能够分泌一整套不同的酶。人类就属于第二种。消化系统更有效,但只能对付易于消化的食物,如水果、嫩叶以及某些蔬菜。人类可消化不了植物的茎!进化论者相信,这套消化系统有两个作用:首先,它使人类改善了精神和感觉过程,从而使人类知道何时何地去寻找需要的食物;其次,向人类提供了使大脑和神经系统更发达所需的营养物质。

猴子吃肉加两棵蔬菜?

我相信,人体有三种基本的消化方案。第一种是消化高蛋白质食物,即肉类、鱼类和蛋类。为了消化这些食物,人体必需产生大量的胃酸和蛋白质消化酶。当我们的原始祖先猎到一头动物时,你认为他会去采几株可口的蔬菜平衡饮食吗?我相当怀疑。我设想他们应该在其他食肉动物到来之前尽快吃掉猎物。他们可能会一连几天没东西吃,但他们已经有大量的动物蛋白。毕竟,新鲜的生肉极富营养。

水果——单独食用

在某个时代,早期人类会接触到某些水果。毫无疑问,并不是只有人类才能够吃到水果。由于水果是迅速补充能量的最好食物,很少需要消化,因此第二种消化方案是生成必要的酶和激素,对水果中简单的碳水化合物进行加工。我再一次猜测我们主要是为了水果本身而吃水果。一旦吃了三根香蕉后,没有理由去把根也挖出来。

许多无核小水果在成熟后会很快发酵。如果你把这些水果放在温暖、酸性的环境中,就像胃中的环境,这些水果同样会很快发酵。在食用牛排之后吃一片甜瓜会产生相似的情况。因此,海(Hay)医生提出单独吃水果的建议很有道理。由于水果需要30分钟左右的时间通过胃部,而完全的高蛋白质需要2至3个小时,因此水果作为点心的最佳食用时间是正餐前30分钟,或正餐后至少2个小时之后。如果吃了太多的蛋白质,间隔的时间可能还要更长。惟一的例外是不会迅速发酵的水果(如香蕉、苹果或椰子)与富含合成碳水化合物的食物(如燕麦或小米)的组合。因此,在麦片粥上加几片苹果或吃一个黑麦香蕉三明治都是可行的。

但是,在大多数时间里,我们的祖先似乎选择不同的素食,他们只吃菜叶、根茎类蔬菜、坚果、种子、豆类以及芽类。我认为这是第三种,也是最普通的消化方案,即食物中既有碳水化合物,也有蛋白质,但蛋白质的含量不像肉类的蛋白质含量那样高。我认为完全可以将米饭、小扁豆、蚕豆、蔬菜、坚果以及种子混合起来食用。

碱性食物与百分之八十

海医生的最大发现是,血液酸度大的人更容易得病。他指出,pH 值在 7.4 和 7.5 之间属于有一定的碱性,表明健康状况良好。pH 值小于 7 为酸性递增,pH 值大于 7 为碱性递增。

有许多因素会影响血液的酸碱度平衡。当食物发生代谢变化时,酸性物质会产生,并需要体内的钙、钾、镁和钠的碱性盐(碳酸盐)中和。因此,我们对这些矿物盐的摄入量会影响身体的酸碱度平衡。我们吃的食物种类也会起同样的作用。富含氯、磷、硫和氮的食物(如大多数动物性食品)易于呈酸性,而富含钙、钾、镁和钠的食物(如大多数蔬菜)通常呈碱性。运动也会产生反应,会使血液的酸性上升。深呼吸则会使血液的碱性增加。

赛丽娅·赖特(celia wright)女士在她的著作《赖氏正确饮食》(*The Wright Diet*)中写道,酸度过高的人一般不开心、很敏感且容易感到劳累,容易患疼痛、头痛、睡眠问题以及胃部不适等疾病。吸烟者尿液的酸度都很高。碱性的饮食会减少对吸烟的欲望。

家庭生活万事通

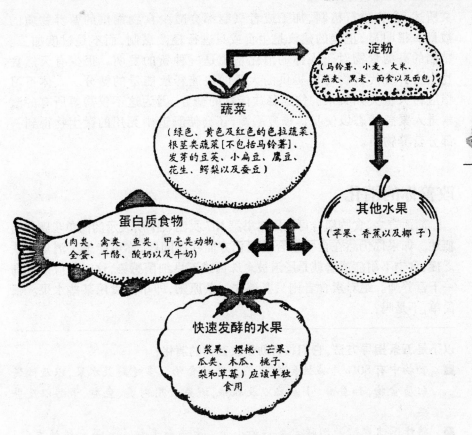

可以组合和不可以组合的食物

几乎所有的新鲜水果、蔬菜和豆类都呈碱性。但棉豆、蚕豆、芦笋、橄榄、芥菜以及水芹则是例外。肉类、鱼类、蛋类以及黄油呈酸性,而脱脂牛奶和全脂牛奶则呈弱碱性。有少数谷类是酸性的,包括燕麦粥、全麦面粉、西米以及木薯粉。胡桃和榛子呈酸性,而其他坚果则呈碱性。(如需要详细的酸性和碱性食物的列表,请见本书第379页的表格。)

毫无疑问,海医生的成功部分在于他对碱性食物的强调。这意味着要多吃天然含有多种必需营养物质的蔬菜以及水果。

不要食用精制的碳水化合物

对食物进行精制或烹制,这些都是海医生并不推荐的做法。诚如上文所述,食物进行精制、加工或者烹制都会减少食物能供的营养物质的数量。很明显,正确的建议是生食或只进行轻微烹制,而不是过度加工。精制的高糖食物对于人体的消化系统是一种新的发明。很少有天然食物会含有现代食物可以提供的大量的快速释放能量的糖分。人体不习惯应付大量突如其来的快速释放能量的糖分,因为这不仅需要所有的激素进入紧急状态以使身体恢复平衡,还会使肠道中无用的微生物得到一部分营养物质。

改善你的消化

简而言之,食物组合可以用本书第107页图表中所表示的简单步骤作为概述。如果你仍然在食物组合的消化方面存在问题,你可能患了消化酶缺乏症、食物不耐症或者就是肠道被念珠菌或不良细菌感染,这时你应该咨询一下营养师。绝对素食者则只要遵守一条原则,即单独食用某些水果。很简单,不是吗?

以下是五条指导方法,它们将有助于改善你的消化:

- 食物中有80%为碱性食物,20%为酸性食物。多吃蔬菜水果,以及低蛋白质食物,如蚕豆、小扁豆以及粗粮,避免食用肉类、鱼类、干酪以及蛋类。

- 将能迅速发酵的酸性水果作为小食。大多数无核小水果会迅速发酵,如桃子、李子、芒果、木瓜、草莓以及瓜类。高酸度的水果(尽管是碱性)还可能会阻滞碳水化合物的消化;这类水果包括橙子、柠檬、柚子以及菠萝。所有这些水果仅需简单消化,能迅速释放所含的天然果糖成分。在需要提神的时候,可以将它们作为小食食用。

- 单独食用或与蔬菜一起食用动物性蛋白质。诸如肉类、鱼类、干酪以及蛋类高蛋白食物需要大量胃酸,在被消化之前会在胃部停留三个小时左右。因此,不要将快速释放能量或精制碳水化合物或发酵食物与动物性蛋白质混合食用。

- 避免摄入所有精制的碳水化合物。将未精制、快速释放能量的碳水化合物与未精制、缓慢释放能量的碳水化合物混合食用。不易发酵的水果(如香蕉、苹果和椰子)可与缓慢释放能量的碳水化合物谷类食物(如燕麦和小米)组合食用。

■ 在身体完全清醒之前,不要进食。不要指望身体会在睡眠时消化食物。清晨,在起床和吃早餐之间至少要间隔一个小时。如果还做晨运,再过一段时间才能进食。千万不要在起床后食用刺激性食物(茶、咖啡或香烟),因为"紧张"状态会抑制消化过程。对于早餐,只需要碳水化合物一类的食物,如燕麦片加水果、全部水果或全麦黑麦吐司面包。夜间,在晚餐后至少间隔两个小时方能上床睡觉。

☞ 13. 健康饮食组合

你可能会感觉有点难以置信,但是把所有的理论总结成适合自己的饮食方式不是一件难事。接下来我们探讨一下不同的进餐方式、个人的偏好以及如何把这些方式调整为健康的生活方式。不必费心每一口食物都含有精确的营养成分,而且计算每一餐含有多少克脂肪、蛋白质或碳水化合物不仅浪费时间,而且根本不可能。实际情况是只要遵循一些简单的建议,任何食物都可以构成健康饮食。

你就能知道不同种类的食物构成健康饮食的具体含量。

■碳水化合物

要摄取50%左右的碳水化合物必须确保每一餐都食用大量的(最好是非精加工的)淀粉类碳水化合物,如米饭、意粉、马铃薯或面包。

每一餐中水果或蔬菜最好是双份的量。

■蛋白质

饮食中应该包括低含量或中等含量脂肪的蛋白质。这意味着要选择鱼、家禽、豆类和瘦肉,而且这些食物的分量要很少。

豆类含有大量的淀粉,所以食用豆类的话,就要注意碳水化合物摄取的总量。高脂肪的蛋白质,如硬奶酪、奶制品和肉类应该少吃。

■脂肪

许多食物中都含有脂肪,脂肪类食物含有大量的热量,经常吃得多却觉察不到。饮食中要选择复合碳水化合物、蔬菜、水果,再加一点低脂蛋白质——饮食中可以加一点脂肪,最好是植物油,如橄榄油或者玉米油,或者蔬菜脂肪类的涂抹料(抹在面包上面的软质食品),或者一点黄油也可以提味。记住,某些碳水化合物,比如面包中的脂肪含量比你认为的要多。

几条建议

    *某些饮食类型特别符合高碳水化合物、中等蛋白质、低脂肪的均衡饮食标准。意大利意粉、地中海东部磨碎的小麦、谷类和豆类为主的饮食、印度和东方以大米和面条为主食的饮食。

    *吃饭和吃零食首先要考虑"碳水化合物"食品,然后再考虑蛋白质食品。西方人在考虑饮食时的传统想法是"蛋白质"为先,其次是碳水化合物和蔬菜,而换个饮食方式营养会更均衡。

    *要根据热量和时间均衡地分配一天的饮食,要保证血糖水平平稳,避免忽少忽多的饮食。

    *感觉饥饿时就要进食,但要吃一些高质量的食品,避开高脂肪、高糖的零食。

    *人的热量需求各不相同,与很多因素有关(参见第四部分,食物与体重),所以饮食要遵循食品数量和下面要讲的均衡营养的指导方针。

■饮品和零食

饮品中也含有营养成分,果汁含有维生素 C,低脂牛奶含有钙,茶含有植物营养素,但最好的饮品是水,自来水或瓶装水。零食也能补充营养。

■糖和酒

我们的饮食通过碳水化合物、蛋白质、脂肪等已经摄取了充足的热量,几乎不用再摄取糖和酒了。不过一般来说,一天的食物摄取量中,糖分、脂肪或酒可以占到10%,这一部分提供了重要的营养成分。

■饮食多样化的重要性

健康饮食的基本要素就是每餐要均衡,但是如果要获取必要的维生素、矿物质和植物营养素,"多样化饮食"很重要。饮食要尽可能广泛,含有碳水化合物的食品、各种蛋白质、不同的蔬菜、色拉和水果都要吃。这样的饮食不仅丰富,不单调,而且能够保证获得所需的全部的微量营养元素。

同类食品即使富含营养物质也是有限的,不可能含有所有的营养成分。例如,蛋白质丰富的鳕鱼富含维生素 B 和硒,但钙含量较少,而低脂酸奶钙含量较高。这样的例子还有很多。

健康饮食的最后一个指导方针是:减少饮食花样对身体有益的想法是

错误的。多样化和均衡是饮食最重要的原则,在这个前提下考虑食用不同种类的食品。限制不总是好事,去除那些所谓的"不良"食品不一定能保证充分的营养,所以饮食中不要随便除去营养性食品,或者限制某些食品,除非健康出现问题需要限制性的饮食。

"1 天 5 份"——水果与蔬菜的食用原则

西方各国的健康部门都建议人们每天吃 5 份的水果和蔬菜更有利于健康。迄今为止所有的研究都证明这是一条合理的建议,我们不应该置之不理。事实上,5 份的数量只是最低的限度。

不过,有很多人对 5 份的概念感到困惑不解。例如,这 5 份中包括马铃薯吗? 5 份究竟是多少 7 所有水果和蔬菜的 5 份之间有差异吗? 所有的水果和蔬菜都必须是新鲜的吗? 下面就是这些问题的答案。

1. 所有水果或蔬菜的 5 份总量至少是 400 克(14 盎司)。

2. 水果和蔬菜的花样要尽可能地不同,因为不同的水果和蔬菜含有不同的营养成分,例如,鳄梨富含脂肪和维生素 E. 胡萝卜富含 β - 胡萝卜素,但脂肪含量低,所以每天要吃 5 份不同的水果和蔬菜。

3. 水果和蔬菜可以烹调,但烹调时最好不要加太多的脂肪或糖(蔬菜烹饪时加一点油比较好)。每天吃 1 份色拉。

4. "1 天 5 份"的水果和蔬菜中不包括马铃薯、红薯和山药,因为这些都是淀粉类碳水化合物,归入每天应摄取的复合碳水化合物食品系列,但其他一些根类蔬菜,如蕉青甘蓝、芜青甘蓝、萝卜、欧洲防风草和胡萝卜也可以包括在内。

5. 豆类植物也包括在"5 份"蔬菜内,如菜豆、小扁豆和大豆(烤豆也可以)。不过,豆类都含有蛋白质和淀粉碳水化合物,所以最好选择其他的蔬菜,而且与其他蔬菜不同,豆类植物不含有维生素 C,但豆芽例外。

6. 水果和蔬菜汁也包括在内,但只能算作 1 份,因为水果中的纤维已经榨去了,而且多喝的话,果汁含有的糖分很容易导致蛀牙。果汁最好是鲜榨的,剩余的水果泥不属于"5 份"系列。

7. 干果也算是这一系列,但只能算 1 份,最好食用其他的水果和蔬菜补充其余的 4 份。因为干果虽然富含纤维、维生素和矿物质,但不含维生素 C,而且热量大,糖分高。

8. 冷冻和罐装的水果和蔬菜也包括在内。冷冻食品与新鲜食品的营养成分几乎一样,而且如果是采摘后立刻冷冻的水果和蔬菜,其维生素 C 的含

家庭生活万事通

量甚至更高。罐装食品通常不如新鲜食品,挑选罐头时,要选择无糖或无盐的,而且罐头食品只能当做新鲜食品或冷冻食品的临时替代品。

9. 坚果和种子不属于"5份"食品之列。

10. 组合(食谱)食品也属于此类,不过这类食品应包括充足的水果和蔬菜,构成1份(参见下表)。家里自制的苹果饼也算作"5份"食品之内,因为饼里有水果(混合起来的水果或蔬菜达到额定的分量也算作1份)。许多加工的食品可能达不到规定的重量。袋装的意大利粉、调味汁和汤不属于该系列。市场上出售的色拉,如凉拌卷心菜,如果分量达到要求也属于该类食品,不过通常这些色拉脂肪含量过高。

11. 上文没有提到的其他水果和蔬菜也可以计算在内。

获取"1天5份"的便捷方法

下面这些例子告诉我们如何简便地把"1天5份"的标准加入我们的食谱中。

例1:	例2:	例3:
*早餐足量的果汁	*1份浆果加酸奶	*起床后1杯果汁
*上午1把干果	*午餐1杯果汁加烤面包	*1个苹果和1个香蕉切
*午餐1碗色拉加面包和	和烤豆	成小块加入早餐穆兹利
奶酪	*晚餐两份油煎地中海式	*午餐自制胡萝卜汤
*晚餐1份根类蔬菜加1	炒蔬菜(200克/7盎司),	*晚餐大碗色拉加烤鹿肉
份青菜,外加烤鸡	外加烤鱼	

■"份"量

"份"量对于"1天5份"来说很重要。几片莴苣叶子或者两三片土豆片夹三明治是不够的——大部分生吃的色拉蔬菜或水果重量都很轻,因为水分太大,实际上,你需要大碗的色拉。下文提供的"份"量都是最小量——可根据自己的身高、年龄、胃口以及需要选择更大的"份"量。

下表提供了1人所需的"份"量,除非特别指明,本书所有的"份"量就是下表中的数量。

能量早餐

根据某些报告,大约四分之一的人不吃早餐——但是早餐非常重要。下面我们正确地了解一下早餐。"breakfast"(早餐)这一单词在英语中的意思是"打破禁食(break + fast)"。的确,从前一天的晚餐到第二天的早餐之间,整整12个小时人体处于禁食状态。所以,有些人不吃早餐,却在午餐和晚餐之间短短的几小时之内塞进大量的食物,不是很奇怪吗?

食物	分量	示例
＊特别大的水果	1 片 100 克	西瓜
＊大水果	1 个水果可食用的部分至少重 100 克	剥皮柑橘、挖去果核的苹果、剥皮香蕉
＊中等大小的水果	两个水果可食用的部分重约 100 克	两个猕猴桃或两个李子
＊新鲜的浆果或樱桃	约 100 克或 1 满杯	1 杯树莓或小水果
＊煮过的水果	约 90 克	煮烂的苹果、李子
＊干果	1 把约 40 克	杏、桃

(干果的重量——煮过的干果按煮过的水果重量计算)

食物	分量	示例
＊果汁或蔬菜汁	100 毫升	柑橘、西红柿
＊绿色蔬菜	煮过后至少 90 克	卷心菜、花椰菜
＊根类蔬菜	煮过后至少 80 克	胡萝卜、蕉青甘蓝
＊体积小的蔬菜	煮过后至少 70 克	豌豆、甜玉米、混合冷冻蔬菜
＊其他蔬菜	未煮过 100 克,煮过后 80 克	洋葱、青椒、小胡瓜、南瓜、茄子、西红柿
＊蔬菜拼盘	煮过后至少 80 克	蔬菜杂烩、油煎蔬菜
＊豆类	煮过后至少 80 克	烤豆、菜豆
＊色拉	大碗	莴苣、西红柿、黄瓜、水芹

■为什么要吃早餐?

健康和均衡的早餐为什么对人的身心健康很重要呢?至少有三个原因。

1. 长时间不进食血糖水平会降得很低,人体会有危险。研究发现,如果整个早晨不吃东西,会出现各种各样的症状,如头疼、颤抖、虚弱无力、注意力不集中,甚至脑力下降。在这些情况下,任何艰巨的体力活动都会受到巨大的影响。

2. 利用早餐可以得到晚餐无法获取的营养成分,例如,干果或新鲜的水果有助于我们获取"1 天 5 份"饮食中含有的营养,提高维生素 C 的水平。

85

快捷早餐

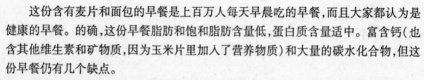

典型的快捷早餐,但不是理想早餐

30 克玉米片、125 毫升半脱脂牛奶、30 克白面包片抹 5 克人造黄油、2 茶匙柑橘酱。

299 卡热量、6.8 克脂肪、2.7 克饱和脂肪、9 克蛋白质、53.75 克碳水化合物。

这份含有麦片和面包的早餐是上百万人每天早晨吃的早餐,而且大家都认为是健康的早餐。的确,这份早餐脂肪和饱和脂肪含量低,蛋白质含量适中。富含钙(也含其他维生素和矿物质,因为玉米片里加入了营养物质)和大量的碳水化合物,但这份早餐仍有几个缺点。

首先,复合碳水化合物和纤维含量低,只有 0.75 克,占一天平均摄入量的 4%,所以很快会感觉饥饿。此外,这份早餐里没有新鲜水果或果汁、维生素 C,而且对大多数人来说,能量偏低。

更快捷,更好的早餐 ★★★★★

75 克不含糖或盐的穆兹利、125 毫升脱脂牛奶、110 克新鲜树莓、125 毫升橙汁。

388 卡热量、6.2 克脂肪、1.4 克饱和脂肪、14.25 克蛋白质、73.25 克碳水化合物。

这份早餐比第一份好了许多,但是脂肪和饱和脂肪的含量仍然偏低,甚至比第一份还低,不过,必需脂肪酸的含量要多些。碳水化合物含量高(占整个早餐的71%),而且大部分是复合碳水化合物。纤维 6.5 克,含量也很高(占一天需要量的一半),说明食用者整个早晨都不会感觉饥饿,而且有助于保持血糖水平。蛋白质含量也比第一份早餐高,占整个早餐的 15%——早晨的理想含量。这份早餐还包括两份水果,符合"1 天 5 份"水果或蔬菜的饮食标准,含有丰富的维生素 C(84 毫升,超过了推荐的需要量)、钙、铁和维生素 E。它能提供更多的能量,这很好。男性、青少年和运动较多的人可以额外再加些面包或另一份穆兹利。

酸奶或牛奶还可以提供钙,尤其是女性更应该补充足量的钙。早晨喝粥或食用穆兹利可以摄取纤维和燕麦,有助于降低血液胆固醇中的低密度脂蛋白。

早餐还提供充足的热量——对儿童、青少年、从事体力活动的成年人以及那些很难储存脂肪的人(瘦人)都很重要。即使对那些想减肥的体重超重的人,早餐也很重要,参见下一个原因和第四部分。

3. 如果不吃早餐,上午 9 点多或 11 点钟的时候会突然感觉饥饿,想吃一些甜食,如面包圈之类的东西,这是你的身体在告诉你,它需要葡萄糖——马上就要! 精制的甜食能立刻满足需要,所以我们想吃一些含糖的零食,但是这些零食几乎不含营养,却含有大量的脂肪。换句话说,我们是用没有营养的零食代替营养均衡的早餐。

烹制的早餐

传统的烹制早餐

　　2 茶匙油煎 1 个鸡蛋(中等程度熟)、100 克生的猪外脊咸肉(含脂肪,略为烧烤)、1 汤匙蔬菜油炒 40 克蘑菇、1 根契普拉塔香肠(猪肉短粗香肠)、30 克白面包抹 5 克黄油、2 茶匙调味番茄酱。

　　682 卡热量、53.7 克脂肪、14 克饱和脂肪、29.7 克蛋白质、21 克碳水化合物。

　　这份早餐中71%的热量来自脂肪,18.5% 来自饱和脂肪——是推荐标准的两倍。如果咸肉是五花肉而且用猪油煎的话,脂肪和饱和脂肪的含量还要高。即使是普通的正餐,这样的含量仍然太高了。尽管蛋白质含量适中,铁和维生素 B 含量也很丰富,但这份早餐的平衡完全打乱了。碳水化合物只占热量的 11.5%,而实际上应该达到 50% 以上。纤维含量也不够,只占一天需要量的 5%。此外,这份早餐盐含量太高,却不含维生素 C。脂肪含量过高导致热量高,因为脂肪产生的热量更多,是碳水化合物或蛋白质的两倍。

■什么是健康早餐?

健康的早餐应该提供充足的热量、一定量的蛋白质、适量的复合碳水化合物、一点脂肪以及多种维生素和矿物质。在这个大前提下,可以存在不同的选择,下文要讨论十大健康早餐。

大多数人都不喜欢早餐含有太多的热量,但早餐至少要包含我们一天应摄取热量的四分之一——女性 500 卡,男性 650 卡。这些热量究竟要包括多少分量的碳水化合物、蛋白质和脂肪呢? 研究人员也莫衷一是。有些人认为高碳水化合物、低脂肪的早餐使人思维敏捷、充满自信,而高脂肪的饮食会降低脑力。而有些研究者则认为高蛋白质的早餐能帮助思维,太多的碳水化合物反而使人迟钝。

家庭生活万事通

健康的烹制早餐 ★★★★★

1 茶匙油煎 1 个鸡蛋(中等程度熟)、100 克生的猪外脊咸肉(全瘦肉,烤脆)、80 克低盐低糖的烤豆、1 个 50 克的西红柿(略微烘烤)、1 块 100 克的全麦粗制面包抹 3 克脂肪含量为 60% 的橄榄油,2 茶匙调味番茄酱。

550 卡热量、22 克脂肪、5.8 克饱和脂肪、34.7 克蛋白质、57.2 克碳水化合物(不包括橙汁)。

这份早餐中脂肪含量大大降低了,咸肉是瘦肉,而且烤得更脆。此外,用不含蛋白质的烤豆代替了香肠,去除了炒蘑菇,煎蛋用的油也少了一半,但早餐的总量却增加了。纤维含量达到了 9.3 克,脂肪含量只占 35%(饱和脂肪不到 10%)——早餐的平衡更加合理,但碳水化合物仍有点低,可以在其他正餐中补充。这份早餐含有大量蛋白质、多种维生素和矿物质。维生素 C 含量虽然还是低,但和传统早餐比热量少了很多。可加一杯柑橘汁补充维生素 C。

解决这个问题,关键在于这三种营养成分之间要有一个合理的平衡。早餐包含的蛋白质含量至少是一天需要量的三分之一,不管蛋白质是增加还是降低脑力,至少能帮助我们有效地抗饿,因为蛋白质比碳水化合物消化的时间要长。如果早餐摄取的蛋白质不多,下午或晚上就要补充,比如富含钙和蛋白质的食品,牛奶或酸奶。

早餐要包含一点脂肪,脂肪与蛋白质一样能抗饿,而且能保持血糖水平。早餐最适合摄取必需脂肪酸,可在麦片中加入坚果和种子。在面包上抹一点植物油也可以增加脂肪的摄取量。脱脂牛奶和低脂酸奶使饱和脂肪的摄取量降到最低。

早餐中还应包含淀粉和糖。水果和果汁提供了人体所需的糖分和维生素 C,因为果汁在体内 20 分钟后就分解成葡萄糖,从而提高血糖水平。面包或麦片提供淀粉,确保饮食者整个上午不会感觉饥饿。面包和麦片要尽量选择非精制食品,如全麦面包和麦片。白面包抹果酱也可以,只是精制面粉和含糖的果酱消化较快,很快就会使人饥饿。而且,富含精制碳水化合物的早餐不能增加纤维的含量。

营养成分均衡的早餐不仅提供多种维生素和矿物质,而且对一天的饮食都有好处。

88

■要对星期天的早午餐说再见吗?

早餐喜欢咸肉和鸡蛋的人也许觉得有点沮丧,其实大可不必。虽然传统的烹制早餐脂肪含量太高,但不需要完全放弃。可以一周享受一次这样的早餐。烹制的健康早餐虽经改进(参见上文健康的烹制早餐),但仍有缺点——碳水化合物含量仍然偏低,蛋白质仍然偏多,但低蛋白质午餐和高碳水化合物的晚餐可以平衡一天所需的营养。

　　如果某天需要付出大的体力劳动——如星期天长距离的散步,高热量的烹制早餐是很好的选择。由于星期天的午餐时间比平常要晚,所以早餐也可以相应地晚一些。切记:良好的营养就是营养常识加平衡。

　　■十大快捷健康早餐

　　1.150毫升(1/4品脱)低脂活性酸奶、1个香蕉切成小块、半个葡萄柚或1杯葡萄柚汁、1大片全麦面包抹一点橄榄油和蜂蜜。

　　2.150毫升(1/4品脱)低脂活性酸奶和50克(2盎司)不含糖的穆兹利、1份草莓、小片面包抹橄榄油和酵母膏。

　　3.2个(瑞士)维多麦加1甜点匙核桃碎块和脱脂牛奶、1把杏干、1片面包抹橄榄油和蜂蜜、1杯橙汁。

　　4.2份碎麦片加1甜匙葵花子或南瓜子和脱脂牛奶、1个梨、1小片全麦面包抹橄榄油和柑橘涂抹料。

　　5.1大盘天然低脂清爽干酪加1茶匙红糖,1片罗马甜瓜切成碎块、1甜点匙烤杏仁末、1片面包抹橄榄油和酵母膏。

　　6.1大碗粥(由燕麦片、半脱脂奶和水做成)、2茶匙蜂蜜、1甜点匙无核葡萄干、1杯橙汁。

　　7.175克(6盎司)低糖低盐的烤豆、1大片全麦烤面包抹一点橄榄油、1个橘子或1杯橙汁、再加1片面包抹涂抹料和柑橘涂抹料。

　　8.全麦维加1个苹果切成小块和脱脂牛奶、半个葡萄柚、1片面包抹橄榄油和蜂蜜。

　　9.1个大香蕉和1个猕猴桃捣成泥加1茶匙柠檬汁、1大片全麦面包抹橄榄油、1杯半脱脂牛奶。

　　10.牛奶混合饮料:200毫升(7液量盎司)半脱脂牛奶、1个小香蕉、3茶匙橙汁、2茶匙蜂蜜、1茶匙麦芽,适宜冷饮。1大片全麦面包抹酵母膏。

　　■甜食

　　甜食能提供维生素C、钙或纤维。

　　■维生素C

　　*新鲜水果,尤其是草莓、猕猴桃、柑橘、芒果

*水果色拉

*夏日布丁

*新鲜糖渍水果,尤其是黑莓、浆果

*本书提到的任何一种甜食

■钙

*酸奶

*冰激凌(但冰激凌脂肪含量高)

*低脂乳蛋糕

*低脂米饭布丁

■纤维

*上面提到的任何一种水果

*干果

*糖渍水果干

*酥皮水果甜点心(外层为燕麦、坚果和全麦面粉)

*烤苹果加碎坚果

许多人外出吃饭或娱乐时会放纵自己大吃甜食,如奶油蛋糕、果酱饼、果馅饼和水果派以及各种巧克力甜食,这些甜食都含有高脂肪、高热量。但对于这些人们热衷的甜食,有些看法认为不会对整个的饮食平衡造成大的损害,而且符合"(糖分占)10%热量"的标准:

*独特风味的果冻

*覆盖溶胶奶油的牛奶冻点心

*风味独特的奶油卡拉梅尔糖(一种光滑宜多咀嚼的糖块,用砂糖、黄油、奶油或牛奶以及调味香料制成)

*风味独特的屈莱弗甜食(涂了果酱、果冻、牛奶蛋糊和奶油并在雪利酒、朗姆酒或白兰地中浸渍的蛋糕甜食)或鲜奶油慕思(一种用鲜奶油、果子冻和蛋制成的各种冷冻甜食)。

■饮料

我们每天要喝大约2.25升(4品脱)的饮料,如果纤维的摄入量增加、运动量大或食用高盐的食物,更要多喝饮料。

最佳的饮料是水,最近的研究表明英国人平均每星期每人仅仅在家的饮料花费就是3英镑。我们来一起看看一些受欢迎的饮料的优缺点。详细信息可。

■牛奶

牛奶是主要的补钙饮料,还可补充蛋白质。全脂牛奶富含饱和脂肪,所以对大多数人来说,半脱脂牛奶和脱脂牛奶是更好的选择。晚上临睡前喝热牛奶有助于睡眠。对乳糖过敏的人或素食者,高钙豆奶是个很好的选择。

■果汁

果汁富含维生素 C,但也容易引起蛀牙。果汁的热量比较高,大约 200 毫升(7 液量盎司)果汁含有 80 卡热量。饮用果汁时最好兑水。

■茶和咖啡

茶和咖啡如果适量饮用是很好的抗氧化剂,而且提神醒脑,但过量饮用,不仅不再刺激神经,反而引起疲劳。茶和咖啡不含热量,但吃饭时饮用会阻碍营养的吸收。茶和咖啡还是利尿剂。草药茶对人体有利。

■果汁饮料和碳酸饮料

这类饮料通常含有添加剂,味道很甜,但营养成分很少,除非是生产商加入特定的营养物质。此外,这类饮料热量低,苏打水添加少量的果汁是不错的饮品。

■酒精饮料

不要用酒精饮料来解渴和解暑,白天不要喝酒,晚餐喝一点可以助消化而且不会很快吸收到血液里。

午餐新概念

对大多数人来说,午餐既要方便,又要快捷,即使中午不工作,也没有多余的时间去吃午餐,但这并不说明每天的午餐只能是奶酪三明治。

早餐要吃好,午餐也不能凑合,否则下午四五点钟时就会感觉饥饿,想要吃些饼干之类的高脂肪、高糖的食品。

当然,防止饥饿并不是吃午餐的惟一目的,因为午餐可以摄取大量的营养成分,保持身体健康。午餐最好吃鱼或豆类食品、色拉和水果,喝一大碗蔬菜汤。

像早餐一样,午餐也应该在碳水化合物、蛋白质和脂肪之间达到合理的平衡。因为晚餐应多摄取碳水化合物、少摄取蛋白质,所以午餐可以多摄入蛋白质,而少摄入碳水化合物。研究显示,碳水化合物含量高的午餐使人下午感觉懒散、迟钝。

决定午餐吃什么之前不妨先计划一下晚餐,这样两餐的食品就不会重样。比如,晚餐决定吃肉,午餐就不必吃了,可以选择蔬菜来摄取蛋白质,如豆类蔬菜,或者鱼。如果晚餐想吃意大利粉,午餐就可以不吃意粉色拉,等等。

关于健康,快捷午餐的建议

* 双份克奶利尼豆和罗勒涂抹料、100 克(意大利)夏伯特面包、大份欧式蔬菜叶、1 个橘子。

* 100 克(2 盎司)香料醋渍鲱鱼卷、1 份冷马铃薯、混合色拉加法式生菜调味酱、苹果和杏的混合饮料。

* 1 份金枪鱼、鳄梨和西红柿色拉、全麦意粉、1 个苹果。

* 1 份鹰嘴豆泥加 2 个燕麦饼、1 个香蕉、冰镇西瓜。

* 1 份小扁豆和胡荽汤、黑麦面包、1 个橘子。

* 1 份浓豌豆汤、全麦面包、无花果干、1 个香蕉。

* 1 个热薄煎饼、1 份羊乳酪和青椒涂抹料、开胃菜、1 个苹果、1 把杏干。

自带午餐

调整前

切达干酪和泡菜三明治(50 克奶酪、85 克白面包抹 7 克人造黄油、2 茶匙甜泡菜)、1 个小巧克力卷、1 包(30 克)淡土豆片、1 个苹果、200 毫升限糖可乐。

772 卡热量、36 克脂肪、18.7 克饱和脂肪、28.5 克蛋白质、86.5 克碳水化合物、4.8 克纤维。

这份典型的午餐便当——尽管含有"限糖"可乐、低脂肪甜食和苹果,各种营养成分仍然不够均衡。饱和脂肪、脂肪和盐含量过高,复合碳水化合物和纤维含量过低。切达干酪虽然含钙高,但其他低脂硬奶酪也如此。低脂肪水果甜点和其他点心一样都是高热量食品。

调整后　　　　　　　　　　　　　　　　　　　　★★★★★

50 克瘦鸡肉(去皮)、100 克法式面包抹 2 茶匙咖喱豆腐蛋黄酱、140 克混合色拉(西红柿、黄瓜、青椒、红洋葱、甜玉米、芹菜)、1 片 25 克麦芽面包、1 个苹果、20 克混合(去壳)坚果、30 克杏干、200 毫升橙汁。

731 卡热量、15 克脂肪、3 克饱和脂肪、32 克蛋白质、122 克碳水化合物、8.5 克纤维。

调整后的午餐不仅美味依旧,而且食物更多。这份午餐提供的热量接近标准,但饱和脂肪和人工添加剂却少了很多,而且维生素 C、铁、纤维、矿物质和必需脂肪酸的含量丰富。

家庭生活万事通

如果午餐是快餐,要知道营养成分会因此而有所缺失。

许多速食汤盐分过高,而"真正的"营养成分却很少,如果非要选择速食汤,选择冷汤,不要选罐装或袋装浓缩汤。其实,任何需加水再稀释的袋装食品或罐装食品都不宜多吃,偶尔食用即可。面包上的烤豌豆是很好的食品——高纤维、低脂肪而且充饥,不过要选那些低盐、低糖的种类。

油酥面团之类的点心总是含有高脂肪、高饱和脂肪和高热量,所以少吃这类食品,也少吃猪肉卷和香肠卷。

很多三明治也含高脂肪,但一些计算热量的三明治含有很多新鲜的色拉,不过离午餐标准要求的蔬菜量还差得远。自己做三明治时,配菜要多,奶酪涂抹料要少放,如果是高脂肪的切达干酪,要磨碎再用。

此外,三明治的面包也尽量多用不同种类的,可以用精制的白面包,不过为了增加纤维的摄入量,全麦面包更好。三明治夹馅后,面包上不必再抹黄油或其他涂抹料,如果要抹,选择不饱和脂肪的涂抹料,因为这类食品几乎不含硬化油脂。

熟食店和超市出售的色拉经常含有高脂肪——卷心菜色拉、马铃薯色拉、意粉和米饭色拉尤其如此。另一个问题是,午餐中的色拉虽然是新鲜的蔬菜,可只不过是几片莴苣叶子、西红柿片和几块水芹,不仅分量不足,而且几乎没有任何营养成分。对于健康饮食来说,色拉一定要大份。

所以,只要考虑做色拉,就要想到"大量的食品",坚果、种子、烹制的凉菜,如豌豆、胡萝卜和青椒块、干果或新鲜的水果。

小旅店和酒吧提供的午餐经常也是高脂肪——传统的农夫饭菜、蛋奶火腿蛋糕和色拉都是典型的高饱和脂肪食物。关于午餐外出就餐的建议可。

在家午餐

调整前

295 克低热量蔬菜汤、45 克白面包卷抹 5 克人造黄油、50 克纯瘦肉火腿、25 克烟熏香肚、2 汤匙凉拌卷心菜、小份青菜色拉(莴苣、水芹、黄瓜)、2 茶匙低脂蛋黄涂抹料。

483 卡热量、25.8 克脂肪、6.6 克饱和脂肪、19.8 克蛋白质、38.4 克碳水化合物、2.7 克纤维。

这是 1 份典型的快捷午餐,注意了热量的控制,选择纯瘦肉火腿和低脂蛋黄涂抹料,但含盐量偏高,将近 6 克(汤中的含盐量尤其高)。此外,近一半的热量(48%)来自脂肪(烟熏香肚和凉拌卷心菜是脂肪主要来源)。碳水化合物含量偏低,不到30% ,而且几乎没有复合碳水化合物。纤维的含量只占日标准量的 15%。

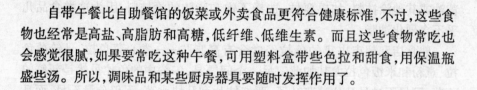

调整后 ★★★★★

　　1 个全麦皮塔饼、50 克纯瘦肉火腿、50 克罐头鹰嘴豆、1 个西红柿、50 克莴苣心、25 克豆瓣菜加 1 汤匙法式生菜调味酱(用橄榄油调制)、1 份低脂水果酸奶、1 个猕猴桃。

　　462 卡热量、13 克脂肪、1.7 克饱和脂肪、27.5 克蛋白质、60 克碳水化合物、9.6 克纤维。

　　同样的午餐;同样的热量,但只有 26% 来自脂肪,因为用鹰嘴豆和新鲜色拉、水果代替了烟熏香肚和凉拌卷心菜。饱和脂肪只占 3.3%,而且橄榄油和鹰嘴豆含有大量的必需脂肪酸。碳水化合物占到了 50%,蛋白质只有 24%——非常均衡。盐降低到了 3 克,因为除了火腿和面包,其他的都是低钠食品。鹰嘴豆和皮塔饼增加了纤维的含量,占到了日需要量的 53%。

　　自带午餐比自助餐馆的饭菜或外卖食品更符合健康标准,不过,这些食物也经常是高盐、高脂肪和高糖,低纤维、低维生素。而且这些食物常吃也会感觉很腻,如果要常吃这种午餐,可用塑料盒带些色拉和甜食,用保温瓶盛些汤。所以,调味品和某些厨房器具要随时发挥作用了。

晚　餐

　　俗话说,早餐吃得像国王,晚餐吃得像乞丐。这话有点道理,但大多数人还是认为晚餐才是一天中最主要的。

　　不过把一天应该摄入的热量都集中到晚餐可不是明智之举。因为,人的消化系统通常对"少吃多餐"反应最好,所以三餐数量应该均衡,每餐之间吃点零食是最佳的饮食方式,但大多数人还是喜欢晚餐吃得最丰盛,因为晚餐时间最充裕。当然,晚餐摄取一天热量的 35% 至 40% 并没有多大的害处,不过上床睡觉前 2 个小时一定不要再进食。

　　与早餐和午餐一样,晚餐也应该含有各种营养成分。不过,晚餐是多摄取碳水化合物的最佳时间,因为碳水化合物有镇静的作用,能帮助大脑降低兴奋度,睡个好觉。

　　富含碳水化合物的晚餐——即全谷食品、意粉、马铃薯或豆类,能确保整晚不饿。但是,西方的晚餐却常常是以高蛋白质食物为主,大多数人都不会说"今晚吃米饭吧",而是说"吃牛排吧",米饭只是副食。

传统晚餐调整

要想晚餐吃得健康，有一个原则很重要，那就是蛋白质的含量——尤其是肉类和奶制品一定要"少"，而"副食"和淀粉、蔬菜一定要"多"。

调整前

200 克烤鸡肉，包括脆鸡皮、3 个烤土豆（150 克）、70 克豌豆和胡萝卜、4 汤匙未脱脂肉汤、50 克即食欧芹馅。

798 卡热量、41.5 克脂肪、11.2 克饱和脂肪、53.6 克蛋白质、55.5 克碳水化合物。

虽然这并不是一顿丰盛的晚餐。但这顿晚餐含有的热量适合于一天的需要量的 41%（女性）、31%（男性），但脂肪含量 41.5 克，占了 47%，对女性来说，是一天标准最大摄入量的 64%，对男性，也达到了近 50%。饱和脂肪和蛋白质的含量非常高，而碳水化合物却很低，只占全部热量的 26%。蔬菜摄入量少，纤维则只有 5 克。如果女性吃这样的晚餐，加上"调整前"的早餐谷类食物和"调整前"的午餐色拉，即使不吃其他食物，脂肪含量也超出了一天最大标准量的 14%，高达 74 克，而碳水化合物的含量却只有需要量的 57%，纤维含量只有 8.5 克，不及一天需要量的一半。

调整后 ★★★★★

125 克瘦烤鸡肉（去皮）、225 克带皮新土豆、100 克灰胡桃压烂后抹 2 茶匙橄榄油烘烤、60 克豌豆、100 克深绿色青菜、50 克米饭、杏和坚果馅、5 茶匙槟榔汁加一点葡萄酒和玉米面制成的调味汁。

631 卡热量、21 克脂肪、4 克饱和脂肪、45.7 克蛋白质、68.5 克碳水化合物。

如何吃得多而热量少、脂肪少呢？鸡肉去皮，蔬菜刷一层油，用脱脂槟榔汁代替肉汤就能很容易地降低饮食的脂肪含量，不过，必需脂肪酸仍很高。多吃蔬菜，少吃鸡肉，就能摄入更多的碳水化合物、维生素 C、β－胡萝卜素和铁。这样一份晚餐配上"调整后"的早餐和午餐，女性吸收的是 1480 卡热量，满足了一天能量需求的 76%，而脂肪含量只有最大标准摄入量的 62%，饱和脂肪只有 7.1 克，占最大标准摄入量的 37%。碳水化合物达到 201.5 克，占最少摄入量的 78%，纤维 28 克，还有 7 份水果和蔬菜。这份晚餐也满足了必需脂肪酸和微量营养素的需要。

这样晚餐减少了动物蛋白质的含量。可以多吃一些健康碳水化合物和蔬菜，而且脂肪和饱和脂肪的含量也自然而然地降低了。

也可以在晚餐中加一些传统食品，如烤肉，只是要稍微改变一下原有的食物比例——肉或家禽肉少一些，蔬菜多一些。

需强调指出，这样的晚餐会让你摄入充足的蛋白质，可以看看在前几页我们分析过的早餐和午餐。在"调整后"的穆兹利和午餐色拉中，蛋白质的含量加起来是 41.75 克。而女性平均每人每天最少需要 50 克,最多需要 73 克,所以早餐和午餐后,她只需摄取 8 至 31 克的蛋白质就可以了。男性平均每人每天是 64 至 95 克,所以他晚餐需要 22 至 53 克。

> **健康晚餐建议**
>
> * 限制一周一两次的肉食。
> * 一周至少吃两次鱼。
> * 一周至少吃两次素食,尽量少吃奶酪。
> * 一周吃一次或两次家禽肉。
> * 最好少吃全脂干酪、蓝色含乳脂奶酪——饱和脂肪和热量含量高。
> * 可以偶尔吃点油酥面点——脂肪、饱和脂肪和热量含量高。
>   (制酥点用的)松脆薄饼要好于油酥面点,可以自己添加脂肪,可以用橄榄油。
> * 烹调时只用必需数量的脂肪。
>   按照食谱烹调时,减少配料中的脂肪量,对人体无害处。
> * 检查白天摄入的水果和蔬菜的分量是否充足,不够的话,晚餐要补足"一天五份"的数量。
> * 愿意的话,晚餐可以适当喝一杯或两杯葡萄酒。
> * 如果主餐量大,可以不吃甜食,改为白天吃一些点心或临睡前喝一杯牛奶,这样一次摄入的热量就不会太多了。

100 克(3 1/2 盎司)瘦肉含有 35 克(1 1/4 盎司)蛋白质,其他食物也含有蛋白质,比如半磅牛排就含有 50 克(1 1/2 盎司),所以牛排不太适合晚餐食用。即使晚餐因此去掉烤肉,仍然含有 45.7 克蛋白质——对男性是足够的,对女性已经超标了。

这样晚餐里的热量、脂肪含量占的比例不足 30% ,而碳水化合物含量比例上升到 40%——还是有点低,最少 50% ,不过,只要再吃些甜食和点心,碳水化合物的摄取量就会增多了。

女性如果碳水化合物摄入量不足,可以多吃碳水化合物含量丰富的甜食、点心或零食,但蛋白质的需要已经满足了,而且达到了最大的限量。

■**注意事项:**
女性需要增加三分之一的"替换"食物的分量才能获得充足的热量和营养。

■**替换** 175 克(6 盎司)羊排、新土豆、小份色拉

■**为** 大份全麦面条配以 90 克(3 1/2 盎司)的羊肉片、200 克(7 盎司)各种蔬菜浇上芝麻油和酱油。

■**替换** 鱼块和薯片一为大份糙米饭配以鲑鱼和辣椒烤串、番茄沙司。

■**替换** 上面铺一层捣碎的马铃薯和豌豆的肉饼

■**为** 大个烤土豆、小份墨西哥辣味牛肉、大份色拉。

■**替换** 煎鸡蛋奶酪(三个鸡蛋的分量)

■**为** 奶油鱼蛋饭:鳕鱼、一个煮鸡蛋和豌豆。

营养含量变化

调整前 早餐谷类食物和烤面包,午餐冷肉,晚餐烤鸡肉

1580 卡热量、74 克脂肪、20.5 克饱和脂肪、82.5 克蛋白质、148 克碳水化合物、8.5 克纤维。

调整后 穆兹利,午餐皮塔饼和酸奶,晚餐(去皮)烤鸡肉

1480 卡热量、40.25 克脂肪、7.1 克饱和脂肪、87.5 克蛋白质、201.5 克碳水化合物、28 克纤维。

点心和零食

如果日常的饮食营养均衡,符合我们在前文中提到的标准,每天还可以再吃些甜食或点心,而脂肪、热量或糖的水平不会增高很多。

下面我们探讨一下如何将我们喜欢吃的甜食、点心和日常的饮食结合起来。对替代那些高脂肪、高糖零食的健康食物提供一些建议。

多数人一天热量的摄入量中有相当一部分来自零食、甜食、饮品和额外补充的食品。所以,即使正餐营养均衡,如果选择不合适的零食或甜食也会破坏平衡。食用过多的高热量零食不仅会增加体重,而且还会增加饱和脂肪、转化脂肪以及糖的摄入量。这些食品使人感觉饱胀,不愿再吃新鲜和有营养的食物。

另一方面,如果每天的饮食精心选择,就可以再选择一两种自己喜欢的零食,如一块蛋糕、一些饼干、一块巧克力或一杯酒。

不过明智的做法是这些食品的热量不能超过一天热量标准的10%,女性194卡,男性255卡。如果一天的饮食不太合理,选择一两种健康零食能有助于提高营养物质的含量。下面是一些关于合理和不合理选择零食的具体例子。

下文的图表提供了一些人们喜欢吃的食品的热量和脂肪含量,可以选择加入自己的饮食中。

为了进行对比,还提供了一些关于健康食品的建议。

家庭生活万事通

例 1

1 位女士选择的是"调整前"的早餐、午餐和晚餐达到了 1580 卡热量,还有 360 卡的剩余热量可"支配"(普通女性 I 天的热量是 1940 卡,这样才能保持体重)。但是,她摄入的脂肪已达 74 克,超标 14%,饱和脂肪的摄入量也接近底线,但碳水化合物(尤其是复合碳水化合物)和纤维摄取量低。她决定选择下面的零食:

200 毫升(7 液量盎司)脱脂牛奶加入茶和咖啡中——66 卡热量,几乎没有脂肪

100 克(3 1/2 盎司)1 份的香草冰激凌——194 卡热量、9.8 克脂肪、6.3 克饱和脂肪

1 个烤饼——174 卡热量、7 克脂肪、2.4 克饱和脂肪

1 杯双份威士忌——96 卡热量、无脂肪

这份食物清单不算太超标,但是 1 天的饮食加起来:

2110 卡热量——超出需要 9%,长此以往会慢慢增加体重。

91 克脂肪——超出 29%,太多。

29 克饱和脂肪——超出 24%,太多。

208 克碳水化合物——只占 20%,太少,复合碳水化合物更少。

10.5 克纤维——刚刚超过需要量的一半。

新鲜水果和 1 个干果要好于冰激凌和烤饼,牛奶(补充钙质)和威士忌使 1 天的热量和脂肪总量达到合理的水平,增加了复合碳水化合物和纤维的含量,增加了水果和蔬菜的分量,达到"4 份"——虽然还是不高,但要好于她正餐摄入的 2 份。

例 2   ★★★★★

另一位女士选择的是"调整后"的早餐、午餐和晚餐,1480 卡热量、40.25 克转化脂肪、7.1 克饱和脂肪、201.5 克碳水化合物和 28 克纤维。

她剩余 460 卡可食用,脂肪的摄取量还有富余,碳水化合物已经足量,纤维的摄入量也很充分,而且已经吃了 7 份水果和蔬菜。她决定增加:

200 毫升(7 液量盎司)脱脂牛奶——66 卡热量,几乎不含脂肪。

1 个燕麦烤饼——189 卡热量、8.7 克脂肪、1.8 克饱和脂肪。

1 份格兰尼它橘汁冰糕(一种意大利粗制冰糕)——142 卡热量、几乎不含脂肪。

150 毫升(3/4 品脱)波尔多红葡萄酒——79 卡热量、几乎不含脂肪。

她最后的营养分布:

1956 卡热量——符合女性一天的热量标准。

49 克脂肪——只有标准的四分之三。根据健康指南,只占全天热量的 23%,但仍能提供所需的必需脂肪酸。

9 克饱和脂肪——不及标准的一半,根据健康指南,只占全天热量摄入的 4.1%。

如果这位女士想吃巧克力,换掉格兰尼它橘汁冰糕,她完全可以按自己的意愿这么做,因为即便如此,脂肪含量仍控制在标准的范围之内,热量则接近标准。

零食比较

普通零食	热量(卡)	脂肪(克)
牛奶巧克力棒	255	14.8
牛奶巧克力块	194	11.3
奶油蛋	175	5.9
肉馅饼	250	9.0
奶油面包圈	180	11.5
法国巧克力奶油小蛋糕	260	18.0
1 块巧克力软糖,100 克(3 1/2 盎司)400	20.0	
盐花生,50 克(1/2 盎司)1 包	295	24.0

更好的零食	热量(卡)	脂肪(克)
1 个小圆烤饼抹低脂涂抹料和 　　1 茶匙低糖果酱	110	2.5
混合水果,豆类点心条	95	3.8
1 杯低热量巧克力饮料,加 　　1 个小巧克力曲奇饼	98	3.6
1 个巧克力奶甜点 　　和 1 个小香蕉	160	3.5

最佳零食　★★★★★	热量(卡)	脂肪(克)
1 盒 125 毫升的低脂活性酸奶 　　和 1 个新鲜水果	140	2.0
1 个全麦松饼抹一点涂抹料和蜂蜜	180	4.0
50 克(1 1/2 盎司)杏干,1 个香蕉	190	0.6
2 块黑麦薄脆饼干抹 25 克(3/4 盎司) 　　自制的调味鳄梨酱	82	3.6
1 片 30 克(1 盎司)黑麦面包抹 1 份 　　克奶利尼豆和罗勒酱	152	3.5

确保基本健康的饮食

　　下文的七天饮食计划说明一个健康的成年人如何组合上文的所有信息

制定出每天健康而美味的食谱。

根据本书后面的食谱章节和健康饮食建议，我们能轻松地学会如何吃得好。下面就总结一下健康饮食的指导原则：

1. 多吃复合碳水化合物——面包、马铃薯、意粉、麦片、全谷食品、豆类。

2. 每天至少吃五份水果和蔬菜。包括多叶青菜、红色和橙色水果和蔬菜。最好生吃，或轻微烹制，不要抹太多的黄油或调味品。

3. 少吃脂肪，尤其是饱和脂肪和转化脂肪。烹调时少用脂肪，少吃市场出售的高脂肪熟食，如意粉、蛋糕、西式馅饼、奶油、全脂奶酪和肉类的油脂部分。

4. 食用天然油脂脂肪，主要是天然蔬菜、种子和粮食油、坚果、全谷食品和种子。这些食品含有必需脂肪酸。调制色拉和烹调食品时要使用植物油。

5. 少吃含糖和含盐的食品。补充糖分要选择天然含糖食品，如新鲜水果和干果。可以使用草药、香料等调味，烹调和凉拌菜少放盐。

6. 多吃蔬菜和鱼，少吃肉。

7. 尽量注意食品多样化。

8. 多吃高质量的食品——新鲜、有益健康、纯净的食物。

9. 注意饮食规律化，要吃早餐、午餐、晚餐和加餐。

10. 多喝饮品，水是最好的饮品。

最重要的是放松身心、享受美食。提前计划用餐时间，享受烹调的乐趣。下面这些饮食指导原则适合不同的生活方式。

■基本健康饮食

这份饮食只是指导原则，帮助我们计划自己的饮食，所以没有提供具体的分量，因为这不是减肥饮食——只是健康饮食。如果吃"中等分量"的食品，加上牛奶和补充的零食，差不多就是合适的饮食量。

饮食要符合性别、身高、运动量和食欲。如果是文性，工作时经常久坐，而且身材不高，最好吃分量少些的食品。如果是男性，个高而且活动量大，就要吃得多一些。另外，也要根据自己的胃口合理地选择食物的分量，即使是健康饮食，如果吃得过多，也会增加体重。

非限制性食品

非限制性食品包括水、多叶青菜和色拉蔬菜、草药和香料、药茶和"不含糖"的果茶、柠檬汁。茶、速溶或过滤咖啡应适量饮用(如果喜欢,可以加入牛奶)。不含热量的充气饮料应该尽量少喝。

牛奶

除了饮食计划中提到的牛奶,每天还应该喝大约200毫升(7液量盎司)的脱脂牛奶或高钙豆奶。如果不喜欢牛奶,可以喝125毫升(4液量盎司)天然低脂酸奶。

额外的零食

每天还可以补充约200卡热量的零食。1至2杯酒或巧克力饮品。或者吃一点面包、马铃薯,或者临睡前再喝1杯牛奶。总之,取决于个人的喜好。

基本健康饮食

家庭生活万事通

第一天

早餐

2份(瑞士)维多麦加脱脂牛奶(上面撒一些坚果末和芝麻粒)、1片全麦面包抹向日葵油和蜂蜜、1杯橙汁、1个苹果

午餐

五香扁豆和混合青菜色拉、200克(7盎司)蒸粗麦粉(烹调后重量)、1个无核小蜜橘

晚餐

意粉配米兰沙司、大碗混合蔬菜色拉加一点橄榄油和柠檬沙司、1份希腊式酸奶加蜂蜜

零食

1个燕麦烤饼

第二天

早餐

芒果和桃的混合饮料、杂面面包卷抹向日葵油和低糖柑橘酱、1把杏干

午餐

鲥鱼酱沙司、全麦皮塔饼、法式蔬菜色拉、西红柿和豌豆辣沙司、1 份香草冰激凌

晚餐

西班牙式烤鲑鱼、青豆、法式面包、1 个香蕉

零食

1 把干果和坚果

第三天

早餐

1 份不含糖的穆兹利、脱脂牛奶、1 个橘子、1 片全麦面包抹向日葵油和蜂蜜

午餐

南瓜、马铃薯和四季豆汤、大个面包卷、1 个香蕉、希腊式酸奶

晚餐

五香鸡肉和青菜、1 份糙米饭、油煎水果色拉

零食

1 个燕麦烤饼

第四天

早餐

低脂天然活性酸奶、1 份黑莓、全麦英式松饼抹向日葵油和蜂蜜、桃汁

午餐

大块法式或意式面包抹羊乳酪和青椒酱、1 碗混合色拉、红葡萄

晚餐

冬南瓜炖小扁豆和姜、1 份马铃薯泥加橄榄油、1 份羽衣甘蓝和 1 份青豆、新鲜无花果

零食

清爽干酪加蜂蜜

第五天

早餐

煮鸡蛋、大片全麦包抹向日葵油、1 个无核小蜜橘、苹果和杏的混合饮料

午餐

意大利乡村蔬菜色拉，1 个香蕉、1 份低脂活性酸奶

晚餐

炖土耳其羊羔肉、大份磨碎的小麦、花椰菜、芒果馅饼

零食

混合干果和坚果

第六天

早餐

1 个全麦英式松饼抹向日葵涂抹料和低糖柑橘涂抹料、希腊式酸奶加苹果块和开心果果实

午餐

胡萝卜和橘子汤、克奶利尼豆和罗勒涂抹料、法国棍子面包、2 个西红柿

晚餐

意粉配橄榄和沙丁鱼、大份混合色拉

零食

杏干和洋李干

第七天

早餐

冷冻香蕉和草莓、大片全麦面包抹向日葵涂抹和蜂蜜

午餐

泰式鲑鱼色拉、猕猴桃

晚餐

鹰嘴豆和蔬菜泥、烤马铃薯、嫩圆白菜叶

零食

1 个燕麦烤饼

家庭生活万事通

家庭生活万事通

第三章　奇妙的内部世界

☞ 14. 饮食造就人本身

　　人类的任何创造都比不上他自身非凡的构造。就在你读这本书的同时,骨髓内每秒钟会产生 250 万个红血球,以满足全身各处细胞的供氧要求。同时你的消化系统会以每天 10 升的速度产生消化液,来分解摄入的食物。食物分解后就可以通过人体的内层皮肤——胃肠壁,这是一条有 30 英尺长的管道,它的表面积足有一个小足球场那么大,并且每 4 天就会有效地更新一次。要想维护胃肠道的健康,我们需要依靠大约 300 多种不同种类的细菌以及其他一些微生物,它们就像你的指纹一样独一无二。这些细菌和微生物的数量比你全身所有的细胞加起来还要多。此外,你的免疫系统每周都会更新它的全部军队,当它受到致命攻击时,每分钟可以产生出 20 万个新的免疫细胞。你的外部皮肤每月也会进行有效地更新,而身体的大部分会每 7 年更新一次。只有 3.1 磅(1.4 千克)重的人脑主要由脂肪和水分构成,但它却指挥着自己数以万亿的神经细胞,处理着各种极其复杂的信息。这些神经细胞中的每一个都与数十万其他的神经细胞相连,并构成一个庞大的网络,只要我们的生命在延续,这些细胞之间的联系就不会中断。

　　我们摄入的食物中一小部分产生的能量就足以支持上面所有这些看不见的过程,这样一来,那些剩余的大量食物就可以为我们带来温暖,并赋予我们进行各种身体活动的能量。由此产生的副产品是水和二氧化碳,它们都是植物生长必不可少的。作为"回报",植物制造出碳水化合物,这是我们的燃料以及氧气(点燃细胞释放能量的火种)。据估计,我们平常只使用了人脑的万分之二十五,而在许多情况下,我们漫长的一生只是原应享有寿命的一半。人体的构造、能力以及恢复力的确让人叹为观止。

　　但是,一个人和一辆新车不同,我们没有维护手册来教会我们如何保养和维修,指导我们的只有前人从对人体的研究中得来的一些心得体会。然而,这些指点还仅仅处于初级阶段,这一点是显而易见的。你只要想一想我们的医学有多少是依靠药物治疗(毒害我们身体的药物)、放射性治疗(会"烧坏"我们的身体辐射)以及手术治疗(可以除去身体中有缺陷部分的外科手术),相信你一定能理解这种说法。我们中的大多数人只有在出现问题时才会考虑到进行身体维护。其实,由于人体有惊人的恢复能力,大多数诸如癌症以及心血管疾病之类的严重疾病可能经过二三十年才会形成。因此,等到我们发现病症时,可能为时已晚了。

通过经验学习

你一旦意识到自己的身体是一个多么有条理的整体——自然的力量创造了它,千百万年不断变换的环境练就了它——那么,很自然的,你就会对它有求必应,以获得可以看到的健康的益处。当然经验是最大的动力——如果一样食物你吃过之后感觉很好,那你很可能以后还会吃它;可是,如果一样食物你吃过以后感觉不好,那你很可能从此以后再也不会吃,除非你已经对它上瘾了。不过,为了能从经验中学习,我们必须首先了解什么是普遍适应综合症。它是由汉斯·西利(Hans selye)教授在1956年第一次提出的。西利教授指出,人们对任何一件事情的反应都可以分为三个不同的基本层次,这一点适用于一根香烟,一种食物,一种压力或者是一种身体活动。

第一阶段:最初反应 你对任何事情或者物质的第一反应能最真实地表明它是否适合你。还记得你第一次吸烟,第一次饮酒,或是你的第一杯咖啡吗? 当然,你不大可能记得第一次尝试糖类、肉类或牛奶时的情形,因为你在很小的时候就开始接触它们了。

第二阶段:逐渐适应 你的身体会非常神速地学会如何适应这些食物。也许你第一次喝咖啡之后心脏砰砰直跳,或者第一次抽烟时被呛得咳嗽,但这些记忆很快便烟消云散了。关于这一点有个很好的例子:从农村搬到城市里居住的人一开始会有血压升高的现象,因为他们没有接触过城市里的空气污染,但很快他们的血压就恢复正常了。同样道理,吸烟者肺部的细胞懂得改变结构来保护自己不受香烟的侵害。而血斑则在动脉中形成以修复受损的组织。造成这些现象的共同原因是什么呢? 那就是,人体试图保护自己。但是在这样做的同时,人体一直处于一种无形的压力之中。

第三阶段:精疲力竭 长期这样做的结果就是,有一天你会病倒。因为你的精力已经枯竭,你的消化系统不能够再正常工作,血压居高不下,而你自己已经病魔缠身。你的身体已力不从心，再也不能去适应什么了。也只有在这个时候，大多数人才会想到去健康医师那里寻医问药。

我们还可以给这个过程加上两个后续阶段：

第四阶段：逐步恢复　帮助身体恢复需要避免或严格限制最初的刺激物以及不利于身体的物质。这就意味着你要尽量过一种清教徒一般的生活，在这段时间里，你甚至还要回避任何曾经使你上瘾和过敏的物质。一般说来，对于这些东西你会说："除了它们以外我什么都可以放弃"。这就是上瘾的本质所在。要想帮助身体恢复，我们需要大量的维生素以及矿物质，其数量会远远超过维持良好的健康状况所需要的数量。

第五阶段：过度敏感　一旦你的身体得到了恢复（这通常要花上好多年的时间），你又真正地回到了第一阶段的那种状态。但不同的是，这一次由于你的饮食和生活习惯有了很大改善，身体可能会变得非常敏感，甚至会对以前从未过敏过的物质产生过敏反应，例如，含有添加剂的酒类，普通的食品（如小麦或牛奶）以及一些气体等等。这是健康的表现，因为就像在第一阶段时一样，你的身体正在告诉你哪些东西不适合你，你越听它的话，就会变得越健康。在适当的时候，随着你体力的恢复和加强，这种过度敏感会逐渐减弱，但是，希望你已经吸取了足够多的教训，不要再重蹈覆辙了。

一旦你理解了机体变化无常（时而强健无比，时而弱不禁风）的原因，你就可以更容易地知道身体有哪些不适，并相应地及时调整饮食和生活习惯。想一想那些你怀疑可能不适合自己的物品，它们有什么共性？你也许会发现有些重要的细枝末节被你忽略掉了。这里列出了一些我的病人们发现的最常见的"嫌疑物"，它们很容易引起人们的不良反应：

有趣的是，我们的祖先——从进化的角度看，直到"很晚"才开始种植谷物，饲养家畜——但是他们对这些物质却没有产生任何不良的反应。

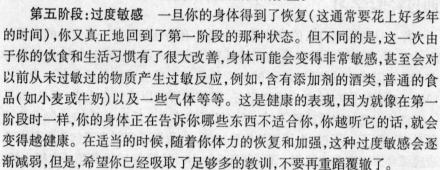

经常引起人们不良反应的物品

小麦以及其他谷物	采用发酵方法制作的酒类
牛奶和乳制品	（啤酒以及葡萄酒，但不包括香槟）
巧克力	酒精添加剂
糖类	香烟
咖啡，包括不含咖啡因的种类	烟雾
茶	汽车尾气
食品添加剂	煤气取暖器
酒精	花粉

延迟反应

另外一种值得一提的现象就是"延迟反应"。普遍适应综合症向我们描述了长期延迟反应的情形。事实上,你对很多食物都有短期的延迟反应,它最长可持续24小时,而后你就会对它们产生不良的反应。例如,你吃了很甜的东西以后,尽管血糖升高了,但一开始你不会感到不适。4个小时以后,当你的血糖重新跌回正常值时,你也许就会沉沉睡去了。而酒的威力要等到数小时以后才会原形毕露。这在很大程度上是因为肝脏解除酒精毒素的功能已经不堪重负,于是,得不到处理的酒精便转换成一种有毒的副产品,它就是引起头痛和呕吐的罪魁祸首。大部分对你不适合的物质在24小时之内就会让你产生最初反应。

装满盐水的毛皮袋

科学家认为人类和所有其他的哺乳动物一样,都源自海洋。我们的身体内部就好像是一个海洋,它拥有许多和我们最初生活的海洋相同的成分——66%的水、25%的蛋白质、8%的脂肪,而其余的部分则是一些碳水化合物,矿物质以及维生素——不论是萨达姆·侯赛因、托尼·布莱尔、麦当娜、还是你和我,都无一例外。迈克尔·科尔根(Michael Colgan)医生是一位出生在英国的科学家,他是最佳营养学方法的先驱。引用他的话来形容,人类就是许多"装满盐水的毛皮袋"。然而,如果你仅仅把这些成分简单地拼凑在一起,是绝对造不出人类的。那么,究竟是什么创造了人类呢?

其实谜底在前一节里就已经揭开了,那就是酶。是这些不起眼的酶把我们所吃的食物变成所有细胞需要的燃料,不论是肌肉细胞、脑细胞、免疫细胞还是血液细胞都需要依靠这些酶提供的燃料生存。然后,存在于每个细胞里的酶再将燃料变成能量,供给我们一切的生命活动,我们心脏的每一次跳动,神经的每一次传导,以及其他所有的身体功能,都离不开这些能量。宇宙万物,每一个都存在于一个巨大的持续不断的化学反应之中。我们人类作为一种短暂的生命体,在这个庞大的反应中肩负着自己的责任:就是为自己和他人提供最好的构件,使得大家在这个永不停息的过程中,都过着快乐而持久的幸福生活。那么,是什么让我们的酶保持着最好的工作状态呢?那就是维生素以及矿物质。几乎所有这些成千上万的酶都直接或间接地依

家庭生活万事通

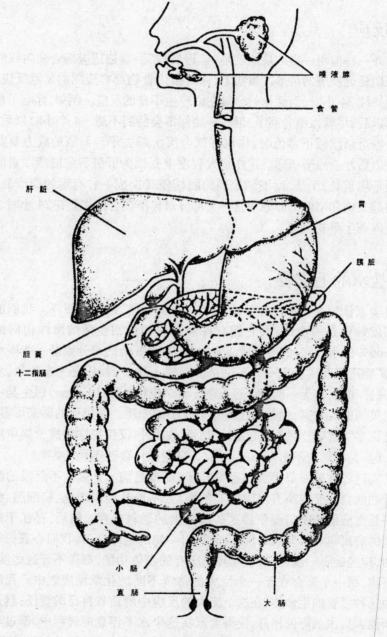

人体消化系统

赖于维生素和矿物质。

一旦你了解了人体和它的健康取决于这样一个庞大而复杂的交互网络,你就能理解为什么单独增补某一种维生素的作用只能算是杯水车薪。这就好比是仅仅换掉一个脏兮兮的火花塞,就奢望你的汽车能正常运转。可悲的是,我们大部分的医学研究正是这样做的——挑选一种营养物质,并检测它对人体健康某一个方面的疗效如何。在本书中你将会看到,人类在增强体质,改善精神状况,延长寿命,提高生育能力以及抵御疾病等方面取得最大成就的研究,采用的都是多种营养物质共同治疗的方法。因为这种方法抓住了问题的关键所在——营养物质是相互作用的。本书的第4、5章已经解释了采用最佳营养学的方法可以取得的效果,以及那些通过最佳营养学方法的治疗得到改善的病症。

☞ 15. 改善你的消化

和其他所有动物一样,我们一生都在处理有机物质并最终产生废物。我们进行这个过程的好坏决定着我们的精力水平、寿命以及身体和精神的状况。营养物质的缺乏,或是不适宜的食物都会引起消化不良,吸收欠佳以及不正常的肠道反应,包括胀气和发炎、肠道感染以及排泄不畅。由此引发的一连串反应会影响整个人体系统——免疫力,大脑以及神经系统,荷尔蒙的均衡和我们排除毒素的能力。

胃酸——恰当的均衡

消化从感官开始。食物的样子和气味会在我们身体里引起化学反应,这些反应使我们做好进食和消化的准备。咀嚼尤为重要,因为它将信息传送到消化道,而消化道则根据传来的食物信息准备好不同种类的消化酶。

接下来食物进入胃部,在那里大的蛋白质被分解成为较小的氨基酸的组合。蛋白质消化的第一步由盐酸来进行。盐酸从胃壁释放出来,它的含量依赖于体内的含锌量,通常体内的含锌量随年纪的增长而减少,因此盐酸的产量也随之降低。由此造成的结果便是消化不良,这种情况在蛋白质含量高的餐饮之后尤为突出。消化不良可能引发的后果之一就是食物过敏,因为没有消化的大个食物分子很容易在小肠内引起过敏反应。

解决胃酸过少的营养学办法是服用含有盐酸甜菜碱的消化增补剂,再加上至少 15 毫克易吸收的锌,如柠檬酸锌。然而,有些人体内却会产生出过多的胃酸,并很有可能形成"酸胃",它会使人感觉胃部有灼烧感,并且会引起消化不良。对于这种情况一般采取的治疗方法是避免食用刺激性的、酸性的以及过敏的食物和饮料,酒精、咖啡、茶以及阿司匹林都会刺激肠壁。肉类、蛋类、鱼类以及其他含有大量蛋白质的食物会刺激酸的生成,并加剧体内的酸度过强的情况。诸如钙和镁这样的矿物质碱性很强,可以减轻酸度过强患者的痛苦。

消化酶

胃也能分泌一系列的酶来分解蛋白质,我们把这些酶统称为蛋白酶。蛋白质的消化在小肠的第一部分——十二指肠中继续进行。胰脏和肝脏分泌的消化酶在这里汇集。胰脏是主要的消化器官,它的特殊细胞可以分泌消化酶来分解碳水化合物、脂肪以及蛋白质。我们把这些酶称作淀粉酶、脂肪酶及蛋白酶。自然它们也包含有很多不同的种类。

消化酶的产生取决于许多微量营养物质,尤其是维生素 B6。营养不良通常造成消化不良,随之而来的是吸收不良,久而久之营养物质的摄入就会变得越来越差。结果是未消化的食物淤积在小肠里,从而刺激了错误种类的细菌和微生物的繁殖。由此引起的症状包括肠胃气胀,腹痛以及肿胀。

对付这一类问题最简单的方法是在吃每顿饭时服用含有各种消化酶的增补剂。这种方法可谓是立竿见影。如果你想检验一下消化酶增补剂的功效到底怎样,不妨做一下下面这个简单的试验:将你的消化酶增补剂捣碎后撒入一碗浓稠的麦片粥,假如这些药物质量可靠,那碗粥会在 30 分钟之内变成稀释的液体。坚持服用消化酶对身体没有什么害处,而不时的服用一些增补剂来控制各种消化酶的含量则有助于增加体内营养物质的含量。一旦做到了这一点,消化系统通常可以进行自我改善,慢慢地我们也就不需要服用那些消化酶增补剂了。

在被全部消化之前,脂肪需要经过特殊的加工过程。这道工序由一种叫做胆汁的物质完成,它是由肝脏分泌的,并在胆囊中存储。胆汁中含有蛋黄素,它能够乳化大块的脂肪颗粒并把它们变成小的微粒。这样一来,脂肪酶就有了一个更大的工作空间。粒剂或胶囊状的蛋黄素增补剂有助于提高人们的乳化功能。而且它还能帮助那些对脂肪的耐受性较差的人们,如切除了胆囊的人,由于他们自己不能储存胆汁,因此也就无法很好的消化脂肪。

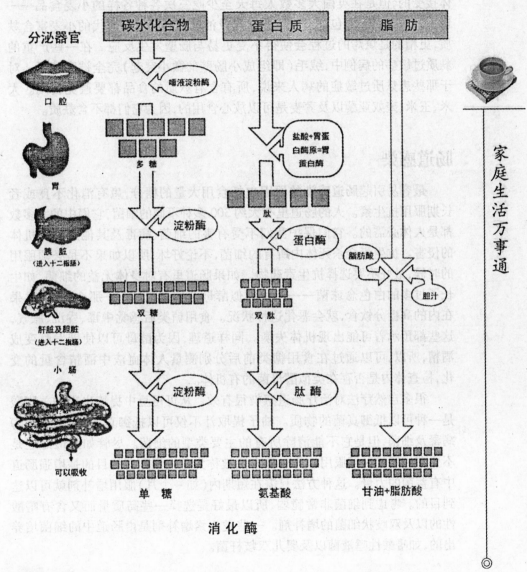

分泌器官

| 碳水化合物 | 蛋白质 | 脂肪 |

口腔

唾液淀粉酶

胃

多糖

盐酸+胃蛋
白酶原=胃
蛋白酶

胰脏
(进入十二指肠)

淀粉酶

肽

蛋白酶

脂肪酸

肝脏及胆脏
(进入十二指肠)

双糖

双肽

胆汁

小肠

淀粉酶

肽酶

可以吸收

单糖   氨基酸   甘油+脂肪酸

消化酶

肠道反应

尽管消化不良的起因可能是胃酸过剩或不足,也可能是缺少消化酶,但这些并不是惟一的可能性。我们吃的许多食物都可能刺激并损伤我们非常敏感而又至关重要的器官内壁。小麦就是其中的一种。它所含的一种叫麸质的蛋白质中含有麸朊，这是一种肠刺激物。少量的这种物质是可以被身体接受的，但是在英国大多数人每天至少吃三次各种各样的小麦食品——饼干、吐司面包、面包、麦片粥、蛋糕以及油酥点心等等。现代的小麦富含麸质，更糟的是烘烤的过程会使得小麦更易与肠壁发生反应。在一些严重的麸质过敏症的病例中，绒毛（即组成小肠壁的微小突起）完全被磨掉了。对于那些患麸质过敏症的病人来说，所有含有麸质的食品都要避免食用。大米、玉米、奎奴亚藜以及荞麦是可以放心食用的，因为它们都不含麸质。

肠道感染

　　最容易引起肠道感染的原因包括食用大量的糖分，患有消化不良或者长期服用抗生素。人的肠道里有大约300多种不同的细菌，它们中的大多数都是人体必需的。它们保护我们不受有害的细菌、病毒及其他危险有机体的侵害。抗生素会杀死体内所有的细菌，不论好坏，所以如果不是必须服用的时候，最好不要选择抗生素药物。如果肠道里有对身体无益的细菌，如生长了过多的白色念珠菌———一种类似酵母菌的有机体——那么，包括水果在内的高糖分饮食，就会恶化这种状况。食用糖类后感觉中毒、昏沉、胀气，这些都预示着可能出现机体失衡。同样道理，因为酵母可以使糖发酵变成酒精，所以，可以通过在食用糖类前后分别测量人体血液中酒精含量的变化，检查体内是否存在类似酵母菌的有机体。

　　很多自然疗法对治疗肠道感染很有效。从可可豆中提炼出来的羊脂酸是一种可以抵御真菌的物质。柚子提取汁不仅可以抵御真菌，还能够抵御病毒及细菌，但是它不能清除所有的主要类型的细菌。尽管如此最好还是不要在进餐的时候服用。另一种方法被称为益生素。它的目的是增强肠道中有益菌的力量。这种方法只需在短期内（如一个月）服用增补剂就可以达到目的。考虑到细菌非常脆弱，所以最好是选择一些高质量而又含有嗜酸性的以及双歧状细菌的增补剂。一些益生素增补剂是由肠道中的细菌培养出的，如嗜酸性唾液菌以及婴儿双歧杆菌。

预防肠胃胀气及便秘

　　消化不良是引起肠胃胀气的原因之一，同样食用了不易消化的碳水化合物也会引起肠胃胀气。这些不易消化的碳水化合物在豆子和蔬菜中含量特别高。有一种叫仅一半乳糖苷酶的物质能够分解这些不易消化的碳水化合物并减轻肠胃胀气的症状，市场上有这种增补剂出售。

引起便秘的原因有很多，最常见的一个原因就是硬的残渣物质。天然食物在消化道中很柔软，这是因为它们含有能够吸水膨胀的纤维。水果和蔬菜中天然含有很多水分。对于像燕麦和大米之类的粗粮来讲，如果烹调得当，它们能吸收足够多的水分并形成柔软的湿块进入消化道。肉类、蛋类、干酪、精制谷物以及小麦（由于它含有麸质成分）都会引起便秘。尽管人们不需要额外添加食物纤维，但是燕麦纤维对人体格外有益。它已被证明可以帮助清除胆固醇并能减缓人体对碳水化合物的吸收速度。另外，它还可以预防便秘。在燕麦中就含有燕麦纤维，食用时最好先浸泡，烹制后冷却食用。

有些食物和营养物质起着少许通便的作用，如亚麻子。我们可以把它碾碎后撒在食物上。类似的物质还包括梅脯以及剂量达到若干克的维生素C。但是大多数的通便药物，即使是那些天然的通便剂都会对肠胃造成刺激，因为它们发挥作用时并不能解决根本问题。粉剂的果寡糖是一种新型的通便剂，这种合成碳水化合物有助于保持肠道中的水分，并加速有益的乳酸菌的生成。尽管这一药物起作用的时间较长，但确实是更加可取的治疗便秘的方法。此外，大量食用水果、蔬菜及粗粮，再加上多喝水，这些都是必不可少的。对于我们中的一些人来说，长期便秘会导致机体阻塞以及肠道胀气。饮食上的变化能对此有所帮助，但仅仅这样是不够的，因为它无法总是将肠道清除干净。此时几种特殊纤维的组合可能有助于松解陈旧的残渣物质，这样的组合如欧车前草种皮粉、甜菜纤维、燕麦纤维以及药草。结肠净化疗法采用的就是这一原理。患者在一至三个月的时间里服用粉剂或胶囊药物进行治疗。另一种方法叫做结肠疗法，它是指用灌肠器把水注入结肠，加上腹部按摩就能帮助松解和排出旧的残渣物质。刺激腹部的运动同样能够帮助消化，而呼吸练习则可以放松腹部。要知道，在有压力的情况下，人体自然的反射就是停止消化。

改善消化是身体健康的关键。消化好，体力增强，人的皮肤就会变得柔软光洁，身体的异味就会减小，人的抵抗力也会增强。一切都是自上而下发生的：首先保证消化好，然后是吸收充分，最后则是排泄通畅。假如你患有消化困难的问题，最好去看一看营养咨询师。利用现代的检测手段以及先进的自然疗法，大多数消化方面的问题都可以迎刃而解。你大可不必花很多钱，也不必进行繁杂的检查和治疗过程。

家庭生活万事通

☞ 16. 健康心脏秘诀

你有 50% 的可能性死于心脏病或者动脉疾病。这听上去可不太妙。但令人欣慰的是在大多数情况下,心脏病是完全可以避免的。然而由于这种疾病的影响面积是如此之大,我们几乎都认为得心脏病是理所当然的事了。因此面对这种比艾滋病更容易夺人性命的疾病,我们并没有很好地保护自己,而且我们并非不知道这种疾病的起因,它的治疗方法我们也早就掌握了。

心脏病致死并不是自然的。在许多民族中,中风以及心脏病并不常见。例如尽管目前在日本患心脏病的人数有缓慢上升的趋势,但是在中年人中,普通英国人中患有心脏病的病人数目是日本的 9 倍。尸体解剖证明,死于公元前 3000 年左右的古埃及木乃伊的血管里有一些沉积物,但是其数量还没有多到堵塞血管而引发中风及心脏病的程度。在 20 世纪 30 年代心脏病非常少见,除非是有明显的症状如胸口剧痛,出冷汗,恶心,低血压和脉搏微弱,否则必须有专家的诊断才可以判断你是否患有心脏病。根据美国的健康记录,每十万人中患心脏病的人数在 1890 年时为零,到 1970 年时这个数字上升到 340 人。尽管有人死于心脏瓣膜硬化、风湿性心脏病以及其他的先天缺陷,但是真正死于血管堵塞而引起的中风以及心脏病的人则微乎其微。更加令人担心的是心脏病的发病年龄越来越早。在越南进行的尸体解剖表明,死于战役中平均年龄为 22 岁的士兵中,每两人就有一人已经出现了动脉硬化的症状。如今大多数十多岁的年轻人都有可能出现动脉硬化的症状,而这正是心脏病的先兆。显而易见,我们的生活方式、饮食以及环境在过去的 60 年中发生了巨大的变化,也因此带来了这种现代疾病。

什么是心脏病?

心血管系统拥有许多血管,这些血管将各种各样的物质运送到你身体的每一个细胞里。在这些物质中有氧气、燃料(葡萄糖)、建筑材料(氨基酸)、维生素以及矿物质。被称作毛细血管的微小血管在肺部吸收氧气排出二氧化碳,这样我们的血液就得到了氧气,与此同时,肺部的二氧化碳则被我们呼出。这些血管伸入心脏,而心脏则将血液挤压至全身上下各个细胞。

在各个细胞处,血管形成一个毛细血管网络,为细胞输送氧气和其他养料并带走细胞中的代谢废物。氧气以及葡萄糖是身体的各个细胞制造能量所必需的物质;而细胞中的代谢废物则是指二氧化碳和水。

为细胞提供营养物质和氧气的血管叫做动脉,而从细胞里带走代谢废物及二氧化碳的血管叫做静脉。动脉血比静脉血要红,这是因为动脉血里携带氧气的物质是血红蛋白,它其中含有铁元素。动脉里的压力也要比静脉要大。正如所有的血液要从细胞回流到心脏一样,所有的血液也都要经过肾脏。在那里,代谢废物被清除出血管,转变成尿液,并储存在膀胱里。

实际上"心脏病"这个名称是不正确的。主要的危及生命的疾病是动脉疾病。年复一年,动脉壁上开始形成沉积物。它们被称为动脉血斑或动脉粥样化。"动脉粥样化"这个词来源于希腊语中"粥(porridge)"这个词。之所以这样叫是因为动脉中沉积物与浓稠的粥非常相似。这种动脉沉积的现象叫做动脉硬化症,而且它只在身体的某些部位发生。患了动脉硬化症,血液会比正常的血液粘稠,并含有凝块,在它们的共同作用下,动脉会出现堵塞,从而使血液流动中断。如果这发生在为心脏给养的动脉血管里,那么,由它们负责给养的那半边心脏就会因缺少氧气而死。这叫做心肌梗塞或心脏病。在出现这种情况之前,许多人被诊断为心绞痛——由于为心肌提供氧气和葡萄糖的冠状动脉被部分堵塞,心脏获得的氧气受到限制,因而引起胸口疼。这种情况通常发生在我们用力或者承受压力的时候。

假如血管阻塞发生在大脑里,那么一部分大脑就会死亡,这就是中风。我们大脑里的动脉非常脆弱。有时候引起中风的并不是血管阻塞,而是动脉破裂,这就是脑溢血。如果阻塞发生在腿部,就会引起腿部疼痛,这就是血栓症的一种(一个血栓就是一个血块儿)。当体表的动脉发生阻塞时,就会在手部或腿部等处造成体表循环不畅。

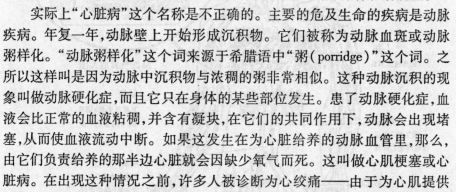

治愈高血压

综上所述,造成所谓"心脏病"的主要原因有两个:第一,动脉硬化(动脉里沉积物的形成);第二,血块的出现(浓血)。然而,还有第三个问题能够并且通常会伴随着动脉粥样硬化一道出现,那就是动脉硬化——动脉的变硬。动脉是有韧性的,不管是不是有动脉粥样硬化的出现,它都会随着时间的推移逐渐失去弹性而变硬。原因之一是缺少维生素 C,因为如果缺乏维生素 C 人体就无法产生胶原质,而胶原质能够让皮肤及动脉保持柔软。动脉硬化、

115

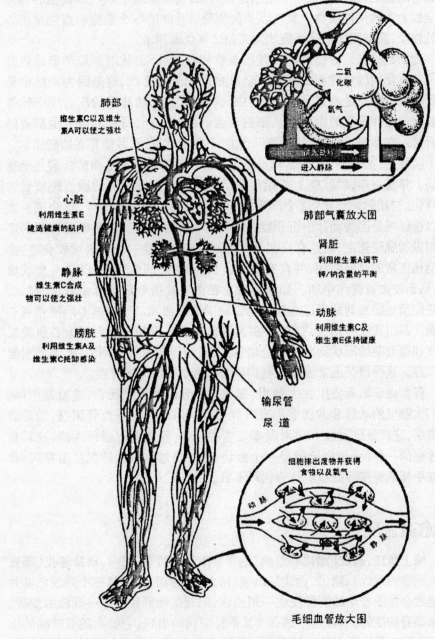

肺部
维生素C以及维生
素A可以使之强壮

二氧
化碳

氧气

进入动脉

进入静脉

肺部气囊放大图

心脏
利用维生素E
建造健康的肌肉

肾脏
利用维生素A调节
钾/钠含量的平衡

静脉
维生素C合成
物可以使之强壮

动脉
利用维生素C及
维生素E保持健康

膀胱
利用维生素A及
维生素C抵卸感染

输尿管

尿道

细胞排出废物并获得
食物以及氧气

动脉

静脉

毛细血管放大图

116

人体呼吸道及心血管系统

动脉粥样硬化和浓血都会使我们的血压升高,从而使我们更容易患血栓症,心绞痛,心脏病或者中风。

和开关水龙头时水管中压力的变化一样,动脉中的压力也会随着心脏的跳动而改变。心脏每次跳动时动脉中的压力增大,间歇时,压力减小。这两种情况下的压力分别叫做收缩压和舒张压,它们的正常值,不论人的年纪大小都应该为120/80。但是假如动脉被阻塞了,或者血液太浓稠,那么血管中的压力就会增大。假设大多数人的血压会随着年龄的增长而升高,那么传统医学认为如果你的收缩压等于100加上你的年龄的总和,那就表明你一切正常(比如50岁的人正常的收缩压应为150)。其实,这些人正是那些意外死于心脏病的人。所以刚才提到的这种关于收缩压正常值的衡量方法并不可取。

在这里我们有四种降血压的办法。动脉是由一层肌肉构成的,钠元素过剩,或者钙、镁、钾中的任何一种缺乏都会增加肌肉的压力。增加这些矿物质的摄入量,同时避免添加盐(氯化钠)的摄入量就可以在一个月之内有效地降低血压。在上面所说的这些矿物质中,镁是最重要的,因为镁缺乏症与心脏病之间有着密切的联系。明显的镁缺乏症可能引起冠状动脉痉挛,从而引发心脏病,即使没有动脉硬化引起的阻塞,这样的情况也同样有可能发生。因此,随时检查你体内的镁元素的含量是至关重要的。

另一种降血压的方法是稀释血液浓度。传统上来讲我们采用阿司匹林,它可以使患心脏病的可能性降低20%。然而,剑桥大学医学院的摩里斯·布朗教授用他的维生素E双盲控制试验证明了维生素E的降压功效是阿司匹林的4倍,它可以使心脏病的患病几率降低75%。这些结果与1993年刚刚发表的两项研究结果一致。其中一项结果刊登在《新英格兰医学杂志》(*New England Journal of Medicine*)上,里面讲到:8.72万名护士在两年多的时间里每天坚持服用100国际单位的维生素E,之后她们患致命性和非致命性心脏病的几率比没有服用维生素E增补剂的人降低了40%。在另外一项研究中,3.9万名男性健康医师在同样长的时间内服用了相同剂量的维生素E增补剂后,患病的几率降低了39%。这两个研究验证了伊万·舒特(Evan Shute)医生早在20世纪50年代所做的第一批有关维生素E保护功能的报道。Ω-3鱼油EPA(二十碳五烯酸)以及DPA(二十二碳六烯酸)也能稀释血液浓度,而且,如果把它们和维生素E一起服用会比选择阿司匹林更加有效而且也安全得多。

但是,高血压引发的主要危险是动脉硬化引起的动脉变窄。研究表明很多营养学方法都具有阻止甚至逆转这一过程的作用。其中主要起作用的是抗氧化

家庭生活万事通

117

剂增补剂、鱼油、赖氨酸以及维生素 C。维生素 C 还有助于防止动脉组织硬化,而动脉组织硬化是造成高血压的另一种原因。从长远来看,补充这些营养物质比降压药会更加有效,因为,它们针对的是问题的根源而不仅仅是表象。

在最佳营养学研究院进行的一项为期三个月的实验中,34 名高血压患者的血压平均下降了 8 点,更让人高兴的是血压下降最多的正是一开始血压最高的人。迈克尔·科尔根(Michael Colgan)医生发现:如果抛开年纪不看,所有参加全面营养补充项目的人的血压都在逐步下降,已从一开始的略高于 140/90 下降到 120/80 以下。事实上,如果忽略年龄的差异,最佳的血压应该是收缩压不高于 125,而舒张压不高于 85。显然,血压如果在 140/90 以上就应当引起关注了。

科尔根医生还发现:在 5 年服用营养增补剂的过程中,人的脉搏从原来的每分钟 75 次下降到了每分钟 65 次。因为脉搏是一种心脏能力的反映,所以,强壮一些的人每分钟脉膊跳动的次数要少于身体不大健康的人。而且理想的脉搏跳动次数应在每分钟 65 次以下。

是什么引发了心脏病?

在了解药物增补以及饮食变化是如何治疗心脏病的时候,我们应该先来看一下动脉疾病的成因。远在 1913 年俄国科学家安尼其可夫(Anitschkov)医生就认为他找到了问题的答案。他发现给兔子喂食胆固醇(一种动物性脂肪)能够减少它们患心脏病的几率。但有一点是他没能完成的,那就是他无法使兔子这种食草动物消化掉体内的这些动物脂肪。因为人们发现心脏病患者动脉中的脂肪性沉积物里胆固醇的含量很高,所以,人们很快意识到这很可能是由于患者食用了胆固醇含量过高的食物,从而使血液里的胆固醇含量超标所引起的。这一简单理论很有影响力,尽管效果并不明显,但许多医生还是用胆固醇含量低的食谱来治疗心脏病。

神秘的胆固醇

1975 年由美国加州大学的阿尔芬·斯拉特医生带领的研究小组决心检验一下这种胆固醇理论。他们选定了 50 名血液胆固醇含量正常的健康人,然后,在八周内让其中的一半人每天食用两个鸡蛋(当然,还包括让他们食用其他的高胆固醇食品)。另一半人在前四个星期里每天食用一个鸡蛋,而在后四个星期里每天食用两个鸡蛋。结果表明,他们血液中的胆固醇含量根本没有发生变化。后来，阿尔芬—斯拉特博士曾这样说:"实验结果让我们感到从未有过的惊讶……"

其他许多研究也没有发现吃鸡蛋会使胆固醇升高。事实上，早在1974年英国政府就成立了一个顾问委员会，专门研究"从医学角度制定的与心血管疾病相关的饮食政策"这一课题。这一委员会最后发表声明说:"在西方，绝大多数饮食中的胆固醇都是由鸡蛋提供的，但是，我们却没有证据表明鸡蛋和心脏病有联系。"

因为高胆固醇和高冠状动脉疾病发病率相关，所以，我们姑且认为人体胆固醇含量低是件好事儿。但有三个独立的研究小组却得出了与之不同的结论。第一个小组来自日本，他们发现尽管高胆固醇含量与心血管疾病相关，而且在日本心血管疾病的发病率比较低，但是在日本人中，中风的发病率却很高。当血液中的胆固醇含量低于190mg%时，这组由6500名日本男子组成的研究对象中，中风的发病率却升高了。此外，芬兰人伊克里·潘丁能(Jykri Penttinen)发现由暴力原因引起的抑郁、自杀和死亡的数目都在上升，而这些都是由于体内过低的胆固醇水平引起的。上述发现在亚特兰大疾病控制中心的大卫·弗里德曼(David Freedman)那里得到了证实。大卫发现"反社会个性失调症"患者体内的胆固醇含量偏低。他认为体内过低的胆固醇水平会导致攻击行为的发生。

毫无疑问血液中胆固醇含量高能引发动脉疾病，但吃一些像鸡蛋这样胆固醇含量居中的食物并不会增加患心脏病的几率。那么什么是最理想的方法呢? 从事医学研究的切拉斯金(Cheraskin)博士在比较了一系列的健康标准与胆固醇含量的联系后，得出一个结论:所谓的"健康"的血液胆固醇含量的范围其实很小。这个范围是介于190mg%到210mg%之间。低于前者，或者高于后者都有可能导致疾病的发生。

心血管健康理想测试数值

	不健康	"正常"	健康
胆固醇	<120 – >330mg%	120 – 330mg%	90 – 210mg%
胆固醇/高密度脂蛋白	>8:1	>5:1	<5:1
血压	>140/90	<140/90	<125/85
脉搏	>85	<85	<70

> = 多于
< = 少于

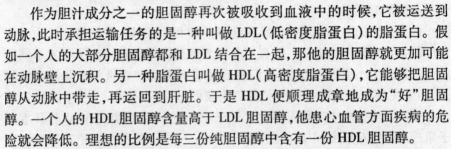

家庭生活万事通

优质胆固醇

前面所讲的饮食胆固醇假说最终埋葬在爱斯基摩人的手里:因为他们饮食中胆固醇的含量居世界之首,但与此同时,他们却保持着世界上最低的心血管疾病发病率。现在我们知道胆固醇有"好"、"坏"之分了。

作为胆汁成分之一的胆固醇再次被吸收到血液中的时候,它被运送到动脉,此时承担运输任务的是一种叫做 LDL(低密度脂蛋白)的脂蛋白。假如一个人的大部分胆固醇都和 LDL 结合在一起,那他的胆固醇就更加可能在动脉壁上沉积。另一种脂蛋白叫做 HDL(高密度脂蛋白),它能够把胆固醇从动脉中带走,再运回到肝脏。于是 HDL 便顺理成章地成为"好"胆固醇。一个人的 HDL 胆固醇含量高于 LDL 胆固醇,他患心血管方面疾病的危险就会降低。理想的比例是每三份纯胆固醇中含有一份 HDL 胆固醇。

多种维生素和矿物疗法在此也适用于改善体内的胆固醇含量,使其达到理想的平衡状态。迈克尔·科尔根医生已经用实验向我们证明了这种方法的效果。他在六个月中给一些人服用多种维生素和矿物质增补剂,然后,让这些人暂停服药三个月,如此不间断地反复两年后,他成功地降低了这些人的血液胆固醇含量,同时提高了 HDL 对 LDL 的比例。维生素 B3(烟酸)同样能增加体内 HDL 的含量。当然,不太方便的是我们每天需要服用 500~1000 毫克的剂量。由于烟酸会使人有潮红的反应,所以很多人都服用纤维醇或不会引起潮红反应的烟酸制剂。还有一种有效提高 HDL 含量并降低 LDL 和纯胆固醇含量的方法,那就是服用大量的 Ω-3 鱼油。也就是说,这种方式需要我们服用 EPA(二十碳五烯酸)鱼油增补剂,或者大量食用富含油脂的鱼类。人们认为这就是爱斯基摩人保护自己免受心血管疾病侵扰的方法。

最后,胆固醇还有另外一个重要的特性,那就是它和其他任何一种脂肪一样,氧化的过程可以将其破坏。例如吸烟就可以加快脂肪的氧化。一旦被破坏,将胆固醇清除出动脉就会变得更加困难。氧化还会伤害组成动脉壁的细胞,并使它们阻塞血管。抗氧化剂能够起到保护的作用,饮食或血液中如果缺乏 β-胡萝卜素、维生素 A、维生素 C 以及维生素 E 就会增大患心脏病的几率。增加抗氧化剂的摄入量,并尽量避免与自由基的接触(请参见本书第 13 章),这样你就可以降低自己患心脏病的可能性了。

心脏病新理论

莱纳斯·鲍林医生与玛西亚斯·拉丝医生曾经指出,上面这些因素或许是造成动脉硬化的一部分原因,但是它们尚无法完全解释这种病症。他们了解到我们的祖先居住在热带环境里时失去了制造维生素 C 的能力,于是就想到一个问题——人类是如何在持续不断的冰川期里生存下来,而没有像海员那样死于坏血病呢?坏血病的第一个征兆是血管出血,也就是血管渗漏——身体里没有任何其他部位所受的压力比血管壁更大。

鲍林及拉丝医生认为,为了生存人类在维生素 C 缺乏时期可能形成了一种特殊的能力,就是在动脉壁沉积脂蛋白(脂肪蛋白合成物)。有两种蛋白质会聚集在伤口处进行修补工作,它们是纤维蛋白原以及脱辅基蛋白。脱辅基蛋白天然就与脂肪(脂质)有着密切的关系,能与它们合成脂蛋白 A(LpA),这种合成蛋白质能修补损伤及渗漏的血管。但是,它也通过在血管壁上聚集沉积物而加大了人们得心脏病的可能性。事实上,在诸多可以测量的物质中,脂蛋白 A 的含量是最好的用于表示心脏病患病几率的凭证。

目前基因研究非常支持这样一种观点,那就是脂蛋白的出现极有可能是基因对由于血管渗漏而濒临灭绝的物种采取的对策。难道这就是大自然对付危及生命的坏血病的办法?据估计,当猴子体内脂蛋白 A 形成的时候,灵长目动物也正失去自我生成维生素 C 的能力。

那么维生素 C 缺乏导致心血管疾病这种理论是不是与事实相符呢?当人的体内缺乏维生素 C 时,胆固醇、甘油三酸脂(血液中的脂肪)、坏的 LDL、脱辅基蛋白以及脂蛋白都会增多,而对人体有利的 HDL 则会减少。相反的,增加维生素 C 的摄入量时,前面所说的一系列变化就会颠倒过来。

所有这些有利的影响对我们的祖先起着非常重要的作用。在夏天,当他们能够摄取足够多的维生素 C 时,HDL 的数量增加并帮助清除过剩的胆固醇。维生素 C 还可以阻止多余的胆固醇的生成,同时把胆固醇变回胆汁。这一切会使得不必要的动脉硬化沉积减少。有一项研究指出,每天服用 500 毫克维生素 C 就可以在二到六个月的时间内减少动脉硬化沉积。鲍林指出:"这一理念也说明了为什么心脏病和中风在冬天的发病率比春夏两季要高,这是由于春夏两季人们摄入的抗坏血酸的数量更高。"

121

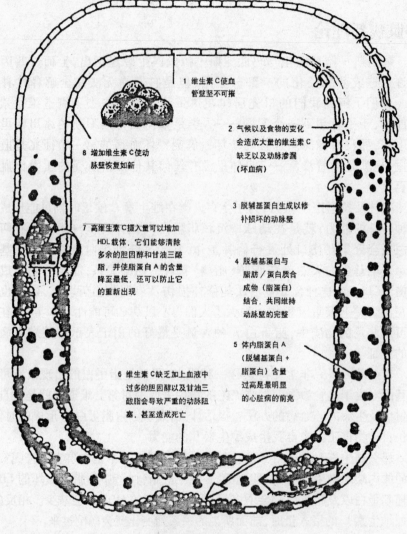

1 维生素C使血管壁坚不可摧

2 气候以及食物的变化会造成大量的维生素C缺乏以及动脉渗漏（坏血病）

3 脱辅基蛋白生成以修补损坏的动脉壁

4 脱辅基蛋白与脂肪／蛋白质合成物（脂蛋白）结合，共同维持动脉壁的完整

5 体内脂蛋白A（脱辅基蛋白＋脂蛋白）含量过高是最明显的心脏病的前兆

6 维生素C缺乏加上血液中过多的胆固醇以及甘油三酸脂会导致严重的动脉阻塞，甚至造成死亡

7 高维生素C摄入量可以增加HDL载体，它们能够清除多余的胆固醇和甘油三酸脂，并使脂蛋白A的含量降至最低，还可以防止它的重新出现

8 增加维生素C使动脉壁恢复如新

心脏病的发生和治愈

如果说维生素C缺乏症的确是人类患心血管疾病的普遍原因，那么维生素C增补剂就注定要成为全世界对付这类疾病的共同选择了。鲍林和拉丝医生建议大家每天服用3到10克的维生素C。对于那些心血管疾病患者来说，除此之外还要再加上每天3克的赖氨酸。这两种物质的结合能够使动脉硬化的状况得到好转。

健康心脏超级营养学

我们已经了解了很多心血管疾病的成因及如何防治的知识，显然，还有更多的东西等待我们去探索。但是，几乎没有医生采用已知的这些知识来预防心脏病的发生并治愈这种疾病。

下面的指导建议适合所有人使用，它可以教会我们如何消除患心脏病的危险，并让我们至少多活 10 年：

■ 避免食用煎炸的食物，少使用肉类以及脂肪含量高的食品。富含油脂的鱼类如鲭鱼、鲱鱼、鲑鱼以及金枪鱼是你更佳的选择。

■ 多食用新鲜的蔬菜和水果，因为它们富含钙、镁以及钾元素。一在烹制的过程中不要加盐，也不要在你的盘子里放盐，要限制添加食盐的食品的食用量。

■ 要保持身体健康，不要肥胖。

■ 不要吸烟。

■ 避免长期处于压力之中。

■ 要知道你自己的血压值，每 5 年检查一次你的血脂含量。

■ 服用抗氧化营养物质增补剂，其中要包括至少 400 毫克的维生素 E 以及 2 克的维生素 C。

假如你患有心血管疾病或者高血压，下面的建议也适合你。

■ 去拜访一位营养师，并检查一下你的血脂水平。

■ 如果你 HDL 的含量低，每日服用 1 克不会引起潮红反应的烟酸制剂。

■ 如果你的胆固醇或甘油三酸脂含量高，服用一片 EPA 鱼油增补剂。

■ 如果你体内脂蛋白 A 的含量高，则要服用至少 5 克的维生素 C 以及 3 克的赖氨酸增补剂。

■ 如果你血压高，就需要服用镁元素增补剂。

■ 尽全力改善你的饮食以及生活方式。

☞ 17. 增强你的免疫系统

19世纪路易斯·巴斯德（Louis Pasteur）发现微生物是引起炎症的罪魁祸首，后来他进一步意识到加强人体自身的免疫力比抵抗入侵的微生物更为重要。然而遗憾的是，在过去的一百年里，医学界一直把注意力集中在研制能消灭人体入侵者的药物或医疗方法上，其中包括抗生素、抗病毒制剂以及化疗的方法。就这些药物本身而言，它们都对人体有害。AZT是第一种用于抵抗HIV病毒感染的药物。经证明，这种药物有潜在的危害，并且不如维生素C有效。抗生素一开始确实能够有效地抵抗细菌的感染，但是从长远的角度来看，它的危害大于功劳，这是因为它会使人体产生抗药性。至于化疗，它会慢慢地削弱人体的免疫力。哪怕是在最好的情况下，通过化疗取得的胜利也是要付出代价的。

在人们不断杀死新的病菌时，我们最近才刚刚把注意力转移到人体自身，开始研究如何加强我们自己的免疫能力。免疫系统是我们体内最重要而且最复杂的系统之一。当我们意识到它每分钟能制造上百万的"紧身衣"（通常称为抗体），又能制服数以亿计不同的入侵者（即抗原）时，我们会顿时觉得提高自身的免疫力有多么的重要。假如我们的免疫系统能对新的入侵者采取快速反应，那么因流感而卧床一周或者食物中毒也许就会变成仅仅持续一天的普通感冒或是胃中的一些捣乱的蛔虫，而乳腺癌或完全发作的艾滋病也许就只是良性肿块儿或无症状的HIV感染了。

免疫能力

如何才能提高自身的免疫能力呢？体育锻炼、精神状态以及饮食都与提高免疫能力密切相关。过度锻炼或者剧烈运动实际上不利于免疫系统的增强，而研究表明中国的太极拳却可以增加人体内40%的T细胞（一种免疫细胞）。如此看来形式相对温和一些的运动对免疫系统是最好的了。这可能是因为肾上腺在受到压力时分泌的皮质类固醇（也作为药物可的松）会抑制人体的免疫力。关于这一点，许多研究表明它也可能就是人在压力、抑郁以及难过时免疫力降低的原因。学会如何面对压力，处理心理问题和放松都是提高免疫力的关键。坐禅就是一种很好的提高免疫力的方式，它能够增加体内的 T 细胞,并且可以改善 T 促进细胞和 T 抑制细胞之间的比例。

了解免疫系统

免疫系统的宗旨是找到危害人体的敌人并摧毁它们。这些危害人体的敌人包括不健全的体细胞和诸如细菌、病毒之类的外来物质。进入身体的主要途径是我们的消化道和肺。外来的食物和空气要分别通过这两个地方进入人体。在消化道里有"与肠道相连的免疫系统",它用来保证消化后的最终产物能畅通无阻地通过肠壁进入人体,这些消化的最终产物包括氨基酸、脂肪酸以及单糖。未完全消化的食物会刺激免疫系统采取措施并最终造成过敏反应,这种情况尤其发生在较大食物分子进入血液的时候。鼻腔则能够帮助阻止不受欢迎的物质进入肺部。呼吸系统和消化系统健康而强壮的粘膜是人体抵御外来侵略的第一道防线。

免疫大军

一旦进入人体内部,入侵者将遭到免疫系统特殊的细胞大军的反击。这些防御大军有着不同的职能和领地。举例而言,有些细胞大军在血液里对入侵者进行监视,并随时准备召唤其他军种来消灭个别的入侵者。血液里主要的三种免疫细胞被统称为白细胞,它们分别是 B 细胞、T 细胞以及巨噬细胞。

B 细胞,也称为 B 淋巴细胞,是抗体针对每个不同的入侵者或抗原产生的一种免疫细胞。当遇上一个抗原时,B 细胞就会变大并分裂成许多小细胞,这些小细胞分泌不同的抗体与入侵者厮杀。抗体虽然不能摧毁细菌和病毒,但是它们却给了这些细菌和病毒迎头痛击。抗体阻止细菌产生毒素并且不让病毒进入人体细胞。要想在人体里作威作福,病毒不得不进入人体细胞并完全控制它,让它生产出更多的病毒。这样一来,抗体的确是病毒的一大克星。与此同时,抗体还能召唤更多更为勇猛的免疫大军,比如说 T 细胞。

T 细胞,也称为 T 淋巴细胞,来自胸口上部的胸腺。这种细胞分为三类:T 促进细胞,T 抑制细胞以及 NK 细胞(即天然杀手 natural killers)。NK 细胞产生的毒素能够摧毁入侵者。T 促进细胞有助于激活 B 细胞产生抗原,而 T 抑制细胞则在免疫系统获得胜利以后停止这种反应。正常情况下,T 促进细

家庭生活万事通

125

胞比 T 抑制细胞多一倍。然而,如果我们患上了艾滋病,那么体内的 HIV 病毒就会专门杀死 T 促进细胞。结果是过多的 T 抑制细胞会抑制人体的免疫系统,从而使患者容易受到其他感染的侵袭。

最后负责打扫战场的是巨噬细胞。它们将那些被 B 细胞以及 T 细胞认定的入侵者包围起来,并吃掉它们。这一过程叫做噬菌作用(phagocytosis)。在血液中工作的吞噬细胞被称为单核细胞,而那些在其他组织中工作的吞噬细胞则被称为巨噬细胞。

免疫战场

任何时候我们的身体里都会有一小部分免疫细胞在巡逻。它们中有许多生命期非常短暂,例如 T 细胞就只能存活四天。当有入侵者被发现时,脊髓以及胸腺会立即制造出新的兵员,并派往身体各个要塞,例如:淋巴结、扁桃体、阑尾、脾脏以及派伊尔氏淋巴集结(Peyer's patches)。淋巴管将入侵者运送到这些要塞,在这里,入侵者们被摧毁。这就是为什么在颈部、腋窝和腹股沟的淋巴结会在感染中发炎,这表明它们正在履行职责。由于淋巴系统没有运输动力,所以,淋巴液只能在肌肉运动的带动下在身体里流动。因此,身体锻炼对于淋巴循环尤为重要。

增强免疫力的营养物质

一个人良好的免疫能力需要摄入最佳数量的维生素以及矿物质来支持。体内如果缺乏维生素 A、维生素 B1、维生素 B2、维生素 B6、维生素 B12、叶酸、维生素 C 和 E,或是铁、锌、镁以及硒,都会抑制人的免疫力。

与维生素 B6 相比,维生素 B1、维生素 B2 以及维生素 B5 只能够轻微提高人体的免疫力。因为抗体的产生以及 T 细胞的工作都依赖于维生素 B6。它的每日理想的摄入量是 50 到 100 毫克。维生素 B12 和叶酸同样是 B 细胞和 T 细胞正常工作所不可缺少的营养物质。要想迅速制造出新的免疫细胞去阻击敌人,我们离不开维生素 B6、锌以及叶酸。

因为所有的营养物质在人体内部都是相互联系、共同工作的,所以我们最好是服用高效强力的多种维生素以及矿物质增补剂。即使补充少许的综合性营养物质也可以有效地提高我们的免疫力。钱得拉(chandra)医生以及他的同事们进行了一项实验,并刊登在《柳叶刀》杂志上。他们把选定的 96

免疫大军

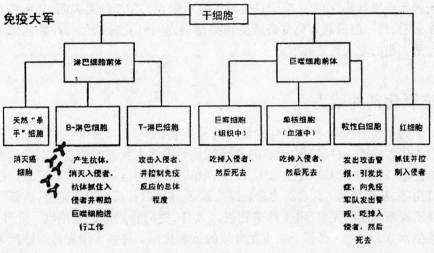

免疫战场

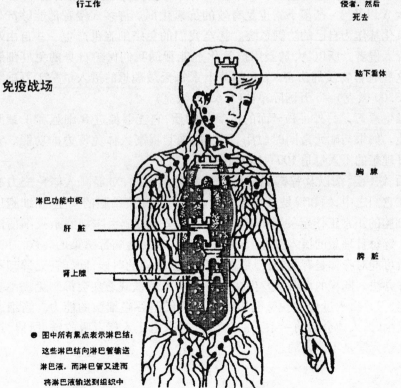

● 图中所有黑点表示淋巴结：
这些淋巴结向淋巴管输送
淋巴液，而淋巴管又进而
将淋巴液输送到组织中

免疫大军与战场

名健康的老年研究对象分成两组,其中的一组服用我们上面提到的综合性营养物质增补剂,而另一组则只服用无效对照剂。实验结果表明,从血液测试来看,第一组的老人免疫系统更加强健,被感染的次数更少,并且总体上比第二组的老人更加健康。

抗氧化剂的威力

为了预防感染,我们应该大量的增补抗氧化剂,尤其是维生素 C。大多数入侵者制造一种名叫自由基的危险氧化物来攻击我们的免疫大军。诸如维生素 A、维生素 C 和维生素 E,以及锌和硒之类的抗氧化物质能制服这些自由基,从而削弱入侵者的力量。维生素 A 还可以帮助保护消化道、肺部以及所有细胞膜的完整,阻止外来物进入人体,并防止病毒进入细胞。此外,维生素 A 以及 β－胡萝卜素也是有效的抗氧化剂。许多入侵者都能够产生自由氧化基作为自己的防御系统。甚至我们的免疫细胞也产生一些自由基来摧毁入侵者。所以,大量服用抗氧化剂能帮助我们保护自身的免疫细胞不受这些有害物质的伤害。β－胡萝卜素每天最理想的摄入量是 1 万国际单位(3300 微克)~5 万国际单位(1.65 万微克)。

维生素 E 是另外一种全面的抗氧化物质,它能够促进 B 细胞和 T 细胞的功能。如果与硒元素同时服用,可以加强其提高人体免疫力的功能。它的每日理想的摄入量是 100~1000 国际单位。

硒、铁、镁、铜以及锌都能够起到抗氧化的作用,对提高人体免疫力有益。在它们之中,硒和锌是最为重要的。锌对于免疫细胞的产生,B 细胞以及 T 细胞的正常工作至关重要,但过量的锌又会抑制巨噬细胞杀灭细菌的能力。锌每日理想的摄入量是 15－25 毫克。在发生病毒感染的时候,补充锌元素可能对身体是有益的,但是在发生细菌感染的时候,同样补充锌却不是个好办法。同样的情形也发生在铁身上。虽然铁缺乏症会抑制免疫系统的功能,但是摄入过量的铁又会影响到巨噬细胞吞噬细菌的能力。当细菌感染发生时,人体会启动一系列的防御机制来阻止入侵者吸收铁,所以,这时补充铁元素是不适合的。

需要多少维生素 C 呢?

毫无疑问,众多能提高免疫力的营养物质中我们应当首推维生素 C。已经得到证明的维生素 C 在这方面的用途就高达十多种。它可以使免疫细胞成熟,提高抗体以及巨噬细胞的功能,况且,它本身就能抵抗病毒以及细菌,并可以化解细菌产生的毒素。另外,维生素 C 还是天然的抗组胺物质,它能够减轻炎症,并刺激免疫防御系统产生干扰素,以提高免疫能力。压力荷尔蒙皮质醇是强力的免疫力抑制物,大剂量的维生素 C 能够控制体内过高的这种物质的含量。然而,维生素 C 的服用剂量是极为关键的。哈里·赫米利亚(Harry Hemilia)教授曾经检测了所有有关维生素 C 或无效对照剂对普通感冒影响的实验,并选取了其中那些每天的用量等于或大于 1 克的实验。结果表明 38 项研究中有 37 项得出了相同的结论,那就是每天补充 1 克维生素 C(相当于 20 倍的推荐日摄食量)对人体具有保护作用。而用量不足 1 克的实验则没有得到有效结果。

可以增强免疫能力的饮食

　　理想的增强免疫能力的饮食实质上与每个人的理想饮食没什么两样。因为免疫细胞是在感染过程中迅速产生出来的,所以充分的蛋白质是必要的。但是,太多的蛋白质又会抑制免疫系统,这很可能是由于它们耗尽了体内的维生素 B6。饱和脂肪或氢化脂肪含量高的饮食会抑制免疫系统并堵塞淋巴管。但冷榨植物油中所含的必需脂肪则能够提高免疫力。因此,要想拥有最强健的免疫能力就要注意以下几点:饮食中蛋白质含量均衡,脂肪含量低,但必须包括植物种子以及坚果等植物中含有的脂肪;要食用大量富含维生素以及矿物质的新鲜水果和蔬菜。在任何刺激粘液产生的病毒感染中,最好不要食用肉类、乳制品和蛋类,以及其他任何可能导致过敏的食物。最理想的食物包括所有的蔬菜,特别是胡萝卜、甜菜以及它们的尖部、还有甘薯、番茄及豆芽。水果尤其有益于身体的健康,特别是西瓜、橙子、猕猴桃、磨碎的植物种子粉、小扁豆、豆类、鱼和粗粮,如糙米。一切食物都应该尽量生食,要避免对食物进行煎炸,因为煎炸食物的过程中会出现自由基。

　　下面是几种可以增强免疫力的典型食物:

西瓜汁

　　在电动搅拌机里将西瓜瓤以及西瓜子一起搅碎。瓜子的壳会沉到底部,把去了壳的子留在果汁内,因为它们富含蛋白质、锌、硒、维生素 E 以及必需脂肪。每天早餐时饮用一品脱,在一天中剩下的时间里再喝一品脱。

胡萝卜汤

将三个胡萝卜,两个西红柿,一把豆瓣菜,三分之一块豆腐,半杯牛奶糊或豆奶,一茶匙菜原汁(肉汤或 Vecon 酸酵母),以及(可选择)一些磨碎的杏仁或植物种子粉。冷热食用均可,还可以搭配燕麦硬饼或米粉糕一起食用。

大份色拉

选择一系列的"种子类"蔬菜如,蚕豆、椰菜、搓碎的胡萝卜、甜菜根、小胡瓜、豆瓣菜、生菜、番茄以及鳄梨,再加入植物子或卤豆腐干——最好是有机的。然后浇上含蒜泥的冷榨植物油食用。

有用的增补剂

这些增补剂有助于自发地抵抗感染:

- 高质量、强效的多种维生素以及多种矿物质增补剂。
- 高质量、强效的抗氧化剂配方,至少含有 2 万国际单位(6600 微克)维生素 A、300 国际单位维生素 E、100 毫克维生素 B6、20 毫克锌以及 100 毫克硒。
- 每四小时服用 3 克维生素 C,包括睡前和起床时各一次。(这有可能引起腹泻。假如出现这种情况,相应地减少用量。)
- 加姜的猫爪草茶,每日四次
- 紫锥花,每日三次,每次 10 滴
- 柚子种子提取物,每日三次,每次 10 滴

☞ 18. 骨骼健康——不为人知的秘密

很少有人会想到去滋养他们的骨骼。人们似乎都相信骨骼一旦形成,就再也不会改变了,直到有一天我们的骨骼开始散架,就像关节炎及骨质疏松症中的情形一样。其实,和身体中的其他任何一个部分一样,骨骼也在不断地更新。人体的骨骼是由蛋白质和胶原质(一种细胞间的胶质)组成的,胶原质主要集中体内的钙、磷以及镁元素。我们的身体在无法排出体内的重金属,如铅时,甚至还会把它们储存在骨骼里。

骨细胞分为两种：一种是造骨细胞，顾名思义它负责制造新的骨细胞；另一种是破骨细胞，它担当分解及清除陈旧骨细胞的任务。骨骼的末端由软骨组织构成，这些柔软的软骨组织能保证骨关节运动自如。我们在前面说过构成骨骼的营养物质中包括钙、磷以及镁，而人体骨骼吸收钙质的能力还依赖于维生素D，同时这还与一种叫做硼的微量矿物质密切相关。另外，维生素C可以制造胶原质，矿物质锌则有助于新的骨骼细胞的制造。"益骨"增补剂中通常含有所有的这些营养物质。

骨质疏松症

骨质疏松症的肆虐让很多妇女开始意识到骨骼健康的重要性。这一顽疾好比一个偷偷摸摸的盗贼，在你50岁时它就已经偷走了你身体里25%的骨骼。患骨质疏松症的病人通常是闭经后的女性，一旦患上这种疾病，发生骨折的几率就会上升。到70岁时，人类发生骨折的比例是：女性1/3，男性1/12。

对于上述现象传统的解释是：女性闭经后体内分泌的雌激素会骤然减少，而雌激素能帮助保持骨骼内的钙质。所以，妇女应该采用荷尔蒙替代疗法（HRT）。但仅仅这样是远远不够的。首先，通过对我们祖先遗骨的分析，我们了解到闭经后的女性不一定都会患骨质疏松症，这种情形只是到近代才大量出现，并日益普遍，在西方社会里尤其如此。其次，刺激破骨细胞生成的雌激素只能够阻止陈旧骨细胞的流失，但是并不能帮助制造新的骨细胞。而另一方面，黄体酮能够刺激造骨细胞，并有助于新的骨骼生成。天然黄体酮增加骨密度的能力是雌性激素的四倍。

女性在即将闭经和闭经以后都会停止排卵。如果没有卵子产生，那么也就不会产生黄体酮，但她们体内仍有少量的雌激素生成。考虑到这一因素，科学家们开始回过头来思考一个问题：是黄体酮的缺乏而不是雌激素不足引起了女性骨质疏松。

诚然，这并不是惟一的因素。饮食上的变化也影响着骨质疏松症患病率的上升，这也许可以解释为什么在许多地方根本就不存在骨质疏松症这种疾病。不过，虽然体内钙含量过低的人补钙是有好处的，但钙缺乏症与骨质疏松症之间并没有密切联系。在非洲的班图部落，闭经后的妇女平均每天只摄入400毫克的钙，这远远低于建议摄入的数量，然而这一部落中却根本没有人患骨质疏松症。与之不同的是爱斯基摩人，他们摄入大量的钙，而

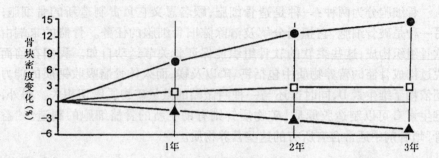

典型的骨块密度变化图

图中 ● 表示天然黄体酮，□ 表示

雌激素，▲ 表示不增补任何荷尔蒙

骨质疏松症的患病率却特别高。为什么会有这样的区别呢？那些骨质疏松症发病率较高的国家和地区之间又有什么共同点呢？答案也许是：高蛋白质的饮食。

富含蛋白质的食品在人体内呈酸性。而人体无法承受血液中酸度激烈的变化，于是，身体就会利用两种主要的碱性物质——钠和钙——加以中和。当体内的钠用光的时候，我们就会启用骨骼里的钙。这样一来，你摄入的蛋白质越多，所需的钙的数量也就越大。班图族人和爱斯基摩人的区别就在于他们的蛋白质摄入量。

上面讲的这一理论（即高蛋白质饮食会引起钙缺乏症）并不是近来才出现的。然而有一点却是实验中刚刚开始显现的，那就是，假如你食用富含蛋白质的食品，那么，不管有多少钙也不能调整由此所造成的人体蛋白质含量的失衡。一项刊登在《美国临床营养学》杂志（*American Journal of Clinical Nutrition*）上的研究做了下面这个实验：将一些人分成两组，其中一组每天食用中等蛋白质含量的饮食（每天 80 克蛋白质），另一组每天则食用高蛋白质含量的饮食（每天 240 克蛋白质），同时再加上 1400 毫克的钙。结果是，前一组研究对象中钙的流失量是每天 37 毫克，而后一组是每天 137 毫克。研究者总结说："高钙质饮食并不能阻止由高蛋白质饮食造成的骨质流失。另一项研究发现，每天摄入 95 克蛋白质（熏肉加鸡蛋的早餐可以提供 55 克）会造成平均每天 58 毫克的钙流失，也就是说每年损失掉人体骨骼的 2%，每 10 年损失掉它的 20%。高蛋白质饮食的恶果已经在骨质疏松症患者身上表现得一清二楚。一些医学家现在相信长期的高蛋白质饮食是造成骨质疏松症的主要原因。

拒绝关节炎

治疗关节炎的专家罗伯特·宾翰姆（Robert Bingham）医生告诉我们："营养状况良好的人是不会患风湿性关节炎或者骨关节炎的。"但是，到60岁时，每十个人中有九个都患有关节炎。对一些人而言，这种疾病简直就是人间地狱，甚至还会危及到生命。而对所有的患者来讲，关节炎都意味着疼痛以及肢体僵硬。然而，关节炎并不是衰老的必然产物，只要消除造成它的原因，是完全可以避免的。

在寻找关节炎的病因时，人们考虑了种种因素：饮食、身体锻炼、姿势、气候、荷尔蒙、感染、基因、年纪以及压力。其中的大多数都已证明和某些关节炎患者有关系。我认为由压力的累积引起的关节、骨骼和肌肉退化是造成各种关节炎的原因。

造成这一痛苦状况的可能因素有以下这些：

关节润滑欠佳 关节之间是一种叫做关节滑液的物质。如果营养良好，那么关节滑液处于流动状态，并且可以润滑。软骨组织和关节滑液里含有粘多糖，这一物质可以从一些食物中获得。

荷尔蒙失调 荷尔蒙控制着体内的钙质平衡。如果钙平衡失调，那么骨骼和关节就会变得多孔渗水而且容易造成磨损和撕裂，另外，钙质可能会在不适当的地方沉积而形成关节刺。这一状况的症结在于体内的钙平衡被打破，而不是摄入了过多的钙。缺乏锻炼，摄入过量的茶、咖啡、酒精或巧克力，与诸如铅之类的有毒金属接触，过大的压力，血糖过高，或者甲状腺分泌失调等等，都会破坏人体对钙质的控制。虽然闭经后由于雌激素的流失，人体对钙的控制可能会变得更糟，但是过多的雌激素同样会使关节炎恶化。一切都是一个"平衡"的问题。另一种叫胰岛素的激素可以刺激体内粘多糖合成物的生成，而形成软骨组织的原料正是这种物质。甲状腺不活跃的人更容易患关节炎。

过敏症以及敏感症 几乎所有风湿性关节炎患者，以及许多骨关节炎患者都有对某些食物和化学品的过敏症或敏感症，这会触发他们的关节炎。最常见的食物过敏症是针对小麦以及乳制品的。化学和环境敏感症包括对气体以及废气的敏感症。要想知道这些物质是否和关节炎有关,应该在一个月内严格避免和它们接触,然后再下结论。

自由基 在所有发炎的关节里,一场战斗正在进行:人体正努力地处理因发炎造成的损害,而它所拥有的一个关键性武器就是自由基。假如我们的免疫系统不能正常工作,它就会制造出过多的自由基,这些自由基会损害关节周围的组织,就像在风湿性关节炎里的情形一样。抗氧化剂摄人量过低会使得关节炎的症状变得更糟。

感染 任何感染,不论是病毒性还是细菌性的,都会削弱控制发炎的人体免疫系统。而有一些病毒和细菌对关节的影响尤为巨大,它们寄居在关节里,只要免疫系统的防御不够严密,它们便会重新出没,伺机行动。免疫系统为了抵御感染而损伤感染区域周围的组织是常有的事,这就好比是一个军队为了驱逐侵略者而摧毁自己的国家一样。用最佳营养学的方法来建造你的免疫系统是解决这一问题的自然方法。

骨骼扭伤及变形 通常,不正确的姿势引起的扭伤和损伤会增加患关节炎的可能性。防止这一情况出现的最好办法是每年到整骨疗法治疗师或脊椎指压治疗师那里做一次检查,并有规律地进行锻炼,因为它们能帮助我们增加关节的柔软性和力量。一旦患上了关节炎,那么特殊的锻炼也有利于减轻疼痛以及肢体僵硬。

关节炎是如何形成的

1. 一个健康的关节拥有健壮的骨骼,它主要是由必需矿物质在胶原质(蛋白质)母质中形成的。骨骼边缘的软骨组织受到装有关节骨液的液囊保护,这种液体可以使关节润滑。

2. 过度使用以及饮食不均衡会损坏软骨组织,而关节骨液也会变得不那么润滑。软骨组织的流失会导致自身以及骨骼中所含的胶原质成分的损失。于是,骨头的末端变得凹凸不平,并生成骨刺(大的由骨头形成的骨状物)。发炎使身体行动不便。

3. 体内钙含量失调会导致钙质在软组织里的堆积,从而引起肌肉疼痛。在风湿性关节炎的病例中(如图中圆圈处所示),骨骼末端会粘台到一起。

精神状态　南加里弗尼亚大学医学院的关节炎及风湿性疾病基金会（Anhritis a11d Rheumatism Foundation）的研究表明，人的精神状态和关节炎有联系。该大学的奥斯丁（Austin）医生认为："愠怒、害怕或者担心常常都伴随着关节炎的开始。"

糟糕的饮食　大多数关节炎患者都有一个糟糕的饮食史，正因为如此，上述的诸多危险因素才有可乘之机。摄入过量的精制糖、刺激物、脂肪，以及太多的蛋白质都和关节炎有着密不可分的联系。人体缺少必需的维生素、矿物质和必需脂肪酸就会引发关节方面的疾病。

综上所述，如果你想保持骨骼与关节良好的健康状况，就要做到：

■　保持身体健康，每年去整骨疗法治疗师或脊椎指压治疗师那里做一次检查。

■　减少肉类的摄入量，避免摄入过多的蛋白质。

■　走出"压力周期"，尽量减少食用刺激性食物。

■　保证你的饮食中富含植物种子、坚果以及根茎类蔬菜中含有的矿物质。

■　如果你患有关节炎，查出你可能患有的食物过敏症。

■　如果你是骨质疏松症患者，可以考虑选择天然黄体酮（如天然黄体酮乳剂，而不是荷尔蒙替代疗法）。

■　如果你的关节发生了炎症，可以每天补充 300 克 GLA（$\Omega-6$ 系列必需脂类）以及亚麻油，或者 1000 毫克的 EPA/DHA 鱼油。

☞ **19. 肌肤健康——吃出你的美丽**

皮肤，我们全身上下哪里缺得了它？它不仅容纳了我们的内脏器官，更保护我们不受外界的感染和辐射，防止我们脱水，给予我们温暖，并且让我们看上去更漂亮。当我们把所有的注意力几乎都集中到我们"外面的"皮肤上时，我们那些"里面的"皮肤，如肺部以及消化道上的皮肤，覆盖的面积却更为广大。我们所有的皮肤每20天更新一次，而皮肤的状况则很大程度上

家庭生活万事通

135

取决于你所选择的食物。

湿疹、皮炎、牛皮癣、痤疮，或是皮肤过油、过干、起皱纹都清楚地表明了你要么食用了不利于皮肤健康的食物，要么就是接触了皮肤不适应的东西。在我们具体研究这些情况的细节和防止方法之前，有这样几点值得我们注意。

皮肤分为两层。里面或者说下面一层叫做真皮。它包含了真皮细胞（它是一切皮肤细胞之源），一个血管网，腺体以及神经末梢。皮肤的外层叫做表皮。它也由一些真皮细胞组成，但这些真皮细胞在向皮肤表面移动的过程中已经失去了水分，变得又平又硬，主要由一种角蛋白的蛋白质构成。皮肤表面就是由重叠着的死去的真皮细胞所构成的。这些细胞会脱落，并不断地被更新换代。谁会想到我们房屋里的灰尘竟主要是由它们构成的！

真皮含有大量的胶原质，它赋予皮肤力量，并维持皮肤的结构。交织在胶原质之中的是弹性纤维，它可以使皮肤富有弹性。

营养在皮肤形成的每个环节上都至关重要。源于真皮层的胶原质是在维生素 C 将氨基酸脯氨酸转化成为羟基脯氨酸时形成的。因此，没有维生素 C 就没有胶原质。胶原质和弹性纤维的灵活性会受自由基造成的损坏的影响而随时变化。这种损坏受抗氧化剂的限制，如维生素 A、维生素 C、维生素 E，硒以及其他一些物质。维生素 A 帮助控制角质素在皮肤中聚集的速度。缺乏维生素 A 会引起皮肤干燥和粗糙。皮肤细胞膜是由必需脂肪构成的。必需脂肪缺乏会使这些细胞迅速干瘪，造成皮肤干燥，并需要大量的加湿剂。皮肤细胞的健康依赖于充足的锌元素，它可以确保人体能够正确无误地生成新的皮肤细胞。缺少了锌，皮肤就会发生皲裂，并且不易愈合。与此同时，从痤疮到湿疹的一系列皮肤病都和锌关系紧密。皮肤细胞还会产生一种化学物质，它能在阳光下转化成维生素 D，而维生素 D 对于维持体内钙的平衡意义重大。所以，从很多方面看，你今天吃的食物会变成你明天"穿"在身上的皮肤。

下面的这些健康饮食指南对患皮肤方面疾病的人尤为重要。限制自己接触以下物质：酒精、咖啡、茶、糖类以及饱和脂肪（如肉类和乳制品中的脂肪）。多食用新鲜的水果和蔬菜，多喝水、香草茶以及稀释的果汁。每天服用全面含有多种维生素和多种矿物质的增补剂，并每日补充至少 1000 毫克的维生素 C。

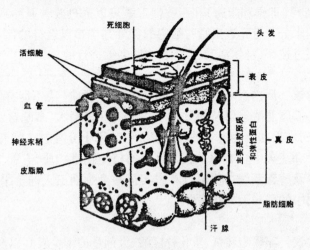

皮肤剖面图

（图标注：死细胞、活细胞、血管、神经末梢、皮脂腺、头发、表皮、主要是胶原质和弹性蛋白、真皮、脂肪细胞、汗腺）

皮肤问题及其解决办法完全档案

痤疮

需要考虑的因素　过多的脂肪会堵塞皮肤上的毛孔。高组胺类型的人产生会更多的皮脂（皮肤里一种油滑的分泌物）。维生素 A 以及锌缺乏症会导致人体抗感染能力的降低，就像缺乏有益菌时的情形一样（这种情况通常是由于服用过量的抗生素造成的）。

饮食建议　多食用低脂肪、低糖分的食物，多饮水，多吃新鲜的蔬菜和水果（高含水量的食物），定期采用有净化作用的饮食/禁食。

增补建议　维生素 A、锌、维生素 C、所有的抗氧化剂，能够增加皮肤红润色彩的烟酸以及有助于伤口愈合的维生素 E。

脂肪团

需要考虑的因素　过多的饱和脂肪或脂肪性毒素使得脂肪细胞不能挪动。如果你严格避免食用含饱和脂肪的食物，而只摄入必需脂肪，脂肪细胞便会舒散开来，并且变得柔软。人体可能摄入很多的毒素，如杀虫剂，这些毒素非常难除去。它们被扔到脂肪细胞里，以此来保护重要的器官不受伤

137

害。"硬脂肪"(即饱和脂肪)和脂肪性毒素可以通过改善循环系统来清除。体内较高的水分含量是进出脂肪细胞的循环系统得以运行的保证。而淋巴传送则是通过按摩、身体活动、锻炼和皮肤摩擦进行的。

饮食建议 严格意义上的"不含饱和脂肪的饮食"决不能有任何肉类和乳制品。必需脂肪酸能够从植物种子中获得。多喝水,多吃含水量高的食物,如天然的水果和蔬菜。苹果对于清除脂肪团十分有效。苹果、胡萝卜以及其他水果和蔬菜中含有的果胶是重要的植物化学物质,它能增强人体的免疫系统以及解毒系统。你可以考虑实行一个为期三天的苹果节食计划,或者在一周中的某一天只吃苹果。

增补建议 卵磷脂粒剂、氢化柠檬酸、大剂量的维生素 C 以及烟酸。

皮炎
需要考虑的因素 皮炎从字面意义上讲指的是皮肤发炎,和湿疹很相似。如果皮肤发炎是由接触性过敏症引起的,那么我们就把它叫做皮炎。谈到皮炎,我们需要考虑所有可能的感染途径,例如,珠宝钟表里的金属,香水,化妆品,洗涤剂、香皂、香波或洗衣粉里的清洁剂等等。一般来讲,有接触性过敏就有食物过敏,而通常食物过敏的罪魁祸首是乳制品和小麦。有些时候,过敏症状的出现是引起过敏的食物和外界过敏原共同作用的结果(也就是说,接触性过敏和食物过敏同时发生)。另一个容易引起过敏的因素是缺少植物种子以及植物油里的必需脂肪酸,这种必需脂肪酸可以在人体里转化成为具有消炎作用的前列腺素。但是,假如你食用过多的饱和脂肪或油炸食品,或者是你缺乏某种关键的维生素和矿物质,这种物质的形成就会受到阻碍。皮肤也是人体排毒的一个途径。一种名为肢皮炎的皮炎病症,主要就是由锌缺乏症引起的,而对付它的好办法是服用锌增补剂。

饮食建议 尽量少食用含饱和脂肪的食物,多摄入必需脂肪和极少量的肉类或乳制品。尽管鱼肉但吃无妨,不过,最好还是作个素食者。如果怀疑自己可能患有过敏症,测试自己是否对乳制品或小麦过敏,在几周之内不要吃这两样东西,然后再看看有什么进展。也可以考虑采用具有净化作用的饮食。

家庭生活万事通

138

增补建议 必需脂类,如亚麻油、月见草油以及玻璃苣油。维生素 B6、维生素 H、锌和镁,再加上抗氧化剂维生素 A、维生素 C 以及维生素 E。

皮肤干燥

需要考虑的因素 由必需脂肪酸缺乏,水分不足或者缺乏维生素 A 引起的人体水分含量不平衡。

饮食建议 少食用含有饱和脂肪的食物,多吃必需脂肪酸含量高的食物(如植物种子以及植物油)。每天至少喝一升水,并且吃足够多的含水量丰富的食品(如蔬菜水果)。酒精、咖啡以及茶之类的刺激物应该尽量限制饮用。

增补建议 必需脂类,如亚麻油、玻璃苣油以及月见草油。还有维生素 A 和维生素 E。

湿疹

需要考虑的因素 就像皮炎一样,湿疹的一般病因是食物过敏(通常是乳制品和小麦)以及必需脂肪酸的缺乏(通常来自植物种子以及冷榨的植物油),而后者具有极强的消炎功能。

饮食建议 少食用含有饱和脂肪的食物,多摄入植物种子以及冷榨植物油中的必需脂肪酸,少食用肉类和乳制品,基本保持素食。可以吃鱼。如果怀疑,可以测试一下自己是否对乳制品或小麦过敏,在一定时期内不要食用这些东西。考虑采用具有净化作用的饮食。

增补建议 必需脂类,如亚麻油、月见草油以及玻璃苣油。维生素 B6、维生素 H、锌和镁,再加上抗氧化剂维生素 A、维生素 C 以及维生素 E。

面部肿大及水肿

需要考虑的因素 食物过敏,缺少必需脂肪酸,荷尔蒙失调(例如,黄体酮不足,雌激素优势)。

饮食建议 做食物过敏检测(乳制品和小麦过敏是最常见的)。保证较高的植物种子以及植物油的摄入量,多喝水,多吃富含水分的食物(如水果和蔬菜)。

增补建议 必需脂类,如亚麻油、月见草油以及玻璃苣油。维生素 B6、维生素 H、锌和镁。

皮肤油腻

需要考虑的因素 饮食中脂肪含量过高,属于高组胺类型的人群,由压力触发的肾上腺分泌旺盛。所有这些都增加了皮脂的分泌。

饮食建议 低脂肪摄入量,保证充足的来自植物种子以及冷榨植物油的必需油脂,低酒精、糖类以及刺激物的摄入量。

增补建议 维生素 C 和泛酸(假如你需要应对压力)。

牛皮癣

需要考虑的因素 牛皮癣是一种与湿疹和皮炎截然不同的皮肤病,从一般情况看来营养物质疗法对它并不奏效。它通常出现在当人体"中毒"的时候,这可能是因为白色念珠菌的过度繁殖、导致中毒的消化问题,或是肝脏的解毒能力下降。要么我们就需要考虑一下那些引起湿疹和皮炎的因素了。

饮食建议 首先要采用具有净化作用的饮食方案,然后辅以低饱和脂肪、肉类以及乳制品摄入量的严格素食食谱。鱼肉尽可放心食用。如果怀疑,可以检测自己是否对乳制品或小麦过敏,可以在一定时期内不食用这些东西,以帮助进行检测。

增补建议 必需脂类,如亚麻油、月见草油和玻璃苣油。维生素 B6、维生素 H、锌和镁,再加上抗氧化剂维生素 A、维生素 C 以及维生素 E。

140

皮疹

需要考虑的因素 这一病症可能的病因有以下这些:因缺少必需脂肪

而引起的过度炎症,食物或接触过敏,由肾上腺素分泌过多导致的抗压反应,病毒、真菌或细菌感染(比如带状匍行疹)。

饮食建议 选择饱和脂肪含量低的食物,加上充足的必需脂肪。少食用肉类以及乳制品,多吃素食。可以吃鱼。如果怀疑,可以测试自己是否对乳制品或小麦过敏,可以在一定时期内不食用这些东西,以帮助进行测试。

增补建议 必需脂类,如亚麻油、月见草油和玻璃苣油。维生素 B6、维生素 H、锌和镁,再加上抗氧化剂维生素 A、维生素 C 以及维生素 E。

皮肤粗糙
需要考虑的因素 脱水,缺乏维生素 A 和必需脂肪酸。

饮食建议 多食用水果和蔬菜(特别是黄色、橙色、红色的那些种类,因为它们富含 β - 胡萝卜素),以及植物种子和植物油中的必需脂肪酸,并饮用大量的水。

增补建议维生素 A,一切抗氧化剂(维生素 A、维生素 C、维生素 E,锌以及硒),月见草油以及玻璃苣油中的 γ - 亚麻酸(GLA)。

保护皮肤的方法

各种各样的皮肤问题包含了许多普通的营养因素。遏制这些皮肤问题,保持你的皮肤健康。请遵照下面这些饮食和增补指南:

饮食建议
■ 限制以下物质的摄入量:酒精、咖啡因、化学添加剂、盐、饱和脂肪、糖类以及香烟。
■ 尽量多食用天然的新鲜水果和蔬菜。
■ 每天食用植物种子、坚果以及植物油。食用一满汤匙磨碎的植物种子粉或者一汤匙混合的植物油,其中要包括冷榨的亚麻子油、南瓜子油、芝麻子油以及向日葵子油。

■ 每天至少喝一升水(白开水、香草茶或果汁均可)。

增补建议

■ 服用高效全面的维生素以及矿物质增补剂,再加上抗氧化营养物质——维生素 A、维生素 C 和维生素 E。它们每日的理想摄入量是:7500 国际单位(2250 微克)维生素 A,2000 毫克维生素 C 以及 400 国际单位(500 毫克)维生素 E。

■ 如果你容易皮肤干燥或发炎,可以食用含有相当于 200 毫克 γ - 亚麻酸 (GLA)的月见草油或玻璃苣油。

面霜

■ 使用富含维生素 A、维生素 C 以及维生素 E 的润肤乳,它能穿过表皮层发挥作用(如棕榈酰 – 6 – L 抗坏血酸酯,以及维生素 E 醋酸酯的视黄醇棕榈酸)。

其他建议

■ 避免强光照射,并使用防晒乳。

■ 用温和的油基清洁乳清洁皮肤,不要使用香皂。

☞ 20. 食物——从农场到餐桌

现代大多数关注的健康饮食问题是食物的安全性。在这一部分中我们将从各方面分析大家关心的问题——首先从农场开始谈起。

由于人口增长,世界范围内需要大量而又便宜的农作物,导致了现代"工厂式耕作"。但是,这样的集约耕作带来了种种问题,这些问题我们必须面对。

我们来看农作物的耕种方法以及农民们为了最大限度地增加产量所采取的各种方法。化学耕作方法受到人们越来越多的关注,所以我们要探讨它的现状和替代方法。同样,疯牛病危机以来,人们也开始担心集约化动物饲养,所以我们来探讨工厂式农作物产品对健康的利弊。在可能或者必要的情况下，提供几种其他的选择。

食物保存是引起大家关注的另一个问题。我们一年四季都热衷于购买各种非时令产品，可能一般不会考虑某些食物为何看起来如此新鲜……

还有，袋装、罐装以及收缩塑料薄膜包装的那些看起来不那么新鲜的东西，它们可以吃吗，还是干脆不买？政府是否给予我们足够的保护，使我们远离有害的添加剂？或者我们的担心不无道理？

我们会详细讨论食品毒性的问题，同样是按照从农场到餐桌的顺序，寻求避免风险的办法。接下来我们会关注其他食品安全问题，这些问题能通过食品的购买、保存、饭前准备以及烹饪来避免。从商店到餐桌，食品安全掌握在自己手中。

事实上，所有食品的安全性在一定程度上都由自己掌握。买什么，去哪里买，准备花多少钱，所做的选择会对我们长期吃的食物的质量和安全性产生影响。

食物应该由自己选择，做出正确的选择吧。

食品生产

只一代人的时间，我们种植作物、饲养牲畜和渔业捕捞的方式就发生了巨大的变化。

农作物

二战后，使用化肥迅速成了作物生产的标准程序—从谷物到蔬菜、水果和色拉，从田野到果园、到温室。用杀虫剂消灭害虫及其他危害农作物的生物，用除草剂去除阻碍农作物生长的杂草，用杀真菌剂治愈病害，用人工化肥来保持大型新农场的肥沃，这些绝对都是好办法。在现代机械的帮助下，人们可以年复一年地在同一块土地上只种一种作物，从而大幅提高作物产量。

在十到二十年的时间里，我们奇迹般地拥有了大量价格便宜、种类丰富的食物。农作物外形更加规则，看起来很干净，食用前不再需要清洗，等等。这些"优点"在今天看来是理所当然的。

由于农业型工业的兴起，农场变得更大、更加专业化。树林、树篱、池塘和野生动物消失了。到80年代，数百种不同的化学品用在我们的食物中。这些化学品滞留在食物里，而且宣称是安全的。

> **最大限度地减少农药残留物的建议**
>
> *食用前彻底清洗水果和蔬菜。
> *蔬菜和水果剥皮食用。
> *莴苣、卷心菜之类的蔬菜要剥去外层的叶子。
> *不要吃胡萝卜的绿茎部分一根部至少去掉 25 厘米（1 英寸），食用前要去皮；根据前几年的发现，有机磷酸酯的有毒残留物已经超过了安全限制。

现在，人们用防腐剂或添加剂喷洒收割后的农作物，以便运输、存储（有时会存几个月）、放置在货架上。喷雾剂很有可能成为我们食物中的残留物。

到 90 年代，集约耕作的缺陷日趋明显。人们不想再食用被化学残留物污染的食物。他们还担心农业型工业会影响环境。很明显，农业型工业已经杀死了许多野生动物，杀死了生物链最底端的昆虫，破坏了乡村及自然生物，污染了河水，还影响传统的自然过程，如，授粉，因为杀虫剂无法区分害虫和蜜蜂之类的益虫。此外，这类工业还破坏了臭氧层。

具有讽刺意味的是，进入 90 年代以来，许多普通的杀虫剂显然不再发挥作用了。害虫和病害正在逐渐对化学品产生抵抗力。一只害虫只需要短短两年时间就能对一种新的化学品产生完全的抵抗力。同样，要达到期望的施肥效果，肥料用得越来越多。施加人工化肥的土壤会缺乏重要营养物质，如硒。

■对食品安全有什么控制呢？

一个研究杀虫剂残留物的工作小组自 1977 年以来每年花费约 200 万英镑（实际上是很小的一个数字）用于监督食品的生产，并根据英国全国范围内抽样食物中的残留物水平制作年度报告。这个工作小组对食品标准局（FSA）负责（2000 年 4 月成立的独立机构）。食品标准局负责为英国食品安全及营养制定标准，并报告政府，用法律规定了可接受的最大残留物标准。任何食品生产者，一旦被发现超过最大标准就要受到追究。近年来，各种不同农作物中的许多化学物质已超过最大标准。1999 年 43% 的抽样作物含有残留物，其中 1.6% 超过最高标准。但这个体制存在问题，等到发现违法者时，作物早已被卖掉和吃掉了。

另一个问题是，虽然作物单独看来残留物含量并未超标，但是如果我们接受官方建议，为了预防癌症及冠心病等疾病而多吃水果、蔬菜及植物性食物,那么不可避免地,我们会摄入越来越多的有毒化学物质。虽然官方宣布每一种化学物质都是安全的,但一个人一生中摄入的致命化学物质积累起来的结果还有待测定。也许我们还应记住,不时会有化学物质被禁用,而先前我们却认为它们是安全的。

英国进口的农作物越来越多,监督难度也越来越大。那么,对于那些认为现代集约农业有太多弊端的人来说,有什么其他的选择呢?

作物的综合管理

这是现代化学农业和有机农业之间的类型,在过去几年中已被所有大型超市推广使用。作物综合管理法吸取了有机农业和传统农业的经验,如作物的轮作,利用害虫的天敌控制害虫,利用新技术(运用基因技术,参见下文),如已经培养出了抗疾病和害虫的作物。但在某些情况下允许使用化学品(如种土豆允许施用68种不同的杀虫剂),只是要尽可能避免使用效力广泛的化学药品,避免预防性的大面积作物的农药喷洒。

有机农业

有机食品在英国的销量正以每年40%的速度增长,占全部食品销量的5%。现在有机食品已供不应求,因为人们愿意多花些钱购买他们认为不掺假的健康环保食品。

据估计,现在只有1.5%的英国农场是有机农场。我们购买的有机食品中75%是进口的。相对于其他欧盟国家,英国有机农业得到的政府补助太少。即便如此,我们生产的有机食品数量仍缓慢上升。有机农业在五年内便可建立起来。

根据英国有机食品标记登记处的规则,只有少数化学品(相对于标准耕种里的约三百种化学品而言),包括鱼藤和除虫菊杀虫剂,允许在有机耕种中使用。英国有机食品标记登记处有七个部门来检查农场,如土壤协会。有机农业所用的方法是基于传统的方式,即保持优质壤,作家轮作和天然肥料,保持作物健康,又根据当地环境选种合适的作物。害虫和杂草通常是利用它们的天敌和其他天然方法来控制的。

基因工程

许多大跨国公司花费几年时间开发生物技术改进植物,他们说,那样对化学品的需要就会降低到最少。

然而基因变更正在引起越来越多的争议——如伦理、安全等等问题。后面我们会详细讨论。

家庭生活万事通

145

有机物食品——优点和缺点

优点：

* 危险化学药品和抗生素的残留物含最低

* 国际研究证实有机食品营养成分高,这一点很重要,因为在过去的 50 年里食物中的基本维生素和矿物质水平下降了 25%

* 试验证明作物和生长期和成熟期越长,作物、动物含有水分就越小,口味就越好。

缺点：

* 通常 50% ~70% 的有机食品价格太高。

* 有人反映英国有机食品的标准太低,例如,有机鸡和鱼仍是笼中饲养的,而且母鸡的饲料中有 20%并不是有机饲料。

* 进口有机食品经过太长的距离,而且有些国家的有机食品标准比英国的标准要低。

* 某些有机食品需要快速消费,因为这些食品中缺乏防腐剂。

肉类和奶制品

像农作物一样,肉类和奶制品的集约生产使食物相对便宜又很丰富。工厂式养殖,也就是将牲畜饲养在远离自然的环境中,已被多数人接受。即使那些被认为是野生的食物来源,如鲑鱼、鳟鱼、鸵鸟、鳄鱼,都在世界范围内集约饲养。

这样的食品有利于健康吗?

■肉和家禽

便宜肉类的生产方式

一般来说,低成本的肉类意味着牲畜生长迅速,占用空间、饲料以及劳动力尽可能少。为了做到这一点,需要集约化的饲养方式,对此人们早已司空见惯了。

降低饲养成本:把牲畜放到草场上让它们吃天然的草,这种做法很浪费空间,也不能快速增加体重,因此很不经济。比较省钱的做法是在室内用人工饲料喂养,如用其他动物的残骸磨碎后制成的颗粒。人们认为这种非天然饲养方式也许是导致疯牛病的原因之一。

* 限制空间:用人工饲料喂养牲畜和家禽,就不需要将它们放养在田野中。它们被关在狭小的空间,如棚舍或围栏里,这样占用的土地明显减少。不幸的是,动物们缺乏运动,变得不健康,肌肉无力。它们还更易得传染病,病情会迅速蔓延到整个农场。这就意味着需要持续不断地使用抗生素,这样残留物一直随着食物链滞留在我们盘中的肉和奶制品里。

那些被放牧到天然草场的牲畜所吃的饲料,可能已被喷洒过化学除草剂和化肥,其残留物也会留在肉和牛奶中(参见下文)。

工业也可能会增加有毒的残留物。例如剧毒的二氧化物是工业处理和废品净化的副产品。核电站周围排放的放射性物质同样会残留在我们的食物中,尽管政府宣称它们是安全的。

*加速生长:集约饲养的牲畜和家禽经常被强制性地喂以高热量饲料,其中加入更多营养物质。喂养是自动的,有规律的,以便快速统一地增加体重。现在这样做还不够,促进生长的激素,如克仑特罗(Clenbuterel),开始出现在我们少量的肉食中,这在欧洲是不合法的。

合法药物如抗生素、生长促进剂,正被广泛应用在畜牧业的某些领域。集约饲养产生的废弃物正在污染河水。

所有这些都意味着要防止有毒化学物和药物进入食物链是不可能的,至少在某些时候、某些食物中。残余物水平由官方检测,但人们担心,因为会不知不觉地吞下食物中的抗生素,久而久之也会对抗生素产生抵抗力。

例如1997年有报道称,由沙门氏菌引起的人类传染病中超过80%对普通抗生素有抵抗力。一位公共卫生专家指出,这是饲养方式带来的结果,而不是因为过度使用化学品。人们开始关注一系列与激素有关的新疾病,这些疾病与食物链有关。

由诸如大肠(杆)菌之类的细菌导致的食物中毒是另一个日益严重的问题。肉经常是"罪犯",有时因为处理不当,或者从屠宰场到餐桌的贮存过程不够卫生。政府制定了更加严格的规定来解决这个问题,但还需要时间。关于这个问题将。

食用安全肉

户外饲养的有机肉类应不含人工化学品、抗生素和激素的残留物,可是外国进口产品的标准可能比英国国内的标准要低。有机肉类的生产在增加,但仍比其他肉类贵30%,也许还有很长的路要走,不过这毕竟是一个让我们的饮食更加均衡的方法。有机肉类是用天然的传统放养方法生产的。

许多超市连锁店重视贮存有机肉类,或提供一些用非集约化方法生产的肉类。他们的顾客服务台可以提供更详细的信息。

家庭生活万事通

很多农产品商店在出售有机产品,大量有机产品生产商通过邮件订购或因特网销售货物。

*买不到有机肉类的话,可以吃瘦肉,因为毒素更易在脂肪组织中堆积。

*野生动物的肉不太可能被污染。

*羊肉可能要比牛肉安全,虽然一些报道说将来羊绵状脑病会更值得关注。

*如果你喜欢吃牛肉,一些简单方法可以帮你确定牛肉有没有疯牛病病毒(尽管谁也无法保证100%安全)。

1. 买有机牛肉——有机牛肉染上疯牛病的可能性极小,除非牛来自非有机牧群。有机牲畜不用动物残余物喂养。

2. 只买牛排和关节部位的肉,不要买便宜的汉堡、馅饼和香肠。

3. 从当地了解、信任的屠夫那里买肉,并确定牛肉是当地的。

4. 买英国牛肉,进口肉可能有疯牛病病毒。

■鱼类和海鲜

各种饮食建议都鼓励我们多吃鱼,因此如果能够确信食用的鱼是干净的,没有有毒物质的残留物、抗生素和激素类化学物质的话,这些都是极好的建议。

令人悲哀的是,事实并非如此。英国本土、北海及河流的河口正在被工业废弃物严重污染,如多氯联二苯和二氧化物。北海鱼类的肝脏中发现有大量的镉。调查者发现三分之一的鲽鱼有皮肤病,可能与污染有关。人类排放的污物也会导致贝类细菌滋生。近期研究发现,排放到河水中的雌激素类物质导致高达60%的雄鱼变性!

使你吃到的鱼更安全

*查看鱼上的海洋服务委员会(MSN)的标签。

*购买有机鱼类。

*来自深海的白鱼,如鳕鱼和黑线鳕鱼,比来自海岸的鱼污染的可能性要小。

*扇贝、螃蟹、龙虾和对虾类的海产品比生活在海岸线的贝、甲壳类海洋生物,如贻贝和牡蛎受到的污染以及细菌的影响要小。贝、甲壳类海洋生物在出售前都已经清洗过了,或者就是人工养殖的,不管哪种类型的海产品都应该在出售前清洗干净,不含污染物。

*高脂肪鱼和鱼肝容易受到毒素〔镉和二氧(杂)苜〕的影响,因为毒素主要贮存在脂肪和肝脏里。因此,食品标准委员会建议一周只吃一次人工养殖的鲑鱼。

然而我们的食用鱼的另一个来源——饲养的鱼类也存在问题。鲑鱼饲养在湖或海岸的大笼子里,经常会寄生一种叫做海虱的寄生虫,抗生素可杀死它们。人工饲养的鲑鱼与集约饲养的环境相似,意味着疾病和害虫普遍存在。而且鲑鱼可能因为食入植物染料而看起来呈粉红色。最令人担忧的是,喂养鲑鱼的鱼可能来自污染的水源。研究表明,在100克饲养的鲑鱼中,多氯联二苯(PCB)含量超过世界卫生组织的最高标准。从2002年1月开始,饲养的鲑鱼必须标明这一点。

■奶制品和鸡蛋

从营养成分上说,养鸡场的鸡产的蛋与天然的鸡蛋并无多大不同,但集约化饲养的母鸡产的蛋中的沙门氏菌是一个大问题。2000年1月的测试表明在10%的鸡蛋中含有危害人体健康的药物残留物。我们建议老人、孕妇及病人不要吃生鸡蛋。有更多关于怎样避免食物中毒的建议。

鸡蛋的种类及特点

*养鸡场的鸡产的蛋。在英国90%的鸡蛋来自养鸡场,但包装上并不会这样标记。这种鸡蛋最便宜。母鸡吃的人工混合饲料中含有动物尸体和预防疾病的药物。

*围栏中的鸡产的蛋。占出售鸡蛋的4%。养在围栏中的母鸡可以四处走动,但也有可能会过度拥挤。喂养的饲料与笼里饲养的鸡吃的饲料相似。

*"自由放养区"的鸡产的蛋。"自由放养区"母鸡的生活环境大不相同。按最低标准饲养,它们可能仍被限制在狭小的环境中,可以去户外,但得不到天然食物。它们的喙被剪掉了,这样就不会四处找食吃了。栖木和窝不是必需的。仅从鸡蛋的包装上很难看出下蛋的母鸡是什么样的。

如果以高于最低标准的方式饲养,母鸡活得更加自在,只在晚上回到窝里,吃的是天然饲料。这种鸡蛋的生产者会在标签上做出说明,因为价格比较贵。

*四谷鸡蛋。母鸡只吃天然饲料,其中不含动物鸡蛋白质和药物,它们更像围栏鸡而不是"自由放养区"鸡。

*杂食鸡蛋。经英国皇家防止虐待动物协会批准认可,这种鸡蛋可能是"自由放养区"的鸡或围栏鸡产的。

*最佳鸡蛋。这种鸡蛋的生产标准超过了欧盟的最低标准。

*有机鸡蛋。多数人很难找到这种鸡蛋。一群不到500只(土壤协会标准)或300只(有机耕种标准)的喙没被剪掉的母鸡产的蛋是有机鸡蛋。它

家庭生活万事通

们自由生活在有机牧场上,吃的饲料必须是天然的。

更多关于如何挑选健康鸡蛋的信息。

牛奶——以及牛奶制品如黄油、奶酪和酸奶——与肉类相似,因为动物吃的任何污染物都会存留下来,即使只是少量的。奶牛在喷洒过农药的田野中放牧,吃的是含有污染物的饲料。它们所产的奶中也会含有污染物的残留物。政府最近的一项调查显示,很大比例的牛奶中都含有有毒的杀虫剂林丹,黄油里发现有滴滴涕(二氯二苯三氯乙),10% 的抽样牛奶中发现含有与节段性回肠炎有关的细菌。像对其他食品一样,政府定期检测牛奶,并宣布其安全性,但更多人开始转向喝有机奶牛产的奶。

家庭生活万事通

> **如何更加安全地饮用牛奶**
>
> * 低脂牛奶比全脂牛奶含有的药物残留物要少,因为脂肪容易贮存毒素。其他低脂奶制品也是如此。
>
> * 新鲜的鸡蛋通常比陈旧的鸡蛋含有的细菌要少,购买鸡蛋要注意日期。
>
> * 有机鸡蛋和质量好的“自由放牧区”鸡蛋污染的可能性要小,最佳鸡蛋经过杀菌不含沙门氏菌。

巴氏杀菌法能杀灭有害细菌。市面上几乎所有牛奶都经过巴氏杀菌。有种说法,疯牛病可经牛奶传播给人类,食品标准协会正对此进行调查。

最近全球有大量关于使用 BST 的争论。BST 是一种人造激素,可以增加奶牛的产奶量。BST 已在美国使用,但目前在世界其他国家被禁止。

食品加工和保存

■新鲜食品——真的新鲜吗?

收割的作物或宰杀的牲畜,有许多未经加工处理就在商店销售。当你去买的时候,一切却不像看起来的那样。比如,怎样才算“新鲜”,对人的健康有影响吗? 食品工业中有许多方法能使食品几周甚至几个月都看上去很新鲜。

收割后喷洒药品:许多水果,包括苹果、梨和葡萄,蔬菜,包括土豆,都会被喷上防腐剂(E230 - 233)以防止腐烂。我们无法分辨出喷的是什么,但由于这些物质是有毒的——事实上,其中一种已在美国禁用——一个吃很多水果蔬菜之类健康食品的人也会摄入一定量有毒物质。有机食品不应被喷洒。

控制环境的贮存及包装:西方销量最大的两种水果,苹果和香蕉,是按时收获,然后在人工控制的环境中贮存。这个环境中氧气含量低,氮气和二氧化碳含量高,可以抑制水果的成熟,而需要的时候,可以用乙烯人工催熟。

许多食品也被堆在环境相似的货架上——例如,现成的色拉、鱼和肉。

上蜡:柑橘类水果、苹果及其他水果、蔬菜经常上蜡。这样做可以保持水果的水分、外表鲜亮,延长保鲜期。经常被用来上蜡的虫胶是从昆虫体内提取的,所以严格的素食主义者听到这样的存贮方法不会高兴。虽然上蜡水果不需要强制性地用标签注明,但不上蜡的水果通常会在标签上注明。

基因工程:食品科学家基本上能够为诸如番茄、菠萝和香蕉之类的水果注入"长寿"基因。这种食物目前在英国没有销售。

放射线照射:用离子射线照射新鲜食品来杀死导致食物腐烂的微生物。由于这类食品已成为众矢之的,虽然 1991 年此方法在英国已经合法地得到许可,但事实上除了一些药草和香料,英国没有食物是经射线照射的。

但是,人们认为这类食品是由欧洲大陆传到英国的,标签上没有标明,在欧洲大陆这种做法很盛行。对于进口的照射食品的全面检测都不到位,送到萨福克贸易标准办公室检测的鱼和贝类产品的样本中有39%是照射过的。另一个检测发现各种杂货店和食品供应商的食品中也有18%照射过。

目前,英国允许销售的照射性食品是:药草、香料、调味料及佐料、土豆、山药、洋葱、大蒜、蔬菜、豆类、水果、蘑菇、谷物、家禽、野味、鱼和贝类。但照射过的食品必须标明"经照射"或"经离子射线处理"。市面上很多照射食品没有标明。

照射食品的主要缺点,除了"X 因子"(照射食品带来的长期的未知影响),还有照射后会减少食物中高达 90% 的维生素,而且照射会将有益细菌和有害细菌一起杀死。

食品保存方法对比

罐装:罐装食品可以保存几年。

优点:方便、成本低,可以室温保存。缺点:盐水罐装的食品含盐量过高;糖水罐装的食品含 tilt 过高,不含维生素 B 和 C。罐装会使化学物质溶入到食品里。

瓶装:2001 年有超过一半的罐装食品经检测后发现已经溶入了雌激素化学物质双酚 A。

优点:可以储存几年。

缺点:缺少维生素。

超热处理:可以储存 6 个月。

缺点:维生素和味道都有所缺失。

环境处理:(加工过的食品可以在室温下存储,例如果冻)储存时间 3 个月。

缺点:通常含有较多的防腐剂。

冷藏:可以储存 1 周。

优点:保鲜。

缺点:成本较高。

冷冻:可以储存 1 ~ 12 个月。

优点:营养成分和外观都保持新鲜。

缺点:不适合所有的食品,消耗能源。

真空包装:可以储存 1 个月。

优点:方便。

缺点:添加防腐剂。

脱水:可以储存 1 年。

优点:方便。

缺点:破坏维生素 C 和 B、味道和纤维。

食品加工

一般来说,食品加工得越细,食物中的天然营养物质就越有可能流失,就会变得越不"天然"。举个简单的例子,草莓富含维生素 C 和纤维,但在工厂加糖做成"经济实惠的"草莓酱后,会使这两种营养物质几乎全部损失掉。深加工的食品一般更易损失维生素 C 和纤维。

有所失必有所得。加工食品富含高热量成分,如糖、饱和脂肪和转化脂肪。奶油是从牛奶中提炼出来的,通过加工食品进入我们体内。为了健康,现在我们喝脱脂奶比任何时候都多,在茶和果汁饮料中放入糖的替代物。加工的甜品、蛋糕和饼干等含有更多糖的替代物。

加工食品含有强化成分来补充失去的维生素和矿物质(如依法律,早餐谷类食物或白面包要含强化钙),可能还会添加纤维及其他物质(更多信息参见功能性食品)。由于其他原因而加工的食品不如含添加剂的食品受欢迎。

所有的食品添加剂都对人体无害吗?

有一小部分人对一种或几种添加剂过敏或有不耐性。引起问题的添加剂有:

*煤炭焦油和偶氮染料 E102(酒石黄)、E104、E110、E122、E123、E124、E127、E128、E131、E132、E133、E142、E151、E154、E155。

*染料胭脂红(E120)。

*染料黄红色染料(E160b)。

*防腐剂甲苯酸盐和硫化物(E210－E219 和 E220－E228)。

*抗氧化剂 E310、E311、E312、E320、E321。

■ **E 数字和添加剂**

加工食品的标签中可能包括一长串 E 数字、添加剂和其他一些你认为不必要的项目。据估计我们每人每年食用约 2.25 千克(5 磅)添加剂。

*E100 － E180 染色剂:使不那么吸引人的食品看起来好一些,或者使那些在加工过程中失去色泽的食品恢复自然色泽。

*防腐剂 E200 – E285,E1105:用来延长食品的保存时间,抑制细菌生长。即使是健康食品,如杏干也可能含防腐剂(干果通常含二氧化硫,是一种过敏原)。

*抗氧化剂 E300 – E321:防止食品腐败。

*乳化剂、稳定剂、增稠剂 E322 –495:用在诸如减脂甜品、汤和调味汁中来增强口感,防止成分挥发。

*加工辅料 E500 – E578:由于各种原因而使用。

*增味剂 E620 – E640:用来改善加工食品的味道。

*增亮剂 E901 – E914:用来。增加色泽,使食物表面看起来更诱人。

*面粉改善剂和漂白剂 E920 – E926:用在烘烤的食物,如面包中增强口感、烹调质量以及使面粉变白。

*糖的代替品 E420 或 E421 和 E953 –959:用来代替糖。

*各种添加剂 E999 – E1518。

除了这些添加剂,食品中的一种或几种调味品没有 E 数字,也不需要写在标签上。政府认为,只要没有不良反应,添加剂就是安全的(按通常水平摄入)。但如果一个人从年轻时就开始吃含添加剂多的食物,即典型的垃圾食品,没有人能确切知道这会给他带来什么样的长期影响。研究表明,某些添加剂会导致动物患上癌症。

■自己掌控

食品和健康——从商店到餐桌

健康的饮食不只是你知道需要什么样的营养物质。人们关注的是,我们买到的食品是找到的或买得起的食品中质量最好的,含全部所需的营养,而且食用安全。

例如,刚摘下的天然红辣椒,置于清凉环境中,放在保持清凉的袋子里带回家,存起来,在烹饪前正确处理;或者将红辣椒长期置于太阳直射的容器里,装在过热的购物袋里带回家,与其他蔬菜堆放在一起一星期,烹调前早早切好,但很晚才吃。这两种做法相比,营养成分大不相同。前者含所需的全部维生素 C(约 100 毫克),后者可能根本不含维生素 C。

同样,在质量最佳的 100% 果汁中维生素 C 含量要大大高于低成本果汁饮料。如果仔细阅读说明,你会发现它只含 10% 的果汁,其余的都是糖和添加剂。

还有,如果买的鸡肉正好是食品的到期日,而且一开始购物就买了,放在温暖的厨房,然后用旧的微波炉加热;而相反,买一块还有很久才到期的鸡肉,而且刚拿出冷藏室,充分烹调。显然前一种做法更容易引起食物中毒。

这一部分是关于如何做一个有识别力的食品购买者和管理者。

购物场所

街角商店?食品专卖店?超市?保健食品店还是农产品商店?买食品的地方是很重要的。这里有几点可以帮你做决定。

*选择货物周转快的商店——这样产品会比较新鲜。

*买新鲜食品时,避开那些将食品放在路边闷热直射的环境中的商店。例如,绿色蔬菜、水果的展示橱窗。这样会导致蔬菜和水果大量流失维生素 C 和 B。

*买食品要物有所值。考虑清楚愿意为好食品花多少钱。如果省钱是

主要的,那么直接从农产品商店购买会比较便宜。独立的小杂货店的东西通常较贵。

* 如果你居住在"食品沙漠"——最近的商店也在数英里以外(这是一个日益严重的问题,对城市和郊区居民都是如此),你可以联系地方委员会,他们为这类地区提供免费运输和免费送货服务。土壤协会正在德文郡执行一项方案。

* 尽可能买当地生产的食品。

购物时间

在食品状态最好的时候购买并贮存:

到超市购物时,尽量选在交货后立即大量采购。一般是周末高峰期后的星期一。周日下午或周一早上购物会发现存货很少(特别是新鲜水果、蔬菜、鱼和肉),而除此之外的其他物品都不是你想要的。

不要买易腐烂的食品,除非能很快地把它们放入适宜的冷藏环境中。比如,你一整天都在工作而不得不把这些食品带在身边。这会使细菌增加到不能接受的水平,减少食物中的维生素 B 和 C。

菜单和购物单

大量采购前,最好计划好未来一周的菜单,保证饮食既健康又美味,然后按照购买的顺序列一张购物清单,这非常有效。

为安全起见,最好在其他东西都买好后再买冷冻食品。否则,在温暖的商店,手推车里的冷冻食品会慢慢解冻融化,可能弄得一团糟。还有,先买比较重的食品,比如罐头、饮料,再买比较轻的水果、色拉等等,也是个不错的主意。不然,轻的食品容易被挤压,破坏维生素 C,不易贮存。

新鲜食品的选择

如何选择优质食品的几点建议:

* 用眼睛看。找那些看起来新鲜且"赏心悦目"的食品,不放在密封容器里的食品可以用鼻子闻,闻起来应该是清新甜美的。

* 不要购买看起来很亮的肉(说明这种肉挂起来的时间不长),可以买暗红色的牛肉或淡粉红色的猪肉、羊肉，但绝不能买灰色的。肉不应有味道，除非是野味。在屠宰店注意观察屠夫，确定他洗手后才分别处理鲜肉和熟肉，确定他用不同的器皿分开搁置鲜肉和熟肉。

* 鱼通常贮存在温控的环境中，所以很难通过气味判断它的新鲜度。但散装的鲜鱼闻上去应该又香又鲜，隐约有海的味道。有氨水味道或腥味的鱼不要买。贝类海产品不论是味道还是口感都要新鲜，以防止食物中毒。如果有野生的鲑鱼、鳟鱼、未染色的熏鱼等也可以买。

* 水果蔬菜：尽量买有机水果和蔬菜。莴苣、草莓、香蕉、胡萝卜和芹菜中杀虫剂残留物含量通常很高，所以有必要买有机水果和蔬菜。购买本地种植的当季水果和蔬菜，并且要没有疤痕和损坏，否则会流失维生素 C，不易贮存。只有几处瑕疵没有关系，要考虑清楚想把水果保存多久。已熟的水果不会保持很久，未熟的水果会在家里慢慢变熟（温控环境中的水果成熟有自己的规律）。

* 鸡蛋要完好无损，不能破裂，应该干净，找那些包装日期最近的。现在不需要了解下蛋的时间了，非圈养的或有机鸡蛋会注明日期。"天然农场"或"来自乡村的新鲜食品"是毫无意义的。欧盟称，2004 年，包装盒子上必须注明饲养方法。

* 对于所有蛋白质食物——肉、鱼、蛋——要找到质量保证标签。虽然不能说明什么，但总比没有好。找找关于牲畜或鱼的养殖方法及地点，还有母鸡饲养环境的描述。对于蛋白质食品，要多花点钱才能买到质量好的和有机食品。不必在意数量多少，健康的身体只需要少量的蛋白质。

加工食品的选择

加工食品在我们的饮食中占相当大的比重，所以有必要购买最好的。稍微细心一点，就可以买到饱和脂肪、转化脂肪、盐、糖等含量不太高的食品，而且能避免加工食品不太令人满意的方面，如机械复原的肉类，添加剂的滥用等等。

只有通过购买优质健康的食品，我们最终才能得到想要的。这里有几点建议，帮你选购优质罐装、袋装和坛装的食品。

家庭生活万事通

读懂标签

*名字和描述：看一眼包装上的照片，你会发现实物与照片根本不同。例如，一个经超热处理的箱子，前部有一张柑橘类水果的照片，而里面的所谓"柑橘果汁饮料"也许只含 10% 的纯果汁，其他的都是水、糖、色素和调味

英国营养成分标示标准（1993）

脂肪：

不含：←0.15 克/100 克

低：←5 克/100 克

减少的：少于 25%

较少的：少于 x%

饱和脂肪：

不含：←0.1 克/100 克

低；←3 克/100 克

减少的：少于 25%

较少的；少于 x%

糖：

不含：←0.2 克/100 克

低：←5 克/100 克

减少的：少于 25%

较少的：少于 x%

未添加：没有添加糖或主要由糖构成的食品或相应的成分

纤维

增加：多于 25% 和→3 克/100 克每份

更多：多于 x%

原始来源：→3 克/100 克或 1 份富含：→6 克/100 克或每份含有

钠：

不含：←5 毫克/100 克

低：←40 毫克/100 克或每份

减少的；少于 25%

较少的：少于 x%

未添加：没有添加盐或钠或相应的成分

家庭生活万事通

料,这种饮料对人体不太好,但这样做是合法的。草莓味酸奶里也许根本没有草莓,或者草莓汁或提取物,而只有人工调味料,这也是合法的。便宜的猪肉、香肠和其他肉食制品,如汉堡,含有机械复原的肉类,是一种从骨头上去除下来的半流质稀薄混合物。肉也包括外皮、表皮、肌腱和软骨。

另一个问题是,你认为食品中含量很高的主要成分,实际上可能含量很低。例如,"牛排饭"中的肉很少。但对那些因为健康或其他原因挑食的人来说,还有一个问题,如你不吃任何牛肉制品,看成分表时你会惊奇地发现,鸡块里含有牛肉提取物。或者,你想变成素食者,却发现很多酸奶里含有的明胶是由牛骨做的。仔细阅读标签上的小字会有助于你了解买的到底是什么食品,但标签也不会告诉你全部。欧盟正在审查标签法和食品标准委员会下属食品建议委员会的新指导方针,建议取缔标签上的误导性词语。

关于健康或产品的特别声明:诸如"天然"、"传统"、"来自天然农场"之类的词对于加工食品没什么意义。来自天然农场的鸡蛋通常是养鸡场的鸡产的,田园风光图片不能说明任何问题。一些生产者把诸如"不含人工色素和防腐剂"之类的词语印在产品包装上,是为了转移人们的注意力,事实是这些产品确实含有人工糖和调味料。另外,"低糖"这个术语在法律上也没有定义。一般情况下,以糖最多占全部重量的5%作为标准。

"未添加糖"的说明文字也在误导消费者,因为这类食品实际上含有大量类似糖的替代物,如糖浆、蜂蜜和浓果汁。"有机"这个词也会产生误导,因为加工食品含有高达5%的非有机成分。

我们摄入的盐中70%来自加工食品。如果过多地食用这类食品,就有必要寻找"低盐"、"少盐"的食品,但这比"低脂"、"低糖"的食品还难找。在过去几年里,英国食品工业显然不太情愿减少产品中盐的用量,因为消费者一直喜欢含盐高的食品。如果生产者不肯减少用盐量,也许我们应该主动减少购买高盐的加工食品。但购买何种食品主要取决于我们的钱包。目前还很难确切地了解加工食品中到底含有多少盐,也没有法律规定应公布食品中的含盐量,或将含盐量列在成分表或营养表中(见下文)。

食品中的脂肪含量是个大卖点——不仅有"低脂"、"脂肪含量只有10%"的声明,而且还有诸如"单一不饱和脂肪含量高"的字样。上文列出了英国关于几种主要营养成分说明文字的指导原则,依据的是英国环境、食品及农业事务部(前英国农业、渔业和食品部)1993年制定的指导原则。但其中一项被删除了,即没有所谓"瘦肉"或"特瘦肉"的说明。

另一个有关脂肪说明的异常现象是,脂肪成分的百分比经常被误导性地报到最低,如炸薯条只含 5% 的脂肪。生产者是说脂肪占炸薯条总重的 5%,即 100 克炸薯条有 5 克脂肪,而并不是说炸薯条的脂肪含量占摄入食品总热量的 5%。所有的食品,包括炸薯条、肉、奶酪等,都含有相当多的水分(瘦肉 74%,薯条 60%,硬奶酪 36%),这些水分都不含热量。所以,脂肪如果占总重量 5% 的话,其热量就大大高于 5% 了。5 克脂肪等于 45 卡热量,即每克 9 卡,100 克炸薯条有 160 卡热量。所以薯条中真正的脂肪含量是 28%!

"减脂"奶酪自称"脂肪含量仅 15%"(100 克奶酪 15 克脂肪)。如果将脂肪含量合理地转化成全部热量的百分比,实际上脂肪含量占全部热量的 52%。这才是均衡饮食真正需要的信息,但目前得到这些信息的惟一方法是购物时随身携带计算器。下文有更多关于营养标签内容的信息。

纤维含量也是很好的一个卖点。一份食物中的纤维含量至少要达到 6 克才称得上高纤维。有时加入麸的食品也是高纤维食品。麸的高摄入量会抑制铁等矿物质的吸收,所以最好还是从天然食品,如豆类、全谷食品、水果和蔬菜中摄取纤维。

维生素、矿物质也是食品促销中的卖点。根据法律规定,富含某成分的食品,一份中至少要含该物质一天建议摄取量的 50%。

最后,低热量或减热量食品对控制体重的人也是一个卖点。减热量(能量、焦耳)的食品中的热量只能是其他同类食品热量的 75%,甚至更少,100 克低热量食品最多含 40 卡热量。

家庭生活万事通

食品标签中营养水平的快速指导

每份	很多	很少
脂肪	20 克或更多	2 克或更少
饱和脂肪	5 克或更多	1 克或更少
糖分	10 克或更多	2 克或更少
纤维	3 克或更多	0.5 克或更少
纳	0.5 克或更多	0.1 克或更少

每天摄取营养成分指导(英国农业、渔业和食品部)

	女性	男性

全部脂肪最大摄取量	70 克	95 克
饱和脂肪最大摄取量	20 克	30 克
糖分最大摄取量	50 克	70 克
纤维最低摄取量	16 克	20 克
钠最大摄取量	2 克	2.5 克

成分表

如果根据标签的说明和图解还是无法确定买的是什么样的食品,就有必要看看成分表,它至少应该列出该食品主要成分的含量比例(根据欧共体公布的食品成分数量)。

各种成分通常按重量由高到低列出,即含量最高的成分列在第一位,排在最后的是含量最低的。列表中必须有 E 数字,但有时只有名称。因此,除非自己知道具体的内容,否则很难了解自己在吃什么。如果其中一种成分中含有添加剂(如水果蛋糕上的干果可能用二氧化硫保存过)或调味料,就不需要列出了。正如上面解释的,像各种形式的糖,包括葡萄糖、右旋糖、左旋糖(果糖)、葡萄糖浆、乳糖、麦芽糖和蜜糖。浓果汁可以作糖的替代品,蜂蜜和红糖与基本蔗糖相似,对牙齿没有好处。

转化脂肪在列表中被称为"氢化的脂肪或油"或"硬脂肪"。虽然其他一些食品中也含有转化脂肪,但尤其要注意人造黄油、蛋糕、饼干、馅饼和酥皮糕点中的转化脂肪。有些成分不需要列出,某些食品和酒也不需要公布其成分。

营养清单

目前法律没有规定生产者要在包装上提供营养信息(脂肪、糖、盐、纤维成分等),除非生产商需要特别声明食品的营养(如低脂)。然而,很多生产商也会给出一些数据,如每 100 克或 100 毫升含某种成分多少克或毫克,或每份含有多少,不过这些数据不易理解。若只知道 100 克食品中含多少脂肪,而不确定要吃多少,并不是理想的饮食方式。转化脂肪一般不列在清单上(包含在脂肪总量一栏中)。钠含量与盐含量不同,通常总的盐含量是钠含量的2.5倍。

就目前来说,根据标签我们无法立即了解某种产品能否提供健康、平衡的饮食所需的主要营养物质。如果标签可以提供给我们一些信息,标明脂肪、饱和脂肪、碳水化合物、蛋白质的百分比含量以及每一种成分占总热量的百分比,那么我们就能根据健康饮食分布图确定这种食品是否适合我们。对于现成食品,这类信息尤其有用,可使我们眼睛一亮。

上文的图表(经过前英国农业、渔业和食品部,现在的英国环境、食品及农业事务部和英国心脏基金会认可)对每份食品中脂肪、糖、纤维和钠的含量高低标准做了一个简单的界定,以使营养清单更有用。第二个图表也经前英国农业、渔业和食品部认可,给出了一天中应摄取的主要营养物质总量。购物时携带,可以很容易地知道某一种食品是否适合自己的健康饮食。例如,单份的一个汤罐头含两克钠,对女性来说已是一天的最大摄取量了。

一些有影响力的集团和健康专家与食品标准协会一样,正在游说重新制定食品标签法,这项工作早该做了,但英国不能脱离欧盟单独做出改变。

*保存期限:大家应该注意大多数包装食品上的保存期限。保存期限的意思就是食品最迟在此日期之前必须吃掉。有时在货架上会发现相同的食品印有不同的到期日,要购买到期日最远的那一包。"最好在此日期前食用"适用于保存期限更长的食品,这个日期仅做参考,过了期限食品还可以食用。

家存食品

■食品的存储

*水果、大部分蔬菜和色拉主料:使用前最好放在冰箱里,除非是利用室温催熟。这类食品应贮存在保鲜室、通气箱或带孔的塑料袋里。蘑菇应放在棕色纸袋中。香蕉最好放在冰箱外凉爽的环境里。土豆应放在凉爽、(但不冷)黑暗的环境里。蔬菜和水果贮存在温暖、阳光直射的环境中,其维生素 C 会迅速流失,即使放在冰箱里,蔬菜和水果也会逐渐腐烂,所以一定要按先后顺序食用,扔掉那些起皱、变黑、干瘪、枯黄或发霉的蔬菜或水果。

*冷冻食品:要立即转移到冰柜里,把不同的冷冻食品放在不同的地方,如生肉放在一处,冷冻甜点和蛋糕放在另一处。生肉最好放在冷冻室的底部。

*需要冷冻的食品:这类食品买回来后,蔬菜类的用沸水烫一下,其他的则根据不同的需要备用、冷却,然后尽快放入容器或耐用塑料袋冷冻。这是为了最大限度地保存蔬菜中的维生素 C。新鲜食品要速冻。

*鲜肉、奶制品和所有需要冷藏的食品:应保存在冰箱里。生肉最好放在带盖的可渗漏的容器中置于冰箱底部,远离熟肉,以防止交叉污染和食物中毒。

*已开启的坛装食品:要盖好放在冰箱里。

*已开启的罐装食品:应倒入玻璃瓶或瓷容器或耐用的塑料瓶中,尽量24 小时内吃完,因为罐内壁的化学物质会溶入食物中。

*高脂肪食品:如奶酪、黄油、肉酱、肥肉不能包在保鲜膜里,因为保鲜膜中的化学物质会溶入食品。

*奶酪:应贮存在带通风孔的容器里。单个奶酪也可包在耐油纸中,如果买来时包在保鲜膜里,把膜换掉。

*瓶装、罐装、坛装或包装的食品,一旦打开,要立即食用。

■食品的准备

精心准备食物能保留住食物中的水溶性维生素 B 族和 C,并使食物中毒的风险降至最低。

*新鲜的水果、蔬菜和色拉主料,要在食用前才切、撕或去皮,因为食物切过的表面暴露在空气中会丧失维生素 C,而且开始氧化。

*不要把蔬菜泡在水中(无论是冷水还是热水),这也会失掉维生素 C。

*蔬菜烹调时间要短,这样才能保留其营养成分。

*肉、鱼和肉制品烹调之前一定要充分解冻,除非标签上有其他不同的建议。家禽肉一定要全部解冻,烹调前检查动物的内腔,用锋利的刀检查各个部位。从冰箱里取出的肉要先放在室温中(但不要放太久)解冻。鸡肉等肉类不充分解冻,会出现的问题:尽管肉看上去烹调熟了,但中间部分还是粉红色的,也就是说,细菌未被杀死。不要在家禽体内填东西烹调,因为填充物会使其内部不易熟。

*微波炉解冻。解冻时要不停地翻转食物。

*在厨房处理生肉时,用干净的专门切生肉的菜板。虽然一些塑料菜板也有抗菌功能,但大理石菜板会比木制或塑料的菜板产生的细菌更少。切好后不直接放在锅里的话,要放在盘子呈盖好。

用完后把手,器皿和菜板洗净,可能的话把器皿浸泡在沸水中。做其他食物前把手擦干,抗菌洗洁精能抑制细菌的滋生,沾有细菌的手碰过的水龙头也要清洗干净。

*用具表面、冰箱、橱柜、容器和器具盘子都要保持干净。

*肉一定要烹调至充分熟，以防食物中毒。绞碎的肉、鸡肉、香肠和汉堡的夹肉不能呈粉红色。所有微波炉做的食品中间部分一定要加热至高温。

■再次加热及剩饭

*如果保存烹调好的食物，要先冷却，然后尽快放进冰箱（或冰柜）。对于保存时间不到一小时的热菜，可以盖好置于室温环境中，然后重新加热，或者一直放在低温炉上煨。但食物若长时间保持温热，其中的维生素 B 族和 C 会减少。一般可先冷却再重新加热，这比长时间保持温热要好。饭菜在室温中保存不宜超过一小时。

*加热过的食物要重新加热到高温。

*剩余的饭菜如果没有变质，应该包起来或放在容器中（最好是玻璃或瓷器），盖好放在冰箱里，在 24 至 48 小时内吃掉，否则就扔掉。

*色泽和气味有异、发霉或生白斑的剩饭菜要扔掉，表面已经结了薄薄的一层或变干的饭菜，或者看起来不新鲜的饭菜，也要扔掉。

■如何防止食物中毒

关于食物中毒引起死亡的报道一直在增加。1982 年英国报道的此类案件只有 14,243 件，但在 2001 年，食品标准协会估计食物中毒案件上升到了 450 万件。

增长的确切原因无从知晓，其中因为外出吃饭引起的中毒事件比例较多。餐馆、咖啡店和外卖的兴起是很明显的一个原因。发生在家里的中毒事件占六分之一。人们认为减少防腐剂（包括加工食品中的糖的使用量）的要求也导致了中毒事件的增长。另一个因素是越来越多的"长途食品"，这些食品"长途旅行"，经过太多的环节和食品处理人员，容易引起食物中毒。

导致食物中毒最常见的因素是细菌，真菌和病毒也会导致中毒。令人担忧的是，许多引起中毒的细菌在二十多年前都闻所未闻。而且，许多食物中滋生的细菌对抗生素有抵抗力，所以食物中毒很难治疗。遵循下文的建议可以减少中毒的风险。

弧状杆菌：约一半的中毒事件由它引起。据近期官方调查，超市里出售的 51% 的集约饲养的鸡和 68% 的"自由放养区"的鸡中都发现有细菌。肉、未经巴氏杀菌的牛奶和放在台阶上被带有细菌的麻雀啄过的牛奶中也有细菌。这些细菌会导致胃肠炎、瘫痪甚至死亡。鸡肉和其他肉都要煮熟。

沙门氏杆菌:这是第二大因素,占中毒事件的40%。根据卫生部的调查,近期鸡蛋中的沙门氏杆菌数量已有所减少,研究表明英国只有6%的鸡肉被感染。肉和其他食品中也发现了这种病菌,它会导致严重的胃痛甚至死亡,特别是对年幼者、病人、孕妇和老人。鸡蛋和家禽在食用时一定要尽可能新鲜,并彻底煮熟,因为细菌繁殖很快。家禽肉要正确储存,小心解冻。不要生吃鸡蛋。"自由放养区"的鸡产的蛋和有机鸡蛋、有机家禽含细菌几率较低。新出现的沙门氏杆菌正在感染色拉、水果和蔬菜等食物,生吃食品时一定要洗干净。

肠炎沙门氏杆菌:这是一种更新的沙门氏杆菌,对抗生素有很强的抵抗力,可能存在于集约饲养的动物体内。可以按照应对沙门氏杆菌的预防建议做。

食品安全建议

* 从可靠的卫生条件好的屠宰点购买肉类。
* 不要吃陈旧或过了保质期的肉、鱼、家禽肉或鸡蛋。
* 购买冷藏室温度5℃条件下冷藏的食品,在家储存时也用同样的或更低的温度。
* 购买新鲜、冷藏和冷冻的食品要使用凉购物袋,购买后立刻回家储存。
* 在家储存食品环境要适宜,不要把生肉放在其他食物上。
* 充分烹调肉类、鱼、家禽和鸡蛋,要确保肉和家禽烹调后不再呈粉红色。
* 加热食物要特别小心,使用微波炉时要确保食品均匀加热,加热时要翻转食品。
* 剩饭菜要吃完,否则就扔掉。
* 保持所有的厨房用具、盘碟和煎锅清洁。
* 处理生食后要洗干净手再处理其他食品。

E型大肠杆菌0157:它导致越来越多的中毒事件。只要很少的剂量就会引起中毒,最常见于肉类中,可能是屠宰和加工过程中肉被污染造成的。烹调不熟的肉会引起中毒,肉末和没有完全烹调熟的汉堡尤其危险,因为肉绞碎后细菌传播得更快。奶制品也会被感染。这种细菌会导致严重的胃痛,甚至死亡,体质弱的人尤其如此。苹果中也发现了E型大肠杆菌。

*单核细胞增生性李斯特氏菌:主要发现在软奶酪(如法国布里白乳酪和卡门贝浓味软乳酪)、肉酱、冷却的饭菜和熟食店的食品,如包好的色拉、意粉色拉和火腿中。这种细菌在5℃低温下也能生存(家用冰箱大约在此温

度制冷）。它对孕妇、孩子及免疫力低下的人都很危险。

转基因食品

成熟但不腐烂的西红柿、抗除草剂的作物、产出的牛奶类似于人奶的奶牛、没有口蹄疫或疯牛病的动物。不论你想要吃什么，生物技术专家似乎都可以做到，或很快就能做到。预防癌症、心脏病的蔬菜和低饱和脂肪的瘦肉都会出现在餐桌上。

几千年来，种庄稼、养牲畜的人们一直尝试培养、改善作物和牲畜的产量、抗病性和大小，但进展缓慢。现在有一种更快速的方法可以改变作物或牲畜的特征，不论是苹果、豌豆还是奶牛。这种方法被称为基因工程或基因变更，是一项毁誉参半的技术。

■什么是基因工程？

每一种生物体内都有一副"蓝图"或者说基因序列，包含决定其特征的遗传信息。一直以来，基因通过复制的形式在各自的物种中传承下来。如今，科学家们知道如何从一种生物体内提取基因物质然后植入另一生物体内，使它具有一种新的特征，省去了自然进化的漫长过程。

基因变更不仅能在相同物种之间进行，如水果与水果，还可以跨物种，如最近番茄获得了鱼类基因，使它们在冷冻时保持形状不变。基因变更培养出了一头产"人奶"的奶牛，产出的牛奶可以制成更加健康的婴儿奶粉。

至今为止，基因变更主要在商业上应用于几大世界性的农作物，如大豆、玉米、油菜、棉花、土豆和西红柿，世界各地（包括英国）都有其他转基因食品的实验基地。

■我们目前食用的转基因食品究竟改变了多少？

英国农民不种植转基因食品，十年前在英国销售的转基因食品来自美国，就是用基因变更的番茄制作的番茄酱。用基因制酶（而不是凝乳酶）制成的奶酪自 90 年代初就广泛销售。我们吃的加工食品中超过 60% 含有大量的基因变更大豆，因为它具有抗除草剂性，占全球大豆作物产量的几乎一半。基因变更大豆分销前与传统大豆混在一起，而现在三分之二的加工食品都用基因变更大豆。基因变更玉米也被用于加工食品。基因变更的土豆、苹果、小麦及其他转基因食品正在英国乃至世界的试验田中进行试验。事实是，由于交叉污染，转基因食品在我们吃的每一样东西中都存在着。基

家庭生活万事通

165

因变更大豆和玉米也用于动物饲料,现在约有 30% 的饲料是基因变更产品,但没有任何标注。

■对食品消费者来说,基因变更有那些优点?

支持基因变更的公司说,新技术能使食品保鲜期更长、味道更好、更加健康,因此对消费者好处多多。例如,英国科学家分离出花椰菜中含异硫氰酸盐(抗癌物质)的基因物质,试图将它植入其他蔬菜。他们还说,如果因为基因工程使产量增加,浪费减少(如通过生产抗虫、抗除草剂的品种或快速生长的动物或鱼),那么就会有更多食物,更利于价格控制。

■转基因食品的缺点是什么?

除了有关干预自然的伦理争论,一个主要问题是没人知道长期食用转基因食品对人类及环境会有何种影响。许多基因工程用抗生素标记基因,一些专家担心,这会使人类的抗抗生素能力受到影响,进而影响我们抵抗疾病的能力。人们还认为基因工程会产生新的毒素和过敏原,减少营养成分。据显示,耐杂草大豆中有益的植物雌激素含量极低。

另有专家说,在抗除草剂的基因工程作物中会产生"超级杂草"(在剑桥郡的基因变更油菜附近生长着变异的杂草),需要更强劲的除草剂来消灭它们而且交叉污染风险大,因为花粉可以传播几英里,而基因变更作物之间只相隔 200 米。有机作物的生产者尤其担心,因为如果作物被污染,他们会失去生产许可。

此外,向抗除草剂的作物喷洒草甘膦后的残留物〔涉及孟山都公司(Monsanto),最大的跨国公司之一〕也日益引起关注。残留物对人类、动物和植物都有负面影响。尽管如此,许可的残留物水平还是提高了。

■避开转基因食品容易吗?

非常不幸,很难。1998 年 9 月,英国 1139/98 法规在英国生效,要求生产者在所有含基因变更的孟山都公司大豆或瑞士诺华公司玉米的食品标签中注明。但根据独立食品委员会的统计,由于规定本身的缺陷和漏洞,90% 的含基因变更的食品并没有标注。欧共体消费者事务部门称,所有的加工食品都含转基因成分,哪怕只是少量,这是因为交叉污染,而且生产者也不能百分之百地确定他们买的作物未经基因变更。

因此在 2000 年 4 月,欧盟制定了一个合法的 1% 的"可容忍水平",规定如果食品中转基因成分的含量低于 1%,生产者和商店可以宣布这种食品没经基因变更,也不需要说明包含的基因变更成分。某些转基因食品即使目

家庭生活万事通

前超标也得到了许可。这类食品包括动物饲料、基因变更作物油、蛋黄素和淀粉。2001 年一项调查显示，10% 的食品生产者和零售商正在销售不合法律规定的转基因食品。现在由于公众关注，英国所有大型食品连锁店自动禁止或限制转基因食品的出售。

如果要避开转基因食品，目前惟一的办法是看标签，不吃任何含大豆、玉米及相关制品的食品，或者选择有机种植的大豆、玉米食品。土壤协会对有机标准进行了检测，对交叉污染最小化有严格规定，转基因食品在有机标准里是不允许的。

各种加工食品中都含有大豆，包括糖果、人造黄油、涂抹料、蛋黄酱、蛋糕、面包、饼干、肉汁汤、固体汤料、肉食以及其他食品。

转基因的番茄浓汤在包装的前部都有标记。

■有何官方保护？

目前食品标准协会在任何新食品销售前，都要保证其安全性。某些转基因食品被认为"新潮"、安全，可以上市销售，其他一些食品也被描述为"近似食品"，简而言之就是转基因食品与传统食品没有区别，因此可以迅速获得认可，不需要标签。1998 年 5 月，新型食品规则生效，食品在全欧洲的范围内受到法律的控制。还有人类基因委员会，向基因技术及其对人类的影响提供建议。此外，几个独立游说集团，如食品委员会、持续发展和地球之友，正努力确保我们的食品安全。

其他食品创新

基因工程以外的其他领域的食品研究也取得了进展。例如，在威尔士，农民们用富含必需脂肪酸和亚麻油酸的几种黑麦喂养奶牛，产出的牛奶比普通牛奶的饱和脂肪含量低。在英国另一个研究站，用热处理的大豆和油菜子喂养奶牛，也产出了不饱和脂肪含量高的牛奶。在美国，一种可以在一毫秒中杀死食物中所有有毒细菌而又不破坏食物本身的设备取得了专利。英国食品研究院的科学家们已研究出抗 E 型大肠杆菌的水果和蔬菜。

■功能性食品

功能性食品是指那些含有强化营养健康成分的食品，如我们已经看到所谓减少更年期女性潮热的面包，声称增加了有益大肠杆菌的发酵牛奶饮品（它是益生菌）。许多食品还加入"ε－3 油"，声称有助于减少心脏病：人

家庭生活万事通

造黄油含有固醇酯可以减少血液胆固醇。每年都会有上百种类似的产品面市。

营养学家经常对这些产品持怀疑态度。它们也许有效果，但他们相信，正如维生素和矿物质的补充剂一样，还是食物中天然含有的活性成分比较好。例如鱼里的 $\varepsilon-3$ 鱼油，天然亚麻子中的木质素，等等。也就是说，要享受到食物的好处，就尽可能吃天然的吧。

家庭生活万事通

第四章　最佳营养受益无穷

21. 增进智力与记忆力

很多人相信智力是与生俱来的，而且没什么办法能对它加以改变。尽管智力中明显有先天的因素，但是心理学家告诉我们，我们使用的智力还不到其所有能力的百分之一。每天我们有成千上万的念头，在这成千上万的念头或想法当中，有很大一部分是重复的！想一想，如果我们把所有智力方面的能量，都集中在手头的工作上，并且开发我们所有的潜力，那将会怎样呢？

我们的智力"硬件"——大脑以及神经系统，是由神经细胞构成的网络组成的。神经细胞是一种特殊的细胞，每一个神经细胞能够和其他神经细胞形成千丝万缕的联系。思考被认为代表着这样一种活动模式，在该模式中，这种活动遍布由神经细胞组成的网络。这种活动或信号，涉及到大脑中的神经传导物质和化学信使（一种传递遗传信息的化学物质）。我们学习的时候，实际上我们改变了大脑内部的连接布局。而当我们思考的时候，我们又改变了神经传导物质的活动。大脑的神经传导物质离不开各种营养物质，因此我们的饮食对大脑和神经传导物质有一定的影响。

1986 年，在最佳营养学研究院，我决定对最佳摄入大脑和神经系统使用的营养物质是否会改进智力水平进行研究。我们已经知道，一个人的智力跟他或她的营养状况有关。例如，由库布拉（Kubula）和他的同事们在 1960 年所做的一项研究，已经表明维生素 C 的增加和智力的增加有关。根据血液中维生素 C 的含量，他把 351 个学生分成维生素含量高以及维生素含量低的两个组。然后测定各组学生的智商。结果，血液维生素含量高的一组学生的平均智商为 113，而血液维生素 C 含量低的一组学生的平均智商为 109（智力商数，亦称智商，简称 IQ，是公认的智力衡量标准，平均值最初被定义为 100。大约 5% 的人智商高于 125，不到 10% 的人的智商低于 80，低于

80 被认为是智力低能)。

反过来也是这样,阻碍营养物质吸收的物质大多和智力欠佳有着内在的联系。麻省理工学院(MIT)的研究人员发现,精制碳水化合物——例如糖分、在市场上出售的各种麦片、精白面包以及糖果——在日常饮食中所占的比例越高,智商的数值就越低。在他们的研究中,糖分摄入较多的人与糖分摄入较少的人之间,智商数值的差别接近25。尼德尔曼(Needleman)教授设计了一个具有独创性的方案。这一方案是用来测定抗营养物质——铅,对行为以及智力的影响。他收集了数千名在校学生的乳牙,对这些乳牙的铅含量做了分析,并且要求这些学生的老师对他们的表现进行评估。铅含量越高,表现就越差,智商也就越低。该结果后来被很多研究人员所证实,并且最终导致在英国通过了一项停止在汽油中添加铅的立法。在他已经测定的数千名学生中,没有一个乳牙含铅量高的学生的智商超过125,而正常情况下,5%的人的智商高于125。在20世纪80年代,在英国,估计有50%的孩子体内铅的含量过高,并且高得足以对他们的智力造成损害。值得庆幸的是,自从无铅汽油问世以来,血液中铅含量整体水平正在下降。

为了测定维生素以及矿物质对智力表现的全面影响,中学教师兼最佳营养学研究院的营养家格威林·罗伯兹(Gwillym Robeas)先生以及斯旺西大学的心理学家大卫·本顿(David Benton),将60名学生列入一项特别的对多种维生素和矿物质进行的增补计划。这一增补计划旨在保证主要营养物质的最佳摄取量。这些学生中的一半,在他们自己并不知道的情况下,被安排只服用无效对照剂。在对这些学生的日常摄食进行了分析之后发现,绝大多数的学生至少有一种营养物质的摄入量低于推荐日饮食量(RDA)的标准。在被列入增补计划8个月后,那些服用营养增补剂的学生在非语言方面的智商数值增加了10分以上!而那些被安排只服用无效对照剂的学生,或者那些被控制不补充任何营养增补剂也不服用无效对照剂的学生,其智商数值均未见明显的变化。美国的绍恩瑟勒(schoenthaler)教授指出,有一小部分学生的智商可能会有一个显著的提高,而且他还指出,假定所测试的学生数量足够多,那么平均的智商差异也会十分明显。

这一研究过程很清楚地表明:营养增补剂有一定的效果,但是这也带来一些问题。营养增补剂对谁有好处?为什么?哪些营养物质是重要的呢?需要增补的用量又是多少?还有,需要多久才会产生效果呢?为了回答这些问题,一项研究将美国加利福尼亚州的615名学生被分为四组,一组只服用无效对照剂,另外三组则服用营养物质增补剂,他们所服用的剂量分别是

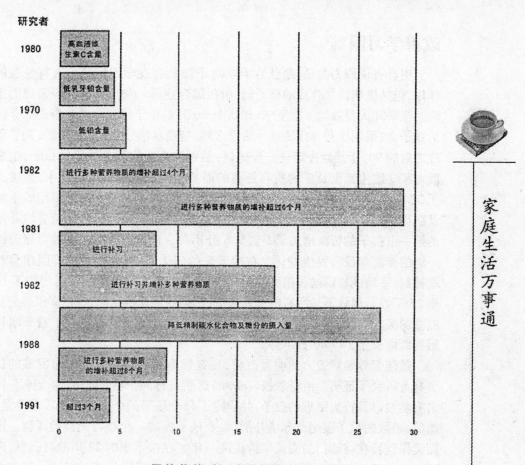

研究者

1980　高血液维生素C含量

低乳牙铅含量

1970

低铅含量

1982　进行多种营养物质的增补超过4个月

进行多种营养物质的增补超过6个月

1981

进行补习

1982　进行补习并增补多种营养物质

降低精制碳水化合物及糖分的摄入量

1988

进行多种营养物质的增补超过8个月

1991　超过3个月

0　　5　　10　　15　　20　　25　　30

最佳营养对智力的影响

家庭生活万事通

美国推荐日摄食量（US RDA）中规定的维生素及矿物质摄入量的近50%，100%或200%。一个月后，只有增补用量达到美国推荐日摄食量200%的那一组学生比服用无效对照剂的学生，在智商数值上有显著的提高。三个月后，所有的服用营养增补剂的组别中学生的智商数值，都比只服用无效对照剂的学生有了增加。用量与推荐日摄食量相等的那一组学生的智商数值增加得最多，并且智商的绝对数值也是最高的。在这一组当中，45%的学生智商数值增加了15分或更多，而平均增加值则是4.4。其他的研究人员已经重复了这一研究，也取得了同样的结果。因此，有一点是清楚的，那就是增加少量的营养物质，可以增进智力，一般智商增长的幅度是4到5分。

171

改善学习困难

更具有说服力的是,最佳营养学对于那些存在学习困难的人有显著的作用,包括患唐氏综合症的孩子们,唐氏综合症是一种由基因缺陷造成的疾病。当研究人员露丝·哈罗尔(Ruth Harrell)医生了解到一名患唐氏综合症的孩子,在采用了营养疗法进行治疗之后,智商从治疗之前的 20 提高到了治疗之后的 90,于是她决定进一步探讨:是否许多患有智力缺陷的孩子,生来就对某些维生素以及矿物质有更高的需要量。在她的首次研究中,她挑选了 22 名患有智力缺陷的孩子,并且把他们分成两组。其中一组服用维生素及矿物质增补剂,另外一组则服用无效对照剂。四个月后,服用营养增补剂的那一组孩子的智商增加了 5 到 9.6 分不等。而那些只服用无效对照剂的一组的智商却没有发生变化。在接下来的四个月中,两组孩子都服用营养增补剂,平均的智商增长值则达到了 10.2 分,有 6 个孩子的智商增加了 10 到 25 不等。尽管不是所有的研究人员,都得到同样的结果,现在有很多记录完整的医疗案例,它们都记录了患有唐氏综合症的孩子在进行了营养增补后智商增长了 10 ~ 40 分不等。

最佳营养学对智力的明显改善,也在患有孤独症以及有学习困难的孩子身上得到了证明。由科尔根(colgan)医生进行的一项研究中,他选择了 16 名有学习以及行为困难的孩子,并确定了每个孩子的个人营养物质需要量。然后,半数的孩子服用营养增补剂,每个孩子参加一个补习阅读的课程。该阅读课程旨在将他们的阅读年龄提高一年。在接下来的 22 周的时间里,老师们对孩子们的阅读年龄、智商以及行为表现进行了仔细的观测。那些未服用营养增补剂的孩子们的智商平均增长了 8.4 分,阅读年龄增加了 1.1 岁。然而,服用营养增补剂的那组孩子的智商则增加了 17.9 分,而且他们的阅读年龄也增加了 1.8 岁。对大脑的发育特别重要的有必需脂肪酸以及构成大脑细胞膜部分结构的磷脂。体内必需脂肪酸含量偏低也与较低的智力水平有关系。因此人们认为母乳喂养的孩子到 7 岁的时候可以表现出较高的智商。因为母乳中含有 DHA(二十二碳六烯酸),这是一种大脑发育必不可少的必需脂肪酸。日常饮食物中含 DHA 最多的是鱼肉,同时鱼肉中还富含磷脂。

智商数值只要增加 5%,就会有很多目前被认为是不能接受正常教育的孩子可以回到正规学校中,这样可以节省现在用于特殊教育的数百万英镑的经费。难道现在还不是给孩子们提供免费维生素的时候吗？给孩子们提供免费的维生素的花费只是用于特殊教育费用的很小一部分。

妈咪，我使您的大脑萎缩了

胎儿的大脑和神经系统，在子宫中的发育过程中，消耗了由母亲提供的一半以上的营养物质。而这些营养物质的另外大约四分之一在成年的生活中被消耗掉。大脑依靠葡萄糖（体内差不多一半的葡萄糖要为大脑提供能量）、必需脂肪以及磷脂进行工作。最近来自伦敦皇家医学研究生院的证据表明，妇女的大脑在怀孕期间会产生萎缩。而且似乎是细胞的大小，而不是数量，发生了变化。一种可能的解释是，如果没有足够的必需脂肪和磷脂提供给母亲以及胎儿使用，胎儿就会从母亲那里汲取这些营养物质。如果这种说法得以证明确认，那么这就会使摄取足量的大脑必需的营养物质变得更加重要。

大概最重要的磷脂是胆碱磷脂。胆碱磷脂能够为大脑提供大脑所需的营养物质——胆碱。胆碱在制造乙酰胆碱的过程中是不可缺少的营养物质。胆碱在记忆、感官输入信号控制以及肌肉控制过程中是必不可少的一种神经传导物质。胆碱磷酸的缺乏会导致记忆力欠佳、嗜眠症、少梦以及口干舌燥。这被认为是导致老年性痴呆的主要原因之一，而在 75 岁以上的老人中，每 7 人中就有一个患有老年性痴呆。

乙酰胆碱——记忆分子

乙酰胆碱是通过一种酶的作用生成的，而这种作用需要依赖于胆碱的维生素 B5。维生素 B5 和胆碱的结合，已经被证明在提高记忆和改进智力方面非常有效。胆碱的最佳补充来源是卵磷脂，它也能够提供磷脂。卵磷脂是一种乳化剂，也能用于某些食物之中。所有的保健食品商店都出售卵磷脂，既有胶囊剂的，也有颗粒剂的，都能很方便地撒在食品上。但是，并不是所有的卵磷脂都是一样的。在你购买之前需要看一看标签，一定要确保你所购买的产品中胆碱磷脂的含量超过 30%。

但是，无论你增补何种形式的胆碱，都存在一个问题，即胆碱不易于被大脑细胞所吸收。这就是为什么需要大剂量的服用，差不多每天要服用一汤匙的卵磷脂颗粒，才会产生效果。另一种在鱼肉类（特别是在凤尾鱼和沙

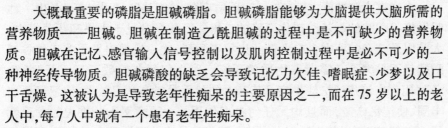

家庭生活万事通

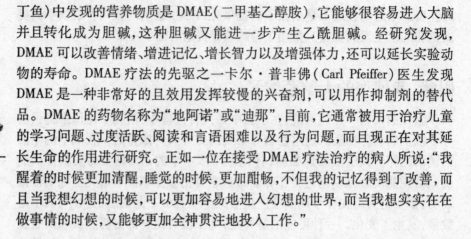

丁鱼)中发现的营养物质是 DMAE(二甲基乙醇胺),它能够很容易进入大脑并且转化成为胆碱,这种胆碱又能进一步产生乙酰胆碱。经研究发现,DMAE 可以改善情绪、增进记忆、增长智力以及增强体力,还可以延长实验动物的寿命。DMAE 疗法的先驱之一卡尔·普非佛(Carl Pfeiffer)医生发现DMAE 是一种非常好的且效用发挥较慢的兴奋剂,可以用作抑制剂的替代品。DMAE 的药物名称为"地阿诺"或"迪那",目前,它通常被用于治疗儿童的学习问题、过度活跃、阅读和言语困难以及行为问题,而且现正在对其延长生命的作用进行研究。正如一位在接受 DMAE 疗法治疗的病人所说:"我醒着的时候更加清醒,睡觉的时候,更加酣畅,不但我的记忆得到了改善,而且当我想幻想的时候,可以更加容易地进入幻想的世界,而当我想实实在在做事情的时候,又能够更加全神贯注地投入工作。"

增进大脑功能的营养物质

在增进大脑功能方面,有一个术语叫做"益智药"。"益智药"是由一种叫做焦谷酸酯的氨基酸转化而来的。焦谷氨酸酯常见于水果和蔬菜之中,大脑以及脑脊髓液中含有大量的焦谷氨酸酯,这一发现引发了关于焦谷氨酸酯是否是大脑必需营养物质的研究。医生们每年给数百万人开"益智药",用它来治疗记忆缺失症。其基本的效用是提高学习效率、使记忆更加牢固、使记忆恢复,而且均无任何毒副作用。一项意义十分重大的发现就是,"益智药"可以使大脑左右半球之间信息的流动更加迅速。分析、逻辑思考是由左脑来进行的,而创造性关联思考则是和右脑有关系的。大家认为这可能就是"益智药"在对患诵读因难的病人治疗方面十分有效的一个可能的原因。在 1988 年发表的研究报告中,皮尔奇(Pilch)医生和他的同事们提出,"益智药"可能会增加大脑中乙酰胆碱受体的数目,因此可以提高大脑的效率。在两周内,给衰老的老鼠服用吡拉西坦,它是焦谷氨酸酯的一种衍生物。结果,研究人员发现这些老鼠的乙酰胆碱受体的密度比服用前增加了30%—40%。这说明类焦谷氨酸酯分子不但可以优化智力方面的表现,而且对神经系统还有再生作用。

协同因素

通过补充诸如胆碱磷酸、泛酸、DMAE(二甲基乙醇胺)以及焦谷氨酸酯之类的"增进大脑功能的营养物质"可以提高智力,而且搭配服用的效果很可能会比单独服用的效果好得多。在 1981 年进行的一项研究中,由雷蒙德·巴特斯(Raymond Bartus)带领的研究人员,给用作实验对象的衰老的老鼠分别服用胆碱和吡拉西坦。众所周知,衰老的老鼠在生命的后期记忆力显著衰退。他们发现同时服用比拉西坦和胆碱的老鼠的记忆持久分数,比只服用比拉西坦的老鼠要高出好几倍。当同时服用比拉西坦和胆碱时,只需要服用单独服用时一半的剂量就可以达到同样的效果了。

大脑衰竭

"好的"化学药品和营养物质能够改善心智功能,而"坏的"化学药品则可能使人的智力减退,而且事实是它们确实会产生这样的恶果。酒精就是一个最好的例子。一般认为咖啡能使精力更加集中,事实上,咖啡的作用却是使精力不能很好地集中。一系列研究表明,记忆单词表的能力在咖啡因的作用下会变得更加糟糕。一名研究人员埃瑞克森(Erikson)医生说:"咖啡因会对处理不明刺激物的过程产生有害的作用",这听起来好像是对现代生活的一种描述。咖啡因和酒精的混合物会延缓身体做出反应的时间,并且会使实验对象比单独饮用酒类的时候醉得更厉害。咖啡、茶、巧克力、Lucozade 运动型饮料、可乐饮料以及紫藤药草中都含有咖啡因。我们前面已经讨论过的含糖分和精制碳水化合物较多的饮食,是降低智力水平的另外一个因素。诸如铅、镉这类重金属以及铝可以在大脑中堆积,研究已经明确表明这会导致智力减退、精力不集中、记忆力衰退以及控制冲动的能力降低。因此,尽量避免污染,包括不吸烟,是提高大脑活力的另外一个先决条件。

以下是一些简单的指导方法。它们可以增进记忆力并提高智力表现:

- 少摄入刺激性食物,如咖啡、茶、巧克力以及可乐饮料,还要降低糖分和精制食品的摄入量。
- 尽量不要接触污染并远离香烟。
- 确保补充适量的油脂,你可以选择普通的植物种子、蔬菜油以及必需脂肪增补剂。
- 通过日常饮食以及大剂量的多种维生素和矿物质增补剂来实现最佳营养。
- 每天补充下列能够增进大脑功能的营养物质:泛酸 100~500 毫克;胆碱

500～1000毫克(或一满茶匙乙酰胆碱卵磷脂颗粒);DMAE(二甲基乙醇胺)100～500毫克以及焦谷氨酸酯250～750毫克。

☞ 22. 增强活力缓解压力

在从事营养咨询师的实践中,听到顾客抱怨最多的两个问题就是:精力缺乏以及压力太大。它们最终导致的结果就是疲倦、乏力、嗜睡、冷淡、精力缺乏、注意力不集中、缺乏动力——不管你用什么样的词,反正感觉都是一样的。许多人为了重新获得这种充满活力的感觉,转而依赖于甜食、咖啡、香烟或成为"肾上腺素依赖者",而他们都从事高强度的工作或大运动量的娱乐或消遣活动。但是这些试图解决问题的办法,通常只会产生更大的压力。很快你就会感觉难以控制,并且感到生活中的压力压得你喘不过气来。压力是最常见的健康问题之一,并且与很多疾病有着直接的联系。在英国,它每年造成的损失达到四千万个工作日。但是,它跟营养学有什么关系呢?

在对最佳营养学研究院诊所的病人进行的一项调查中,研究人员得出一个令人吃惊的结果。在向营养师进行咨询之前,在有关应对压力能力的一项问卷中,54%的病人应对压力的能力都很差,但是在采用了最佳营养学养生法之后,6个月后只有28%的病人仍旧感到压力过大。至于其他病人,不管在这6个月中发生了什么事,他们应对压力的能力都得到了提高。

压力的化学作用

每当你做出对压力的反应时,你体内的化学性质就会发生根本的变化。压力从大脑开始。我们认为下面的一些情形需要我们刻不容缓地把注意力转移过去,例如一个小孩子走到了马路上,一辆汽车在我们的身旁疾驰而过,同事的敌对反应,金融危机以及无法在最后期限之前完成工作等等。迅速产生的信号会刺激肾上腺产生肾上腺素。不一会儿,你的心就砰砰直跳,呼吸也变得急促起来,肌肉紧张、双眼发胀,身体储备的葡萄糖被释放到血液之中。当你的身体做好应对的准备——即使是一个坐车上下班却遇上交通堵塞的人,体内平均肾上激素的突然增加也足以使他一口气跑一英里。

这个数量代表着有多少葡萄糖被释放到血液之中，而这主要是通过分解贮存在肌肉以及肝脏之中的糖原完成的。

为了将产生能量的物质输送到身体细胞，如肌肉，胰腺释放出两种激素——胰岛素和胰增血糖素。由肝脏释放的一种称为葡萄糖容许量因子的物质可以帮助胰岛素将这些物质带出血液。如果血糖水平太低，胰增血糖素就会使血糖升高。一个充满压力的想法就会促使这一切发生。你可能想知道所有这一切额外的能量以及加强的警觉来自哪里？答案是它把身体正常的修复以及保养工作所需的能量转移过去。而这些身体正常的修复和保养工作包括消化、清洁以及精力的恢复等等。因此，你在紧张状态下所度过的每一刻，都会加速身体老化的进程。只要一想到这里，就会使人倍感压力！但是，长期紧张的作用比这更为有害。想想你的脑下垂体、肾上腺、胰脏以及肝脏，它们一直不停地释放出荷尔蒙以控制血糖，而这些血糖你却并不需要！身体就像一辆开得太快的车，会失去平衡，零部件也开始磨损。抗衰老的肾上腺激素的分泌量开始下降，皮质醇的数量也开始降低，过不了多久，你的身体就不能再像以前一样对压力做出应对了。

血糖忧郁

结果是，你的精力下降、注意力不能集中、头脑不清醒、一次又一次"大脑衰竭"的折磨、饭后昏昏欲睡、易怒、产生错觉、无法入睡、睡不醒、过度出汗、头痛……这些听起来是不是很熟悉？为了重新获得对身体的控制，大多数人转而求助于刺激物。合法的刺激物包括咖啡（含可可碱、茶碱以及咖啡因）、茶（含咖啡因）、可乐饮料（含咖啡因）、巧克力（含茶碱）、香烟（含尼古丁）以及心理兴奋剂，如恐怖电影或蹦极——这些事情都会使你兴奋。而非法的刺激物则包括苯丙胺（uppers，一种可以解除抑郁和疲劳的药物——译者）、安非他明、可卡因、快克（crack，一种经过高度化学提纯的可卡因药丸，通过玻璃烟管吸取，很容易使人上瘾——译者）以及犯罪。很自然的，一旦生活开始依赖于刺激物，放松就变得越来越困难，因此，很多的人学会了使用弛缓剂，如酒精、安眠药、镇静剂和大麻等等。

溺于压力之中

当然你不能一直就这样生活下去，因此很多人在筋疲力尽之后不得不到海滩去恢复精力。当他们在机场候机的时候，有什么比读平装本的惊险

家庭生活万事通

小说更能使他们放松呢？小说的封面上说"凶杀、神秘、贪婪、色情、情节扣人心弦"。听起来不错哦！一杯咖啡、一杯葡萄酒以及充满压力的旅程之后，他们到达了海滩。然后，在充满赤裸裸的色情描写的庸俗小说中沉浸了两个小时，该做一些令人振奋的事了——冲浪、滑水，总之，一些令人兴奋的事情。关键是很多人已沉溺于压力之中，因为没有压力他们就会像泄了气的皮球一样，这正说明他们体内肾上腺的衰竭。这就是为什么有些人在休假的时候，会感到筋疲力尽或生病的原因。

能量消费者

事实上，所有的压力和刺激物都会消耗我们的能量，兴奋的状态实际上表明能量正在离开我们的身体，就像破碎的浪花一样，看上去在霎那间挥发出惊人的力气。但是过一会儿，又是风平浪静了——同样能量也不复存在的。在一篇关于毒品的文章里，心理学家、哲学家奥斯卡·伊卡佐(Oscar Ichazo)说道："毒品，可以说无一例外都是'能量消费者'，并以比我们正常的自然恢复能力高得多的速度消耗能量。由于毒品在短时间内耗尽了我们积累的体力，短暂的兴奋过后，必然是体力的衰竭，感觉消沉，这就是毒品的抑制作用。自然洁净的身体是最好的，只有自然洁净的身体才能够制造出自然洁净的能量。"他把毒品列为对我们身体活力损害最大的物质。按照对身体活力损害程度由大至小的顺序依次排列为酒精、海洛因和鸦片、烟草、可卡因、巴比妥酸盐、抑制剂、安非他明、大麻以及咖啡因。

但是，"消费能量"到底意味着什么呢？这意味着身体细胞缺乏能提供能量的营养物质，如葡萄糖和有催化作用营养物质，如 B 族维生素。B 族维生素可以使酶系统进行工作。从可以提供能量的营养物质中释放出能量的过程中，酶系统是不可缺少的。同样在制造诸如神经传导物质的信使分子，或如胰岛素之类的载体分子的过程中必不可少的营养物质也被耗尽了。因此，你在紧张状态下度过的每一刻，都在消耗宝贵的营养物质。仔细想一想，你是否做过按摩？按摩后你会感觉似乎全身的肌肉紧张都消失了。每一个紧张的肌肉细胞(常常是几十年的处于紧张状态)哪怕你处于睡眠状态，都在消耗能量、B 族维生素、维生素 C、钙和镁，还有其他很多的营养物质。只列出其中几项，就足以令人紧张了。如果你能够放松全身的每一块肌肉，想想你将节省多少营养增补剂！据保守的估计，当你处于压力状态之中，你对维生素的需要数量要增长一倍。

测一测你的压力——与肾上腺失衡相关的一些症状：

——早上起床困难	——情绪波动	——时常感觉寒冷
——时常感觉疲倦	——烦燥不安	——冷淡
——嗜食某类食物	——白天精力不好	——抑郁症
——生气、易怒、攻击行为	——时常感觉无力	——头痛
——肌肉以及关节疼痛	——过敏症	——过度活跃
——皮肤多斑	——头发脱落	——时常嗓子痛
——注意力不集中	——酵母菌增生	——伤口愈合缓慢
——睡眠欠佳	——腰部脂肪难以消除	——水肿
——心跳过速或心悸	——时常感觉饥饿	——经前期紧张
——容易患流感或感冒	——难以做出决定	——双眼流泪或发痒
	——记忆力欠佳	——过度出汗
		——感觉浮肿
		——衰弱

如果你有三项或以上用黑体字标明的症状,你的肾上腺激素可能已经不平衡了。你如果还有五项或以上其他症状,则必须请营养师为你进行仔细的检查。

能量等式

如果你想使生命的能量达到最大限度,并且保存能量而不是消耗掉它们,营养方面的原则很简单:

- 食用一些缓慢释放能量的碳水化合物。
- 保证你对所有必需营养物质——维生素,矿物质的摄取都达到最佳水平。
- 避免摄入刺激物和抑制剂。

由此带来的能量增加将帮助你应对生活中的紧张和压力。最佳营养学的方法既可以使我们摆脱一直消耗我们精力的能量消耗模式,同时又可以重新产生新的能量,以打破那些一开始就会产生压力反应的精神习惯。那么,现在就让我们来看一看能够打破压力的最佳营养学到底怎样。

抗压力饮食

快速释放能量的糖类可以在体内制造压力,刺激皮质醇的产生。因此尽量不要食用精白面包、糖果、早餐麦片以及其他添加糖分的食品。另一方面,缓慢释放能量的碳水化合物,能提供持久的能量。科学家们已经对不同来源的碳水化合物对血糖、精力以及心情的确切影响进行了研究。一般来说,这些碳水化合物的来源是水果、粗粮、蚕豆、小扁豆、坚果以及植物种子,这些食物的全部列表已在本书第 10 章中给出。和传统的食物搭配相悖的是,最近的研究发现,食用含有蛋白质的食物时,搭配一些含碳水化合物的食物,可以通过降低皮质醇的分泌,为肾上腺提供额外的支持。因此当你备感压力时,可以在吃水果的时候搭配一些坚果,或食用糙米的时候加一些鱼。坚果、植物种子、蚕豆和小扁豆,这些食物既含有蛋白质,又含有碳水化合物,因此是很好的抗压力食物。

提供能量的营养物质

能够提供能量的营养物质包括:(1)维生素 B6 以及锌,能够帮助胰岛素进行工作;(2)维生素 B1 和铬,是葡萄糖耐受因子构成成分,现在可以从一种叫做吡啶甲酸铬的合成物中获得;(3)许多将细胞中的葡萄糖转化为能量的过程中需要的营养物质。这些营养物质包括维生素 B1、维生素 B2、维生素 B3、维生素 B5、辅酶 Q、维生素 C、铁、铜和镁。维生素 B12 在肾上腺素的形成中必不可少,而维生素 B5(泛酸)在另一类叫作糖皮质激素的肾上腺激素的形成中不可或缺。肌肉和神经传导是将能量物质转变成能量的最终产物,它需要更多的维生素 B5 和大量的半必需营养物质胆碱,再加上矿物质钙以及镁。产生压力激素的过程也需要胆碱。氨基酸,是蛋白质的基本组成成分,也是压力激素和神经传导物质的基本组成成分。蛋氨酸,是通常容易出现缺乏的一种氨基酸,在生产肾上腺激素时也不可缺少。胰岛素是氨基酸和锌按 50:1 的比例混合而成合成物。肾上腺素则是由氨基酸苯基丙氨酸或酪氨酸合成的。

如果要为面对压力的人提供良好支持,从而实现最充沛的精力,需要摄入的增补剂的理想数量主要取决于个人的情况。但是,最佳的需要量,可能会在下表所列范围之内。

刺激物和它们的替代品

　　摄入咖啡、茶、糖以及巧克力都会增加患糖尿病的几率。短时间内它们可能会增加体力,但长期服用大量的刺激物,会使你未老先衰。做一下下面这个简单的试验:一个月不接触所有这些刺激物,看看会怎样。这些刺激物对你身体的损伤越大,断瘾症的症状就会越明显,如头痛、注意力不能集中、疲劳以及恶心。(值得庆幸的是,这些症状通常持续不超过四天,而且还可以通过服用缓慢释能量的碳水化合物以及能量营养物质增补剂,最大限度地减轻这些症状。)然后,重新开始,看看你喝第一杯茶或咖啡,吃第一匙糖或第一口巧克力时会有什么反应。你将经历压力专家汉斯·西利(Hans Selye)医生所说的"初始反应"——换句话说,就是对这些强有力的化学品的真实反应(头重、大脑极度活跃、心跳加快和失眠,以及随之出现的极度昏睡感。)继续摄入刺激物,你就会适应(第二阶段)。持续这样做,时间足够长之后,你就精疲力竭了(第三阶段)。每个人都会这样。惟一的不同是,你要多久才会到达精疲力竭的阶段。

家庭生活万事通

应对压力每日需要增补的营养物质

维生素 B1(硫胺)	25～100 毫克
维生素 B2(核黄素)	25～100 毫克
维生素 B3(烟酸)	50～150 毫克
维生素 B5(泛酸)	50～300 毫克
维生素 B6(吡哆醇)	50～250 毫克
维生素 B12	5～100 微克
叶酸	50～400 微克
胆碱	100～500 毫克
辅酶 Q	10～50 毫克
维生素 C	1000～5000 毫克
钙	50～600 毫克
镁	50～450 毫克
铁	10～20 毫克
锌	10～25 毫克
铬	50～200 微克

　　完全恢复不但是可能的,而且通常很快。在停止摄入刺激物,同时服用营养支持物质的 30 天内,很多人感到精力更加充沛,而且应对压力的能力也

提高了。最好将咖啡、茶和巧克力从你的饮食中全部剔除掉。除去咖啡因的咖啡和茶仍含有刺激物。如今,有很多咖啡的替代品和香草茶、水果茶。健康食品商店也出售无糖的"糖果"和巧克力。检查一下标签,看看是否含有没有标在显著位置的糖的含量标志。

最好慢慢地减少饮食中糖的含量。渐渐地习惯于少吃糖,例如,在早餐麦片中加入一些水果以增加甜味。按50∶50 的比例,用水稀释果汁。不要食用添加糖分的食品,减少水果干的食用量。在食用含有快速释放型糖分的水果,如香蕉时,可以搭配一些缓慢释放能量的碳水化合物,如燕麦。

锻炼因素

在保持旺盛的体力和应对压力方面,运动起着非常重要的作用,但是运动必须选择合适的种类。忧郁运动过度而使肌肉变得僵硬,并不会使精力在体内的流动变得容易。一个不健康的身体是这样,一个充满紧张的身体也是如此。事实上它会消耗我们的精力——要使肌肉细胞保持紧张的状态,需要耗费许多的能量。而不健康和体重超标会给身体增加负担,还会消耗更多的精力。

力量、韧性和持久力

当身体达到最佳平衡时,身体就会放松,但是十分强壮、柔软、姿态良好,并且刚好有足够的持久力,以完成体力方面的任务。一定要记住三个S——力量(Strenth)、韧性(Supple)和持久力(Stamina)。

当碳水化合物食品和我们吸入的氧气发生反应时,就能产生能量。在所有的营养物质中,氧是最重要的,但是我们中大多数人的呼吸都比较浅,其使用的肺活量仅仅占全部肺活量的三分之一。深呼吸不但能给身体提供能量,还会使头脑更加清醒。在大多数坐禅、瑜珈和太极里,第一步就是要掌握正确的呼吸方法。但是绝大多数的运动却忽略了这一点,因此你在运动时会喘不过气来。最终导致缺氧,就会让有毒物质在体内堆积起来,在体内产生紧张。如果你在运动后,感到精疲力尽或肌肉僵硬,这说明你的运动在某些方面不够均衡。

如果你每天只要花15分钟就可以完成一套运动,而这套运动任何人在任何地方都能够做,它既可以锻炼你的持久力、柔软性、力量并拥有一个美丽的体形,还可以让你感觉体力充沛、情绪稳定且头脑清楚,你会做吗? 这样的运动确实存在。这套运动叫做心理体操法，它是由纽约阿里卡学院的奥斯卡·伊卡佐(Oscar Ichazo)创立的。这个词的意思是通过呼吸(Psyche)达到力量(Sthenia)和美(Cali)的结合。这套运动可以锻炼三"S"并为整个身体提供氧气。它适合于所有的人，年轻人可以做，老年人也可以做，而且只要一天就可以学会。在英国和美国，各地都开设有这样的学习班。你还可以在磁带或录像带的指导下自己做，这样就不用参加专门的学习班了。

　　运动过多，会使压力激素皮质醇升高，如果你感到生活中的压力压得你喘不过气来，就不要运动太多。另一方面，试一下坐禅会有助于使压力激素重新回到平衡的状态。

　　坐禅对大脑很重要，就像食物对身体的重要性一样。我的坐禅老师说："有食物才有身躯;有思想才有头脑。"要使身体充满活力，就要食用纯净食品，戒除私心杂念。坐禅是你给你自己留出来的一段时间，在这段时间里，把精力集中在某件简单的事物上(如呼吸)，不去想那些永远也穷尽不了的念头，开发每个人体内的精力之源，我们的创造力、快乐、自然诙谐以及轻松，都来自于这精力之源。

　　我喜欢每天一开始就进行15分钟的坐禅，然后做15分钟的心理体操，然后吃"Get up and Go"，我的特殊早餐，是用高能量的食物加上能量营养物质制成的。它带来的结果就是精力持续稳定，不会感到紧张或压力。

家庭生活万事通

活力生活行动计划

早餐前

■　坐禅(15分钟)，然后做心理体操、瑜珈、太极(15分钟)

早餐(一定不能少)

■　Get up and Go 饮料，伴之以香蕉、米饭或豆奶，或加水果以及磨碎的植物种子的燕麦片。

■　一片强力多种维生素和矿物质增补片，一份抗氧化剂配方以及1000毫克维生素C。

上午的小食

■　新鲜的有机水果加一些杏仁或植物种子。

午餐

■ 大量生的或轻微烹制的蔬菜加上大米、蚕豆、小扁豆、奎奴亚藜、豆腐、荞麦面条或鱼。

■ 一片强力多种维生素和矿物质增补片,一份抗氧化剂配方,1000毫克维生素C。

下午的小食

■ 一片强力多种维生素和矿物质药片,一份抗氧化剂配方,1000毫克维生素C。

下班后(隔天进行)

■ 30分钟的运动(散步、慢跑、游泳、骑自行车、有氧运动)正餐(可以早一些吃,至少在就寝前两个小时以前)

■ 蔬菜蒸炸:选取胡萝卜、椰菜、花椰菜、甜豌豆、蚕豆、荸荠、浸湿的杏仁、有机蘑菇或香菇、竹笋、青椒、小胡瓜、豆腐以及香干豆腐。切成片,洗净放进平底锅,用密封盖盖紧,然后蒸最多5分钟。加入下列四种调味品中的一种。(1)中式风味:酱油、水、柠檬汁、姜、新鲜胡荽和大蒜;(2)泰式风味:椰子汁以及泰国香料;(3)墨西哥风味:用水稀释的墨西哥辛辣调味酱(超市里有不同的种类,但要检查是否含有化学添加剂);(4)地中海风味:加辣椒、蘑菇以及香草的番茄酱。搭配糙米、奎奴亚藜或荞麦面条。也可以选择其他生的或轻微烹制的蔬菜搭配米饭、蚕豆、小扁豆、奎奴亚藜、豆腐、荞麦面条或鱼。

■ 一片强力多种维生素和矿物质药片,一份抗氧化剂配方、1000毫克维生素C。

☞ 23. 实现最佳运动表现

没有任何一个顶级运动员会忽视最佳营养。正确的饮食和营养补充能够提高速度、增加耐力和力量,也就决定着竞技场上是输还是赢。

我第一次看到最佳营养在运动员身上的作用,是一名叫做米克·巴拉

家庭生活万事通

德(Mick Ballard)的老自行车运动员。米克·巴拉德在改变饮食并开始服用营养增补剂之后,以惊人的成绩打破了10英里速度赛的纪录。巴拉德说:"我坚信,我在时间上取得如此大的进步以及在体力恢复上取得的进步,都要归功于我的特殊维生素增补计划。"后来,在苏珊·迪瓦伊(Susan Devoy)教练的再三坚持下,我做了她的营养顾问。苏珊·迪瓦伊是当时世界十佳女壁球运动员之一。她认为最佳营养学的方法不会有什么用。但是,它确实有很大的作用。在接下来的10年里,她成为英国以及世界的头号壁球选手。按照最佳营养学的方法进行调理的运动员都一致同意,他们的耐力增强了,而且体力恢复起来也比较快。这些发现证实了麦克尔·科尔根医生的发现。他曾为许多美国奥林匹克运动员提供营养方面的咨询。这些运动员中,有美国一英里跑纪录保持者史蒂夫·斯科特(Steve Scott),两次世界铁人三项赛冠军朱丽·莫斯(Julie Moss),以及美国自行车队的霍华德·都弗凌(Howard Doerffling)。科尔根还发现长跑运动员在规定距离的长跑比赛中,所需的时间缩短了。

肌肉力量

最佳营养学的方法已经被证明不但可以增加耐力,而且会使肌肉的力量得到增加。好莱坞的演员西尔韦斯特·史泰龙就证明了这一点。他是一个最佳营养学方法积极的实践者,他每天服用一大把营养增补剂,并且仔细地注意饮食。通过最佳营养学方法可以使力量增大,在由科尔根医生进行的一项研究中,对这一点做了最好的证明。在这项研究中,两名经验丰富的举重运动员,进行了特别的营养补充,而另外两名则只服用无效对照剂。三个月后,那两名进行营养补充的运动员所能举起的最大重量增长了50%。而另外两名服用的是不含营养物质成分的药片,他们所能举起的最大重量只增长了10%至20%。在随后的三个月中,研究人员将营养增补剂与无效对照剂进行交换。那两名原先服用无效对照剂的举重运动员,又赶上了另外两名运动员的水平。

合适的"燃料"

要使身体各项性能在运动中得以最佳的发挥,取决于给身体提供合适的燃料。在一些不怎么费力但持续时间较长的"有氧"运动(如慢跑、网球、游泳和散步)中,碳水化合物产生的能量,相当于脂肪的两倍。在一些持续时间较短的、费力的运动即"厌氧"运动(如短距离赛跑)中,身体实际上只能消耗碳水化合物,使得碳水化合物产生的能量是脂肪产生能量的五倍。因此在运动中,给身体提供能量的第一位燃料,是碳水化合物,而不是脂肪。不仅如此,碳水化合物还能以糖原的形式储存起来,而脂肪却不可以。糖原是能量的一种短期储存形式,它贮存在肌肉以及肝脏中。在长时间的体育运动中,可以释放出来。这就是为什么需要耐力的运动员,在比赛前几小时,会吃一些大米或面团或其他的合成碳水化合物,这样可以增加他们的糖原贮存量。

和普遍流行的观点相反,加大蛋白质的摄入并不会提高运动成绩。甚至想让肌肉增长到最大的健美者,在其所摄取的卡路里中,以蛋白质形式摄取的也不过占总摄取量的15%。看看这样的一个方程式:一年内增长9磅(4千克)肌肉所需要的蛋白质,其实还不足1千克。由于肌肉只含22%的蛋白质。把一年中需要的蛋白质除以365天,你所需要的蛋白质是每天2.4克!这还不到一汤匙,几颗杏仁或一汤匙金枪鱼所提供的数量都要多于这个数量。肌肉增大困难,很少是由于缺乏蛋白质,常常是由于没有摄取足够的肌肉生长所需要的维生素以及矿物质所致,如锌和维生素 B6。它们有助于消化和利用从饮食中摄取的蛋白质。

脂肪不是身体最好的燃料提供者,然而必需脂肪对运动员来说却有许多重要的好处。它们有助于氧气的传输以及保持氧气的载体,也就是红细胞的健康。它们还对免疫系统至关重要,对于进行大运动量的人来说,免疫系统常常不堪重负。它们还是能量的后备之源。伍多·伊拉姆斯(UdoErasmus)医生是脂肪方面的专家,他认为,必需脂肪实际上会加快新陈代谢的速度。因此,坚果、植物种子以及蔬菜油,是使运动能发挥高水平的饮食的重要组成部分。

水——被遗忘的营养物质

在男女运动员的饮食中,最重要的一项很可能就是水了。肌肉的75%是水。肌肉中的水如果减少仅3%,力量就会减小10%,速度就会减慢8%。在运动比赛中,干渴传感器是被禁止使用的,因此运动员们很容易脱水。这会导致体温升高,从而使能量从肌肉中被转移出去为身体降温。在耐力运动项目中,最好是喝水,让身体出汗,这样可以使身体凉快一些。但是,更重要的是要提前为身体补充水分。可预先在比赛前一到四小时每 15 分钟喝一杯水。饮水的数量取决于比赛时间的长短。

食用大量的碳水化合物也会有助于在体内贮存水,因为每一单位碳水化合物,以糖原贮存下来后,就会和 9 单位的水结合。由于糖原被释放出来给肌肉提供能量,水也就会被释放出来。

增补的益处

大量的研究结果都支持运动方面的营养增补所带来的好处。对单个营养物质进行的研究常常显示不出什么作用,而对采用最佳数量(而不是推荐日摄食量)营养物质进行的多种营养物质研究则一致表明,这种方法可以使运动员在运动比赛中的成绩有所提高。和维生素以及矿物质一样,诸如辅酶 Q 这样的半必需营养物质是获胜配方中的重要组成部分。理想摄入量是每天 60～100 毫克。每一种要进行补充的营养物质的理想摄入量因人而异,但是,如果你定期做耐力运动,例如跑步或骑自行车,那么增加抗氧化营养物质的摄入是很重要的,例如维生素 A、维生素 C 以及维生素 E 就是抗氧化营养物质。这些物质有助于身体利用能量,而且能去除制造能量过程中的副产品产生的毒素,这样就减轻了耐力运动带来的压力。

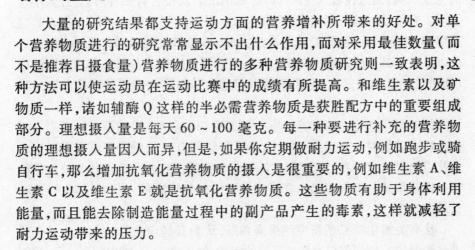

男女运动员适用的饮食方面的一般指导原则:

- 多食用合成碳水化合物,如粗粮、水果、蔬菜、蚕豆以及小扁豆,在较长的比赛之前,要充分地补充碳水化合物。
- 在食用碳水化合物食品时,可以搭配一些蛋白质,如吃水果时可以搭配一些坚果,吃米饭时可以加一些鱼。
- 要避免摄入过多的蛋白质。
- 在比赛前要大量饮水。可能的话,在比赛中也要大量饮水。
- 实施一个符合自己特点的营养增补计划,一直坚持下去。还可以额外补充辅酶 Q10。

☞ 24. 自然抵御感染

没病时积极预防,比起生病了再去治疗要好。正如路易斯·巴斯德(Louis Pasteur)临终时所说:"主人比入侵者更重要。"医学家们日益发现,我们只有在衰弱的时候才会向病菌屈服。因此,你最好的保卫就是保持强大的免疫系统,当入侵者入侵时随时可以出击。入侵者有多种形态,且大小也不同。有细菌、病毒、真菌、还有寄生虫。了解你要对付哪一种入侵者是很重要的,因为,每一种所要求的治疗方法,都有细微的差别。感冒、流感、疱疹以及麻疹都是由病毒引起的。绝大多数耳部感染、胃痛、胸部和鼻窦感染(通常是感冒的并发症)是由细菌引起的。鹅口疮和脚气是真菌感染的结果。

能够增强免疫力的营养物质一年四季都有好处,特别是在你很累或跟传染病人接触时。在感染期间,入侵者和我们自己的免疫军团都会产生自由基以消灭对方。我们可以用抗氧化营养物质把这些危险的化学物质像扫雷一样清除掉。抗细菌和抗真菌的作用物在与特定的入侵者作对抗时,增长最多。

从有关维生素 C 的研究结果来判断,认为有健康免疫功能的人不会感染是错误的。他们仅仅有伤风早期的症状,然后在 24 小时内就消失了;而不怎么健康的人,结果会在病床上躺上一个星期。因此,我们的目标是通过食用适当的食品并营造一个适当的环境来增强免疫系统的功能,以便在有病菌企图入侵时能很快地适应。

维生素 C 的主要功用是抗病毒,而柚种子的提取物可以抵御细菌或作为"抗生素"。下面的表格列出了在对付不同的入侵者时哪一种天然药品最有效。

哪一种入侵者使用哪一种天然药品?

营养物质	抗氧化剂	增强免疫力	抗病毒	抗细菌
维生素 A	★	★	★	
β-胡萝卜素	★	★		
维生素 C	★	★	★	★

家庭生活万事通

维生素 E	★			
硒	★	★		
锌	★	★	★	
铁	★	★		
锰	★			
铜	★			
B 族维生素	★	★		
L 半胱氨酸	★			
NA 半胱氨酸	★			
谷胱甘肽	★			
赖氨酸			★	
库拉索芦荟汁		★	★	★
黄芪	★	★		
"活力"蘑菇		★	★	
紫锥花		★	★	
贯叶连翘		★	★	
大蒜	★	★	★	★
柚子种子			★	★
银			★	★
茶树				★
艾蒿				★
蜂花粉				★
猫爪草	★	★	★	
白毛茛				★

家庭生活万事通

快速反应

最好的防守是进攻，而且你反应越快，在感染发生之前你重建健康的机会就越大。所有的入侵者都会产生毒素，作为它们战争中武器的一部分。如果你醒来时，感觉比平时累得多，可能双眼充血、轻微头痛、喉咙发痒、鼻子有点塞或头脑不清醒，且你头天晚上又没喝酒，很可能病菌正在向你发起进攻。至于酒精，当你的身体试图清除不好的作用物时，会有一些症状。

如果战争进行得如火如荼，穿暖和一些。免疫系统在温暖的环境下工作起来，会更好一些。这就是为什么身体会发烧，正是为了使体温升高。因此，使自己暖和，并且多休息。好好休息一天，可能会大不相同，特别是你用

189

天然药品来加强你的免疫军团时。睡眠不足,使你的能量储备衰竭。还要避免所有其他习惯性地浪费能量的方式:酒精、烟雾环境、强烈的阳光、吃得过饱、紧张、争论、用力过度、性生活以及抗生素。通过减少这些大量消耗能量的东西或行为,你可以使体内的平衡变得对你有利一些。

过去老人常这样说:"发热要饿,感冒要吃"。这句俗话有一定的道理。在感染的时候,听从你身体的指令。一天不吃东西,没什么大碍,但是如果感染持续很长时间,你的免疫系统就确实需要一些营养物质以及蛋白质,用来给部队提供补给。最好少吃一点,可以吃一些能量高的天然食物,生吃或轻微烹制。在感染期间,身体在艰苦地为了消除战争的废物而战斗,因此,要大量喝水或香草茶,帮助身体解除毒素和减少粘液的产生。不要吃盐和粘液性以及含脂肪多的食品,比如肉类、蛋类、以及乳制品。

怎样治愈感冒

每天 1 克维生素 C 会降低感冒发生的几率并降低严重程度,如达到"组织饱和"则效果更大。为了让人感冒,感冒病毒一定要进入细胞,并进行复制,以产生更多的感冒病毒。这些病毒又会感染其他细胞。但是,如果体内组织中维生素 C 含量较高,病毒就不能存活。每天摄取大约 10~15 克,或者每 4 小时 3 克(是推荐日摄食量的 375 倍!),就很有可能达到组织饱和。庆幸的是,维生素 C 是人们所知的毒性最小的物质之一。日摄入量达到 2~5 克,就足以维持高水平的免疫保护作用。

病毒用细小的尖梢穿透细胞壁,进入体内细胞。而尖梢是由一种叫做红血球凝集素的物质组成的,根据病毒学家马德琳·蒙库格鲁(Madeleine Mumcuoglu)和干扰素的发现者吉恩·林德曼(Jean Linderman)一起进行的研究,接骨木果提取物可以通过粘着在这些尖梢上,并且阻止它们穿透细胞膜,从而使这些尖梢丧失战斗力。"这是最初的发现,"蒙库格鲁说,"后来我发现证据证明,接骨木果也可以用其他的方式与流感病毒作战。病毒的尖梢表面上包着一种神经氨糖酸苷酶,这种酶可以帮助摧毁细胞壁。接骨木果能够抑制这种酶的作用。我猜测,我们将发现接骨木果也可以非常有效地以其他方式和病毒作对。"

在一个双盲控制试验中,她测试接骨木的提取物(叫做 Sambucol)对一些病人的作用,而这些病人都被诊断感染了一系列流感病毒的其中一种。1995 年发表了测试结果。结果表明:20% 的病人在 24 小时之内,另外 73%

的病人在 48 小时之内,发热、咳嗽、肌肉疼痛等症状明显好转。3 天后,90%的病人的症状完全消失了。而相比之下,另外一组服用无效对照剂的病人,至少 6 天才得以康复。这是第一份正式发表的以接骨木提取物进行的试验。我也从我的病人那里听到过许多成功的故事。他们在得了感冒和流感之后,通过服用 Sambucol,使身体更快地康复了。

增强免疫力的草药

越来越多的能够增强免疫力的草药,正在被不断发现以帮助与感染作斗争。四种相当好的草药,猫爪草、紫锥花、大蒜和葡萄柚种子提取物,将在下面详细列出。猫爪草茶加上黑加仑和苹果味道很好,每天喝一杯,能够保持免疫力不降低。如果你嗓子疼或胃不舒服,加 4 片姜根。紫锥花是原来美国印第安人的蛇根草,后来人们叫做蛇油草。葡萄柚种子提取物的一大优点是,它和抗生素的作用相类似,但是不会像普通的抗生素一样,对有益的肠道细菌造成损害。如果你在服用诸如安肠健(acidophlus)这样的益生素,最好和葡萄柚种子提取物分开服用。

总之,下列步骤将帮助你抵御感染(剂量方面的具体知识,请参见下面的详细列表):

■ 少食,但要保证你摄入了足够的蛋白质。因为我们的身体需要蛋白质来组成免疫细胞,蛋白质还可以保暖。如果你的感染与粘液有关,则不要使用乳制品。

■ 将维生素 C 的摄入量增至每 4 小时 3 克。

■ 饮用猫爪草茶,并且可以加入姜、紫锥花汁,还可以选择大蒜胶囊或大蒜鳞茎。

■ 如果你感冒了,每天服用 4 次 sambucol,每次一汤匙。

■ 如果你患有细菌、真菌或寄生虫感染,每天服用 2 或 3 次葡萄柚种子提取物,每次 10 滴。

■ 查明你的感染是什么原因引起的,如果有必要就去看医生,特别是你的病情 5 天之内还没有好转。

■ 考虑下面"抵御感染天然药物完全档案"中的其他药品。

抵御感染天然药物完全档案

以下给出了两种剂量。第一种是在病菌攻击的情况下抵御感染。第二种是一般地保养用量。一旦"入侵"结束48小时后,就可以继续服用保养剂量。其中一些天然药物如果没有保养剂量,则只建议在抵御感染的时候使用。

维生素A

维生素A是主要的增强免疫力的营养物质之一。它有助于加强身体内部以及外部皮肤的结构。因此维生素A的作用相当于第一道防线,它可以使肺部、消化道和皮肤不受伤害。通过加固细胞壁,还能阻止病毒侵入。大量的维生素A有毒,因此,高于1万国际单位的剂量只建议在短期内服用。

抵御感染剂量:1万~2.5万国际单位/天(只能服用一周)

保养剂量:7500国际单位/天

库拉索芦荟汁

具有增强免疫力、抵抗病毒及消毒的功能。是全面的滋补剂,在任何感染期间有增强免疫力的作用。每天的剂量在瓶上有标识。

抗氧化剂

可以化解自由基毒素的物质。包括维生素A、维生素C、维生素E和β－胡萝卜素、锌、硒和许多非必需营养物质,包括水飞蓟(奶蓟)、沙棘油、硫辛酸、生物类黄酮以及越桔提取物。在感染期间最好服用全面的抗氧化增补剂。

艾蒿

天然的抗真菌、抗寄生虫、抗细菌药物,常和羊脂酸一起用于念珠菌病或鹅口疮的治疗。

抵御感染剂量:100~1000毫克/天

黄芪

一种中国草药,因能够增强全面的免疫力并富含有益的粘多糖而著称。

抵御感染剂量:1~3克/天

保养剂量:200毫克/天

β-胡萝卜素

维生素A的蔬菜来源,本身也是一种抗氧化剂。最佳来源是红色的、橙色和黄色的食物以及新鲜蔬菜。饮用胡萝卜汁或西瓜汁是一种很好的摄入这种全面抗感染药物的好方法。

抵御感染剂量:1万~2.5万国际单位/天(只能服用一周)

保养剂量:7500国际单位/天

维生素C

维生素C具有令人难以置信的抗病毒作用。在维生素C较多的坏境中,病毒便不能存活。为了杀死病毒,你需要马上服用3克维生素C,然后每隔3小时服2克。也可以把6~10克维生素C粉末搅拌在水果汁中,用水稀释后,一天喝完。维生素C无毒性,但服用太多会引起腹泻。如果腹泻得厉害,就要减少服用量。

抵御感染剂量:6~10克/天

保养剂量:1000毫克~3克/天

蜂花粉

天然的抗生素。把它作为一般的滋补品可能比作为特别的药品要更好。如果你对花粉过敏,要谨慎服用。

抵御感染剂量:1~2甜点匙/天

保养剂量:1茶匙/天

羊脂酸

具有抗真菌作用。源自椰子,主要用来消灭引起鹅口疮的白色念珠菌。抗白色念珠菌的治疗方案最好在获得资格认证的营养咨询师的监督下进行。

抵御感染剂量:1~3克/天

猫爪草

具有高效的抗病毒、抗氧化和增强免疫力的功能。取自秘鲁雨林的一种叫做绒毛钩藤的植物。它含有被称为生物碱的多种化学物质,其中之一就是isopteridin,已被证明能够增强免疫系统的功能。可以作为茶或增补剂买到。

抵御感染剂量:2~6 克/天

保养剂量:2 克/天

半胱氨酸

请参看谷胱甘肽与半胱氨酸一条的介绍。

维生素 E

维生素 E 是最重要的脂溶性抗氧化剂。坚果、植物种子、麦胚以及由它们制成的冷榨油中含有维生素 E,但要保证这些营养物质都是新鲜的。在感染期间,最好每天都服用维生素 E 增补剂。

抵御感染剂量:500~1000 国际单位/天

紫锥花

具有抗病毒和抗细菌功能的多面手。起作用的成分被认为是特殊的粘多糖。有胶囊和提取物两种,提取物要按滴服用。

抵御感染剂量:2~3 克/天(或每次 15 滴浓缩提取物,一日三次)

接骨木果提取物

通过阻止病毒占据细胞,可以缩短感冒和流感的持续时间。

抵御感染剂量:每次 1 甜点匙,每天三次。

大蒜

含有蒜素,蒜素具有抗病毒、抗真菌和抗细菌的功能。富含硫氨基酸,因此也有抗氧化剂的作用。在和感染作战的时候,毫无疑问是重要的盟友。把大蒜纳入日常饮食中,也是明智之举,因为经常食用大蒜的人,癌症的发病率最低。可以考虑用鳞茎的瓣或胶囊替代物,以计算日常用量。

抵御感染剂量:每天 2~6 瓣小鳞茎

保养剂量:每天 1 瓣小鳞茎

姜

对嗓子痛以及胃部不适特别有好处。将六片新鲜的老姜放进保温瓶,加一条肉桂,然后灌满开水。5 分钟后,你就可以享用加姜的肉桂茶了,它对喉咙有好处而且味道极佳。为了使味道更佳,还可以加一些柠檬或蜂蜜。

谷胱甘肽和半胱氨酸

这两者都是具有较强抗氧化作用的氨基酸。许多全面的抗氧化剂增补剂中都含有这两种成分。在长时间的病毒感染期间,它们会被耗尽,所以有必要服用增补剂。最有效的形式是还原的谷胱甘肽或 N－Z 酰半胱氨酸。

抵御感染剂量:2～3 克/天

保养剂量:1 克/天

白毛莨

是一种天然的抗细菌药物,含有特定的生物碱。对粘液膜方面的疾病有特别的辅助治疗作用。可以作为杀菌剂用于灌洗疗法或含漱疗法,也可内服,使消化系统功能恢复正常。

抵御感染剂量:200～500 毫克/天

葡萄柚种子提取物

一种高效的天然抗生素,抗真菌、抗病毒药物,是滴剂,根据感染的部位可以吞服、含漱或滴鼻、滴耳。

抵御感染剂量:每天 20～30 滴

保养剂量:每天 5 滴

赖氨酸

一种能够帮助并且杀死疱疹病毒的氨基酸。在感染期间,最好少食用富含精氨酸的食物,如蚕豆、小扁豆、坚果以及巧克力。

抵御感染剂量:1～3 克/天

保养剂量:1 克/天

蘑菇

香菇、莲花菇、赤芝、灵芝以及其他蘑菇,自古被中国的道士认为有长生不老的作用,都含有能增强免疫力的多糖类物质。添加一些在增强免疫力的营养增补剂和滋补剂中。你也可以在超级市场买到新鲜的香菇或在保健品店买干的香菇。

家庭生活万事通

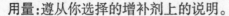

益生素

和抗生素不同,这些是能增进健康的有益细菌。在细菌感染期间及服用抗生素一个疗程之后,最好补充一些益生素。在人的消化道里发现了一种特别的菌株,叫做人类细菌,现在可以买到。注意 ABCDophilus,这是三种对婴儿和儿童有益的菌种的组合。事实表明,它们能将腹泻的恢复期缩短一半。唾液乳酸菌是一种对成人有益的菌种。

用量:遵从你选择的增补剂上的说明。

贯叶连翘

对所有的皮肤病或伤口特别有效,如割伤或皮肤感染。同时也是免疫系统的全面滋补剂。

抵御感染剂量:50～500 毫克/天。

硒

一种可以提高免疫力的矿物质,也是一种抗氧化剂。海鲜以及植物种子,尤其是芝麻子中含有大量的硒。大多数抗氧化营养增补剂中也含有硒。

抵御感染剂量:200～300 微克/天

保养剂量:100 微克/天

茶树油

具有杀菌作用的一种澳大利业药品。涂于胸部、加入浴盆或蒸汽吸人都很有效,还具有驱蚊的功效。

用量:遵从包装瓶上的说明书使用。市面上锭剂也有售。

锌

最重要的增强免疫力的矿物质。毫无疑问,锌能帮助抵御感染。有锌锭剂,用来治疗咽喉痛。大多数抗氧化营养增补剂中也含有锌。

抵御感染剂量:25～50 毫克/天

保养剂量:15 毫克/天

☞ 25. 打破脂肪壁垒

来自敏特尔(Mintel)市场调研公司的报告说,至少有六分之一的妇女一直在尝试减肥。政府的健康数字告诉我们,37%的男子肥胖,而相比之下,只有24%的妇女肥胖。尽管如此,节食的妇女数量却是节食男子的两倍。在这些节食者当中,有17%的人想减至健康体重以下。这对他们可能没有好处,但对年销售达6600万英镑的减肥食品工业来说,却是件不错的事情。自1988年以来,其年销售额翻了4倍。

节食方面的书,仍然稳居畅销书排行榜的前列,报纸继续鼓吹7天"奇迹节食"法。当报纸刊登这样的"奇迹节食"时,销售量就会上升,因为有数千万的人正在寻求减少赘肉的新方法。但是我们得到的这些知识,有多少是可信的,又有多少是杜撰的呢?

来看看这个实验,让两组妇女同时饮用奶昔。研究人员告诉其中一组说饮料含的热量很低,告诉另一组说饮料中含的热量高。实际上所有的饮料都是一样的。然后给每一个参加实验者很大一碗巧克力冰淇淋。哪一组吃得最多呢?认为饮料中含有高热量的那一组。毕竟,如果你已经违背了你的节食计划,为什么不做到底呢?

成功的节食不在于什么办法最有效,而在于你能够坚持的方法中什么最有效。短期的效果很容易实现,只要什么都不吃就行了。但是,你能坚持多久呢?用饭餐替代品进行节食,也是容易的一种选择。但是,你能想象一辈子就喝"低热量"奶昔吗?如果你这么做,结果会怎样?好的减肥饮食应该能够:

- 降低体重。
- 对健康有利。
- 教会你进行终生的节食,而且能够维持健康的体重和增进整体健康。
- 实行起来相对容易,而且不会让你忍受饥饿之苦或感到筋疲力尽。

有关脂肪的知识

既然你想减掉的是脂肪,了解脂肪是什么会有帮助。去当地的屠夫那

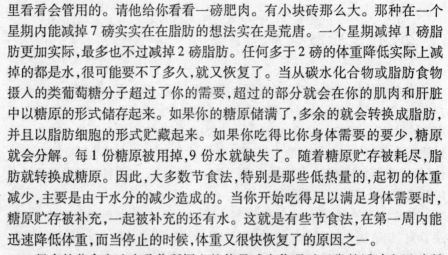

里看看会管用的。请他给你看看一磅肥肉。有小块砖那么大。那种在一个星期内能减掉 7 磅实实在在脂肪的想法实在是荒唐。一个星期减掉 1 磅脂肪更加实际，最多也不过减掉 2 磅脂肪。任何多于 2 磅的体重降低实际上减掉的都是水，很可能要不了多久，就又恢复了。当从碳水化合物或脂肪食物摄入的类葡萄糖分子超过了你的需要，超过的部分就会在你的肌肉和肝脏中以糖原的形式储存起来。如果你的糖原储满了，多余的就会转换成脂肪，并且以脂肪细胞的形式贮藏起来。如果你吃得比你身体需要的要少，糖原就会分解。每 1 份糖原被用掉，9 份水就缺失了。随着糖原贮存被耗尽，脂肪就转换成糖原。因此，大多数节食法，特别是那些低热量的，起初的体重减少，主要是由于水分的减少造成的。当你开始吃得足以满足身体需要时，糖原贮存被补充，一起被补充的还有水。这就是有些节食法，在第一周内能迅速降低体重，而当停止的时候，体重又很快恢复了的原因之一。

很多的节食方法声称你所摄入的能量减去你通过正常的活动和运动所消耗的，多余的部分就会给你腰上增添一大块肥肉。因此，如果想减肥，你所要做的就是少吃多运动。很简单，不是吧？在理论上可以，但实际上行不通。第一，这个方法没有考虑到我们会多吃（或运动不足）的原因；第二，这个方法不管用。看看这个例子。一个苹果大约含有 100 卡路里，因此，如果你每天少吃一个苹果，一年你就会少掉 3.65 万卡路里。体内的 1 磅脂肪，相当于大约 4000 卡路里。这意味着你第一年就会少掉 10 磅，到第三年，少掉 49 磅，10 年后，98 磅，15 年后，你就完全消失了，而你所要做的仅仅是每天少吃一个苹果！

体重跟新陈代谢有关

热量理论上加起来不符合预期数目的原因，是大多数热量控制型节食法没有考虑到的。没有考虑到的环节是新陈代谢——把食物中的热量变成身体能利用的能量的过程。把食物变成能量的能力，人与人之间差别很大。能力差的那些人，新陈代谢慢，结果转化成脂肪的食品就多些。许多肥胖的人的新陈代谢率比瘦的人要慢。每天低于 1000 卡路里的紧急节食的最大问题之一，是身体把食物的减少看做是一种威胁，把新陈代谢率减缓达 45% 之多。短期内，你可以减掉大约 7 磅体液，如果你幸运的话，一个星期最多减掉 2 磅脂肪。在两三周内，两者加起来可达到 10 磅。但是，一旦你的饮食量回到以前的水平，体液又回来了，脂肪也会回来的。因为，你的新陈代谢率已经慢下来了,意味着现在你维持体重的稳定,所需要的食物要少一些了。当然,这种反弹效应给食品替代物公司带来了好生意。这些公司的顾客平均一年要进行三次紧急节食。

来看看米歇尔(MicheHe)和卡洛琳(Carohne)的故事吧。她们是《星期日时报》(*Sunday Times*)"尝试与测试"节食特辑的志愿者。米歇尔采用"剑桥节食法",每天吃 330 卡路里的食品替代物节食法。卡洛琳采用的是"脂肪燃烧节食法",一种由最佳营养学研究院使用的每天摄入 1500 卡路里食物的节食法。这一节食法的作用基础是影响你的新陈代谢,而不是仅仅减少卡路里的摄入量。按米歇尔说法:头三天简直是受罪,而从那以后,情况更糟。连走路都要很强的意志力,我总是筋疲力尽,而且不能集中精力。因此我的工作受到很大的影响。体重也下降得很慢——在看过广告上的吹嘘之后,我期待出现奇迹——但在最后那一周,体重终于直线下降。我的脸,看上去瘦了许多,这正是我想要的……但不幸的是,我们胸部也跟着瘦了下去。当我开始吃的时候,我的身体,就像一个汽球一样鼓胀起来,而且好像装了几加仑的水似的;相反,皮肤出现"松弛"现象,结果腋下的皮肤变得像蝙蝠翼似的。我刚停止节食,阻挡不住的暴食随之而来,但是 6 个星期后,靠做一些四肢运动和节制,我已经做到把暴食造成的体重增加的恶果限制在 5 磅之内。

米歇尔在一个月内减少 10 磅,又增加了 5 磅。卡洛琳在一个月内也减了 10 磅,在节食后的度假期间又增加了 2 磅。当问起她的节食情况时,她这样说:"最困难、同时也是最好的事之一,是这种节食坚持要戒掉咖啡和其他刺激性食物。头几天,由于咖啡因没有了,我头疼,但那以后感觉棒极了——敏捷、健康,还有完全解毒了!早上起来,洗脸间镜子里双眼的浮肿再也没有了。在度假的时候,我又增加了 2 磅,但我会通过明智的饮食,把它减下来的。"卡洛琳吃的食物的卡路里含量,是米歇尔的 4 倍多,减掉的重量却差不多是米歇尔的两倍!影响新陈代谢的因素是体重控制的关键。使新陈代谢为你效力,而不是跟你唱对台戏的秘诀是什么呢?

以食物换能量

重要的不是食物的多少,而是你吃的食物的品种。人体需要合成碳水化合物,换句话说就是缓慢释放热量的碳水化合物。这些碳水化合物是指粗粮、蚕豆、小扁豆、蔬菜和水果。现代节食法,终于强调要食用缓慢释放糖分含量的食物了。缓慢释放产生的能量水平更加稳定,在更长的时间内不会感觉到饥饿,从而给身体更好的用尽食物的机会,而不是将食物变成脂肪。

估计每 10 个肥胖的人中有 8 个血糖不稳定。对这些人来说,食用含刺激物少,合成碳水化合物多的食物是很重要的。(原因在本书第 10 章中已解释过。)然而,许多节食计划添加了刺激物,而不是把它们减掉。这些节食计划包括减肥药和咖啡或紫藤的减肥食谱,咖啡和紫藤两者都是咖啡因的集中来源,而咖啡因是一种肾上腺刺激物。从短期看,这些刺激物可以通过加快新陈代谢,使体重降低,但从长期来看,与其说它们是帮了忙,还不如说是在帮倒忙。

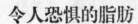

令人恐惧的脂肪

一般饮食的热量,42% 来自脂肪,15% 来自蛋白质,剩下的 43% 主要来自精制的碳水化合物和糖分。理想饮食的热量应该是这样的:不超过 30% 来自脂肪,15% 来自蛋白质,剩下的 55% 或更多来自合成碳水化合物。由于脂肪是能量最集中,或者说最生热的食物,许多节食法都是以限制脂肪的摄入为基础的。由于一般人所吃的大多数脂肪来自肉类、乳制品、涂抹品(如涂抹在面包上的黄油、果酱等)和高脂肪的加工食品或快餐食品,低脂肪的饮食一定会不可避免地接近素食。研究已经表明:食用素食,在体重下降后更容易保持。一项测试素食对关节炎效用的研究发现,在 3 个月内,研究对象的体重降低了 9%。所进行的节食在营养和卡路里两方面都高,主要是因为在吃坚果、植物种子、调味品和沙拉调味品中的蔬菜油时,摄入了相对高的脂肪。尽管如此,还能够达到如此的减肥效果。一个可能的解释就是由于含有较高的纤维,素食中所含的"生物利用"食物就减少了。而且,营养物质较高的含量也会使新陈代谢的速度加快。

人的饮食中,没有必要包括任何饱和脂肪,但是某些多不饱和脂肪,如在富含油脂的鱼类、坚果、植物种子以及蔬菜油中所发现的脂肪则是必不可少的。《脂肪和油脂》(*Fats and Oils*)一书的作者尤多·伊拉斯姆斯(Udo Erasmus)认为这些必需脂肪实际上有助于消耗脂肪。大幅地减少饱和脂肪的摄入,但不包括坚果、植物种子和鱼类,就会在低脂肪的饮食和最佳营养之间实现最佳的平衡。在实践中,这意味着不要再食用任何煎炸食物。可以给锅里的食物加水、原汁、酱油、柠檬汁或任何人造的无脂调味品,然后盖上锅盖,把食物烤、煮、蒸炸出来。食用油炸的或加调味品的高脂肪含量的食品,只是一个习惯问题。一旦这个习惯被打破了,大多数人不吃也无妨。

纤维因素

早在 20 世纪 80 年代,奥德利·艾顿(Audrey Eyton)就认识到低热量节食法的主要问题所在。你会倍感饥饿! 于是她发明了"F – 计划节食法"。该节食法允许节食者每天摄入 1000 卡路里热量的食物,并且包括高纤维食品。这些有助于降低你的食欲,而且对健康还有其他的好处。很多人一想到纤维,就想起麦麸,但是麦麸是效用最差的一种纤维。蔬菜、燕麦、小扁豆和蚕豆中的纤维,作用大得多。除了使食物体积膨大,因而使你觉得吃饱了之外,纤维还有助于控制血糖的含量。

在这方面,特殊的葡甘露聚糖纤维是别的纤维无可比拟的。来自日本的魔芋能够吸收的水分是麦麸的 10 倍,因此具有更好的膨胀作用。更重要的是,它能非常有效地控制血糖含量,因此,在日本被用来治疗糖尿病。一项控制实验表明,每天只食用 3 克魔芋(相比之下,我们被建议每天需要食用的纤维数量是 30 克!)就产生了一个月内降低体重 2 ~ 5 磅的效果,而且没有对饮食做明显的改变或加大运动量!

不幸的是,1986 年通过的一项新的食品法中将葡甘露聚糖列为乳化剂,有效地禁止了它在英国的销售。但是,我们可以买到磨碎的魔芋纤维,而且是合法的。魔芋纤维的 60% 是葡甘露聚糖。因此,每天 5 克魔芋纤维,将提供 3 克葡甘露聚糖。这个数量在 3 次试验中都被证明有明显的减肥作用。惟一一次有关魔芋纤维的无效对照剂控制实验,发现在 12 星期内食用了魔芋纤维的研究对象的体重降低了 4.93 磅。而相比之下,只服用无效对照剂的研究对象的体重则仅仅下降了 1.45 磅。差别虽然不是十分的明显,但是它确实表明葡甘露聚糖对一些人是有好处的。因此当然也值得一试。

增补剂因素

燃烧脂肪的能力并不仅仅取决于食物的品种——"燃料"。它还取决于一些能帮助控制葡萄糖分解过程的维生素和矿物质的存在。葡萄糖给体内的细胞提供能量。这些关键的营养物质中,缺乏任何一种都会导致能量减少,并且最终使贮藏脂肪的倾向增大。把葡萄糖从血液运到细胞少不了维

家庭生活万事通

生素 B3(烟酸)和 B6,以及铬和锌的参与。葡萄糖实际分解转化为能量也取决于维生素 B1、维生素 B2、维生素 B3、维生素 B5 以及维生素 C、铁和辅酶Q。保证这些营养物质的适量摄入是提高任何减肥计划有效性的另一途径。

尽管所有这些营养物质都很重要,但铬被称作"新陈代谢矿物质"。这要归因于服用铬增补剂可能会增加脂肪燃烧的研究。铬化合物的形式也很重要。吡啶甲酸铬的效果就很好。铬和维生素 B3 相结合,生成聚盐酸铬,可能是铬这种不易吸收的矿物质的一种利用率较高的形式。需要保证你的新陈代谢尽可能达到高效所需的数量——大约是每天 200 微克——比达到最佳营养平衡食谱中的量还要高。因此,保证最佳摄入量的惟一方法是服用增补剂。增补剂本身尚未被证明有减肥作用,但是,临床上有证据显示,增补剂能够稳定食欲、减少大吃大喝的机会、增进能量水平。所有这些,当然是和长期的体重控制相关的,而且是必不可少的。

羟基柠檬酸

另一种有用的燃烧脂肪补充品是羟基柠檬酸,缩写为 HCA。最初是由从事药品生产的霍夫曼—拉洛奇(Hoffman – Laroche)公司生产的。它能使脂肪的产生变缓并使食欲降低。HCA 是一种弱酸,很像柠檬酸,没有明显的毒性或安全隐患。它是从罗望子果(藤黄)的果皮中提取出来的。罗望子果的果皮,在东方被用作香料,已有数百年的历史,且被认为是 HCA 最丰富的来源。

HCA 通过抑制把糖转化成脂肪的酶的作用来发挥效用。当一顿饭中的碳水化合物,通过不同的方式转化成燃料或糖原后,剩余的部分就被 ATP –柠檬酸盐酶转换成脂肪。HCA 对这种酶的工作进行妨碍。因此,增加了可得到的葡萄糖的含量,葡萄糖给大脑发送信号,降低食欲。

自 1965 年以来,有关 HCA 燃烧脂肪性能方面的证据一直在增多。在20 世纪 70 年代,由萨利文(Sullivan)医生所做的三项研究发现,养得肥胖的实验动物,在服用了 HCA 后,再做测试时,它们的脂肪减少了,而体内的蛋白质并没有减少。10 年后,一项 HCA 在肥胖男子身上的研究结果发表在《纽约科学院年报》(*Annals Df The New York Academy Sciences*)上。研究显示,一个 220 磅的人,每天服用 800 毫克 HCA 后,一个星期后平均降低体重 3.5磅。从那以后,又做了一些 HCA 的控制研究,有时和吡啶甲酸铬一起做。结果一致被证明有效,比如,由康特(conte)医生进行的为期 8 周的双盲试验中,每人平均降低体重 11.1 磅,相比之下,食用无效对照剂的研究对象的体重则仅仅降低了 4.2 磅。同时两组研究对象的饮食以及进行的运动量都是一样的。

也有证据表明,HCA 能促进热量的燃烧,增加能量水平。建议摄入量是每次 250 毫克,每天服用 3 次。

神奇药丸

尽管 HCA 和铬由于它们的作用可以成为整个减肥计划中的一部分,但是它们的作用也常常被人们所夸大,尤其是那些把它们称作"神奇药丸"推向市场的人们。他们不再建议改变你的饮食量或运动量,只要服用这种药丸就可以了。其他神奇药丸包括:"淀粉阻击者"和"脂肪磁铁"。"淀粉阻击者"会阻止你对糖、酒精和碳水化合物的吸收;而"脂肪磁铁"会阻止你对脂肪的吸收。前者被证明没有效果,并且会产生不愉快的副作用——肠胃气胀。后者会有很大的潜在危险。因为,如果它们有用,它们将会阻止人体对必需脂肪的吸收,而必需脂肪在大多数的减肥饮食中本来就已经不足了。所以不要使用这些所谓的神奇药丸。

燃烧脂肪的运动

关于运动的好消息,是你真的不一定要通过狂热的锻炼进行减肥。为什么呢?原因不在于热量,而在于新陈代谢。按照热量理论,运动对减肥没什么作用。毕竟,跑一英里才燃烧 300 卡路里——相当于 2 片烤面包或一片苹果饼。但是该论点有一些关键的要点没有考虑到。

最重要的一点,运动的效果是日积月累的。跑一英里只耗掉 300 卡路里。但是,如果你一星期跑三次,坚持一年,那就是 2.2 万卡路里,相当于体重减轻 11 磅。你消耗卡路里的多少,取决于你刚一开始的时候有多胖或健康状况怎样。你越胖,且身体健康越差,运动量小的运动对你的好处就越大。

和大众观点不同的是,中等程度的运动,也会使你的食欲降低。看来,要使食欲的机制运转正常,一定的体力运动是必要的。不参加运动的人的胃口特别大,于是体重就增加了。

运动是减肥的关键,其最重要的原因,是运动对你的新陈代谢率的影

家庭生活万事通

203

响。根据纽约城市大学的运动生理学家麦卡阿德(McArdle)教授说:"在持续地骑自行车、跑步或游泳时,大多数人的新陈代谢率是他们休息时的8到10倍。除新陈代谢率增高外,有一点还要补充的是,经观察,如果你进行剧烈运动,在运动后长达15小时后,仍会使新陈代谢率提高。调查确实显示体重轻瘦一些的人倾向于多运动。

减肥支持

减肥俱乐部通常都给参加者一个动力因素——支持。但是到底这有多重要? 有一项研究对"脂肪燃烧"节食法和"统一苗条"节食法的效果进行了比较。前一种方法的做法,是每天摄取1500卡路里,以平衡血糖,再加上增进新陈代谢的一个营养物质增补计划。后一方法是一个体重监测俱乐部所倡导的,主要是合理饮食的一套规则,加上运动和一周一次的支持鼓励。但是,尽管没有支持鼓励,进行"脂肪燃烧"的减肥者,在三个月内,平均减掉了14磅,相比之下,进行"统一苗条"的减肥者,却只减掉了2磅。

下面是如何毫无痛苦地进行减肥的方法:
- ▓ 采用低至中等热量的饮食(1000~1500卡路里),高纤维、低脂肪,并且使脂肪、蛋白质和碳水化合物达到平衡。
- ▓ 不要吃糖、甜食、咖啡、茶、香烟和酒精饮料,或者至少尽可能减少这些食物的摄入。
- ▓ 一周至少进行两次有氧运动——跑步、游泳、快走、舞蹈班等等。
- ▓ 给你的饮食补充维生素和矿物质。最重要的是B族维生素、维生素C和矿物质锌和铬。也可以考虑每天服用750毫克羟基柠檬酸(HCA),增补剂中通常含有羟基柠檬酸和铬。

考虑给你的饮食补充3克葡甘露聚糖或5克魔芋纤维。

☞ 26. 破解饮食失调之谜

对于很多人来说,特别是十几岁的青少年,问题不是再长胖一点,而是要减肥。饮食失调包括神经性食欲缺乏(厌食)和神经性食欲过盛(神经性食欲过盛患者暴食之后使自己呕吐）。这些饮食失调病症折磨着数千人,并且人数还在不断增多。

厌食症（食欲缺乏症）是威廉·古尔（Willam Gull）医生于1874年首先确定的一种病。他认为:"应该定期给病人喂食食物,并且由对他们有道德控制力的人陪伴在他们周围,而亲戚和朋友则是最糟的陪伴者。"今天,方法基本上还是一样,在《卫报》（Guardian）中的一篇文章,它描写了一些"优秀医院"对厌食症的治疗并这样总结道:"给病人吃药,给病人喂饭,让病人和自己的生命好好相处。"现代的疗法包括行为疗法,换句话说,就是奖励和特别待遇;还有用药物使病人听话。后者包括抑制剂,如氯普鲁马嗪、镇静剂以及抑制剂。饮食则采用高碳水化合物的类型,有时多达5000卡路里一天,基本上不考虑其质量。

一个念头的萌芽

1973年,两位锌研究者,汉比芝（Hambidge）和西尔伟曼（Silverman）做出了这样一个结论:不管儿童什么时候食欲减退,都应该怀疑是由锌缺乏造成的。1979年,一位加拿大的健康研究人员注意到厌食症状和锌缺乏症状在一些方面相似,并且临床上应该对锌在治疗厌食症中是否有效进行测试。大卫·霍罗宾（David Horrobin）以对月见草油的研究而出名。他同时提出,神经性厌食症是由锌和必需脂肪酸（EFA）的共同缺乏引起的。

锌缺乏假说得到证实

1980年,第一个试验在肯塔基大学开始了。研究人员发现,在13名按照厌食症受诊的病人中,有10名患锌缺乏症;在14名按食欲过盛症受诊的病人中,有8名缺锌。在吃饱喝足之后,他们的锌缺乏就更严重了。由于在消化和利用蛋白质的时候需要锌,而人体组织又是蛋白质组成的,因此锌的消耗量非常大。研究人员建议,当厌食者开始吃东西并且体重有所增加时,不仅要补充锌以治疗他们体内锌的缺乏,而且还要在这个数量的基础上额外进行更多的补充。

1984年,随着两项重要的研究发现事情终于得以决定,为利用锌治疗厌食症患者开了先例。第一项研究表明,失去锌的动物很快就出现食欲减退。而且,如果这些动物,被强迫喂食一个不含锌的饮食,以期增加体重,他们的

家庭生活万事通

病情就会更加严重。第二项研究揭示,锌的缺乏会损害肠壁,因此会影响营养的吸收,包括锌的吸收,从而导致潜在的恶性循环。

后来在1984年,曾因为揭示了铅的危险而闻名的布赖斯·史密斯(Bryce – Smith)教授和全科医生辛普森(Simpson),报告了第一个用锌治疗厌食症的病例。病人是一名13岁的女孩,两眼噙着泪花,情绪低落,体重只有37千克(80磅)。她被转到一个精神病医生那里作咨询,但是,尽管作了咨询,一个月后,她的体重降到31.5千克(不足70磅)。在2个月的锌元素增补(每天45毫克锌)期间,她的体重上升到44.5千克(很接近98磅)。她又快活了,对锌缺乏症的测试结果显示情况正常。

厌食症以及锌缺乏症的症状

厌食症	锌缺乏症
症状	症状
体重减少	体重减少
食欲不振	食欲不振
闭经(没有月经)	闭经(没有月经)
男子阳萎	男子阳萎
恶心	恶心
皮肤损伤	皮肤损伤
营养物质吸收不良	营养物质吸收不良
感知能力欠佳(思绪混乱)	感知能力欠佳(思绪混乱)
抑郁	抑郁
焦虑	焦虑
危险因素	危险因素
25岁以下的女性	25岁以下的女性
压力	压力
青春期	青春期

世界各地的科学家现在都开始测试锌对治疗厌食症的作用。哥德堡大学两名瑞典医生报告说:"我们的第一个病人正在进行锌元素的饿增补(每天45毫克)。她的病情有所好转。她的体重和月经都正常了。"同时,一项对15名厌食症患者进行的双盲试验也在加利福尼亚大学进行。1987年,研究人员报告了他们的发现:对锌进行增补之后,患者的情绪低落和焦虑都有所减轻。我们的资料显示:患有神经性厌食症的人,可能有锌缺乏的危险,

家庭生活万事通

在补充锌之后,会有好的反应。到 1990 年,许多研究人员发现,所研究的厌食症患者中有一半以上,有明显的生物化学证据显示患锌缺乏症。1997 年伯明翰(Birmingham)医生和他的同事们进行了一项双盲控制试验。在该试验中,有一组试验对象每天服 100 毫克葡糖酸锌。他们的结论是:"服用锌增补剂的那一组试验对象的体重增加速度是另外服用无效对照剂一组的两倍,锌的作用十分明显。"不幸的是,很多治疗中心仍然尚未采用给厌食症患者服用锌增补剂的治疗方法。

精神还是身体?

大量地补充锌对厌食症的治疗有所帮助,但是这并不意味着引起厌食症的根本原因就是缺乏锌。心理方面的问题,或许而且很可能会改变易患厌食症的人的饮食习惯。通过不吃东西,一个年轻的女孩可以压制成长的标志。月经停了,乳房变小了,身体也停止长高。饥饿会促使大脑中重要的化学物质发生变化,有助于不去面对那些很难面对的问题,并阻止困难情绪的产生,从而产生一种兴奋的感觉。但是,一旦不吃的做法被确定,而且根深蒂固之后,锌缺乏症几乎就是不可避免的后果了,原因是锌元素摄入少并且吸收也差。与锌缺乏症一起出现的,还有食欲进一步减退和情绪进一步低落以及感知的进一步混乱,以及在 20 世纪末期成长起来的青少年无法应对所面临的种种压力的恶果。

帮助厌食症和食欲过盛患者的最佳营养学方法最好在有经验的从事心理疗法的专家帮助下实施。该方法强调食物的质量,而不是数量,包括服用营养增补剂,以保证患者摄入足够的维生素和矿物质(当然包括每天 45 毫克锌)。一旦体重增加了,并且能保持不再消瘦,服用量就可以减少一半。

☞ 27. 心理健康与营养学

精神错乱的一种定义是:总是做同样的事,却期待不同的结果。而传统的、对于诸如精神分裂症这样明显的精神病的治疗中,人们的概念正是如此。这种治疗依靠药物,可能还佐以劝导。两者成功率都不是很高。甚至连对使用氯普鲁马嗪这类药品"成功"的定义,也值得推敲。当正常人服用用来治疗明显的精神病的剂量的一点点,他们不再"正常"了。《旧金山观察报》(*San Francisco Examiner*)的记者比尔·曼德尔(Bill Mandel),曾经尝试了50毫克的氯普鲁马嗪,然后他报告说:"这药使我变傻了。因为在精神健康这一领域里,氯普鲁马嗪和相关的药品被称为是

'液体脑白质切除药'。我原来期待一团灰色的云团笼罩我。但是,没有灰色的云团,只有一小团没有落下来的雾。我的大脑不能正常工作,智力减退,甚至连记住简单的单词这样的事情都变得十分困难。"

据前负责加拿大心理研究的主任亚伯拉姆·霍佛尔(Abram Hoffer)医生说,镇静剂绝对治不好精神病。在从事精神病医生40年后,他建议,镇静剂类药物只能是万不得已时使用的手段,而且只是暂时的。他倾向于采用营养干预的方法。他说,营养干预法治好了80%的急性精神分裂症患者。他自己的研究以及独立的双盲控制试验都证明了他的说法。他对"治愈"的定义有三重意义:没有任何症状;可以和家人及社区的人进行正常的社交活动;交纳个人所得税!最后一项事实上就意味着拥有一份有酬的工作,这是那些靠镇静剂过日子的人很难做到的。

从第一种镇静剂——氯普鲁马嗪(有几种不同的药物)使用以来已经有40年了,如今被证实具有长期副作用的以及医生开出的没有太多疗效的药物却日益增多,对此我深感忧虑。在我看来,这何尝不是精神错乱。

营养干预疗法

没有更好的治疗方法老是做同样的事还情有可原,但是我们确实有一种更好的疗法,它已经被试验过、测试过,且被证明有效长达40多年——这和化学药品疗法流行的时间一样长。营养干预法一点儿也不新鲜了。实际上,精神病学历史上的第一个双盲控制试验,就是分析烟酸(即维生素B3)对急性精神分裂症的治疗效果进行的测试。这些测试是由霍佛尔(Hoffer)医生和奥斯蒙德(Osmound)医生于1953年进行的。结果显示烟酸疗法使康复率增加一倍,而且后来被新泽西州的路特格大学(Rutgers University)的惠顿伯格(Wittenberg)医生所做的研究证实了。但同时对慢性病人进行的试验,却没有得出同样的结果。而这些慢性精神分裂症患者,大多已经在医院接受治疗很多年了。很快地,烟酸疗法在化学药品革命的浪潮中被人淡忘了。

通过和其他营养物质一起使用,加上消除了对食物的敏感,这使得营养干预疗法的成功率上升到80%。在接下来的30多年里,对精神分裂症、情

家庭生活万事通

绪低落、焦虑、吸毒成瘾、学习困难、饮食失调和其他类似障碍的营养评价和营养疗法,开始形成一整套模式。这是与采用那些方法的医生们分不开的,因为他们提供了很多积极鼓励人们采用该方法的报告,并起到了一定的推动作用。有些结果是如此的显著,以至于精神病医生们甚至不再相信传统疗法的效力。在 20 世纪 60 年代,密歇根州的亨利·特克尔医生(Henny Turkel)报告说,一名患唐氏综合症的女孩,其智商在 5 年间从 44 上升到了85,于是人们也不再把她列为不能接受正常教育的人。这一结果,得到了一名独立心理学家的证实。加利福尼亚的阿尔弗雷德·利比(Alfred Libby)医生,报告了以大量补充营养物质的方法治疗吸毒成瘾的研究。该方法在 48 小时内,有效地消除了戒除毒品引起的断瘾症以及对毒品的强烈需求。

眼见为实。直到 1980 年,我才相信已经取得的重大突破。那次我去参观新泽西州普林斯顿的大脑生物中心(Brain Bio Center),该中心是由卡尔·普非佛(carl Pfeiffer)医生创建的。卡尔·普非佛医生是当时新的营养学疗法的先驱。在以后的 15 年里,我和患有各种精神健康问题的人相接触,这些都使我更加深信营养学在精神病的治疗上确实有效。

全景图

一般说来,最佳结果的取得不是靠诸如烟酸、叶酸或锌这类"神弹",而是靠对一个人的生物化学状况做仔细的估测,以及一个仔细计算的饮食结构再加上营养物质增补剂,帮助营养重新达到平衡。烟酸(维生素 B3)本身能使症状大大减轻,并且有利于康复。锌也有同样的作用,这是普非佛和其他研究人员的发现。叶酸也有同样的作用,这一点在最近的一个双盲控制试验中得到了证实。该研究是在伦敦的皇家医学院附属医院(King's college Hospital)进行的。结果报告称,叶酸在精神分裂症和抑郁症患者身上产生了明显的作用。根据这些发现,对保证所有营养的最佳摄入的强制方法将产生更佳的效果这一点,就不会感到惊奇了。

但是,尽管多营养法的效果确实要比单一营养法好,仍有一些假定值得质疑。是不是所有患有某种精神疾病的人都需要额外的营养物质? 如果是这样,他们需要的营养物质是相同的吗? 为什么? 在科学界,对许多精神病涉及到生物化学不平衡这一点基本上是无需置疑的。而生物化学的不平衡经常和基因差异联系在一起。尽管如此,传统的临床诊断既不包括生物化学评定,也不考虑基因因素。

普非佛医生和他的同事成功地证明,部分精神分裂症和抑郁症患者,会产生过多的组胺(组胺是一种在大脑功能和免疫反应中起作用的化学物质)。并且开展了测试和治疗。治疗中同时使用了钙和氨基酸蛋氨酸。他们的报告说,过多组胺的产生,导致新陈代谢加快、思维异常活跃、行为不由自主、带有成见的倾向和深度抑郁。典型的高组胺患者新陈代谢快,很快其他营养也不够,也需要补充。

这些研究人员也揭开了"苯胺紫"之谜。苯胺紫是一种在一半左右的精神分裂症患者的尿中发现的物质。他们确定,这是一种化学物质氪吡咯。并且证明,服用额外量的锌和维生素 B6,会消除这种非正常物质的产生,并且使精神分裂症的症状减轻。这是两个生物化学特征的例子,两者都涉及到基因倾向和饮食方面的不足,结果导致生物化学不平衡,足以引起精神健康疾病。

像这样的进展,可以使营养咨询师进行生物化学不平衡的测试。如果是当面的咨询,可用饮食加营养补充进行中和。当然,并不是每个精神不健康的人,都是由于基因倾向或营养不佳造成的。这就是测试为什么有助于决定谁对营养干预有好的反应的原因。那些没有明显的营养或生物化学不平衡的患者,可能有根本的心理原因。如果是这样,营养将无济于事。但是,据研究,如果真的有营养或生物化学不平衡的深层原因,劝导也是作用不大。比如,在年轻的患者当中,一旦营养得到改善,他们对劝导的反应也得到改善。

精神疾病的现代分类

现在我们知道,有很多生物化学因素,会导致精神疾病的产生,而且大部分可以用营养干预的方法成功地避免或完全改变。在考虑采用有潜在伤害的疗法(如长期服用镇静药物)之前,可以也应该对病人进行这些生物化学方面的测试。

从营养的角度,这可以归结为总是值得研究的 5 个主要因素。

焦谷氨尿症——压力因素

有些人体内会产生特别多的氪吡咯,这可以在尿液中检测出来。这种生化物质的形成把身体的锌和维生素 B6 掠夺走,并造成身体缺乏锌及维生素 B6,使身体对这些营养物质的需要量远远超过一般认为的最佳健康的必要数量。这种状况,叫做焦谷氨尿症。有这种状况的人占总人口的 10% 左右,而在患有精神疾病的人当中,高达 50% 的人都有这种状况。一段时间的紧张,身体内的锌耗尽,会使人具有这种生物化学倾向。结果很可能会是这样一些症状:精神抑郁、错乱、思维混乱和躲避社交活动。

焦谷氨尿症很容易就可以检测出,只要做一下简单的尿检。目前,这样的检查只要花费 11 英镑。焦谷氨尿症也可用改进营养加上服用锌和维生素 B6 的补充品来治疗。

由于锌和镁互相拮抗,因此通常也要对镁进行补充。

你患有焦谷氨尿症吗?

你有没有感知能力欠佳(思绪混乱)和下列一些症状?

——无法忍受一些蛋白质食物,如酒精或药物

——一定的呼吸和身体异味

——晨吐和便秘

——难以回忆梦境

——上门牙挤在一起

——指甲上出现白斑

——脸色苍白,不能晒太阳

——经常上腹疼痛

——经常头部伤风和感染

——皮肤上有延展纹

——月经周期不规则或阳萎

——紧张时有上述症状之一

——你家全部是女孩,而且姐妹长得很像

如果你显现出上述大部分症状,那么你可能需要:

- 维生素 B6100 毫克,早晚各服用一次——这足够使你回忆起晚上做的梦。(不要超过 1000 毫克)
- 锌 30 毫克,早晚各服用一次。
- 镁 10 毫克,早晚各服一次。
- 加上一个基本的营养增补计划。

精神分析还是神经分析?

大脑细胞和神经细胞,通过释放神经传导化学物质进行沟通。这种化学物质使信息的交换成为可能。抑制剂和镇静药起作用的基础,是改变神经传导物的平衡。在不久的将来,精神病学检查可能会对神经传导物的不平衡进行测试,并且相应地进行精心设计的治疗。能用来进行测试并且能用于营养干预中和的神经传导物是组胺——一种引起过敏和炎症反应的化学物质。那些天生具有生产过多组胺倾向的人的新陈代谢较快,且思维活跃。普非佛把他们描述为"为 21 世纪而造,以自我毁灭结束",因为过快的

新陈代谢常会导致营养衰竭,结果组胺高的人变得精神非常抑郁。但是,组胺太少也会引起问题,并且与幻觉和妄想有关。

你体内的组胺是否过多?

你是否:

——在艳阳天打喷嚏?

——觉得害羞过于敏感(作为少年)

——哭泣、流涎以及容易感觉恶心?

——晚上睡在枕上能听到你的脉搏?

——当你挠腿时,别的地方也开始痒?

——经常背痛、胃疼和肌肉痉挛?

——很容易达到性高潮?

——定期头痛和季节性过敏?

——内心紧张和偶尔抑郁?

——有变态的恐惧、不正常的难以抗拒的冲动或不正常的习惯?

——认为你睡觉很轻?

——食物消化快?

——有时有自杀的念头?

——能喝很多酒和其他"镇定剂"?

——体毛几乎没有且身体瘦?

——耳大,手指和脚趾长?

——属于一个全是男孩的家庭?

如果你显现出上述大部分症状,那么你可能需要:

* 低蛋白质,高合成碳水化合物的饮食
* 钙 500 毫克,早晚各服用一次
* 蛋氨酸 500 毫克,早晚各服用一次
* 加上一个基本的营养增补计划
* 但是,要避免叶酸和含叶酸的多种维生素片,因为它们会引起组胺水平增高

组胺过多或缺乏,做一个血样化验就可以检测出来,目前花费大约 19 英磅。组胺水平高可以通过钙和甲硫氨酸的增补来治疗,而低组胺的人服用额外的叶酸和维生素 B12 会有好的效果。

营养物质缺乏还是抗营养物质过剩?

有些人对某些营养物质的需求比别人要大得多。有些精神病患者对大量的烟酸(维生素 B3)或叶酸有明显的依赖,这可以很好地说明这一点。现在的观点是可能存在基因上的不平衡,而这种不平衡能够通过大量摄取这些营养物质进行调整。烟酸和叶酸缺乏可以通过验血测试出来,但是如果你体内的含量正常,这并不一定就意味着你服用增补剂就没用。记住要去

买"不会引起潮红反应的"烟酸,以避免脸红反应。在专家的指导下开始这种疗法是最好的。

还可以通过对头发、血液或汗液的化验(目前花费至少 26 英镑),测试出诸如铅、镉或汞等有毒物质的含量是否超标。对一个有精神疾病的人来说,这是很值得检查的一项简单因素。

烟酸疗法对你有用吗?

你有下列症状吗?
——最近诊断患精神疾病
——视觉或听觉上出现幻觉或错觉
——焦虑或妄想
——疾病开始时有腹泻或皮肤病
——心智不清楚和无法理清思路
——抑郁
——人格退化

如果你显现出上述大部分症状。那么你可能需要:
● 烟酸:"不会引起潮红反应的"盐酸或烟碱酸盐 1000 毫克,每日服用两次
● 饭后服用 1 克维生素 C
● 加上一个基本的营养增补计划

平衡你的血糖浓度

大脑的正常工作离不开葡萄糖——日常碳水化合物分解的最终结果。血液中循环的葡萄糖含量的稳定,决定了头脑的稳定。它的缺乏会带来混乱、心力衰竭、知觉差,结果导致易激动、紧张和攻击行为。食用过多的精制糖或摄入包括茶、咖啡、可乐饮料和香烟的刺激物,会使血糖含量发生变化。利用葡萄糖的能力,取决于许多微量营养物质的存在,特别是维生素 B3 和 B6、铬、锌和镁。通过验血,可以决定血糖稳定还是不稳定,或者可能做一个 5 小时的葡萄糖容许量测试。尽管症状只是表明可能有某种疾病。补充上述的营养物质,并采用全面的饮食将有助于血糖含量达到稳定。

你是否患有葡萄糖不耐症？

你是否有知觉差（思绪混乱）和……

——乏力、疲劳、昏晕和头晕目眩

——紧张、易激动、颤搐以及焦虑

——抑郁、健忘、错乱以及注意力难以集中

——心悸或眼睛发黑

如果你显现出上述大部分症状。那么你可能需要：

- 避免食用垃圾食物，如糖、酒精饮料以及精白面包
- 定期锻炼
- 镁 10 毫克，早晚各服用一次
- 锌 15 毫克，早晚各服用一次
- 铬每天 200 微克
- 加上一个基本的营养增补计划

食物过敏还是化学物质过敏？

有些人变得精神抑郁或者发疯的原因，仅仅是吃了一种他们过敏的东西。尽管这种"大脑过敏"的机制还不是很清楚，这种现象已被人们做了仔细的研究。人们认为每 4 个精神病患者中，有 1 个可能就是因为"大脑过敏"。尽管不同的人对不同的食物反应不一样，但是最常见的食物过敏原是小麦麸质、其他含麸质的谷物（燕麦、裸麦、大麦）以及乳制品。

做过敏测试有很多种方法，化验室能越来越准确地确定过敏。我个人倾向于做 IgG ELISA 定量分析。目前，一般做 50 多种食物的花费是 200 英镑。一旦确定了患有过敏症，至少 3 个月不能食用引起过敏的那类食物。在这 3 个月时间里，你应该治疗所有消化方面的疾病，这些消化方面的疾病，会因为食物消化或吸收不良而产生过敏反应。

你会大脑过敏吗？

你是否有知觉差（思绪混乱）和……

——小儿腹绞痛史

——小儿湿疹史

——腹部疾病(营养吸收不良)史

——哮喘、皮疹或干草热史

——日常对某些食物格外喜爱

——日常情绪波动过大

——经常感冒,但好得快

——季节性过敏

——禁食后症状减轻

——对小麦或牛奶之类食物不耐

如果你显现出上述大部分症状。那么你可能需要:

- 蛋氨酸 500 毫克,早晚各服用一次

- 钙 500 毫克,早晚各服用一次

- 锌 15 毫克,早晚各服用一次

- 镁 10 毫克,早晚各服用一次

- 可以帮助你记住梦境的维生素 B6(每天不超过 1000 毫克)

- 1000—2000 毫克维生素 C,早晚各服用一次

- 加上一个基本的营养增补计划

- 对过敏原进行检测并尽量避免接触过敏原

精神病是很复杂的一种病,要想获得最好的治疗效果,最好请一位在这方面有过训练的营养咨询师。他或她会建议哪些测试适合你,并且给你设计一个具有治疗效果的饮食结构和营养增补计划,使你体内的物质组成和化学性质重新达到平衡。

☞ 28. 益于健康的草药

在西方,人们把草药当做调味品,就像盐和胡椒。人们买的草药通常是小罐装、晾干和碾碎了的,用上一两次就放在架子上闲置了,然后大扫除时扔掉。然而,新鲜的草药不仅是我们日常饮食的有益补充,而且有些草药还有显著的疗效。

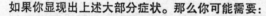

如果家里的窗台比较宽大，或有闲置的大盆，或院子里有块空地，不妨种些草药，既可以烹调时使用，又可以用在其他方面增加健康。另外，从矮树丛里、草地上，甚至你自家的花园里也可以采到草药，而且是免费的。

草药主要的"活性成分"是挥发油和各种植物营养素——可用于广泛的治疗。某些草药是镇静剂，有些是消化剂，还有些是抗菌药或兴奋剂。

鲜草药可直接凉拌食用，或用作装饰菜，或烹调食用，或制成茶，还可以晾干、冷藏或制成酊剂——长期存放。利用工业技术，草药可烘干，提炼油，或转化成食品补充剂（参见前面章节）。

任何有药用或治疗价值的植物（包括叶子、花、芽、种子、根和皮）都是草药，但我们要种植的是一年生、两年生或多年生的植物，或叶子可以利用的小灌木，而且是小块地方能种植的可以点缀花园的草药。不过有两种"野草类"的草药不宜种植——荨麻和蒲公英，这两种草药不像迷迭香和百里香那样受欢迎。这两种草药可以从野外采摘。

采摘和储藏新鲜草药

采摘草药最好选在清晨，因为这时候草药最新鲜而且药力最佳。采摘后要立即放到室内，天气炎热时更要如此，否则草药会枯萎。如果是为了烹调，草药的叶子只要是绿色和新鲜的（有些草药，如蒲公英和百里香是常绿植物，所以随时都可以采摘），一年之中任何时候都可以采摘。但如果要保持最佳的药性，最好在开花前采摘叶子。

采摘后尽可能马上全部使用，如果多采以留用，要采摘整个叶梗，浸泡在水里，放在室内阴凉处，每天换水。去梗的草药叶子装入塑料袋可以储藏在冰箱里，使用前不要把新鲜的叶子捣碎。

晾干新鲜草药

采摘草药后，可以将带梗的草药扎成束，挂在干燥、暖和、通风的房间里晾干。在草药四周绑些大纸袋，这样草药干燥后叶子就落在袋子里了。

还可以把草药梗放在烤箱的烤盘里（不要烘烤）或通风的橱柜里晾干。晾时翻上一两次，等到差不多完全干的时候收起——因为梗完全干透了容易断。草药晾干后或者连梗带叶扎成束挂起来，或者把叶子摘去，放在密封的容器里，置于阴凉避光处存放。

冷藏新鲜草药

有些草药去梗后直接放入保鲜袋中冷藏即可。欧芹类草药属于这一类,冷藏后可直接压碎,不必等到解冻后再碾碎。叶子柔软一点的草药,如薄荷和香菜,冷藏时加点水冻成块放在冷藏室里,烹调时可直接取一块放进锅里即可。罗勒不适合冷藏,最好晾干。

冲剂

出于治疗目的,新鲜或干燥的草药可以泡水喝,就像泡茶一样。参见提供的处方。草药冲剂不宜保存,最好当天喝完。

注意:草药不适宜几星期连续服用。

油浸草药

草药剁碎后浇上橄榄油,放在密封罐里,置于暖和的地方两到三个星期。过滤后的药油,根据草药的不同用途或者直接入药,或者用于烹调,或者拌色拉。例如,百里香、迷迭香和龙蒿叶浸泡过的油就是极好的烹调用油。

某些常见的对健康有益的草药

当归:耐寒性二年生植物,高2.5米(8英尺)。湿地生长,种植面积较大。

烹调用途:梗裹糖后可食用,叶切碎后可拌色拉。

医药用途:根、种子、梗和叶可助消化、滋补、化痰、刺激血液循环。

罗勒:半耐旱性一年生植物,高50厘米(20英寸)。喜干燥、阳光,但不宜暴晒、适宜盆栽。

烹调用途:叶子可直接与西红柿拌色拉,传统意大利香蒜沙司的主配料(新鲜香草、大蒜、松果、橄榄油和磨碎的干酪)和法国蔬菜蒜泥浓汤的配料(蒜、干酪和橄榄油)搭配更佳,也经常用在意粉的配菜中。

医药用途:叶子泡水可助消化,缓解肠胃胀气、恶心、胃疼,还有适度镇静效果。浸泡过的油可用作驱虫剂,治疗蚊虫叮咬。

细香葱：耐旱性多年生植物，高30厘米（1英尺）。喜阳光，可种植在排水较好的花床、花盆、窗台上。

烹调用途：切碎后可拌色拉、蘸酱吃、做汤、做调味汁、煎鸡蛋，制作配菜和调味用香草料、当做洋葱使用、洒在烹调熟的菜上调味。

医药用途：与大蒜、洋葱同属一科，作用类似于其他葱属植物化合物（只是效力稍弱）。富含维生素C和铁，助消化、降低血液中的胆固醇。

蒲公英：耐旱性多年生植物，高30厘米（1英尺）。任何地方都能生长。

烹调用途：叶子拌色拉味道绝佳，根磨碎后可用作"咖啡"。

医药用途：利尿、富含钾、清除血液中的毒素，根有助于提高肝脏功能，还可治疗关节炎、湿疹和便秘。

蜜蜂花：耐旱性多年生植物，高60厘米（2英尺）。

烹调用途：泡茶喝，叶子可拌色拉。

医药用途：镇静、抗病毒（溶液可治疗唇疱疹）、改善甲状腺机能亢进的症状。

独活草：耐旱性多年生植物，高2米（6英尺）。需大空间种植，喜阳光，要求排水好。

烹调用途：加入色拉、汤和沙锅菜中调味。

医药用途：温性的滋补药，能刺激循环系统、助消化、利尿、缓解膀胱炎和痛经症状。

薄荷：耐旱性多年生植物，高90厘米（3英尺）。适宜盆栽，也可成片种植。

烹调用途：荷兰薄荷（留兰香，是传统的英国薄荷）、胡椒薄荷（M. piperita）和苹果薄荷（M. rotundifolia）用途类似——制作调味汁、调味品，做蔬菜和水果的装饰菜，泡茶喝。

医药用途：薄荷含有薄荷醇，广泛地用于治疗消化不良，感冒和胸腔感染时消除充血。还有助于清洁口腔，溶液敷在皮肤上能减轻疼痛，薄荷油可用于按摩。

荨麻：耐旱性多年生植物，高90厘米（3英尺）。

烹调用途：荨麻嫩叶——富含铁、钾、维生素C和类胡萝卜素——可作为菠菜叶使用，可稍加烹调或做汤。荨麻茶味道也不错。

医药用途：利尿、清肠道、排毒；缓解关节炎、蚊虫叮咬、风疹和尿疹的疼痛；有助于痛风症患者排出尿酸；缓解花粉热和粘膜炎。荨麻根可治疗前列腺肥大。

欧芹：耐旱性二年生植物,高30厘米(1英尺)。多数情况下适宜窗台种植,但要遮阳。

烹调用途：欧芹富含铁、类胡萝卜素和维生素C,烹调用途广泛,可制作调味汁、做汤、拌色拉、与其他药草混合使用、用作意粉配菜。

医药用途：利尿、提高肝脏功能、清新口腔、缓解关节炎和痛风症状。

迷迭香：半耐旱性灌木,高1.25米(4英尺)。喜干燥、阳光,但避免直晒。可种植在花坛或花盆中。

烹调用途：迷迭香是辛辣草药,适合与肉、鸡肉、鱼一起烹调,还可做草药面包。

医药用途：滋补身体、提高循环系统功能、提高记忆力、缓解中度抑郁症、头疼和偏头疼。

鼠尾草：灌木,高60厘米(2英尺)。喜干燥、阳光,可种植在花坛和花盆中。

烹调用途：适宜与鸭肉、鹅肉和猪肉一起烹调,可制作开胃菜或与其他草药一起混合烹调,还可煎鸡蛋、用在洋葱和其他蔬菜的烹调中。

医药用途：抗菌、助消化、兴奋剂,但也有安神效果;可滋补肝脏、增强记忆力、改善神经系统;鼠尾草溶液可用作漱口液或漱喉药,治疗齿龈炎;还能降低更年期潮热次数,从平均每天十次减少到两次。

百里香：小灌木,高30厘米(1英尺)。喜干燥、阳光,可种植在堤岸、花盆或窗槛花箱中。

烹调用途：多与肉一起烹饪,或用作填料、与其他草药一起混合烹调,煎鸡蛋。

医药用途：可用作抗菌药物;溶液可治疗支气管炎和呼吸系统感染、哮喘、鹅口疮;消除肠胃胀气;浸泡的油可治疗蚊虫叮咬和真菌性皮肤疾病。百里香还是抗氧化剂和滋补药。

第五章　老少咸宜的营养学

☞ 29. 生儿育女对错谈

我们都比自己认为的实际年龄要大。从营养学的角度来看,我们在母亲肚子里的那9个月和母亲受孕前的那一个月是我们生命中最至关重要的时期。科学家们越来越多地发现母亲受孕前以及妊娠期间的营养状况对婴儿的健康起着非常关键的作用,而且他们还发现成年以后所患的疾病与婴儿期的营养有关系。最佳营养学的方法能够提高人们的生育能力,保证怀孕期间的健康,同时还可以提高人们拥有对疾病具有很强复原能力的健康宝宝的几率。

最大限度地提高生育能力

每4对夫妇中就有一对患有不同程度的不育症。对于他们中的一些人来说,不育症意味着比他们原本期望的少生几个孩子,而对于他们中的大多数人来说,这一病症意味着终身不孕,也就是一辈子都没有自己的宝宝。其实就算是具有正常生育能力的夫妇,怀孕也远比通常想象中的要难得多。虽然一般来讲人们平均只需要6个月的时间就能怀孕成功,但实际上,花上18个月的时间才受孕成功也是司空见惯的。不过,除非有生育能力测试表明一个人患有不育症,否则,就算在18个月内没能怀孕成功,也不能说明他(她)完全不能生育。

生育能力以及受孕成功所需要的时间取决于诸多因素,包括生理、心理以及营养等方面。例如,在假期人们怀孕所需要的时间十分短暂,这是因为那个时候人们受到的压力减少了,而压力是导致不孕的主要原因。另一方面,调节性交的时间使它与妇女的排卵期(此时卵子被释放以便与精子结合)配合能大大提高怀孕成功的几率。此外,个人的营养也很重要,尤其是体内维生素的含量。

与生育能力相关的维生素

在大约 1/3 的不育症病例中男性是出问题的一方。(有一点是我们应该强调的,那就是不育和人的性能力没有关系,而且后者通常也不受前者的影响。)一般对男性进行的不育症测试包含对精子数量的检测——精子数量越多,生育能力也就越强。一项研究已经证明,额外的维生素 C 可以增加精子的数量以及它们的活跃性,但是其中的原因暂时尚不为人知。另外,人们还证明维生素 E 或必需脂肪缺乏在男性和女性中都会造成不育症,这是由于,两种物质的缺乏会对人体的生育组织造成损伤。更为不幸的是,如果你患有不育症,仅仅服用一些维生素 E 是无济于事的。

糖尿病患者中不育症的发病率很高,这一点也许能为我们提供一些线索。在一般情况下,糖尿病患者通常缺乏维生素 A,而维生素 A 是男性荷尔蒙生成的过程中必需的营养物质。进一步而言,体内维生素 A 的含量依赖于肝脏产生的锌元素。在我们所知道的所有影响男性生育能力的营养物质中,锌是我们研究得最彻底的一种。锌缺乏症的病征包括性成熟偏晚,性器官偏小以及不育症。不过,上述情况可以通过服用足够的锌增补剂进行改善。卡尔·普非佛医生还发现男性锌缺乏症患者中阳痿和不孕的比例很高。他写道:"服用适量的维生素 B6 以及锌,在一到两个月的时间里,这些男性患者的性能力就可以得到恢复。"事实上,锌的平均饮食摄入量是推荐日摄食量的一半,根据这一点,锌对于人体生育能力的作用可能是非常重要而且广泛的。在男性的性腺以及精子里都含有大量的锌元素,这是因为锌是生成精子外皮和尾巴的原料。

孕前关注

只有当夫妻双方都做好了怀孕准备的时候,才具备了得到一个健康宝宝的最佳条件。精子的成熟需要 3 个月,而卵子的成熟只需要 1 个月。如果在孕前的这一时期里,夫妻双方都尽量保持最佳的营养状况,不生病,并尽量不接触那些抗营养物质,尤其是酒精,那么,健康怀孕的可能性会很高。此外,如果男女双方在这个月的安全期里避免房事,那么健康怀孕的可能性会更高。

在怀孕后的前 3 个月里,1/3 的妇女会自然流产。但是如果父母双方都

家庭生活万事通

保证营养良好，身体健康，那这种可能性就会降低。通常自然流产普遍的原因是由于缺乏黄体酮，而它在怀孕早期起着保护作用。黄体酮的缺乏可能是由于雌激素优势造成的（请参见本书第20章及第34章）。

健康怀孕所需的维生素

最佳营养状况对健康怀孕很有帮助。哪怕是最微小的营养缺乏都有可能严重影响到后代的健康。有一种观点正迅速地得到人们越来越多的认可，那就是：母亲营养不均衡会导致胎儿的生理缺陷。到目前为止，维生素B1、维生素B2和维生素B6，叶酸，锌，铁，钙以及镁的缺乏症都已被证实与婴儿畸形有关。与之相关的还包括有毒物质的过量摄入，尤其是铅、镉以及铜。同样，任何一种维生素的严重缺乏都会造成胎儿畸形，正如"维生素"这个名字本身的含义所示，它的任务就是维持健康的生命。健康怀孕对营养物质的需求量当然要比上面所讲的更大，因为要满足日益长大的胎儿和孕妇自身的需要，未来妈妈们就必须摄入更多的营养物质。

多达5%的婴儿有一定程度上的发育缺陷，其中有许多是关于中枢神经系统的，脊柱裂就是其中之一。这种病症的特征是婴儿的脊柱没有正常发育，而它的病因是母亲饮食中缺乏叶酸（也许还有其他营养物质）。一项对2.3万名妇女进行的调查表明，在怀孕后的前6周里服用了增补剂的妇女所生的孩子患神经管缺陷的几率比没有服用增补剂的妇女所生的婴儿低75%。如果在怀孕后的头3个月里，母亲的饮食营养不良，那么，孩子患这种疾病的可能性还会高出许多。另外一项研究发现，单单营养咨询一项就可以减少那些自身营养状况不佳的母亲们所生的孩子患脊柱裂的可能性。而适当添加叶酸或含有叶酸的多种维生素增补剂都可以降低胎儿患神经管畸形的几率。叶酸的建议服用量是每天400微克，而人们的实际摄入量只有每天109到203微克，因此，建议打算怀孕的妇女每天至少摄入300微克的叶酸。

婴儿所有的身体器官都是在母亲怀孕后的前3个月里形成的，所以，这3个月里的最佳营养状况显得尤为重要。然而，许多孕妇在这段时间内妊娠反应强烈，因此无法好好进食。人们把怀孕头3个月里的"晨吐"（这个名字其实并不恰当）现象视为自然，而这种现象很可能是由体内一种被称为HCG的荷尔蒙的增加引起的。进一步而言，饮食不良的妇女更容易产生这种反应。在怀孕期间，孕妇对维生素B6和维生素B12，叶酸，铁以及锌的需要量都有所增加,而服用这些物质的增补剂通常能阻止所有的妊娠期恶心现象,哪怕是那些最严重的也不例外。经常少量食用一些水果,或者碳水化合物,如坚果、植物种子或粗粮,对此也很有帮助。但是,最好的方式还是早早地在孕前就注意保证最佳营养。在最佳营养研究院,我们跟踪监测了4名孕妇(她们在孕前和怀孕期间都采用了最佳营养方案),结果是,这几位孕妇感到恶心或不适的平均天数仅仅只有两天。而没有采用最佳营养方案的一些孕妇在整个怀孕期间会一直感到恶心。

另一种妊娠期并发症是前子痫血毒症,它的症状有血压升高,浮肿以及尿液中蛋白质含量过高。产生这种病症的原因有很多,但在诸多因素中,最佳营养状况又一次占据了至关重要的一席之地。我的一个病人在第一次怀孕时出现了前子痫血毒症,但是,由于服用了营养增补剂,并改善了饮食,她的第二次怀孕就变得非常健康了。

对于母亲而言,孕前以及怀孕期间的最佳营养确保了她们的孕期健康(并发症减少),也使得她们的宝宝更加健壮。孕妇们使用的增补剂应该包括每天 200 微克叶酸,20 微克维生素 B12,200 毫克维生素 B6,15 毫克锌,500 毫克钙,250 毫克镁,以及 12 毫克铁,但不要服用超过 1 万国际单位的维生素 A。另外,可以做一下头发矿物质分析以判断身体中的铜、铅或镉的含量是否超标。

产后加强

因为产后的母亲们肩负着营养孩子和自己的双重责任,这就赋予了最佳营养双倍的重要性。初做妈妈的压力,那些不眠之夜,加上额外的营养需要,往往使孕妇在分娩后的头几个月里不堪重负。这个时候,理想的健康饮食和增补剂便显得意义重大。在产后(尤其是产后的头几周里)要确保你有充足而良好,又容易准备的营养食品。

产后抑郁症

母亲们在分娩后容易患上产后抑郁症。毫无疑问,我们应该考虑心理上的因素:如今你已经有了自己的孩子,这可是个重大的责任啊!不过,许多研究者相信产后抑郁症是由体内荷尔蒙的变化以及化学变化引起的,而良好的营养可以阻止它的出现。

引发产后抑郁症的可能性之一是体内的铜过量。怀孕期间人体内铜的含量呈上升趋势,与之相反的是锌的含量却有所减少,这是因为胎儿对锌的需求量增加了。对大多数产后妇女而言,乳汁中锌的含量大大降低,因为宝宝已经用光了妈妈体内储备的锌。据世界卫生组织估计,人体对锌的需求量是每天25毫克,而锌元素的平均日摄入量只有7.5毫克,但是人们很少从医生那里得到增加含锌量高的食品或增补剂摄入的建议,那么也就难怪产后母亲中的锌缺乏现象非常普遍了。抑郁症是一个传统病症,我们可以通过补充锌以及维生素B6加以改善。卡尔·普非佛(Carl Pfeiffer)医生曾经帮助建立了"锌对于大脑功能的重要性"这一理论,他告诉我们:"我们在采用锌和维生素B6进行治疗的病人当中,从未发现过产后抑郁症或精神病的病例。"

母乳喂养的重要性

尽管母乳喂养不能保证孩子得到最佳营养,但是,毫无疑问"母乳是最好的",尤其是对于那些营养状况达到最佳水平的母亲而言,她们的乳汁中营养物质的均衡性比普通牛奶高出许多。其中一个关键性的因素是母乳中的必需脂肪酸的含量颇高,而这一物质是智力发育必不可少的。实际上,人们发现母乳喂养的孩子的智力高于非母乳喂养的孩子,这个发现让大家意识到婴儿体内高必需脂肪酸含量的重要性。

非母乳喂养的另外一个弊病源于所用的牛奶本身。在婴儿长到6个月之前,我们不建议给他们喂食牛奶,原因是他们的消化和免疫系统还太脆弱,无法处理牛奶中的合成蛋白质,这使得他们常常出现过敏症状。最新的发现表明,儿童型糖尿病源自婴儿的免疫系统对一种牛奶和牛肉中含有的蛋白质的过敏,于是就与胰脏中相同的蛋白质发生交互反应,结果导致胰脏组织损毁。这引起了很多儿科医生的警觉,他们意识到不仅婴儿在6个月之前不能喂食牛奶,而且母亲在用母乳哺育孩子期间也最好不要食用牛奶以及牛肉。假如这一发现是可信的,那么很小的一点牺牲就可以杜绝儿童型糖尿病的出现了(关于这一点的详细探讨请参见本书第8章)。

什么是断奶? 应该何时断奶?

当宝宝每晚不加餐便夜不成眠,或者当他们开始长牙的时候,这些都是可以给他们断奶的好迹象,这通常是在宝宝6个月大左右,从这时起,就可以

家庭生活万事通

给他们吃些固体食品了。让宝宝嚼黄瓜或胡萝卜可以刺激他们的新牙快快长出。考虑到每餐饭食之间最长的间隔是从晚饭到次日清晨,所以,晚饭时给他们吃些固体食品有助于他们安睡。

健康宝宝和健康成人一样都需要健康食品,这些食品必须新鲜,未经加工,不含添加剂、糖分(包括蔗糖、葡萄糖、右旋糖、麦芽糖和果糖)以及食盐,而且脂肪的含量也要低。换句话说,宝宝们需要的是天然食品。他们最终会吃你现在所吃的这些食品(如果你是按照本书中建议的那样去做的,那这些食品就是完全健康无害的),并且需要从一开始就习惯吃这些东西。下面给大家介绍一些健康饮食的方法,这样就不用食用市场上出售的包装婴儿食品了。客观上讲,市场上出售的婴儿食品一直在不断改进,现在,它们不再含有人工添加剂,有的还不含糖。然而,宝宝们需要纤维,而且在他们所吃的纯烤牛排里不应该加糖,这些信息都被大多数的婴儿食品制造商忽视了。至于成人,假如你偶尔会吃些加工好的食物,那么先看看它们的标签上的成分说明。假如里面含有谷类,那么它应该是全麦的,而且没有经过加工处理,同时这种食品中也不应该含有上面提到的那些糖类、精淀粉、氢化脂肪、水解过的蔬菜蛋白质以及那些你不认识的成分。

宝宝需要纤维

一些妈妈因为害怕不好消化,所以不给宝宝吃高纤维的食物。其实,她们的用意是不想频繁地为宝宝更换脏尿布。坦白地讲,我宁肯在一两年之内每天多换几次脏尿布,也不愿意等宝宝长大后得了肠癌再去照顾他,这可比换脏尿布恐怖得多。大人们应该知道,宝宝一般每天要排便两到三次,因为宝宝不能正常地咀嚼食物,所以他们的粪便里通常会有没完全消化的小扁豆或葡萄皮。

预防过敏

在断奶初期,给宝宝吃些容易消化而又不会引起过敏的食物。熟的蔬菜泥以及水果泥就是很好的选择。能生吃的水果和蔬菜要尽量生吃,如香蕉、鳄梨、木瓜以及熟透了的威廉梨(William pears)。越晚给宝宝吃其他食品,他们就越不容易产生过敏反应。如果你怀疑你的宝宝有过敏症(假设你的家族有过敏史),或者你想确认你的宝宝没有过敏症,那么,尽量晚一些让

家庭生活万事通

他们接触有可能引起过敏的食物。下面列出一些有可能引起过敏的食品，它们是按照引起过敏的能力由弱到强顺序排列的。请按照从上到下的顺序逐个给你的宝宝食用，一种食物食用后没有过敏反应，再继续下一种。

- 蔬菜
- 水果(橙子除外)
- 坚果以及植物种子
- 豆子以及豆类
- 大米
- 肉类
- 燕麦、大麦以及黑麦
- 橙子
- 小麦
- 乳制品
- 蛋类

每天给宝宝食用上面的一到两种食物，看宝宝有什么反应并做好记录。这些反应五花八门，可能是程度不同的湿疹，过度嗜睡，流鼻涕，腹痛，也可能是耳部感染，过度口渴，好动或哮喘。如果你发现宝宝有反应，那么立即停止给宝宝吃这种食品，等他的反应消失以后再让他尝试新的食物。另外，几个月后你还可以试着再给宝宝吃一些以前曾经引起过敏的食物，因为那时他的消化系统已经更为成熟，所以，先前的反应有可能消失。前面列出的那些食品中的最后 4 种在宝宝 9 到 10 个月大以后再给他们食用，而那些父母双方中任何一方过敏的食品也应该用最后所说的这种方法处理。

婴儿食物泥

采取部分断奶的宝宝还极有可能从母乳中得到丰富的营养，而且你完全有可能发现自己用母乳哺育宝宝的时间和断奶前一样多，这很正常。其实，如果条件允许，应该鼓励母亲们坚持给宝宝喂食母乳直到他们长到一岁大。假若你的宝宝所获得的大部分蛋白质、脂肪和碳水化合物都来自母乳，那你最好尽量给他们吃富含维生素及矿物质的蔬菜和水果。这很简单，你只需将水果或蔬菜搭配起来，煮熟然后再把它们做成泥状就可以了。下面

是一些很好的组合形式:

- 胡萝卜泥
- 花椰菜和芜箐甘蓝泥
- 胡萝卜、菠菜和花椰菜泥
- 蚕豆和花椰菜泥,或蚕豆和胡萝卜泥,还可以再加上少许芹菜
- 菊芋和胡萝卜泥
- 去皮小胡瓜(因为它的皮可能很苦)和茴香泥
- 韭菜和土豆泥
- 蕉青甘蓝、芜菁甘蓝和土豆泥

但是在食用之前一定要先试验一下宝宝是否过敏。为了节约时间和精力(更不用说失望了),如果你的宝宝拒绝你精心准备的蔬菜水果泥,你可以把这些混合物冰冻起来,先用分成小格的冰块儿盒(你也可以将乳汁挤出来放到消过毒的冰块儿盒里,然后把它们与蔬菜水果泥混合在一起,让他们尝起来更接近宝宝平时习惯的口味),然后逐渐换成小罐儿,以及有盖儿的酸奶罐。

你还可以慢慢地在这些蔬果泥中加上一些其他的食物。不妨试试红色裂开的小扁豆、熟的豆芽、烂熟的糙米、豇豆和其他豆类、以及牛奶、干酪、酸奶和豆奶。

早餐可以食用做得更烂熟的蔬菜,但是,宝宝们不一定要吃麦片粥或水果,因为那只会使他们越来越喜好甜食。随着你更多地在饮食中添加谷类,你可以在早餐中加入糙米粉和粗小麦粉,以及水果泥,这可是很美味的早餐哦。另有一种更为简单的方法就是将滚烫的开水浇到三茶匙的燕麦片上,然后静置几分钟。还可以加入水果泥、香蕉泥,酸奶或挤出的母乳以及牛奶糊。粟米片(可以在健康食品商店买到)的做法和燕麦片一样。宝宝长大些以后,可以用燕麦浓粥代替麦片粥,而香蕉泥也可以用香蕉片取而代之。

☞ 30. 超级宝宝——营养下一代

你给孩子选择的食物在很大程度上决定了他们一生的健康和饮食习惯。作为父母,正确的营养方式可能算得上是你给孩子们最宝贵的礼物。

在如今这个快餐文化盛行的时代,孩子和父母被淹没在垃圾食品的广告之中。你必须坚定不移地帮助孩子培养良好的饮食习惯,这并非易事,但绝对值得一试。

培养良好的习惯

我们食用的甜食越多,就越想吃。相反,如果我们逐渐减少饮食中糖分含量,就可以慢慢戒掉甜食。这意味着用天然的果汁取代加糖的饮料,并且把果汁按1∶1的比例用水来稀释。在所有的果汁里,苹果汁含有的糖分释放能量的速度最慢,而葡萄汁中的糖分释放能量的速度则最快,因此苹果汁对身体更为健康。很少有孩子能喝足够多的水,而你可以采取一些措施来鼓励他们多喝水,比如说,你可以在吃饭时把水放在餐桌上,或是当他们口渴时先给他们清水喝,然后再给他们稀释过的果汁。

不要将糖果、甜的食物、可乐以及其他甜的饮料作为奖励给孩子,因为那样会使这些东西与好的东西联系在一起,将来你的孩子就总是会学着用这些东西来奖励自己了。你可以用新鲜的橙子或者用苏打水稀释过的菠萝汁来代替。可乐饮品尤其有害,因为它们大多都含有咖啡因(一种可以使人上瘾的药物)。作为成年人你可能既吸烟又饮酒,但是为还不会识字的孩子们设计的饮料中竟然可以自由地添加咖啡因,这实在是令人不可思议。

很少有不含糖的早餐麦片粥。食品制造商帮助孩子们在很小的时候就形成喜好甜食的习惯,这是由于大多数加工后的麦片里都含有快速释放能量的糖分以及人工添加的糖。你可以让孩子从天然燕麦、不含糖的玉米片或粟米片中任选其一,并鼓励他们用天然水果来增加甜味,如香蕉片,苹果或梨,一些浆果或者少许葡萄干。

最好的小食是水果,所以,确保你总是准备了足够的新鲜而诱人的水果让孩子们取食。让他们带水果去学校,但是不要带钱,因为他们可能会用钱去买甜食吃。

诚然,他们长大一些后会有零用钱去买甜食,或者在聚会上吃到甜食。不过,假如甜食不包含在他们习惯的饮食之中,他们很少会养成喜好甜食的习惯。

另外一种好的饮食习惯是每餐都让孩子吃一些蔬菜,并且总是准备一些生的食物给他们吃。这里的诀窍是把蔬菜烹调得十分可口。很多蔬菜都被人们做得太熟而且平淡无味。生的有机的胡萝卜、豌豆、欧洲防风根片

（用稀释后的酱油蒸炸），马铃薯泥以及带皮烤的马铃薯本身尝起来就很甜，颇受孩子们的青睐。每顿饭都准备一点可以生食的食物，哪怕仅仅是几片豆瓣菜，切碎的红卷心菜，番茄或胡萝卜，它们都能为色拉菜肴增色不少。

虽然有很多制作健康甜点的方法，但如果孩子们总是用这些食物结束一餐的话，这将成为他们一生的饮食习惯。取而代之的是我们应该尽量多地用正餐的菜肴满足孩子们的胃口，而只把甜点当做一种饭后可有可无的额外食品。如果吃完饭后孩子仍然没饱，那就给他们一些水果。

过敏从小开始

人们曾经用金丝雀来检测矿井里有毒气体的含量，而我们的孩子也和金丝雀一样敏感，他们对物品的反应非常灵敏，很容易产生过敏。这是对压力产生反应的第一个阶段。只要稍稍留心，你就能发现哪些物品让孩子感到不适。很多孩子对食品添加剂、糖类、乳制品、花生、小麦、清洁剂、房子灰尘中的小虫子或废气有不良反应。一些孩子也对蛋类、橙子以及其他含麸质的谷物（例如燕麦）感到不适。留意下面这些症状：

脸部：出现黑眼圈、眼部发黑、面部浮肿、时不时地抽鼻子、经常性感冒、粘液分泌过多、经常耳朵疼痛以及扁桃体发炎

皮肤：瘙痒、皮疹、湿疹、浮肿或者水肿

消化系统：腹痛、呕吐、腹泻、胃疼以及肠胃胀气

精神方面：过度活跃、注意力不集中、过度情绪化、失眠及尿床

呼吸系统：咳嗽，经常嗓子疼，舌头或喉咙肿大，哮喘以及呼吸道感染

所有这些都是传统上的过敏反应。值得庆幸的是一旦引起过敏的物质被隔离开来，孩子们会迅速产生好转的迹象。试着把有可能引起过敏反应的食物或者物品挪走 10 天，然后观察孩子的情况是否有所好转。如果过敏反应相当严重，应该在有资格认证的营养师那里进行一次彻底免疫排除/激发免疫性检查。此外，也要保证孩子的饮食不是过分局限于有限的一些菜肴。

如果引起过敏的物质已经清除，那么，采用最佳营养学的方法再加上审慎地选择服用增补剂就能够极其有效地降低过敏的可能性。一般情况下，两三个月后孩子就能适应原先过敏的食物，他们也许可以每 4 天吃一次这种食物来帮助身体忘记过去对它的过敏反应。

家
庭
生
活
万
事
通

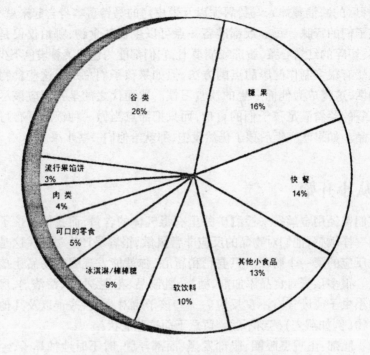

谷类
26%

糖果
16%

流行果馅饼
3%

肉类
4%

可口的零食
5%

冰淇淋/棒棒糖
9%

软饮料
10%

其他小食品
13%

快餐
14%

糖、调味品以及所有"好吃的"——
孩子们的饮食就是由这些构成的

有助于大脑发育的食物

毫无疑问,最佳营养学的方法能够提高孩子的学习能力,并使他们在学校的表现更加优异。所有经过合理设计的研究都表明当孩子们服用多种维生素及矿物质增补剂的时候,他们的智力表现变得更好(请参见本书第23章)。对个人发展同样关键的另一种物质是必需脂肪酸。克劳弗德(Clawford)教授和他的同事们进行的研究证明,婴儿体内必需脂肪酸的含量可以影响到他们幼年时的个人表现。必需脂肪不仅能够制造前列腺素(一种类似于荷尔蒙的物质,能影响人脑的功能),还对神经细胞膜的形成意义重大。研究者们通过给患有诵读困难及注意力缺陷障碍症的孩子服用必需脂肪,成功地改善了他们的状况。此后,一种理论随即被推出:存在上述两方面问题的孩子可能有轻微不健全的细胞膜,而这是基因遗传以及必需脂肪酸缺乏共同造成的结果。

给孩子们食用大量含必需脂肪的食物（如植物种子,坚果以及植物油）没有害处。最好的选择是芝麻、向日葵、南瓜以及亚麻的种子,还有杏仁、胡桃和山核桃。（注意:花生油及橄榄油并不含有必需脂肪。）不幸的是,许多父母因为考虑到体重的因素而将这些食品排除在孩子的饮食之外。增加孩子必需脂肪摄入量最好的方法是:将磨碎的植物种子粉加在麦片粥或汤里,用冷榨油脂或者混合油脂抹在蔬菜及烤土豆上,但是不要使用黄油,此外还要鼓励孩子们吃花生以及向日葵子。植物子也可以用在家庭烘烤的蛋糕、面包以及饼干里,但总体而言,最好还是生吃,因为烹制会破坏它们所含的必需脂肪。

问题儿童

越来越多的孩子经诊断患有诵读困难、注意力缺陷障碍症或多动症,还有犯罪行为。对于他们中的一些孩子而言,问题的程度比较轻微,但对于少数一些问题严重的孩子而言,他们会破坏学校里其他孩子的学习氛围。很多时候这些问题儿童都会出现下列的一种或多种营养失衡的情况:

- 糖分失衡
- 维生素或矿物质缺乏,常常包括锌以及维生素 B6 或烟酸
- 必需脂肪酸缺乏
- 过敏症

一旦这些营养问题被发现并及时纠正,大多数问题儿童又会变得和正常孩子一样。但是,假如这些问题不被发现并纠正,一个 6 岁的多动症患者将来很有可能会成为一名 16 岁的少年犯。下面图表中展示了一名少女治疗前后的两种不同笔迹,她从 10 岁起就开始进行治疗。以前她有一连串的劣迹——攻击别人,入室盗窃,严重的抑郁症以及药剂滥用。后来她接受了治疗,采用了低糖分饮食外加增补剂的方案进行治疗,在短短 3 个月的时间里,她就戒掉了毒品,不再抑郁,体力也不断恢复,而且据她个人讲,她从未感到过如此的放松。

不幸的是,许多患有多动症的孩子得不到营养方面的治疗,而仅仅给他们服用诸如利他林（Ritalin）之类的药物。通过对不同疗法的治疗效果进行的调查,来自加利福尼亚的伯纳德·瑞姆兰德（Bernard Rimland）教授发现,

有一半的孩子在服用了利他林后情况变得更糟,与之相反的是,在进行营养治疗的孩子中,每 19 人里就有 18 人的病情得到好转。

治疗前
11月3日
进行低糖分
饮食疗法之前

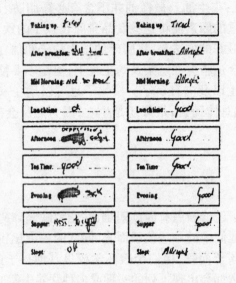

治疗后
11月22日
进行低糖分饮
食疗法之后

笔迹与情绪——摄入糖分前后的比较

适合孩子们的增补剂

孩子断奶后应立即给他们服用增补剂。最好的方式是为孩子挑选一种专门为他们设计的可以咀嚼的含有多种维生素及矿物质配方的增补剂。确保这种药物不含糖,同时你可以用水果提取物或是少量的果糖来掩盖药物中维生素的味道。大人们需要的维生素孩子们同样需要,尤其是维生素 A (它可以帮助我们建造各种结实的细胞膜来抵御感染),维生素 D(它有利于人体对钙质的吸收),维生素 B 以及维生素 C(它们有助于大脑的发育),锌(它帮助我们生长),再加上铬、硒、镁以及锰。保证这些物质的含量适宜,特别是锌。我们也可以用液态锌进行补充,或者和钙、镁及必需脂肪一起补充(方法是把磨碎的植物种子粉加在孩子的饮食里)。下页这张表格中列出了维生素和矿物质在合理饮食中的最佳补充剂量。

关于孩子们最佳营养物质摄入量的数据非常稀少,所以,如果你能够满足上述标准的 20% 基本上就足够了。很少有增补剂能提供足够多的钙和镁,这两种物质在植物种子里含量丰富(最好是磨碎后再给孩子食用),也是很好的必需脂肪酸的食物来源。

咀嚼对每个孩子来说都是件困难而又危险的事情,所以,你应该把可以咀嚼的维生素捣碎后混在他们的食物里。我最推崇的咀嚼产品是那些专门为孩子们而设计的,这样,他们可以每两年挑选其中的一样来尝试。假如他们喜欢这味道(有一些多种营养物质增补剂的确非常可口),那么可以让他们在 12 岁以前一直服用,等他们长到 12 岁时,就可以给他们换用供成人吞服的增补剂了。

☞ 31. 青春期、经前期综合症以及更年期

从儿童向成人的转变绝不是一件容易的事情,生理上的转变同心理上一样困难。在青春期,人的身体经历着巨大的变化,这些变化主要是性别上的,而此时对于最佳营养的要求尤为迫切,这样才可以避免"副作用"的产生。这里所说的"副作用"包括痤疮和肥胖症,以及饮食、精神和行为上的一系列问题。这一切都向我们表明人们并没有想象中那样顺利地适应那些变化。

青春期的少男少女们需要比以往更多的维生素 A、维生素 D、维生素 B6和维生素 H,锌,钙,镁以及必需脂肪酸。我们在评估营养需求的过程中注意到,14 到 16 岁的孩子对营养物质的需求量比从前提高了。进入 14 岁以后,孩子的营养需求就和成人没什么差别了,但是他们对上述的营养物质的需求量会比较大,另外,由于这一时期的孩子还在长身体,所以他们也需要充足的蛋白质。

在所有这些营养物质中,锌和镁是青少年最容易缺乏的。不管是男孩还是女孩,都需要锌帮助他们完成性成熟的过程,但是男孩的需要量会更大一些。处于青春期的男孩们生长相对减慢,其中的部分原因可能就是锌的摄入量不足。这是由于他们摄取的锌更多地用于帮助性成熟而不是身体的生长。生长问题、"发育期疼痛"及痤疮都可能是由于缺乏锌元素造成的。

到了青春期,孩子们往往有了更多的饮食自由,所以教会孩子们如何保养自己十分重要。假如他们不在学校或是父母那里接受营养教育,他们很可能会选择美味而不健康的食品。食物与好的皮肤,以及身心健康休戚相关。这里有一些良好的饮食习惯推荐给大家:

- 使用植物种子,可以在麦片粥里加一茶匙的植物种子粉,它其中富含锌、镁及必需脂肪酸。
- 用水果取代甜食以及含有大量油脂和糖分的点心。
- 每顿饭都要食用蔬菜。大多数的学校不知道如何将蔬菜做得美味可口,所以,很多年轻人在上学期间都讨厌吃蔬菜。
- 要坐下来好好地进餐,不要一边运动,一边吃东西。

消除经前期综合症(PMS)从饮食做起

　　直到最近我们才发现,女性月经前的种种不适反应并不像人们以前认为的那样是正常的。实际上,这些症状——包括抑郁、紧张、头痛、胸部松弛、水肿、浮肿、体力不支以及易怒——在大多数情况下都是可以避免的。传统上讲,这些症状通常出现在月经前的一周,但是有的妇女则在排卵期左右开始感觉不适。由于经前不适的种种反应同荷尔蒙的变化有关,所以,采取荷尔蒙疗法可以改善这一状况。不过,这一类药物的使用必须谨慎,因为它们将改变体内的化学成分,并且有可能导致癌症。

　　在一些研究中,维生素 B6 被证明已经成功地帮助了70% 经前期反应不适的患者解除痛苦。但研究者们很快发现,如果用锌配合维生素 B6 的使用,效果更佳。这是由于锌能让维生素 B6 变得活跃起来。接着,盖伊·亚布拉罕(Guy Abraham)医生又发现,镁对于减轻胸部松弛以及肿胀的效果极佳。最近,研究人员将注意力集中到 γ – 亚麻酸(GLA,一种存在于月见草及玻璃苣油里的必需脂肪酸)的功效上。几乎可以肯定,由于这种物质能制造前列腺素,它治疗经前期反应不适的成功率可以达到 60% 。现在我们知道,维生素 B6、锌以及镁都是产生前列腺素不可缺少的物质,也许可以由此推测出它们对经前期紧张患者有帮助的原因。

　　我们在最佳营养学研究院的实验中发现,只凭这些营养物质就可以减轻患者们一半的痛苦。在对经前期紧张患者进行的实验中,病人和医生都对用药后病情的改善情况作了评估,结果,每种经前不适反应都有 55% 到 85% 的好转。平均而言,3 个月以内,接受增补剂治疗的患者的每一种病痛都会得到 66% 的改善。

　　在一些种类的经前期综合症中,荷尔蒙的变化打乱了人体对血糖的控制,使身体里的糖类及刺激性物质发生变化,并引发疲乏以及易怒的症状。对于这种情况,我们可以采用一个严格的无糖、无刺激性食物的食谱,同时食用一些合成碳水化合物以及水果(要少食多餐),这样一来问题就可以迎刃而解了。饮食以及增补剂的互相配合能够共同减轻经前期综合症的症状。

对一小部分患有经前期综合症的妇女来说,体内荷尔蒙不均衡状况是无法仅仅依靠饮食和增补剂进行改善的。这种荷尔蒙不均衡通常是由雌激素优势以及体内缺少黄体酮导致的。这种情况可能出现在服用避孕药的一段时间里,此时我们需要求助于经过资格认证的营养顾问师或医生来帮助检查并改善病症。

避孕的利与弊

作为避孕的一种方式,避孕药片对人体健康有许多危害。我认为,对于任何夫妻都适用的最好的避孕方法是通过观察体温以及阴道粘液的分泌情况来了解女方何时排卵,从而避免在危险期发生性行为。进入排卵期的妇女通常会有一些反应表明排卵期的到来,而且现在我们也能在市场上买到检测用具。一次排卵结束后的第3天到下一次排卵的前7天,是不会有怀孕危险的。这就是月经周期一半的职责。至于剩下的那些时间里,我们可以采用非扩散型隔离法,如使用避孕套和子宫帽,或者干脆不进行性生活。

中国人认为过多的性行为会令人气虚体弱,尤其是男性。我们知道一次射精会使男性消耗多达3毫克的锌元素,而我们平均每天锌的摄入量也仅有7.5毫克,也就是说,如果男性每天进行三次性行为,那他就用光了我们一整天所摄入的锌元素。

观察排卵期进行避孕的方式只有一个麻烦,那就是营养欠佳会让女性经期不准。此外,如果体内的荷尔蒙失调,例如雌激素优势,也可能造成经期不准,这需要花一些时间来调理。在这种情况下,最好不要服用合成荷尔蒙药物,因为它们常常正是导致荷尔蒙失调的原因。

战胜更年期

闭经是女性自然地结束生儿育女阶段的重要标志。更年期一般发生在女性45岁到50岁之间。有的时候,更年期没有任何不良症状,但有时却麻烦缠身。发热潮红、盗汗、阴道干涩、疲倦、头痛、易怒、抑郁以及关节疼痛都是更年期可能出现的种种症状。它们可能只持续几个月,也可能拖

家庭生活万事通

235

上 18 个月之久。更可怕的是,它们增加了妇女患脆骨病及骨质疏松症的危险。

越来越多的证据表明,最佳营养学的方法能减轻这些症状并缩短它们持续的时间。对此有所帮助的因素包括可以调节血糖含量的不平衡或者过敏症的维生素 E 和维生素 B 的增补剂,还有钙,镁和锌。另外,必需脂肪酸(比如月见草油)也可以起到帮助作用。最佳营养学研究院的一项研究发现额外补充维生素 E 能够减轻前面提到的那些症状。后来的一项实验证明,同时使用钙、镁、维生素 D 以及维生素 E 进行治疗甚至可以达到更好的效果。在这项实验中,19 名作为实验对象的妇女在 12 个星期内症状减轻了62.7%。尽管饮食调节也能有所帮助,但最行之有效的方法还是饮食和增补剂相互配合的治疗方法。

合成荷尔蒙替代疗法还是天然荷尔蒙替代疗法?

传统观点认为闭经引起的一系列症状是由于缺乏雌激素所致。我们并不怀疑月经的停止是因为雌激素的减少(无法刺激排卵)。正因为如此,我们采取了雌激素治疗的方法。但是,一旦女性开始进入不排卵的经期(这种情况通常发生在停经的好多年以前),就不再有黄体酮产生(这是因为孕酮产生在卵子释放后留下的囊里)。雌激素的产量不断降低(但不会停止),而黄体酮的数量则降为零。持续不断的雌激素优势,加上黄体酮缺乏,可能是引起闭经不良症状的主要原因。

雌激素荷尔蒙替代疗法以及天然黄体酮的增加(每天涂两次含少量黄体酮的外用乳剂)能阻止这些症状的出现。然而,传统的荷尔蒙替代疗法很难适合女性的病症,70% 的妇女在采用这种疗法后一年之内便停止了它的使用,原因是它引起不适反应或者疗效甚微。雌激素或合成黄体酮荷尔蒙替代疗法会增加女性患乳腺癌的危险,而天然黄体酮则是一种抗癌物质,在治疗骨质疏松症的时候,其效果是合成黄体酮的 5 倍。要想改善荷尔蒙失调的状况,最好求助于专业人士。但是,饮食和增补剂(必要的时候再加上少量的天然黄体酮)能够帮助女性减轻闭经带来的一系列痛苦。

男性更年期

男性同样有可能在中老年时饱尝类似女性闭经所带来的一系列痛苦。男性更年期的症状和女性更年期极为相似——疲劳、抑郁、易怒、迅速衰老、周身不适、出汗、潮红以及性能力减弱。

在成功地治愈了数以千计的男性患者后，马尔科姆·卡鲁瑟斯（Malcolm Carruthers）医生确信男性更年期的确存在，而它的成因与自由睾丸激素，即男性性激素含量的减少有关。至于为什么自由睾丸激素的含量会下降，可以说至今为止还是个谜，但是可能有很多因素都对此有一定的影响。这些因素包括：压力、过度饮酒及睾丸的过度兴奋。然而，更为糟糕的是不断增多的变异雌激素——这是一些存在于我们周围环境中的化学物质，它们同女性荷尔蒙即雌激素非常相似，最近还发现变异雌激素具有抗男性更年期疾病的特性——因为它们会妨碍睾丸激素的活动。

变异雌性激素几乎无处不在——从杀虫剂到塑料，它们的身影随处可见。卡鲁瑟斯医生告诉我们："也许未来的考古学家们将发现厚厚的一层一层塑料袋，正是由于它们——人类消费者社会的副产品——人类才变成了不分性别的塑料人，并最终走向了灭亡。"根据最近的研究报道，名为 DDT 的杀虫剂能够分解成为更小的名为 DDE 的物质，后者不具有什么雌激素活动性，但是却具有比 DDT 强 15 倍的抗男性更年期疾病的能力。虽然这些化学物质已经被禁用很久了，但是，在我们的食物链中仍然还有它们的踪影。至于平均摄入多少这些杀虫剂的残留物会使体内睾丸激素的含量降低，我们暂时还不清楚。

睾丸激素来自人体中的胆固醇。胆固醇含量很低的饮食可能降低睾丸激素的含量，同时，维生素 E 之类的抗氧化剂物质则能帮助保护对人体有用的胆固醇不受损害。睾丸激素同样可以从 DHEA（脱氢表雄酮，一种产自肾上腺的天然荷尔蒙，在美国的药店里就可以买到）中获得。对那些患有男性更年期疾病的患者而言，我建议他们遵照本书中的最佳营养学的原则进行调理，并检测是否患睾丸激素缺乏症，如果必需才可以注射睾丸激素或涂抹含有睾丸激素的外用乳剂，否则不要采用这些方法。

家庭生活万事通

☞ 32. 预防老年问题

人到老年，要想保持健康，最好的办法就是预防疾病的发生。许多动物能一生保持健康。在西方，死于年老甚至是件违反法律的事情：因为死亡证明书上必需注明死亡原因，如某种疾病。从个人角度而言，我坚信人们能够拥有一种不为病痛折磨的健康生活。我们不能否认一个不争的事实，那就是 3 位最佳营养学的鼻祖——莱纳斯·鲍林(Linus Pauling)、罗杰·威廉姆斯(Roger Williams)和卡尔·普非佛(carl Pfeiffer)——都无一例外非常健康地活到了很大年纪。

健康长寿的秘诀就在于预防癌症及心血管疾病的发生,这一点我们已经在本书讲过。鲍林和普非佛都深信通过最佳营养学的方法,一个人能延长至少 10 年的寿命。威廉姆斯则说:"良好的营养,其中包括大量的维生素 C 以及维生素 E,能够极大地帮助已经步入中年的人们延长寿命。而延长寿命的最大希望在于:一个人从母亲十月怀胎开始一直到老年,都有高质量的营养补给。"普非佛生前一直坚持每天补充 10 克维生素 C,而鲍林选择的摄入量则是每天 16 克。据估算,人的年龄每增加 10 岁,维生素 C 每天的摄入量就应该相应地增加 1 克(1000 毫克),而维生素 E 的摄入量也应随之增加 100 国际单位(67 毫克)。如此算来,到 80 岁时,每天摄入的维生素 C 就应该是 8 克,而维生素 E 则应该是 800 国际单位。

增强消化与吸收

胃酸以及消化酶的分泌量随着年龄的增长而降低。由于胃酸的制造依赖于人体内的锌元素,所以摄入足够的锌是很重要的。锌缺乏症还会引起味觉及嗅觉的退化,从而使得他们的口味变得很重,十分偏爱味道浓的食品,如干酪以及肉类。体内缺乏锌的人往往不吃水果和蔬菜。通过增加锌元素的补充,能够大大改善你的健康状况,包括缓解便秘症状,但是不要将蔬菜煮得烂熟然后加入味道很重的调味料,那可不会起作用。

胃酸和消化酶的缺乏会导致吸收不良。假如你有消化方面的问题,并且已经年逾六旬,为了帮助增强体内营养物质的吸收,不妨试试服用一种含少量盐酸甜菜碱(胃酸)的消化酶增补剂。这样做可以增强维生素及矿物质增补剂的有效性。另外,还可以选择一些容易吸收的矿物质增补剂服用。

抵御关节炎以及周身不适

老年人所经受的最大病痛之一就是关节疼痛及关节炎。人们很容易相信对于这个我们无计可施,惟一能做的只是吃止痛药,而它们往往会使病情恶化。其实这种观点完全靠不住。在本书的第 21 章里已经列举了很多可靠的途径,它们都可以用于减轻疼痛和炎症,就算病情十分糟糕也不例外。在我的另一本书——《拒绝关节炎》(Say No to Arthritis)——中对此有十分详尽的讨论。在进行了为期 6 周的最佳营养学治疗之后,我的一位年逾 80 的病人完全摆脱了腿痛,而她的背痛也减轻了一半。

减轻疼痛及炎症的一些秘诀:

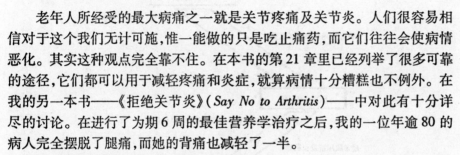

- 发现并避免接触引起过敏症的物质
- 补充必需脂肪酸(例如,每天 300 毫克 γ - 亚麻酸(GLA)和鱼油)
- 补充烟酸(每日最多 500 毫克)和泛酸(每日 500 毫克)
- 补充抗氧化剂,包括姜黄素,它是一种姜黄根以及芥菜(mustard)里含有的天然消炎物质
- 补充和/或添加乳香油,它是另外一种没有副作用的天然消炎药
- 良好全面的最佳营养学方案

有的时候疼痛是来自肌肉而不是关节,这种情况并不是关节炎,它可能源于下面两种情况之一。一种情况是纤维肌痛,它表现为一些肌肉部位上的柔弱的突起。现在人们认为它的根源是肌肉细胞能量循环中出现的问题,而并非发炎。这样,虽然止痛片也许能减轻一些疼痛,消炎药并不能起到根本性的作用。一种特殊形式的镁——苹果酸镁——在饮食以及增补剂的共同作用下,能够有效地减轻纤维肌痛带来的痛苦。而压力会耗尽体内的镁,因此会让情况变得更糟。

多肌痛(polymyalgia)的症状表现为清晨时身体僵硬,通常是在肩膀和臀部。这种病症在体内的解毒系统超负荷工作时更容易发生。这就意味着人

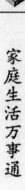

家庭生活万事通

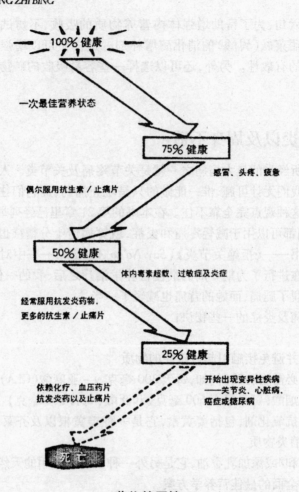

药物的困境

的肝脏、肾脏、大脑以及所有细胞（包括肌肉细胞）都无法处理人体在消化和
日常生活中产生的垃圾。于是，身体内的不同系统都可能会受到影响。有
些人长期感到疲惫，另外一些人则会出现身体疼痛的症状，就像在多肌痛中
的情形一样。还有一些人则发现他们的神经系统受到了影响。可能出现的
症状有：未老先衰、多发性硬化、或是由免疫系统失调引起的感染、过敏、炎
症及自体免疫性疾病，如风湿性关节炎等。因为多肌痛是体内的一种炎症，
所以一般来讲，抗氧化剂和肝脏解毒会对它起作用。传统上通常采用脱氢
皮质醇进行药物治疗。

避免陷入药物的恶性循环

在这种情况下，人们最终都会陷入药物的恶性循环。一开始先是止痛片或类固醇，而后在感染袭来时，发展为抗生素。药物治表不治本，它们通常只会恶化病情，刺激肠道，让肠壁的渗漏变得更加严重，就像非类固醇类消炎药及抗生素那样。这就意味着更多的垃圾会进入人体内部，使排毒系统超负荷运转。许多药物，如扑热息痛，本身就是一种毒素，它会大大增加肝脏的负担。这样造成的恶果是人体系统严重超负荷，导致更为严重的疾病和感染的发生。

预防未老先衰以及老年性痴呆症

我深信未老先衰现象及老年性痴呆症的病因是体内堆积了过多的毒素，这样一来，大脑和神经系统由于无法排毒而开始积聚毒素。体内抗氧化剂含量过低加上重金属（尤其是铝）含量过高都与未老先衰有关。如果为大脑提供燃料以及食物的血管被阻塞，同样会出现未老先衰的现象。诸如维生素 C 和维生素 E 之类的抗氧化剂能帮助我们的身体利用氧气，也能帮助预防和治疗动脉堵塞。

抓住症结，不要停留于表面

对付它们的办法就是要抓住症结，而不要只停留于表面，同时我们也要保证为大脑提供最佳的营养，包括我们在第 23 章里讲过的增进智力的营养物质，它们能帮助我们将记忆力提高到最大限度。

糟糕的饮食、酗酒、毒品以及感染常常会使我们在老年被诸多的健康问题所困扰。感谢我们最近在生物化学方面取得的进展，如今，我们可以通过简单的尿液检查来发现问题所在——肠道中极其脆弱的有益菌的含量是否已经失衡（称为生态失衡）？肠壁的渗漏情况怎么样（它是影响体内毒素超载的主要原因）？到底是肝脏中的哪一条通道负荷过重？这些通道中的每一条都依赖于一系列的酶，这些酶本身又依赖于不同的营养物质。于是，营养咨询师就可以根据具体情况设计出不同的饮食和增补剂治疗方案，使用不同的维生素、矿物质、氨基酸以及脂肪酸进行搭配，以降低人体中毒素的含量，并重新让机体恢复排毒能力。通常，这种做法的效果极佳。

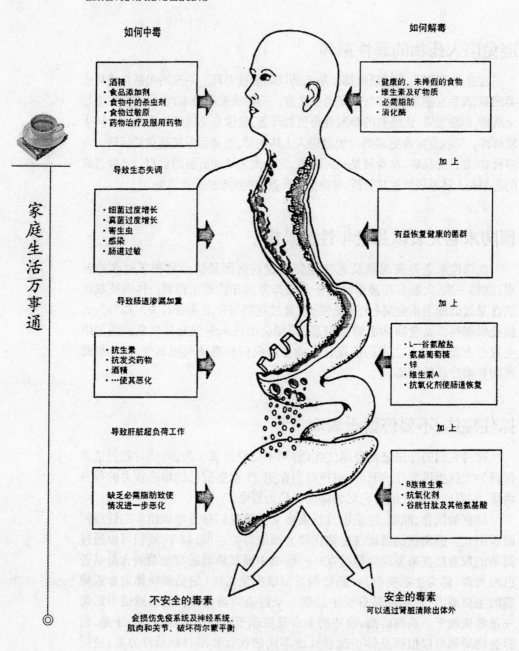

如何中毒

·酒精
·食品添加剂
·食物中的杀虫剂
·食物过敏原
·药物治疗及服用药物

导致生态失调

·细菌过度增长
·真菌过度增长
·寄生虫
·感染
·肠道过敏

导致肠道渗漏加重

·抗生素
·抗发炎药物
·酒精
·…使其恶化

导致肝脏超负荷工作

缺乏必需脂肪致使
情况进一步恶化

不安全的毒素

会损伤免疫系统及神经系统、
肌肉和关节、破坏荷尔蒙平衡

如何解毒

·健康的，未搀假的食物
·维生素及矿物质
·必需脂肪
·消化酶

加 上

有益恢复健康的菌群

加 上

·L—谷氨酸盐
·氨基葡萄糖
·锌
·维生素A
·抗氧化剂使肠道恢复

加 上

·B族维生素
·抗氧化剂
·谷胱甘肽及其他氨基酸

安全的毒素

可以通过肾脏清除出体外

家庭生活万事通

身体中毒及解毒

第六章 个人营养方案

☞ 33. 确定你的最佳营养需要

你希望自己有多健康？如果你希望释放自己脑力和体力的全部潜能，了解你个人的最佳营养需要是至关重要的。但是，如果你的需要又是独一无二的，如何才能知道这种需要呢？自 1980 年起，我基于影响个人需要的几项重要因素，一直致力于开发和改进一套用于分析人体营养物质需求的精确体系。这套体系已经被全球获得资格认证的营养学家广泛采用。

这套体系已经使两千万人受益匪浅，因此我对可能的结果有所预期。这些结果包括：

- 头脑更加灵敏
- 记忆力得到改善
- 体力更加充沛
- 能够更好地控制体重
- 患变性疾病的风险降低

尽管许多被诊断出患有疾病的病人采用个人健康方案后，病情得到了好转，但是这些方案本身的设计目的并不是治疗疾病，而是预防疾病。如果你患了某种疾病，请确保你的健康方案与正在接受的治疗方案能够相容。

最佳营养学问卷说明了该体系的简化形式。该简化形式说明了最佳健康状况所需的评估方法，而评估则是增强个人健康的好起点。但是，这与营养咨询师对你做的营养物质需要个人评估是不同的。当然，对于某些目前正患病的病人来说，这种做法是可取的，也是很重要的。

家庭生活万事通

影响个人营养需要的因素

　　至少有8项因素会影响个人的最佳营养需要。年龄、性别和运动量当然是其中的一些。但是，污染的影响、面对的压力、健康状况历史、基因遗传以及饮食中所含的营养物质（抗营养物质）的含量却不是很容易便能得知的。但是关于这些因素的细节必须被考虑在内。有以下四种方法可以获知这些细节：

- 饮食分析
- 生化分析
- 症状分析
- 生活方式分析

饮食分析

　　这种分析很明显属于完整分析的起点：了解了身体摄入了哪些物质应该就能够推断出身体还缺乏哪些物质。但是，对摄入食物做时间上的划分，如一个星期，并不能考虑到食物中营养成分的不同、个人需要以及营养物质在吸收后的利用等方面的情况。作者已经遇到过许多饮食"非常理想"但仍显现出维生素缺乏症状的人士。对于其中的很多人而言，问题在于吸收不良，这些因素使利用计算机进行的饮食分析不如设想的有效。

　　饮食分析的作用是评估对人体营养需求产生影响的食物，如糖分、盐、茶、酒精、食物添加剂以及防腐剂。其他诸如脂肪、碳水化合物、蛋白质和卡路里的摄入等因素也可通过分析饮食而得到确定。

生化分析

　　诸如毛发矿物质分析或维生素血液一类的测试可给出身体生化状态的信息，并帮助营养咨询师了解人体的实际营养状况。但是，并不是所有的测试都能提供有用的信息，并被用来建立个人的营养方案。

244

　　为达到一定的精确程度，任何维生素或矿物质测试必须反映营养物质在人体中起作用的能力。例如，铁是血红细胞的重要组成元素，能够在人体中传输氧气。通过衡量细胞中铁元素的状况,有可能得到身体对铁元素的需求指标。另一方面,维生素 B6 对血液没有直接的作用,它在其他化学反应中起作用,如生成有助于睡眠的脑化学血清素。因此,血液中的维生素 B6 水平指标并没有实际意义。事实上,如果维生素 B6 不被身体的其他部分合理使用,即使其他部位存在缺乏的症状,血液中的水平仍可能很高。因此针对维生素 B6 发明了一种称为"功能酶测试"的方法。色氨酸是蛋白质的组成成分,在酶的作用下被转变为烟酸。其中的一种酶就依赖于维生素 B6。因此,如果身体缺乏维生素 B6,就无法制造出维生素 B3,相反身体最后会生成副产品黄尿酸,并随着尿液被排泄。通过测量被排泄的黄尿酸数量,可以计算出身体是否摄入了足够的维生素 B6,并适当地加以利用。这是目前用来确定维生素 B6 状态的数种方法之一。

由于各种营养物质在人体中都有不同的作用,我们无法断定血液测试是否优于尿液测试,也不能断定毛发的矿物质分析能否提供比血液测试更为准确的信息。对于不同的营养物质,有不同的测试方法,视我们需要知道的信息而定。例如,针对锌缺乏症,有很多种测试方法,涉及血液、尿液、毛发、汗液甚至是味觉测试。

做综合测试耗资巨大。最节省的测试方法是毛发的矿物质测试,它能够表明人体的矿物质状况。从一小簇毛发中,可以测出钙、镁、锌、铬、硒以及锰的含量,尽管对测试结果还需要做彻底的分析。毛发的矿物质测试还能够提供关于铅、镉、砷、铝以及铜元素的信息,而这些都是过量会造成中毒的元素。有时,毛发的矿物质测试还能准确查明吸收问题,或者高血压或频繁感染出现的原因。

为测定维生素的状况,我使用一组功能酶测试,而这些测试比毛发的矿物质测试更昂贵。但是,这些酶测试的结果一般会证实缺乏症分析得出的结论。我将这些测试主要用于生理调节,或在对前次测试的结果表示怀疑时使用。

症状分析

缺乏症状分析是确定营养物质需要时最被低估的方法。这种方法是基于二百种以上在维生素或矿物质微量缺乏症的病例中显现出来的标志和症状进行的。例如,口腔溃疡与维生素 A 缺乏有关,而肌肉痉挛与镁缺乏症有关。对于许多这类症状,作用机制已被理解。诸如此类的症状可以被视为营养缺乏的警告标志,从而告诉我们身体运转不正常。但是,尽管维生素C、维生素B3或维生素B5的缺乏均会由于涉及体内能量的制造过程而导致精力缺乏,但精力缺乏并不一定是缺乏营养物质造成的。有可能是工作过度或者睡眠质量不佳的结果。但是,如果你同时呈现很多症状,而这些症状都与缺乏维生素B3有关,则你很可能需要更多的维生素B3以达到最佳的健康状态。

缺乏症状分析的优势是健康状况能够直接被衡量。分析结果不会像饮食分析一样,取决于你是否吃了富含维生素C的橙子,或你是否很好地吸收并利用了食物,某些人批评这种方法使用相关人士的主观信息——然而我们知道绝大部分医疗诊断都是依赖于病人的主观信息。如果想知道某个人感觉如何,问他自己不就是最好的方法吗?我经常问我的病人为什么认为自己病了。大部分情况下,他们的感觉都是对的。

家庭生活万事通

生活方式分析

如果能得到适当的应用,这三种分析方法应该能够说明为了达到最佳的营养状态,你还需要些什么营养物质。但是,最好能核实一下,你特定的生活方式所需要的营养是否已经被足量包含在内。例如,如果你经常吸烟饮酒,你对营养物质需要的数量就会更高。如果你是怀孕的女士,如果你居住在城市里,如果你从事的职业需要面对很多的压力,如果你患有过敏症——这些因素都会改变人体对营养物质的理想需要数量。

生活方式分析法是帮助营养师了解人体需要什么营养物质的第四种方法。以下两章将告诉你如何对你的饮食、营养缺乏的症状以及生活方式进行分析,从而制定出你个人的健康方案。

☞ 34. 你的最佳饮食

在食物给人体带来活力之前,会发生数百种的化学反应,并涉及28种维生素以及矿物质。这些微量营养物质是释放食物能量的真正关键所在。

人体的活力取决于至少50种营养物质的适当均衡。这些营养物质包括可能来自于碳水化合物、脂肪或蛋白质的能量或卡路里,13种已知的维生素,15 种矿物质,24 种氨基酸(在消化蛋白质时获得),以及两种必需脂肪酸。尽管人体对某些矿物质(如硒)的需要数量不足对蛋白质需要数量的百万分之一,这些矿物质的重要性却一点都不亚于蛋白质。事实上,人体有三分之一的化学反应依赖于微量矿物质,而依赖于维生素的化学反应则更多。如果没有这些元素的其中任何一种,生命力、精力以及理想的体重都是不可能实现的。

所幸的是,蛋白质、脂肪或碳水化合物的缺乏症是很罕见的。不幸的是,尽管大家都知道可能造成的后果,但是维生素、矿物质和必需脂肪的缺乏症却是非常常见的现象。许多营养学家认为,至少有90%的人饮食中缺乏最佳健康状态所需的维生素、矿物质以及必需脂肪。

在平均的卡路里摄入量中有三分之二是由脂肪、糖分以及精制面粉提供的。糖分中的卡路里被称为"空白"热量,因为它们不能提供任何营养物质,且经常隐含在加工的食物及快餐之中。如果我们饮食重量的四分之一或热量的三分之二是由这些"垃圾"食物组成的,获得所有重要营养物质的可能性就没有多少了。

将小麦加工成精制面粉的过程会损失其中四分之一的营养物质,而其中只有四种元素(铁和维生素 B1、维生素 B2 及维生素 B3)得到保留。平均计算,重要矿物质锌、铬以及锰的87%会被破坏。诸如汉堡和香肠一类的加工肉制品也好不到哪里:高脂肪劣质肉的使用会减少营养物质的含量。鸡蛋、鱼肉以及鸡肉含有丰富的蛋白质,但蛋白质缺乏通常不会出现,因此也不是一个问题。

蔬菜、水果、坚果、植物种子、豆类以及谷物由于是天然食物而充满活性。许多种子类食物必然含有植物生长所需的一切营养物质,其中也包括锌。椰菜、胡萝卜、豌豆以及甘薯富含抗氧化剂。辣椒、椰菜和水果则富含维生素 C 以及其他植物性营养物质。植物种子和坚果则富含必需脂肪。豆类和谷物能够提供蛋白质和碳水化合物。这些食物至少应该占日常饮食的一半。

检查你的饮食情况

许多人认为只要保持补充维生素,他们便能够吃所有爱吃的"垃圾"食品。但是,你不能希望仅依靠饮食、增补或运动这三者中的一项就能保持健康。所有的三种方式都是很重要的。

家庭生活万事通

饮食检查问卷

选一个"是"得一分。最高分是 20 分,最低分是 0 分。

☐你是否几乎每天都在食物或饮料中加糖?

☐你是否几乎每天都吃添加糖分的食物(请仔细阅读标签)?

☐你是否在食物中加盐?

☐你是否在大多数日子里饮用一杯以上的咖啡?

☐你是否在大多数日子里饮用三杯以上的茶?

☐你一星期内吸烟的数量是否超过 5 支?

☐你是否偶尔使用诸如大麻一类的毒品?

☐你是否每天饮用一盎司(28 克)以上的酒类(一杯葡萄酒,1 品脱或 600 毫升啤酒,或一份烈酒)?

☐你一周内食用煎炸食物(如熏肉加鸡蛋、炸鱼加炸土豆条)的次数是否超过两次?

☐你一周内食用加工快餐的次数是否超过两次?

☐你一周内食用红色肉类的次数是否超过两次?

☐你是否经常食用含添加剂和防腐剂的食物?

☐你一周内食用巧克力或糖果的次数是否超过两次?

☐你饮食中的天然水果和蔬菜的比例是否低于三分之一?

☐你每天饮用的白开水的总量是否少于 0.5 品脱(300 毫升)?

☐你是否通常食用精制大米、面粉或面包,而不是粗粮?

☐你一周内饮用的牛奶是否超过 3 品脱(1.7 升)?

☐你每天食用的面包是否平均多于 3 片?

☐你是否有一些特别偏爱的食物?

0～4 你明显是一个注重健康的人,某些不当之处不会影响你的健康。如果你在饮食中增补合适的维生素以及矿物质,你将健康长寿。

5～9 方向正确,但是对自己还得严格一点。在改掉坏习惯之前,不如做一些新的尝试。例如,在一个月之内,不接触两样或三样你知道有害的食物和饮料。看看自己感觉会如何。对其中的一些食物或饮料,你可以决定偶尔吃一下,而其他的则干脆戒掉。但在一个月内必须严格克制自己,短期内的断瘾症状会很明显。争取在三个月内使得分降低至五分以下。

10～14 你的饮食不合理,需要做一些改变才能达到最佳健康状态。但要循序渐进。争取在六个月内使得分降低至五分以下。先遵循本章提出的建议,然后再遵循第二部分的建议。你会发现,在找到其他的饮食选择后,你的不良饮食习惯会逐渐改变。请记棠,糖分、盐、咖啡以及巧克力都是能使人上瘾的食物。如果一个月不沾这些食物,你的瘾头会逐渐消失。

15~20　如果继续这样的饮食习惯,你不可能变得健康。你摄入了太多的脂肪、精制食物以及人造刺激性食物。请遵循第二部分提出的建议,逐渐并永久地改变生活习惯。例如,从两个你回答"是"的问题开始,改变习惯使答案在一个月之后变为"否"(例如在第一个月停止吃糖和喝咖啡)。坚持做下去,争取使得分降低至五分以下。在开始两个星期内,你可能会感觉不好,但在一个月之后,你会感觉到健康饮食给你带来的美好感觉。

家庭生活万事通

活性食物

健康长寿的秘诀在于多吃富含维生素以及矿物质的活性食物。但这并不是评判食物的惟一标准。健康食物还应该是脂肪、盐分、快速释放型糖分含量很低、富含纤维,并呈碱性。非动物性的蛋白质来源也是可以的。这种饮食的卡路里很低,但你无需作精确计算,因为身体会变得更为有效,而无需更多的食物。在摄入足够的卡路里后还想进食表明身体需要更多的营养物质,因此应严格限制食用含有"空白"卡路里的食物。

健康饮食的黄金法则是:

■ 避免食用糖类
■ 避免食用精制的碳水化合物:精白面包、饼干、蛋糕以及精制食物等
■ 多食用蚕豆、小扁豆以及粗粮
■ 每天食用三个新鲜水果
■ 避免接触咖啡、茶以及香烟
■ 限制饮酒

健康的食物以及不健康的食物

健康的食物	不健康的食物

碱性的食物:所有的新鲜蔬菜以及水果;小米;杏仁;巴西坚果;香草茶;酸乳酪以及豆芽

酸性的食物:豆类、所有的肉类以及鱼类;谷物;大多数坚果;植物种子;牛奶制品;茶;咖啡;巧克力;糖分和脂肪

低脂肪食物:海鲜;低脂酸乳酪和干酪;脱脂牛奶;豆奶;豆腐;豆类;蔬菜以及水果

高脂肪食物:肉类;乳制品,包括黄油、干酪和冰激凌;人造黄油和植物油

非肉类蛋白质食物:牛奶;干酪;酸乳酪;蛋类;蚕豆;大米;小扁豆;坚果;植物种子以及豆腐

肉类蛋白质食物:所有肉类,如牛肉、猪肉和羊肉;还包括鸡肉和鱼肉

缓慢释放型糖分:新鲜水果;未加工的粗粮,如牛奶什锦早餐麦片;糙米;小扁豆以及蚕豆

快速释放型糖分:白糖、红糖和粗糖;糖蜜;枫蜜;葡萄糖,麦芽、蜂蜜以及大多数各种糖浆

高钾食物:水果,包括菠萝,葡萄和香蕉;蔬菜;蒲公英咖啡以及菊苣咖啡

高钠食物:盐,包括海盐;酵母提取物;所有熏鱼;某些干酪;炸土豆条;盐渍坚果;大部分罐装食物以及酱油

非精制食物:坚果;植物种子;粗粮;全麦面粉和面包;小扁豆;蚕豆以及糙米

精制食物:精制面粉;白糖、红糖和粗糖;粳米;加工食物以及大部分袋装食物

请确保你的饮食中富含左栏中的食物,并遵循第二部分每章末尾提出的建议。

☞ 35. 你的最佳增补方案

通过观察生活习惯和确认与各种营养物质缺乏相关的症状可以计算出你的个人营养需要。在下一节中,请尽力回答每个问题,再计算出得分。如果得分高于五分,表明目前尚未达到最佳的营养摄入量。本章的第二部分将告诉你如何根据你的得分制定出你自己的最佳增补方案。

最佳营养学问卷

症状分析

对于你经常出现的症状,一种症状得 1 分。许多症状可能出现不止一次,因为这些症状可能是许多营养物质缺乏共同作用造成的结果。如果你出现过黑色字体标注的症状,得 2 分。每种营养成分的最高分是 10 分。将

每种营养成分的得分填入方框。

维 生 素 状 况

维生素 A
——口腔溃疡
——夜视能力欠佳
——痤疮
——频繁感冒或被感染
——皮肤干燥、脱皮
——头皮屑
——鹅口疮或膀胱炎
——腹泻
□你的得分

维生素 E
——性欲低下
——轻微锻炼便筋疲力竭
——容易淤伤
——伤口复原缓慢
——静脉曲张
——皮肤弹性欠佳
——肌肉失去韧性
——不育症
□你的得分

维生素 C
——频繁感冒
——精力缺乏
——频繁被感染
——牙龈出血或牙龈过敏

维生素 D
——关节炎或骨质疏松症
——背部疼痛
——蛀牙
——头发脱落
——肌肉颤搐或痉挛
——关节疼痛或僵硬
——脆骨
□你的得分

维生素 B1
——肌肉松弛
——眼部酸痛
——易怒
——注意力不集中
——脚部刺痛
——记忆力欠佳
——胃痛
——便秘
——手部刺痛
——心跳过速
□你的得分

维生素 B2
——眼睛充血、眼部灼痛或砂眼
——对亮光敏感
——咽喉痛
——白内障

家庭生活万事通

251

——容易淤伤

——流鼻血

——伤口复原缓慢

——皮肤出现红色丘疹

□你的得分

维生素 B3（烟酸）

——精力缺乏

——腹泻

——失眠

——头痛或偏头痛

——记忆力欠佳

——忧虑或紧张

——抑郁

——易怒

——牙龈出血或牙龈过敏

——痤疮

□你的得分

维生素 B5

——肌肉颤搐、抽筋或痉挛

——冷淡

——注意力不集中

——足部灼痛或足跟松软

——恶心或呕吐

——精力缺乏

——轻微锻炼便筋疲力竭

——忧虑或紧张

——磨牙

□你的得分

叶酸

——湿疹

——唇部干裂

——头发干枯或油脂分泌过剩

——湿疹或皮炎

——指甲开裂

——嘴唇干裂

□你的得分

维生素 B6

——偶尔回忆起做过的梦

——水肿

——手部刺痛

——抑郁或神经过敏

——易怒

——肌肉颤搐、抽筋或痉挛

——精力缺乏

□你的得分

维生素 B12

——头发状况欠佳

——湿疹或皮炎

——口腔对冷热过敏

——易怒

——忧虑或紧张

——精力缺乏

——便秘

——肌肉松弛或酸痛

——面色苍白

□你的得分

维生素 H

——皮炎或皮肤干燥

——头发状况欠佳

——少白头

——忧虑或紧张

——记忆力欠佳

——精力缺乏

——抑郁

——食欲不振

——胃痛

□你的得分

——少白头

——肌肉松弛或酸痛

——食欲不振或恶心

□你的得分

矿 物 质 状 况

钙

——肌肉颤搐、抽筋或痉挛

——失眠或神经过敏

——关节疼痛或关节炎

——蛀牙

——高血压

□你的得分

铁

——面色苍白

——咽喉痛

——疲劳或情绪低落

——食欲不振或恶心

——痛经或血液流失

□你的得分

镁

——肌肉颤搐、抽筋或痉挛

——肌肉无力

——失眠、紧张或亢奋

——高血压

——心率不齐或心跳过速

——便秘

——惊厥或抽搐

——乳房松弛或水肿

——抑郁精神错乱

□你的得分

锰

——肌肉颤搐

——儿童"发育期疼痛"

——头晕目眩或平衡感欠佳

——惊厥或抽搐

——膝部酸痛

□你的得分

锌

——味觉或嗅觉灵敏度下降

铬

——出汗过度或冷汗

253

——有两个以上手指的指甲出现白斑　　——6 个小时不进食后会感觉头晕目眩或变得易怒

——频繁被感染　　——需要频繁进食

——延展纹　　——手部冰冷

——痤疮或皮肤油脂分泌过剩　　——需要长时间睡眠,否则白天昏昏欲睡

□你的得分　　□你的得分

必需脂肪酸状况

Ω–3、Ω–6 系列脂肪酸

——皮肤干燥、湿疹或眼部干涩　　——频繁被感染

——头发干枯或有头屑　　——记忆力欠佳或学习能力差

——炎症病,如关节炎　　——高血压或高血脂

——过度口渴或出汗过度　　□你的得分

——经前期综合症或乳房疼痛

——水肿

现在把各分数填入本书相应空白处。(即"症状得分"一栏)

生活方式分析

　　以下分析可以使你根据健康和生活方式的不同方面调整你个人的营养需要。同样,尽力回答每一个问题,并计算得分。对于大多数核查,除非另有说明,最高分是 10 分,每答一个"是"得 1 分。

　　某些核查的答案是"是"或"否"。

精力核查

——你每天晚上需要的睡眠时间是否超过 8 个小时?

——你是否很少能够在醒来后 20 分钟内完全清醒并起床?

——你在清晨做事前是否必须吃点什么,如一杯咖啡或茶或一支香烟?

——你是否在白天定时需要喝点茶或咖啡,或吃点含糖的食物,或吸一支香烟?

——你在白天或在午餐后是否常感到昏昏欲睡?

——如果在 6 个小时内未进食,你是否感到头晕目眩或变得易怒?

——你是否由于精力缺乏而避免运动?

——你在夜间或白天是否出汗过多,或容易变得口渴?

——你是否经常精力不集中,或脑子一片空白?

——你的精力是否比以前要差一点?

□你的得分

压力核查

——你在放松时是否有负罪感?

——你对被认可或取得成功是否有永久性需求?

——你是否不清楚生活目标?

——你是否特别有竞争意识?

——你是否比大多数人工作刻苦?

——你是否容易动怒?

——你是否经常同时做两项或三项工作?

——如果有什么人或什么事妨碍你,你是否会感到不耐烦?

——你是否感到很难入睡,或很难睡得安稳,或很难在睡醒后保持头脑清醒?

□你的得分

运动核查

每回答一个"是"得 2 分

——你每星期进行的能显著加快心跳速度且持续时间超过 20 分钟的运动次数是否超过 3 次?

——你的工作是否需要做很多步行、举重或任何其他的剧烈运动?

——你是否定期做运动(如足球、壁球等)?

——你是否有一些需要耗费体力的爱好(如园林工作、木工工作)?

——你是否正为某项体育竞赛作严格的训练?

——你认为自己健康吗?

□你的得分

免疫力核查

——你一年患感冒的次数是否超过 3 次?

——你如果被感染(如感冒或其他疾病),是否很难痊愈?

——你是否很容易患鹅口疮或膀胱炎?

——你是否一般每年需要服用两次或更多次的抗生素?

——你去年是否得过大病?

——你的家族中是否有患癌症的病史?

——你是否做过肿瘤或肿块的切除或活组织切片检查?

——你是否患过炎症病,如湿疹、哮喘或关节炎?

——你是否患干草热?

——你是否患过敏症?

□你的得分

污染核查

——你是否居住在城市中或靠近马路?

——你在一周内遇上塞车的时间是否超过两个小时?

——你是否在马路边做运动(如工作、骑自行车、做运动)?

——你每天吸烟的数量是否超过 5 支?

——你是否生活或居住在烟雾弥漫的地区?

——你是否购买被汽车废气污染的食物?

——你是否经常食用非有机食物?

——你每天的饮酒量是否超过 1 单位(1 杯葡萄酒,1 品脱或 600 毫升啤酒,或 1 份烈酒)?

——你是否在电视或电脑前呆很长时间?

——你是否经常喝未经过滤的自来水?

□你的得分

心血管核查

——你的血压是否高于 140/90?

——你的脉搏在休息 15 分钟后是否仍旧高于 75?

——你的体重是否超过理想体重 14 磅(7 公斤)?

——你每天吸烟的数量是否超过 5 支?

——你每周进行一定强度运动的时间是否少于两小时(50 岁以上则是否少于一小时)?

——你是否每天摄入一汤匙以上的糖分?

——你在一周内食肉的次数是否超过 5 次？

——你是否经常在食物中加盐？

——你是否每天喝两杯(或两单位)以上的酒？

——你的家族中是否有患心脏病或糖尿病的病史？

□你的得分

女性健康核查

你是否经常患经前期综合症？　　是/否

你是否已经怀孕或试图怀孕？　　是/否

你是否处在哺乳期？　　是/否

你是否已出现更年期症状或正处在更年期前期？　　是/否

你是否尚不足 11 岁？　　是/否

你的年龄是否在 11～16 岁？　　是/否

你的年龄是否已超过 50 岁？　　是/否

如何计算最佳营养物质需要量？

　　从最佳营养学问卷的症状分析中,你可以得到各种营养物质的基本得分,然后再根据生活方式分析的问题对这些得分做调整。因此,必须将所有的症状得分加总,然后将各项总分填入总分一栏。任何一种营养物质的得分越高,表明你对该种营养物质的需要量越多。

　　在计算出各项营养物质的得分后,你可以通过将得分与表做比较而算出必要的补充量。例如,如果你的维生素 C 一项得 6 分,则你的预计理想补充摄入量是每天 2000 毫克。现在你就可以计算出各种营养物质的个人增补数量了。

　　如果你在任何一种营养物质上的得分都是 0～4 分,建议你按基本水平进行增补摄入,这种补充方式可通过每天补充多种维生素增补剂来实现。但请注意,这只是你的补充需要,而不是包括饮食在内的总体性需要数量。这已假定你会改善饮食,因此这只是营养物质的基本摄入量。如果饮食不良,增补摄入营养成分不会达到同样的效果。

　　例如,钙的每日理想摄入量是 800～1200 毫克(妊娠期妇女或老年人的需要量更高)。而人们平均摄入量却在 500 毫克左右。在对饮食做调整后,合理的摄入量是 650 毫克。因此,如果你未出现要求提高摄入量的不良症状

家庭生活万事通

或生活方式的改变,你的补充摄入量应该是 800 - 650 = 150 毫克。如果你属于妊娠期妇女,你的补充摄入量应该是 1200 - 650 = 550 毫克。因此给出的增补剂量范围是从 150 毫克至 600 毫克不等。

除表中所列矿物质之外,其他矿物质在人们的饮食中一般不会出现缺乏现象,并且可通过改变饮食而得到增加。能平衡钠元素(盐)的钾元素可通过大量食用蔬果而得到供应。磷缺乏现象非常少见,磷元素在诸如磷酸钙等所有增补剂中都存在。碘缺乏症也极其少见。人们的饮食往往会提供过多的铜元素,而过多的铜是有毒性的。由天然食物构成的饮食能提供足量的铜。

儿童的得分

对于不足 14 岁的儿童而言,有一种简单方法可调整(根据成人需要量计算得出)营养物质需要量的数值。将儿童以磅计算的体重除以 100,(相当于将儿童以公斤计算的体重除以 50)将其(成人的)增补水平乘以该数值,得出儿童的实际增补数量。例如,如果一个儿童的体重是 50 磅,除以 100 等于 0.5。如果该儿童的维生素 C 得分是 6 分,补充水平是 2000 毫克,则乘以 0.5 等于 1000 毫克。这个数值就是该儿童的维生素 C 最佳摄入量。

同样,按第 263 页的说明可计算出 14 岁以下儿童的最佳摄入量。从 14 岁开始,可使用成人水平的数值。

制定你的个人理想增补方案

不管怎么样,人们没必要每天补充 30 种不同的营养物质。个人的需要可简化为 4 至 5 种增补剂,每种增补剂都要含有上述的营养物质。最普通的组合是多种维生素(含维生素 A、维生素 B、维生素 C、维生素 D 以及维生素 E)和多种矿物质。维生素 C 一般单独补充,因为 1000 毫克(1 克)的基本最佳补充量使营养片无法再加入其他任何营养物质。

选择正确的配方也很有讲究。本书第 39 章将帮助你读懂各种说明,而第 40 章将解释如何设计维生素的日常增补方式。当然,你也可以到当地的健康中心,将你的个人需要量告诉产品的设计者,请其建议一套符合你个人需要的增补方案。

最佳营养学问卷：你的得分

营养物质	症状得分	精力	压力	运动	免疫力	污染	心血管	妊娠期/哺乳期	经前期综合症	更年期	14-16岁	50岁以上
维生素 A(β-胡萝卜素)												
维生素 D												
维生素 E												
维生素 C				1	2	1	1	2	1			
维生素 B1				1	2	1						
维生素 B2				1	2	1						
维生素 B3				2	2	1			1			
维生素 B5				1	2	1						
维生素 B6				1	2	1	1		1	2	1	
维生素 B12									2			
叶酸 2									2			
维生素 H1									1		1	
Ω-3/Ω-6 系列脂肪									2	2	1	1
钙				1		1	1	2	2	1	1	1
镁				1	1	1	1			2		1
铁								1	1			
锌				1	1		2	2	2	2	1	1
锰												1
硒							1	1	1			1
铬				2	1							1

家庭生活万事通

家庭生活万事通

你的总分		0~4	5~6	7~8	9以上	个人需要量
维生素 A		7500	10000	15000	20000	国际单位
维生素 D		200	400	600	800	国际单位
维生素 E		100	300	500	1000	国际单位
维生素 C		1000	2000	3000	4000	毫克
维生素 B1		25	50	75	100	毫克
维生素 B2		25	50	75	100	毫克
维生素 B3		50	75	100	150	毫克
维生素 B5		50	100	200	300	毫克
维生素 B6		50	100	200	250	毫克
维生素 B1		25	10	50	100	微克
叶酸		100	200	300	400	微克
维生素 H		50	100	150	200	微克
GLA/Ω-6		—	150	225	300	毫克
EPA/Ω-3		—	800	1600	2400	毫克
钙		150	300	450	600	毫克
镁		75	150	225	300	毫克
铁		10	15	20	25	毫克
锌		10	15	20	25	毫克
锰		2.5	5	10	15	毫克
硒		25	50	75	100	微克
铬		20	50	100	200	微克

☞ 36. 了解增补剂

并非所有的营养增补品都是一样的。对多种维生素片剂进行的分析表明,人们为满足基本的最佳维生素的需求而花费的钱从每天 30 便士(45 美分)到 5 英镑(7.5 美元)不等。市面上存在如此之多都承诺能带来健康的增补剂,很容易使购买者不知所措。例如,如果你希望购买一种简单的多维生素增补片以满足基本的最佳营养物质的需要,你至少有 20 种产品可选。本章说明如何寻找一种好的营养增补剂。

读懂标签

各国关于产品标签的法律都不相同,但许多国家在这一方面的原则是一致的。但由于法律本身也在不断变化,许多制造商和消费者一样对此并不很清楚。下图为一张典型的标签图,并附带如何读懂标签文字的说明。在标签上,剂量很容易看明白,不同维生素的化学名称也已说明,成分(如磷酸钙)已经列出。增补剂的服用时间和剂量也已说明。上述内容是你在购买增补剂时应重点注意的,千万不要被花哨的标签和廉价品所欺骗,但也无需为此支付太多的钱。

但是,并不是所有的增补剂都像标签说的那样货真价实,可是这也不是说买最便宜的产品才是最明智的选择。信誉卓越的维生素产品公司会在标签上列出所有成分的名称。

维生素的名称和含量

对于大多数的增补品而言,成分的名称应该按照含量的多少而列明,排第一个的应该是含量最多的一种成分。但这种做法还是有问题,因为名单中的成分往往还有生产营养片所需的非营养物质添加物。通常会使用营养物质的化学名称取代常见的维生素代号(如用钙化醇取代维生素 D)。

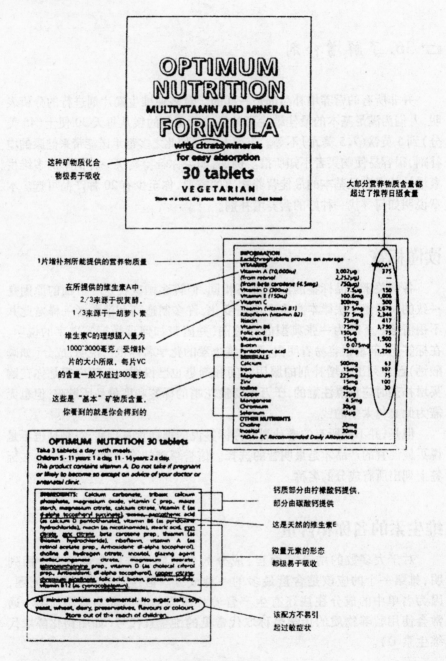

家庭生活万事通

这种矿物质化合物极易于吸收

大部分营养物质含量都超过了推荐日摄食量

1片增补剂所能提供的营养物质量

在所提供的维生素A中，2／3来源于视黄醇，1／3来源于一胡萝卜素

维生素C的理想摄入量为1000～3000毫克，受增补片的大小所限，每片VC的含量一般不超过300毫克

这些是"基本"矿物质含量，你看到的就是你会得到的

钙质部分由柠檬酸钙提供，部分由碳酸钙提供

这是天然的维生素E

微量元素的形态都极易于吸收

该配方不易引起过敏症状

262

读懂增补剂标签

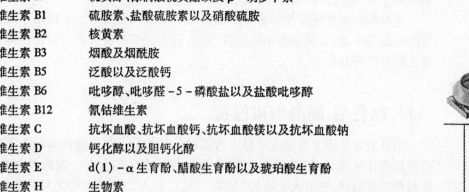

维生素	化学名称
维生素 A	视黄醇、棕榈酸视黄酯以及 β－胡萝卜素
维生素 B1	硫胺素、盐酸硫胺素以及硝酸硫胺
维生素 B2	核黄素
维生素 B3	烟酸及烟酰胺
维生素 B5	泛酸以及泛酸钙
维生素 B6	吡哆醇、吡哆醛－5－磷酸盐以及盐酸吡哆醇
维生素 B12	氰钴维生素
维生素 C	抗坏血酸、抗坏血酸钙、抗坏血酸镁以及抗坏血酸钠
维生素 D	钙化醇以及胆钙化醇
维生素 E	d(1)－α生育酚、醋酸生育酚以及琥珀酸生育酚
维生素 H	生物素
叶酸	叶酸

在了解了各种营养物质之后,再看每日的剂量。某些增补品是以两片为单位的("由于每天需服用两片,每两片的含量是……")。数量单位是毫克(mg)或微克(mcg或μg)。大多数国家正改使用"μg"作为微克的符号,相当于毫克的千分之一。

维生素 A 的度量稍有不同,因为 β－胡萝卜素并不是真正的维生素 A,但能被人体转化为维生素 A。因此,为表明一定量 β－胡萝卜素相当于多少维生素 A 的作用,使用一种称为"μgRE"的单位,意指"视黄醇等效物的微克数",也就是说,这个数量的 β－胡萝卜素相当于多少微克视黄醇的作用。事实上,6 微克 β－胡萝卜素相当于 1 微克视黄醇的作用,因此可写成1mcgREβ－胡萝卜素。如果一种增补品同时含有 β－胡萝卜素和视黄醇,将二者的 μgRE 数值加在一起,便等于总的维生素 A 含量。

基本矿物质

多种维生素和矿物质增补片中的矿物质往往省略化合物的"基本"值,而只说明矿物质化合物的数量。例如,100 毫克的锌氨基酸螯合物只含有 10 毫克的锌,有 90 毫克的氨基酸。我们需要知道实际矿物质的数量,在这个例子中是 10 毫克。这个数量被称为"基本值"。大多数著名的制造商会标明"50 毫克锌氨基酸螯合物(含 5 毫克锌)"或"5 毫克锌(以锌氨基酸螯合物的形态存在)",都表明实际含锌 5 毫克,从而使你的选择过程更加方便。否则的话,你可能需要联络制造商,以了解详情。大多数公司会将这类信息注明在标签上,或写入产品附带的说明书中。

增补剂的标签还必须注明该产品的推荐日摄入量百分比。但出于最佳营养方面的考虑,这种做法往往变得多余,因为需要的摄入量一般比推荐日摄入量高出好几倍。

填料、粘合剂、润滑剂和包衣

增补剂通常还含有制造过程中所需的其他成分。尽管胶囊实际上不需要再加些什么成分,但是片剂确实需要将各种成分粘合在一起的添加物。片剂开始呈粉状,先加入正确的"填料",然后加入"粘合物"使之具有固性,还加入一定的"润滑剂"。然后再将混合物加工成小的颗粒状,最后再用外力将其压制成片剂。呈颗粒状可以使混合物结合得更紧密。片剂还可加上一层"蛋白质包衣",保护其不变质,并易于吞服。

但是,许多片剂还加入人造色素、人造食用香料,以及糖衣。例如,许多维生素 C 片剂呈橙色,有甜味,因为我们往往会将维生素 C 和橙子联系在一起。维生素 C 其实是白色的,也不甜。你的增补片剂也理应如此。经验告诉我们,只买已说明成分和粘合剂(有时也称为"赋形剂")的增补剂。有诚信的公司一般也愿意说明这些信息。下列是一些能被接受的成分以及粘合剂,其中一些还有额外的营养物质。

磷酸二钙:是一种天然的填料,可以提供钙和磷
纤维素:是一种天然的粘合剂,含有植物纤维
褐藻酸/藻酸钠:一种从海藻中提取的天然粘合剂
阿拉伯树胶:一种天然植物胶
硬脂酸钙或硬脂酸镁:一种天然润滑剂(通常从动物中提取)
二氧化硅:一种天然的润滑剂
玉米醇溶蛋白:一种可以用作片剂包衣的玉米蛋白质
巴西棕榈蜡:一种产自棕榈树的天然包衣物质

硬脂酸盐是饱和脂肪的化学名称,可以用作润滑剂。最廉价的硬脂酸盐是从动物身上提取的,尽管非动物性硬脂酸盐也是存在的。如果你是素食者或严格的素食者,你可能需要向生产公司做这方面的核实。如果一种

产品注明"适合素食者服用",这种产品从法律上说不能含有任何动物来源的成分。

许多大的片剂都有包衣。包衣使片剂更光滑,更易于吞服。小的片剂就无需包衣。如果片剂的表面很粗糙,则该片剂就没有包衣。根据使用的材料不同,包衣还能保护营养物质,延长有效期。尽量需要避免糖衣和人造色素,天然色素(如浆果的提取物)则属于可以接受的范围。

有时候,制造商做的包衣过厚,导致胃酸不足的人服用后很难将片剂分解。许多值得信赖的公司往往会检查各批片剂的分解时间,以排除出现上述情况的可能性。因此,这个问题并不常见。

不含糖分、麸质和动物性产品等等

许多高质量的增补剂都声明不含糖类和麸质。如果你对牛奶或酵母过敏,请千万要确保片剂中不含乳糖及酵母。酵母会产生维生素 B,因此要谨慎服用。如果有疑问,请与制造商联系,要求对成分做独立化验:好的公司会提供这些信息。有时候,厂商会使用葡萄糖、果糖以及右旋糖使片剂有甜味,但包装仍会称其"不含糖分"。最好能够避免服用这些产品。如果你发现很难哄孩子服用维生素,可以选择添加了少量果糖的维生素增补剂。除非含有天然成分,否则还应避免任何其他的防腐剂或香料。例如,菠萝香精就是一种天然的添加剂。

如果你是食素者或是严格的素食者,请选择购买标明这一点的增补剂。维生素 A 可以来自动物性来源,也可以从植物性来源(如棕榈酸视黄酯)中经人工合成后获取。维生素 D 可以从绵羊毛中获取,也可以从植物性来源经人工合成后获取。厂商无须说明营养成分的来源,只要说明化学表示即可。

☞ 37. 制定你的个人增补方案

现在你应该能读懂标签,并知道某种营养增补剂是否含有你所需要的营养成分了。本章将介绍如何根据你的个人营养物质需要制定出你的增补方案。

从理论上讲,你可以采取极端做法,服用一种含有你可能需要的所有营养物质的增补剂。问题是,这种增补剂必然体积巨大,难以吞服,提供的成分必然远远多于你所需要的。另一种极端做法是每种维生素各服用一种增补剂,正好满足你的需要,但问题是你将要服用一大堆药片。

营养学家们使用"配方",即将营养物质做适当组合,尽量满足个人的需要。在一种典型的增补方案中,你可能只需要服用四至五种增补剂。就像砌砖块,在将砖块砌在一起后,完整的建筑物就形成了。

理想配方

每个营养学家对怎样才算是维生素及矿物质的最佳组合都有不同的看法。从日益增多的不同方法中可以看出这一点。最理想的配方必须基于个人的需求,但以下是一些在制定个人健康方案时可以参考的基本原则:

多种维生素

好的多维生素方案应至少包含 7500 国际单位的维生素 A,400 国际单位的维生素 D,100 国际单位的维生素 E,250 毫克的维生素 C,维生素 B1、维生素 B2、维生素 B3、维生素 B5 和维生素 B6 各 50 毫克,10 微克的维生素 B12,以及叶酸和维生素 H 各 50 微克。方案中最好也加入人体经常缺乏的钙、镁、铁、锌以及锰元素。

多种矿物质

这样的增补剂应该至少包含 150 毫克钙、75 毫克镁、10 毫克铁、10 毫克锌、2.5 毫克锰、20 微克铬以及 2 微克硒,还要包含少量的钼。

多种维生素及矿物质

不能简单地将上述所有维生素和矿物质合在一片增补剂中。因此,好的配方会建议每天服用两至三片增补剂,以满足各种水平的需要。需要量最大的营养物质是维生素 C、钙以及镁。这些成分往往是配方所不能足量提供的,因此需要作单独补充。除上述成分之外,一份好的多种维生素和矿物质配方应该能达到本书的水平,并成为个人增补方案的基础。

维生素 C

维生素 C 应该作单独补充,因为人体的需要量不能通过增补方案得到满足。补充的用量应该达到 1000 毫克维生素 C,其中至少有 25 毫克生物类黄酮或其他增效剂(如野玫瑰果提取物或浆果提取物)。

维生素 B 合成物

如果你在最佳营养学问卷中的精力或压力一项得分较高,你可能需要更多的 B 族维生素。最简单的方法是在增补方案中加入维生素 B 合成物的增补剂,直至得分下降,症状减轻。

抗氧化合成物

如果你的运动、免疫力或污染等项得分较高,或仅希望延长预期寿命,你可以在增补方案中加入抗氧化合成物。它应该包含以下几项:维生素 A、维生素 C 和维生素 E、β - 胡萝卜素、锌以及硒,可能还需要铁、铜、镁以及氨基酸谷胱甘肽和半胱氨酸,再加上植物性营养物质抗氧化剂,如越桔提取物或葡萄子提取物。

必需脂肪

有两种方法可以满足人体对必需脂肪的需求:一种方法是服用两至三汤匙含 Ω - 3 系列(亚麻以及南瓜)以及 Ω - 6 系列(芝麻、向日葵、玻璃苣以及月见草)冷榨有机混合植物油;另一种方法是补充服用浓缩油。对于 Ω - 3 系列脂肪,亚麻籽油胶囊或更浓缩且能提供 EPA 和 DHA 的鱼油胶囊均可。对于 Ω - 6 系列脂肪,可以增补含 GLA 的物质,如月见草油或玻璃苣油。请核实增补剂提供的 GLA 和 EPA/DHA 的数量是否能够达到你经过计算的需要量。如果你的得分在 0~4 分之间,且已食用足量的富含脂肪的鱼类以及/或者种子类食物,这些食物可能已经足够满足你的需要。

骨骼矿物质合成物

如果上述配方仍不足以提供足量的钙和镁,或你正处在妊娠期、哺乳期、更年期或老龄期,你可以在增补方案中加入矿物质合成物来满足需要,包括钙、镁、维生素 D、硼及少量锌、维生素 C 或硅。这将有助于生成健康的骨骼。

个别营养成分

有时候,即使是上述配方仍不能足量提供某些营养物质。通常会发生

267

缺乏的营养物质包括维生素 B3（烟酸）、维生素 B5（泛酸酯）、维生素 B6（吡哆醇）、锌和铬。如果你需要维生素 B3 以及铬，请补充聚烟碱钙。如果需要额外的维生素 B3，请记住普通的烟酸会使你产生潮红反应，因此要食用烟酰胺或"不会引起潮红反应的烟酸"。如果需要维生素 B6 和锌，你通常可以找到同时含有这两种营养物质的增补剂。

如何将营养物质需求转化为简单的增补方案

根据得分，你就可以计算出你个人每日的最佳营养物质需要。如果每项得分都低于 5 分，以下这个方案便已足够：

增补成分	日剂量（片）
多种维生素	1
多种矿物质	1
1000 毫克维生素 C	1

如果维生素 A、维生素 D 或维生素 E 的得分高于 5 分，可能需要将多种维生素的增补剂量加倍。如果维生素 E 的得分等于或高于 7 分，则需要确保单独专门补充维生素 E。如果有两种 B 族维生素的得分等于或高于 7 分，最好每天服用两片维生素 B 合成物的增补片。但是，如果只是维生素 B6 一项得分很高，增加维生素 B6 的补充剂量则更为实际。同样的道理适用于维生素 C。如果最佳水平是 2000 毫克，每天可以服用两片维生素 C。

如果至少有两项矿物质的得分等于或高于 5 分，则可能需要将多种矿物质的摄入量加倍才能满足人体的需要。但是，如果只是钙和锰缺乏，则可以通过"骨骼配方"一起得到满足。如果特别需要铬，可能还需要额外的维生素 B3；某些制造商则合二为一。同样的道理也适用于锌和维生素 B6，因此尽量服用同时含这些营养物质的增补片，因为这会节省开销，并减少服用的药片数量。如果免疫系统不强或生活在污染地区，则需要更多的维生素 A、维生素 C、维生素 E、锌以及硒。这些都是抗氧化剂，能够保护人体的免疫系统，并帮助解决身体受污染的问题。这些营养物质通常也是合在一种增补剂中。

服用增补剂的时间

既然已经知道了应该补充些什么营养物质,现在则应该了解应该在什么时间进行补充。补充的时间不仅取决于补充的营养物质,还取决于个人的生活方式。如果每天需要服用两次,而你总是遗忘第二次,你还不如全都一次服用了呢!毕竟最自然的方法是一口气补充所有的营养物质。以下列出的是有关增补事项的"十诫":

1 在进餐前或进餐后 15 分钟或进餐的时候服用维生素或矿物质增补剂。
2 在每天的第一餐服用大部分补充品。
3 如果无法入睡,切勿在夜晚补充 B 族维生素。
4 在夜晚补充能助睡眠的矿物质,特别是钙和镁。
5 如果正在补充两种或两种以上的维生素 B 合成物或维生素 C 片剂,每餐只服用一片即可。
6 请勿单独补充 B 族维生素,除非还服用全面的维生素 B 合成物。
7 请勿单独补充矿物质,除非还服用全面的多种矿物质增补剂。
8 如果患有贫血症(缺铁性贫血症),与维生素 C 一起补充铁元素。
9 锌的补充量永远都要达到铜的 10 倍。如果缺铜,在补充铜时,至少补充十倍的锌。例如,0.5 毫克铜和 5 毫克锌。
10 坚持对营养物质的增补。无规律性的补充不起任何作用。

我发现有两种增补方式适合大多数人。在清晨作主要的增补,晚间稍事补充即可,因此不会打扰工作。或者,如果增补方案包括 3 种多营养物质增补剂、3 份维生素 c 以及 3 种抗氧化剂,则可以将所有 3 种增补剂放在一个罐子里,在每餐时服用其中一类。

有副作用吗?

最佳营养学增补的副作用是精力更加充沛、头脑更加敏锐、以及抵抗疾病的能力增强。实际上,对进行营养增补的人士所做的调查表明,有 79% 的人认为精力增加,有 66% 的人感觉情绪平稳,有 60% 的人感觉

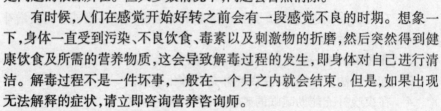

记忆力和智力得到增强,有55%的人肤色有了改善,而共有61%的人意识到健康状态确实得到了提高。只要遵循本书中给出的用量,并且不超过有毒用量,那么惟一的副作用就是健康得到增进。

但是,有一小部分人在开始执行增补方案时,确实会出现一些轻微症状。原因可能是他们增补得太多,而进食太少,或可能因为某种增补剂含有不适合他们的成分,如酵母。这些问题可以通过以下方法解决:先停止补充,然后在第一个4天内只服用一种增补剂,再在第二个四天内加入另一种增补剂,依此类推直至服用所有的增补剂。这种做法将表明哪一种增补剂是问题的根源所在。但大多数情况下,问题会自然消除。

有时候,人们在感觉开始好转之前会有一段感觉不良的时期。想象一下,身体一直受到污染、不良饮食、毒素以及刺激物的折磨,然后突然得到健康饮食及所需的营养物质,这会导致解毒过程的发生,即身体对自己进行清洁。解毒过程不是一件坏事,一般在一个月之内就会结束。但是,如果出现无法解释的症状,请立即咨询营养咨询师。

对健康的改善程度作何种期待?

维生素和矿物质不是药物,因此不应期望健康状况会在一夜之间就得到改善。大多数人的健康状况在三个月后会有明显改善,而三个月也是你试验增补方案的最短期限。最早的标志是精力增加,头脑变得敏锐,情绪稳定,以及皮肤状况得到改善。只要坚持正确的方案,健康状况会继续得到提高。如果在三个月之内未出现任何改善迹象,最好咨询一下营养咨询师。

何时对营养需要进行再评估?

在方案开始时,个人的需要就会改变,因此每三个月进行一次再评估是很有必要的。随着健康状况的改善,身体对营养物质的需要量会减少。请记住,在面对压力时是最需要最佳营养的。因此,当发生紧急情况时,或工作特别紧张时,请千万要保证饮食良好,并每天进行营养物质的增补。

☞ 38. 选择最好的增补剂

尽管任何增补方案的基本原则是计算出正确的增补用量并保持规律性,在选择增补剂时还有其他一些事项值得注意。天然的增补剂是否优于合成的增补剂呢? 胶囊是否优于片剂? 是否有一些矿物质的形态更易于吸收? 营养搭配是否有好坏之分? 如果处在药物治疗期怎么办? 在什么情况下应该停止营养物质的增补呢?

胶囊与片剂的比较

胶囊一般用胶质制成,属动物胶,不适于素食者。但是,随着科技的发展,植物纤维质已被用作替代品,尽管尚未应用于胶油如维生素 E 使用的软胶囊。而片剂的优势是,通过压缩可容纳更多的营养物质。劣势是需要填料以及粘合剂。有些人认为胶囊更易于吸收。但是,只要片剂制造良好,即使是对于消化能力不强的人而言,胶囊和片剂也不会产生任何区别。大多数维生素,包括油基维生素也可以制成片剂状。例如,天然维生素 E 有两种形态:d-α 醋酸生育酚(油状)以及 d-α 丁二酸生育酚(粉末状)。二者都相当有效。

天然与人工合成的比较

对于天然维生素的好处,已经有一大堆无用的理论了。首先,许多自称为天然的产品根本就不可靠。从法律角度讲,在一件产品可以在标签中注明“天然”二字之前,必须有一定比例的产品确实为天然所产。这个比例因国家而异。通过巧妙的说明,一些非天然产品往往可以把自己“包装”得类似于天然产品。例如,“含野玫瑰果的维生素 C”肯定指在人工合成的维生素 C 中加入野玫瑰果,但这句话本身可以使人误认为是“从野玫瑰果中提取的维生素 C”。到底哪种解释更好呢?

根据定义,人工合成的维生素必须具有在自然界中发现的维生素的所有特性。否则便说明化学家们没有适当完成自己的本分工作。维生素 E 就是一个例子。天然的 d-α 丁二酸生育酚的效力比人工合成的 dl-α 生育酚

（字母"1"表明了化学成分上的差异）要高 36%。因此，一般从麦胚油或大豆油中提取的天然维生素 E 的效果更好。

但是，根据莱纳斯·鲍林（Linus Pauling）医生的观点，尽管先进的科学技术表明存在极其细微的差别，人工合成的维生素 C（抗坏血酸）的生物效能仍与天然维生素 C 相当。没有人能够证明天然维生素 C 的效力更强，或服用后的好处更多。确实，大多数维生素 C 是由"天然"糖分（如右旋糖）经人工合成而得；在经过两次化学反应后得到抗坏血酸。这与动物体内将糖分转化为维生素 C 所经过的化学反应略有不同。从含量最集中的来源金虎尾樱桃中提取的维生素 C 体积更大，也更加昂贵。金虎尾仅含 20% 的维生素 C，因此一片 1000 毫克片剂的体积相当于一片普通片剂的五倍，而价格更是普通片剂的 10 倍！

从天然来源中提取的维生素确实含有一些能增强效力的未知元素。维生素 E 或 d－α 生育酚与 β、γ 和 δ 生育酚一起存在，加入一定量的 d－α 生育酚会对人体有好处。维生素 C 与生物类黄酮同时存在，而生物类黄酮能显著提高维生素 C 的效能，特别是能够增强毛细血管。生物类黄酮的较好来源是浆果以及柑橘类水果，因此在维生素 C 片剂中加入柑橘类生物类黄酮或者浆果提取物是使产品增加天然性的好办法。

酵母与米糠是维生素 B 的极佳来源，可能含有一些有益的成分，因此这类维生素最好是由酵母和米糠来提供。啤酒酵母片剂或酵母粉所能达到的维生素 B 的增补效果不如服用已添加少许酵母的 B 族维生素合成物增补剂有效。否则一个人必须服用成磅的酵母片剂才能达到最佳的增补水平。但是，某些人对酵母很敏感。如果你对任何增补剂有不良反应，问题很可能在于酵母。由于这个原因，许多增补剂都不含酵母。

还有很多其他能在合成物中与营养物质一起发挥效能的物质。这些物质包括能将营养物质转为其活跃形态的辅酶。维生素 B6 在身体内发挥积极作用之前，必须从吡哆醇变为五磷吡哆胺。这个过程需要锌元素的参与，因此有许多维生素 B6 增补剂中都含有锌元素。含五磷吡哆胺的增补剂也有，且从理论上讲，效果应该更好。只有时间才能证明这些创新带来的好处到底有多少。但关键一点是，必须确保摄入足够量的各种必需营养物质。

水溶性营养物质

维生素或矿物质	最佳形态	最佳服用时间	有助吸收的物质	妨碍吸收的物质
维生素 B1	硫胺	单独服用或进餐时服用	维生素 B 合成物及锰	酒精、压力以及抗生素
维生素 B2	核黄素	单独服用或进餐时服用	维生素 B 合成物	酒精、烟草、压力以及抗生素
维生素 B3	烟酸及烟酰胺	单独服用或进餐时服用	维生素 B 合成物	酒精、压力以及抗生素
维生素 B5	泛酸钙	单独服用或进餐时服用	维生素 H、叶酸以及维生素 B 合成物	抗生素以及压力
维生素 B6	盐酸吡哆醇以及磷酸吡哆醇	单独服用或进餐时服用	锌、镁以及维生素 B 合成物	酒精、抗生素以及压力
维生素 B12	氰钴维生素	单独服用或进餐时服用	钙以及维生素 B 合成物	酒精、肠道内寄生虫、压力以及抗生素
维生素 C	抗坏血酸以及抗坏血酸钙	勿在进餐时服用	胃中的盐酸	难消化的饮食
叶酸		单独服用或进餐时服用	维生素 C 以及维生素 B 合成物	酒精、压力以及抗生素
维生素 H		单独服用或进餐时服用	维生素 B 合成物	抗生物素蛋白（生蛋清中含有）、压力以及抗生素

脂溶性维生素

维生素 A	视黄醇、β-胡萝卜素	与含脂肪或油脂的食物一起服用	锌、维生素 E 以及维生素 C	胆汁不足
维生素 E	d-α 生育酚	与含脂肪或油脂的食物一起服用	硒以及维生素	胆汁不足，三价铁，氧化脂肪
维生素 D	钙化醇、胆钙化醇	与含脂肪或油脂的食物一起服用	钙、磷、维生素 E 以及维生素 C	胆汁不足

维生素以及矿物质的吸收

　　维生素以及特别的矿物质有许多种存在的形态，它们可以影响人体吸收和利用的效果。除这些不同形态之外，饮食习惯和生活方式也会对人体利用营养物质的效果产生影响。

矿物质的生物利用度

大多数健康必需的矿物质是作为化合物与体积较大的(食物)分子一起通过食物进入体内的。这种结合被称为螯合作用(chelation),而希腊文"chela"原指"螯"。某些形式的螯合作用很重要,因为大多数重要的矿物质在"原"状态时带有少量的正电荷。肠壁带少量的负电荷。因此,消化过程使食物与矿物质分离之后,这些矿物质会松散附在肠壁上。这些矿物质会与有害的物质(如米糠中的肌醇六磷酸、茶中的鞣酸、草酸和其他物质)结合在一起,不能被身体消化。这些酸性物质会从身体内夺走矿物质。

矿物质

维生素或矿物质	最佳服用时间	有助吸收的物质	妨碍吸收的物质
钙 – Ca	与蛋白质食物一起服用	镁、维生素 D 以及胃中的盐酸	茶、咖啡以及香烟
镁 – Mg	与蛋白质食物一起服用	钙、维生素 B6、维生素 D 以及胃中的盐酸	酒精、茶、咖啡以及香烟
铁 – Fe	与食物一起服用	维生素 C 以及胃中的盐酸	草酸、茶、咖啡以及香烟
锌 – Zn	下午空腹服用	维生素 B6、维生素 C 以及胃中的盐酸	肌醇六磷酸、铅、铜、钙、茶以及咖啡
锰 – Mn	与蛋白质食物一起服用	维生素 C 以及胃中的盐酸	大剂量的锌、茶、咖啡以及香烟
硒 – Se	空腹服用	维生素 E 以及胃中的盐酸	咖啡、汞、茶以及香烟
铬 – Cr	与蛋白质食物一起服用	维生素 B3 以及胃中的盐酸	茶、咖啡以及香烟

矿物质的生物利用度指矿物质被身体利用的比例,取决于很多因素,其中包括"强化因子"以及"阻碍因子"的数量(如肌醇六磷酸、其他矿物质以及维生素)及消化环境的酸性程度。大多数矿物质在小肠的第一节处十二指肠中,在胃酸的帮助下被吸收。

矿物质与不同的化合物螯合在一起,以帮助被吸收。与氨基酸螯合的矿物质与氨基酸结合在一起,其中包括吡啶甲酸铬、半胱氨酸硒以及氨基酸螯合锌。这些物质和其他"有机"化合物(如柠檬酸盐、葡萄糖酸盐和天门冬氨酸盐)一样,极易被吸收。诸如碳酸盐、硫酸盐和氧化物之类的无机化合物被身体吸收的能力就稍差一些。

对于某些矿物质而言,与氨基酸螯合在一起的代价会超过所带来的好处。例如,氨基酸螯合镁被吸收的能力只是碳酸镁的两倍,而碳酸镁是镁元素的廉价来源。另一方面,氨基酸螯合铁被吸收的能力能增强至 4 倍,因此很合算。一般而言,以下各种形态是最能被人体利用的形态,并按生物利用度由高至低的顺序排列。

钙	氨基酸螯合物、抗坏血酸盐、柠檬酸盐、葡萄糖酸盐以及碳酸盐
镁	氨基酸螯合物、抗坏血酸盐、柠檬酸盐、葡萄糖酸盐以及碳酸盐
铁	氨基酸螯合物、抗坏血酸盐、柠檬酸盐、葡萄糖酸盐、硫酸盐以及氧化物
锌	吡啶甲酸盐、氨基酸螯合物、抗坏血酸盐、柠檬酸盐、葡萄糖酸盐以及硫酸盐
锰	氨基酸螯合物、抗坏血酸盐、柠檬酸盐以及葡萄糖酸盐
硒	半胱氨酸硒、蛋氨酸硒以及亚硒酸钠
铬	吡啶甲酸盐、聚烟碱盐、抗坏血酸盐以及葡萄糖酸盐

持续释放

有些维生素有一定的持续性,即所含的营养物质并不是一下子就能被全部利用。在服用诸如维生素 B 合成物或维生素 C 等水溶性维生素时,这种特性很有用。但是,吸收还视个人情况和剂量而定。有些人可以一次性吸收和利用 1000 毫克的维生素 C,服用缓慢释放型的维生素 C 可能好处不大。但是,如果在一天内服用三片 1000 毫克的片剂,则缓慢释放型的片剂将可以使你一次服用三片。由于缓慢释放的维生素更加昂贵,你必须权衡得失。没必要服用缓慢释放的脂溶性维生素,如维生素 A、维生素 D 或维生素 E,因为这些维生素可在体内积存。

最好的缓慢释放型产品是含微粒的胶囊,其中每颗微粒含有需要的营养物质,以不同的速度溶解,因此能逐渐释放其中的营养物质。但是,这种方法需要大量的空间,因此剂量一般不会太大,否则会使缓慢释放的必要性失去意义。

好的搭配及坏的搭配

服用增补剂的一般性原则是与食物一起服用。原因是胃酸能够使许多维生素被吸收,而脂溶性维生素能够被食物中的脂肪或油脂一起带入体内。但是,营养物质之间还存在被吸收方面的竞争。例如,如果想吸收大量特定的氨基酸,如赖氨酸(对动脉有好处,能够预防疱疹),则在空腹时或与非蛋白质食物(如一个水果)一起服用可吸收更多的赖氨酸。同样,诸如硒一类的微量元素在单独服用时比多种矿物质一起服用的吸收效果要好。

没有人希望单独服用每种营养物质。因此,除非出现特定的需要或营养物质缺乏,并希望只补充某种营养物质,否则可以分几天进行补充,并在进餐时一起服用。

但是永远都存在例外。如果希望大量(每天 3 克或以上)补充碱性的"抗坏血酸型"维生素 C,则不要在进餐的时候服用,以免对胃部的酸性产生中和作用。如果在服用抗坏血酸(一种弱酸)维生素 C 后感觉有烧灼感,则说明有胃肠方面的炎症,甚至是溃疡。应立即咨询医生,检查原因。尽管维生素 C 能够帮助伤口的愈合,但酸性形态会加重已经出现的问题,因此应该尽量避免。

药物与营养物质的相互作用:难处和危险

药物与营养物质之间还会发生某些不良的相互作用。有许多药物会影响营养物质发挥作用,并增加身体对营养物质的需要。

- 阿司匹林会增加对维生素 C 的需要
- 避孕药片和 HRT(荷尔蒙替代疗法)会增加对维生素 B6、维生素 B12、叶酸以及锌的需要量
- 抗生素会增加对 B 族维生素以及有益菌的需要
- 扑热息痛会增加对抗氧化剂的需要

以下所列为一些存在危险的搭配,必须尽量避免:

- 华法令阻凝剂(一种血液稀释药物)、阿斯匹林、维生素 E 以及富含EPA/DHA 的鱼油都能够稀释血液,合在一起的效果太大。最好能够减少药

量,增加营养物质的服用剂量,但首先应咨询医生。

● 服用单胺氧化酶类抑制剂(如苯乙肼)就意味着必须避免服用酵母(包括增补剂)、酒精和某些食物。

● 某些抗惊厥的药物具有抗叶酸性,从而会增加对叶酸的需求,而补充叶酸会妨碍药物的效力。建议向医生以及营养咨询师咨询一下专家的意见。癫痫病患者应对大脑营养物质 DMAE(二甲基乙醇胺)或高剂量必需脂肪酸(如月见草油)的增补格外小心。

● 对于缺乏维生素 B12,补充叶酸会减轻症状,但是潜在的缺乏状况却会加重。因此,应同时增补这两种营养物质,并最好是作为维生素 B 合成物的一部分。

服用营养物质增补剂的注意事项

在补充维生素时只有很少一些问题会确实发生,但仍应对此有所了解。

● 妊娠期妇女或试图怀孕的妇女不应服用超过 1 万国际单位(3000 微克)以上的维生素 A。请核查所有增补剂(如多种维生素增补剂以及抗氧化合成物等)的总含量,确保不会超过这个水平。

● 过多服用 β-胡萝卜素会使肤色发黄。如果你的肤色过黄,核查食物以及增补剂中的 β-胡萝卜素的含量。这不同于会使眼白发黄的黄疸和肝炎。

● 维生素 B2(核黄素)会使尿液呈淡黄色。这属于正常现象。

● 在摄入 100 毫克或以上以烟酸形态存在的维生素 B3 后,会出现潮红反应,浑身发热、发痒,这种现象最多会持续 30 分钟。这属于正常现象,不算过敏。即使增补剂有益,如果不喜欢副作用,也可以减量使用,也可以将剂量减半,每天服用两次。潮红反应会随着增补的规律化而减轻。(另一种方法是购买"不会引起潮红反应的"烟酸。)

● 高剂量的维生素 C 会产生轻泻剂的作用,一般是每天 5 克以上。少数人对每天 1 克就会产生反应,而一部分人即使对每天 10 克都不会产生反应。最理想的摄入水平是"肠道能够忍耐的水平",因此应作相应的调整。

● 铜是重要的矿物质,但有毒性。不要服用含铜的增补剂,除非至少还含有 10 倍或 15 倍的锌元素。例如,如果含 1 毫克铜,应至少有 10~15 毫克的锌。这样可以防止铜在体内的堆积。

家庭生活万事通

物有所值

一种高效的增补剂应该是制造精良、配方正确、定价合理。产品的质量很难评估,除非你家里有先进的化学实验室! 但是,你可以作以下一些简单的试验:

　　1.瓶中是否含有标签所示的片数?(作者曾在最佳营养学研究院对一种产品进行过测试,结果是平均只有95片,而不是声称的100片。)

　　2.片剂是否有包衣以便于吞咽?(无包衣或包衣不好的片剂会破裂或使服用感觉不良。)

　　3.标签是否包含你所希望知道的一切信息?(好的公司会向消费者提供更多的信息。)

　　4.生产公司是否注重质量控制,并且可以在消费者的要求下对产品进行独立分析?

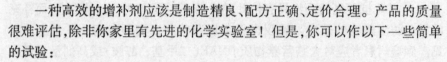

☞39. 选择适合你生活方式的饮食

我们已经了解了什么是最佳饮食,那么怎样把最佳饮食转变成适合自己生活方式的饮食呢? 下面我们来看看健康的饮食是如何适应各种生活方式的,这其中既包括节俭的学生也包括忙碌的家庭的健康饮食。

适合"大忙人"的快餐

如果忙到连睡觉的时间都没有,"正常"的饮食就变成了"受罪"。吃饭得紧赶慢赶,巧克力棒成了能量的主要来源,正餐总是盒饭。我们一起来看看如何使你的饮食恢复均衡。

如果你是一位"大忙人",大概是在忙着赚钱。真是这样的话,我们花一小部分费用到超市里购买"节省时间的"食品还是值得的。

例如,去皮切好的蔬菜:直接食用的水果,如菠萝、橘子:即食汤、调味汁等等。这些都是健康饮食,而且花费不多。

在不忙的时候(当然这是很难得的)自己多做一些饭、调味汁、汤和其他食物,冷藏起来,吃的时候既方便又节省不少时间,而且做两三倍数量的食物所花的时间与做平常数量的食物花费的时间几乎一样。

如果大部分时间连最快捷、最简便的烹饪也做不到,也没关系,只要用健康、高营养快餐代替高脂、低营养快餐就行了。幸运的是,许多食品不需要怎么准备就能吃,水果、色拉、酸奶、清爽干酪、奶酪、牛奶、果汁、面包、全谷食品——在需要吃快餐人群的饮食中占相当大比重。一盘全麦面包、山羊奶酪和西红柿就是一顿快餐盛宴!

一日之计在于晨

早餐经常被"大忙人"忽视,然而正如我们在所看到的,早餐很重要。一顿丰盛的早餐有助于提供能量、集中精力、强化记忆和保持思维敏捷。一个对生活要求很高的人,每天要与时间赛跑,要做很多决定,早餐对他而言就意义重大了,但这并不表示早餐要特别丰盛或花费太多时间。很简单,只要碳水化合物和蛋白质搭配得当,再加上一点脂肪、多种维生素和矿物质就可以了。

> **快捷、健康的早餐**
>
> *穆兹利、牛奶和浆果类水果
>
> *面包涂抹料、牛奶和油桃或桃子
>
> *活性酸奶、去壳坚果、橙汁和香蕉
>
> *燕麦烤饼、橙汁和香蕉

试试下面几种做法:

*提前准备。在前一天晚上准备好早餐。谷类食物放进碟子盖好,果汁倒在杯子里放进冰箱,将冷冻的面包圈解冻。把能做的都做好,这样在忙碌的早晨也可以吃早餐了。

*准备一份携带方便的早餐。可以选择在上班路上或到达上班地点就能吃的食物。面包或一盒酸奶加一根香蕉比什么都不吃要好得多。如果带午餐上班,那么另外再多带一点当早餐。

*选择一种混合饮料。在食谱中有很多牛奶或酸奶的混合饮品,只要前一天晚上有所准备,任何人都能很快地做好早餐。

午餐的时间限制

对"大忙人"来说,最好说服他人为你做一份健康的午餐盒饭。如果不行就自己动手做吧,比起利用会议间隙或其他时间去熟食店或三明治店,自带午餐还是节省时间,而且自带午餐的好处是你知道午餐吃什么,是何时做的,还可以根据需要随心所欲地变换花样。在办公桌旁吃午餐感觉也不错,但不要边工作边吃饭,这样会导致消化不良。最好在工作中抽出比较轻松的空闲时间来享用午餐,哪怕只有短短的 15 分钟。

下面是一份自带健康午餐的食谱:

* 复合碳水化合物含量高的食物。三明治中的面包是最快捷的碳水化合物。米饭、磨碎的小麦、蒸粗麦粉以及意粉也是不错的选择。如果前一天晚上剩了一些这样的食品,第二天准备午餐就能很快。新土豆烘烤或做成薯片可以当味美的零食。

* 低脂或含适量脂肪的蛋白质类食品。在面包、法式长面包或皮塔饼中放一些低脂奶酪或火腿、蔬菜酱、金枪鱼肉,或者加在米饭上的色拉。

* 如果你喜欢可以加入调料。随时备一罐香醋沙司,少量自制的蛋黄酱,不要带黄油。

* 新鲜蔬菜。如果来不及切好,就把整只的西红柿、生吃的小洋葱、去皮胡萝卜放进午餐饭盒里。天气较冷时,用保温瓶带些热蔬菜汤。

* 选择去壳的坚果、水果和干果。

* 带一盒酸奶或清爽干酪。这些对很多人来说已经足够了,不过男性或体力消耗大的人可以再加量。

* 麦芽面包、燕麦烤饼、小松饼和其他不是太甜的烘烤食物。

如果无法自带午餐,下面是几条建议:

三明治店或熟食店:可根据上文提到的建议选购,但缺点是:很多三明治里的蛋黄酱或法式调料放得太多。要选用橄榄油做的调料,至少偶尔有几天要吃不加调料的色拉。

快餐店:大多数汉堡店至少提供一两种低脂食物——全麦面包圈配鱼

或鸡肉。许多快餐店只提供很少甚至不提供色拉、蔬菜和水果，所以这些东西要自己准备。

在家工作者

现在越来越多的人在家里工作，却发现做一顿健康的午餐是一件困难的事。

夏天，可以吃一些上面已经列出的"基本食物"，像面包、奶酪、酸奶、水果、西红柿等等。冬天，可以喝一碗热汤，吃一大块面包再加点水果。

不论多忙，休息一下吃点东西是很重要的。这也是为了以后更好地工作。

如何快速准备晚餐

晚餐不要总是吃快餐或比萨饼，要想回家后在半小时左右的时间里不费力地做一顿美味健康的晚餐，秘诀就是要有一个存储各种食物的食橱。如果很忙，最好有计划地存放一些食物，就像每月一次的锻炼一样。从长远来看，这样做会为你节省不少时间。

必须包括的食物：

快速自制汤品

这类汤可以在做其他事时同时做好，并且可以根据已有的材料变化。

做 4 份汤料：准备 750 毫升（1 1/3 品脱）即食蔬菜或鸡汤块。选择超市中已切好的蔬菜 1 包，例如胡萝卜、洋葱、防风草（甚至冰箱里的剩饭菜也可以），大约 450 克，加入 400 克（14 盎司）切好的番茄一起入锅煮 30 分钟，放入适量豆类罐头（沥干水分）烧开，再加入半份搅碎的汤料，食用前放入 1 汤匙酱油、适量盐和胡椒粉调味。在汤中加入一些剩下的马铃薯也是不错的。

---

* 各种不同的面食，其中至少有几种是全麦的。
* 全麦速食面条。
* 蒸粗麦粉和速食米。
* 褐色和绿色小扁豆。
* 干果、去壳的坚果、种子等方便食品。
* 鱼罐头，比如金枪鱼、鲭鱼、沙丁鱼。

281

*黑橄榄、各种辣椒、朝鲜蓟罐头(尽量选用水浸罐头,如果是油浸要将油沥干)。

*豆类罐头,比如混合豆子、鹰嘴豆、红芸豆、克奶利尼豆和扁豆。番茄沙司泡烤豆也不错。

*大量的番茄类食物,比如番茄牛肉意大利面酱罐头、番茄酱、晒干的番茄和番茄糊、切好的番茄和整个的番茄。

*晒干的意大利或中国蘑菇。

*草药和香料,瓶装调料和调味汁,如酱油、英国伍斯特郡辣酱油、辣酱、李子酱、蚝油等等。这些东西含盐量高,用量要少。

*如果没有新鲜蔬菜,低钠浓缩固体汤料是很好的备用品。

*如果冰箱里还有下面这些食品,而且有一台微波炉可以将食品快速解冻,那么一星期中大多数晚上你都可以吃到健康晚餐了。

*各种冷冻蔬菜,如豌豆、花椰菜、甜玉米。

*现成的番茄沙司。

*鸡肉、火鸡肉或羊肉切成块、片或末。

*比萨饼主料。

*磨碎的低脂意大利莫札雷拉(Mozzarella)干酪,自制的意大利巴马干酪。

下面这些食品在冰箱里存放几星期,可以丰富你的饮食:

*新鲜的辣椒、姜和蒜,放在保鲜盒里。

*酸奶、清爽干酪、鸡蛋、奶酪。

西红柿、甜辣椒和生菜叶都可以在冰箱中存放一星期甚至更长时间,新鲜胡萝卜、绿皮小胡瓜、白菜、橘子、无核小蜜橘、猕猴桃及其他水果也是如此,当然还取决于买来时的新鲜程度。饮食中加入这些食物可以摄取更多的维生素 C。

一大袋土豆在阴凉、黑暗处也可以存放很长时间。如果有微波炉,可以在菜单上加上烤土豆。

利用这些可以做出十几种不同的菜肴。这里只提供了几种(你可以在本书的菜谱部分找到快速烹饪法):

*意粉浇番茄沙司,加上黑橄榄和巴马干酪。

*意粉浇清爽干酪、意大利干蘑菇和莫札雷拉干酪碎末沙司。

*意粉浇(冷冻或罐装的)香蒜酱。

*面条配爆炒鸡块、蔬菜、姜、蒜和大豆酱。

* 比萨饼浇番茄沙司、碎奶酪、橄榄片和蘑菇。

* 米饭或烤土豆配番茄沙司、罐装豌豆和新鲜的碎辣椒调制的即食辣椒（如果喜欢还可以加些瘦肉末）。

* 蒸粗麦粉加沥干的油浸胡椒，与沥干的罐头鹰嘴豆一起加热，加热时放入一大汤匙胡椒油。

方便食物

许多人的晚餐主要是一些做好的、冷却的或冷冻的方便食物，如咖喱鸡、中餐或烤肉，但是这些食物对人有好处吗？

答案是它们在营养成分上差别很大。对普通人（不想减肥的人）来说，这些食物热量太低，满足不了胃口的需要。主要问题在于，许多食物中蛋白质、脂肪和碳水化合物之间的比例不合理，一些生产商正在努力改善这种状况。

如果经常依赖这类食物，那么看一下：

* 标签。它会告诉你食物中含多少脂肪，其中饱和脂肪占多大比例。作为参考，一顿饭的脂肪含量少于 10 克太低，10 至 20 克为中等，多于 20 克则太高。如果女性摄入脂肪超过 25 克，男性超过 30 克，可能会过高。不过，脂肪含量还取决于一天中食用的其他食物。此外，还要看一下包装上的说明，例如"健康饮食"或"低脂"。这会为你提供指导，不过有时不太可靠。

* 食物中包含的蔬菜。

* 碳水化合物。如米饭、意粉或面条含量适中，如果买了现成的熟食，比如酱肉或酱鸡，那么饮食中还需要加一些碳水化合物——面包也行，新鲜的蔬菜和水果（几个西红柿）也可以。或者购买适合自己饮食的现成熟食。冰箱里存放一些自己烹调的汤和沙锅菜，这样就不会过于依赖现成食品了。

家庭生活万事通

外卖食品

仅在英国，每年就有将近 25 亿英镑花费在三种外卖食品上——汉堡、比萨饼和炸鸡，相当于每个英国人至少一星期一次消费其中的一种食品。除此以外其他一些外卖食品的消费数量也很大，例如鱼和炸薯条。由此，这类食物的营养质量是一个很值得关注的问题。

外卖食物种类繁多，所以不可能概括全面。但英国的一项调查发现，外卖食品中高达 60% 的热量来自脂肪，经分析，四分之三的食物脂肪含量超过建议的最低水平。饱和脂肪含量也很高，而且超过半数的食品盐含量偏高。

283

总的来说,一些外卖食品热量过高,有些食品还大量缺少各种营养成分,尤其是纤维、维生素 C、维生素 B 族和维生素 E。

我们详细地检测几种最受欢迎的外卖食品,检验一下它们的营养成分,并针对每种食物的最佳平衡选择提一些建议。

加薯条的小圆面包做成的汉堡 猪肉汉堡卷的脂肪、饱和脂肪含量及热量通常都很高,而纤维、维生素 C 和其他维生素则含量低,但蛋白质、铁、钙和锌的含量充足。一份中等分量的炸薯条脂肪含量很高,而纤维和维生素 C 含量较低。一顿饭还应含有建议的食盐摄取量。

1 个重四分之一磅的汉堡加中等分量的炸薯条大约提供 800 卡热量,50 克脂肪,其中约 25 克是饱和脂肪,这取决于制作过程中使用的脂肪种类。

汉堡中加入奶酪增加了热量、盐和脂肪的含量。其他一些在快餐店可以买到的汉堡,像鸡肉、鱼肉和蔬菜汉堡,在脂肪含量上与猪肉汉堡不相上下。如果在饮食中再加入奶昔和苹果派,脂肪含量将达到 75 克,是平均一整天的最大摄取量。

所以,买汉堡时最好选择普通的小汉堡(约 250 卡热量,10 克脂肪),搭配橙汁、色拉及清淡的香醋沙司,但很多汉堡店不供应色拉和低热量的调味料。豆汉堡也是一个不错的选择。

比萨饼 比萨饼属于健康饮食,当然还取决于选择的类型和大小。普通外卖整个比萨饼的热量高达 1000 卡,因此很难成为减肥食品,但对饥饿的人来说还不错。大多数比萨饼,特别是那些富含奶酪的,盐含量都很高。

家庭生活万事通

如果……要注意外卖食品

* 如果是素食者。许多外卖的素食也含有动物脂肪(如猪油炸的薯条)。

* 如果患过敏。某些外卖食品含有染料(由大米加鱼或肉及调料煮成的肉饭、炸鱼的面糊甚至薯条)、味精和大豆制品(面糊、汉堡、油酥面团)及其他一些添加剂。

* 坚持低脂饮食。

* 如果正在减肥。只有几种外卖食品适合减肥饮食。

* 如果常吃外卖食品。再精心选择的外卖食品也是热量和脂肪含量高,纤维、新鲜水果和蔬菜含量低,而且缺少某些维生素,如维生素 C 和 E。可以添加新鲜水果或色拉增加营养。

比萨饼的主料提供大量碳水化合物,奶酪提供蛋白质,而且都富含钙。番茄沙司是类胡萝卜素和番茄红素的很好来源。一个普通的单份素菜薄比萨饼约含有 750 卡热量,20 至 25 克脂肪。任何一个比萨饼,只要表面有大

量蔬菜,像辣椒等,都是不错的健康食品,海鲜比萨饼也是。选择其中任何一个比萨饼,加一份不含脂肪的色拉,就是营养均衡的一餐。

鱼和炸薯条 如果一家鱼和炸薯条店提供数量可观的炸鱼,并且按顾客要求,鱼是蘸了薄薄一层自制的面糊在新鲜的蔬菜油里烹制的,而且还提供由优质土豆按要求烹制的薯条,那么这份鱼和炸薯条会很有营养,热量和脂肪含量也很高。这其中含有碳水化合物、纤维及各种维生素和矿物质,包括薯条里的维生素 C。加一些豌豆或烤豆营养会更均衡。

然而令人悲哀的是,很多鱼和炸薯条的质量不尽如人意。鱼或薯条经常炸两次,这样就增加了脂肪含量,却减少了维生素 C。而且鱼很少面糊很多,又会增加脂肪。煎炸的油通常是动物油,饱和脂肪含量高,即使是蔬菜油,由于反复使用也氧化为转化脂肪。

1 份普通的 450 克(1 磅)的鱼和炸薯条含有约 1000 卡热量,50 克脂肪。

中餐 中餐外卖菜单上的很多菜肴都是高脂肪、高热量和高盐分的。脂肪含量比较高的有:糖醋排骨、鸭肉及特色炒饭。脂肪含量和热量较低的有:炒蔬菜(有时加虾或鸡肉、蔬菜、肉、鱼、米饭等炒成的)、炒什锦、青椒牛肉或鸡肉、辣酱对虾、烤猪排骨、蒸米饭和煮面条。

要想营养均衡,可以选择吃家常米饭或面条,加一盘含有低脂肪蛋白质的蔬菜,如对虾、鸡肉或豆腐。

下列食物平均每份含有热量为:牛肉炒面:600 卡,25 克脂肪;鸡肉炒饭:500 卡,15 克脂肪;红烧排骨:800 卡,50 克脂肪;姜辣对虾:250 卡,10 克脂肪;大春卷:450 卡,25 克脂肪。

印度菜和泰国菜 现在许多外卖咖喱店出售的菜都盖着一层油。所有的肉、洋葱、蔬菜和调料都在油里炸过,表面油亮。但有些咖喱店试着烹调时少用油,或把油脂撇掉。如果这样,他们做的咖喱还是很有营养价值的。巴尔第咖喱菜由于其独特的烹调方法,脂肪含量比较低,而且铁含量丰富。

蔬菜或豆类做成的咖喱菜肴纤维含量高,对于经常吃外卖的人来说,纤维是很重要的,因为多数外卖食品不含纤维。对虾或咖喱鸡肉(鸡肉要去骨剥皮)也不错。但最好选唐杜里咖喱鸡或以番茄为主要原料的调味汁,不要选高脂的"印度红咖喱"或任何含椰油的咖喱。肉类咖喱通常脂肪含量很高,印度外卖的快餐,如印度炒素和炸馅角也是如此。(印度)烤饼脂肪和热量高,薄煎饼要好一些,因为烹制时不用油。

肉饭是用油烹制作的,比普通米饭多三分之一的热量。配菜可以选择木豆,能提供纤维、蛋白质和铁。其实,理想的印度外卖是木豆配家常米饭

家庭生活万事通

或薄煎饼配一小份咖喱蔬菜。

下列食物每份包含的热量为：唐杜里鸡：350卡，15克脂肪；印度红咖喱鸡肉：700卡，30克脂肪；咖喱蔬菜：400卡，20克脂肪；薄煎饼：150卡，1克脂肪；(印度)烤饼：300卡，16克脂肪；木豆：200卡，8克脂肪。

烤土豆 烤土豆纤维、碳水化合物含量高，脂肪含量低，而且热量适中。烤土豆配低脂金枪鱼和低脂调料、松软乳酪、烤豆、辣豆或加细香葱的清爽干酪都很好。因为它们都含蛋白质，有助于保持饮食均衡。1份普通的250克(9盎司)烤土豆，如果配高脂肪菜肴热量为350卡，配低脂肪菜肴为250卡。加1碗色拉可以平衡一下营养。

烤肉串 瘦羊羔肉做的烤肉串夹入皮塔饼里，外加1大份色拉，就成了一顿营养丰富的正餐，它含有比例合理的碳水化合物、蛋白质、脂肪、铁、纤维、钙和其他维生素、矿物质，只是盐的含量会高一点。如果羊肉很肥或加入了高脂肪的调料，脂肪含量会增至40克或更多。

对于不想吃肉的人，填入色拉及鹰嘴豆豆沙的皮塔饼也是不错的选择。鹰嘴豆豆沙含大量脂肪，但大多数为不饱和脂肪，而且鹰嘴豆营养丰富。

炸鸡 炸鸡的通常做法是在油腻的鸡皮上撒面包屑，然后炸透，这样低脂肪的蛋白质就转化成了高脂肪的蛋白质。1小块(90克的带骨)炸鸡就含有200至250卡热量，10至15克脂肪。

配菜如果用凉拌卷心菜丝，脂肪含量高达11克。热量高达120卡。烤豆要好一些，约100卡热量，只有1至2克脂肪，而且还含有丰富的纤维和铁。

素食者的饮食

素食一向被认为是健康的食品，确实如此。但是，如果你或你的家人想加入大约350万英国素食者的行列，要明白在享受放弃肉食带来的好处的同时，也会遇到一些难题。

英国四分之一的家庭中有素食者。素食市场每年以90%的速度增长。16至24岁的女性中至少有25%是素食者。据资料显示，你如果选择素食——不吃猪肉、家禽、鱼肉或任何肉类——就是选择了一种能使自己健康长寿的生活方式。过去的十年里所做的大型研究调查表明，与非素食者相比，素食者中患心脏病的人少30%，患癌症的少40%，过早死亡的少20%，肥胖症患者更少，而且血压低，身体其他方面产生不良情况的现象也少。

然而，统计数据反应的不仅仅是饮食的结果。这些结果也反映出一个事实,即大多数素食者的其他生活方式也影响着他们的健康。例如,很多人不吸烟,饮酒少。而且素食者一般都更加重视健康,他们会做更多运动。

典型的素食者饮食可以保持健康不仅仅是因为没有肉。它带来的好处可能是由于饮食者摄入更多的植物性食物,如新鲜的蔬菜、水果、谷物、豆类,使饮食更加符合前面所描绘的健康原则——更多的碳水化合物、纤维、维生素 C 和植物营养素。素食者的平均体重比非素食者轻。摄取低热量也与寿命更长有关。此外,与肉食相比,素食中不饱和脂肪(虽然并不是一贯如此)和必需脂肪酸的含量较高。

确实,还有其他数据支持这个理论,即素食者身体健康不仅仅是因为放弃吃肉。例如,在非素食者中,那些吃大量的蔬菜、水果和极少量奶制品的人也可以与素食者一样健康。位于地中海希腊克利特岛上的居民患心脏病、癌症、肥胖症和过早死亡的比例很低。他们也吃肉,而且吃大量的鱼。

这一点很重要,因为许多素食者,虽然无法从肉类中摄取饱和脂肪,但通过增加奶类蛋白质的摄取量,例如奶酪、牛奶和鸡蛋,也能得到与肉食者同样多的饱和脂肪。素食者中也有些人(不清楚具体的人数)很少吃水果和蔬菜,主要吃一些素食中的"垃圾"食品。青少年素食者特别容易形成不均衡的或单一的饮食习惯。

由此我们知道,健康的饮食——不论是素食还是非素食——是多摄取天然植物性食物(新鲜的蔬菜水果、谷物、坚果、种子和豆类)、低脂和非动物性脂肪的蛋白质以及天然油。如果素食符合这个原则就是健康饮食。如果食用素食,需要注意下列问题:

*如果不吃肉,要多吃其他食物补充肉含有的重要营养成分,特别是蛋白质、硒、铁和维生素 B 族。

素食中的营养来源

铁——咖喱粉、铁制厨具、生姜、海鲜、强化早餐谷类食物、小扁豆、可可粉、芝麻仁、南瓜子、大豆、大豆末、桃干、扁豆、红菜豆、腰果、去壳大麦粒、蒸粗麦粉、磨碎的小麦、杏干、深色绿叶蔬菜、鸡蛋、糙米,烤豆浇番茄沙司、花椰菜。

硒——巴西坚果、小扁豆、葵花子、全麦面包、腰果、核桃。

钙——罂粟子、意大利巴马干酪、瑞士格里尔千奶酪、英国切达干酪、荷兰伊顿干酪、芝麻仁、意大利莫札雷拉干酪、法国布里白乳酪、豆腐、丹麦青纹干酪、羊乳酪、白巧克力、杏仁、大豆、无花果、牛奶巧克力、酸奶、扁豆、菠菜、巴西坚果、鹰嘴豆、羽衣甘蓝、白面包、牛奶、对虾、花椰菜、嫩圆白菜叶、白菜。

家庭生活万事通

*不要只用奶制品替代肉类,这样会摄入过多的饱和脂肪,但低脂奶制品,如脱脂牛奶以及低脂天然酸奶富含钙和蛋白质,还是不错的。鸡蛋是铁、蛋白质和维生素的最佳来源,但其中的饱和脂肪和胆固醇含量意味着不能多吃这类食品。特别是那些医生建议应保持低胆固醇、低脂饮食的人。

*多吃植物性蛋白质,如各种豆类和豆制品——豆腐,或根据自己的喜好选择结构蔬菜蛋白质(TVP)。植物素肉是一种蛋白质食品,是由与蘑菇中的蛋白质相似的人工菌蛋白制成的。

*注意多吃含铁、硒、钙的素食。红(即牛羊)肉富含易于被吸收的铁(血铁)。植物中的铁(非血铁)不易被吸收,但只要精心选择,素食也可以提供足量的铁。在最近的调查中发现,素食者和严格素食主义者的硒水平偏低,而且因地区不同而有所差异。另外,食用奶制品较少的素食者要摄入充足的钙也比较困难,因此应多吃种子、豆腐、豆类、坚果和多叶蔬菜。

素食者应存储的食品

下面这些食品对素食者或纯素食者来说是"无价的",但要切记有些食品存储时间过长会变质,所以一个人不要买太多的食品。如果要存储一些食品,要尽量买新鲜的,买质量最好的。

*晒干的豆类,包括各种扁豆、各种颜色和类型的豆子,还有鹰嘴豆。

*豌豆、鹰嘴豆和小扁豆罐头在你太忙的时候是很好的选择。鹰嘴豆是很好的零食——用橄榄油和大蒜做成美味的豆沙。

*谷类食物,米饭、蒸粗麦粉和磨碎的小麦无需花费太长时间准备。

*其他谷类食品,如大麦和小米做沙锅菜时可用,所以买些混合谷类食品。

*准备一些意粉,面条、全麦面包和玉米糊。

*各种面粉,如荞麦和全麦(可以做成蛋糕冷藏)。

*干果,包括桃干、杏干、洋李干、无花果、椰枣、无核葡萄干。

*罐装西红柿和其他蔬菜,如甜椒和朝鲜蓟。罐装蔬菜利于保鲜。

*即食鹰嘴豆泥、意粉和比萨饼调料罐头。

*干香料和草药、辣椒酱、大豆酱油、黑豆酱油。

*罐装或坛装番茄糊、意粉、去核黑色和绿色橄榄、橄榄馅、香蒜沙司。

*浓缩固体汤料和英国伍斯特郡辣酱油。

*各种油和醋。

*蜂蜜和质量上乘的非精制糖。

　＊注意不要吃太多甜食，如酥皮糕点、饼干、蛋糕、巧克力等。这些食物中的脂肪、转化脂肪含量和热量都很高，食用太多当然就吃不下其他有营养的东西了。

　＊多吃富含必需脂肪酸的食物，如坚果、种子和植物油。不吃鱼会缺 ε－3 脂肪酸、二十碳五烯酸和二十二碳六烯酸，但这些在体内可由 a－亚麻油酸转化而来。亚麻子和亚麻子油富含这类脂肪酸。

　健康的素食饮食应该做到：

　＊遵循本部分提到的健康饮食的一般原则。

　＊食物中包含各种新鲜天然食物。

　＊不要用高脂肪奶制品来代替肉、家禽和鱼。

　＊不要吃太多无营养的甜食。

植物蛋白质和动物蛋白质比较

　人们一直以为，大多数植物蛋白质（不包括大豆）是不"完全"的，也就是说，不含有人体必需的八种氨基酸，所以素食者应在每顿饭中搭配不同的蛋白质，以获取全部的八种氨基酸，从而摄取"完全"的蛋白质。直到最近，新的建议说日常多样化的饮食中含有一系列植物蛋白质食品，对健康就足够了，不必每顿饭都操心获取"完全"蛋白质。

不同类型的素食者

　部分素食者：通常除了红肉，什么都吃。有时候也不吃家禽肉，但吃鱼肉，虽然不经常吃。

　乳糖－鸡蛋－素食者：食用所有的奶制品和鸡蛋，但不吃任何肉类。

　乳糖－素食者：只吃所有的奶制品，不吃鸡蛋和肉类。

　严格素食者：只吃植物性食品——不吃奶制品、鸡蛋或肉类（参见下文严格素食者饮食）。

　果食主义者：只吃水果（占饮食的 75%）、未烹制的蔬菜（多为叶类蔬菜）、生坚果、种子和豆芽。

　芽类主义者：只吃发芽的种子，谷物、豆类和米饭。

　养生素食者：不吃肉、家禽、奶制品和鸡蛋。饮食限制越来越多，最终只吃糙米。

　注意：营养师不会推荐最后三种类型的素食者的饮食，因为他们的饮食中缺乏各种营养成分。饮食的限制越多，越难以满足全部营养的定额要求。

　然而，素食者协会认为不仅是学龄前儿童，包括他们的父母每顿饭也要采取综合方法摄取充足的蛋白质。这意味着饮食中要将豆类与谷物混合

家庭生活万事通

（面包上的豆子、皮塔饼和鹰嘴豆泥、米饭和豆制色拉），谷物与奶制品混合（如面包上抹的奶酪、麦片和牛奶）或豆类与淀粉（如土豆和扁豆沙锅菜）混合。

研究表明，成年素食者消耗蛋白质的量比非素食者低，但正如我们在第一部分看到的，我们许多人摄取的蛋白质比实际需要的要多（有时候是多很多）。

要了解更多有关蛋白质的信息，了解有关儿童、青少年素食者饮食的信息。

家庭中的素食者

为家里惟一的素食者做饭有点令人气馁，而且产生了多余的工作量。这里有一些方法可以让事情简单一些。

*在家人的饮食里逐步加入素食，书后的食谱会给你提供帮助。爱吃肉的人也会喜欢褐色和绿色扁豆及其他豆类的浓香和口感，特别是埃及棕豆、扁豆和黑豆。

*充分利用意大利面食。可以用番茄沙司或香蒜沙司来做。比如，将多余的酱分批冷冻起来，家里其他人的酱里加肉。全素面食对吃肉的人来说也是不错的一道菜。

*一些素菜可以提前做好并冷藏，像豆类沙锅菜、咖喱土豆、茄子、小胡瓜、坚果、豆制汉堡、大面包等都很容易冷藏。

*为全家做主菜色拉，然后把其中肉食的部分替换成素食，这样可怜的素食者就可以食用了。例如，为家人准备法式尼斯色拉，给吃素的家人用豆腐换掉金枪鱼就可以了。

*至于午饭或晚饭，为素食者做一些水果汤，爱吃肉的人可以加入大块的鸡肉、火腿、对虾等。

*人人都喜欢比萨饼。根据需要可以加少量贝类或肉在上面。

*豆类是素食者一个重要的营养来源。罐头豆子就很不错，又容易买到。但如果自己浸泡豆子并煮好的话，可以把剩下的打包，冷藏以备后用。

*偶尔吃一次方便素食是可以接受的，特别是配上新鲜的蔬菜，但方便素食不要吃太多。

为素食者做饭之前要想好他吃什么不吃什么，这一点很重要。

左边的框中列出了不同类型的素食者、右边的方框列出了素食者应该严格禁止食用的食物。

素食者饮食范例

第一天

早餐

穆兹利加脱脂牛奶、全麦面包抹橄榄油和柑橘酱、一个橘子

午餐

小块蔬菜和小扁豆汤、皮塔饼、素食蛋糕、香蕉和酸奶

晚餐

意粉配罗勒和意大利乳清干酪、大份混合色拉、树莓加面包和干酪脆皮

第二天

早餐

脱脂牛奶粥、全麦面包抹橄榄油、人造黄油和马麦脱酸酵母、果汁

午餐

鹰嘴豆、青椒和西红柿色拉、皮塔饼

晚餐

冬南瓜炒小扁豆和姜、羽衣甘蓝、一个橙子

素食者注意事项

凝乳酶：这种酶取自牛胃，用来制作硬奶酪（如同凝化剂），所以这些奶酪不适合大多数素食者。如果硬干酪没有标记"素食"，可能是含有凝乳酶。现在有许多硬干酪不使用凝乳酶，而使用到处可买到的植物凝化剂。

凝胶：凝胶取自动物（经常是牛）的骨头，显然不适合大多数的素食者。凝胶用在甜食或要求使用胶状剂的食品——鲜奶油慕思、果冻和水果酸奶中。素食者可选用琼脂，取自海草。

伍斯特郡辣酱油：通常含有凤尾鱼，不过有些品牌不含，用时看标签。

浓缩固体汤料：蔬菜浓缩固体汤料通常不含动物产品，但还是看标签。

人造黄油：可能含有鱼油。看标签。

蜂蜜：某些素食者和严格素食主义者不吃蜂蜜，最好检查一下。

为素食者准备食品时，最好询问他们有什么禁忌。某些素食者可能会要求有机产品或全谷食品。

严格素食主义者的饮食

严格素食主义者不吃任何奶制品、鸡蛋或任何动物的肉、内脏等,包括蜂蜜。严格素食主义者数量一直在增加,素食者中有很多人经过一段时间最终成了严格素食主义者。他们不穿动物毛皮制成的衣服,喜欢有机食品和全谷食品。

从营养成分上看,严格素食主义者的饮食应当是很有限的,但研究表明,严格素食主义者的热量消耗相对地比素食者和非素食者低,他们的饮食中只缺乏几种营养成分(成年人是如此,但儿童的情况,参见第三部分),因为饮食中含有一些高纤维低热量的食物,如蔬菜、水果。他们蛋白质的摄取量约为平均水平的75%,是在可以接受的范围内的。可能会缺乏的营养物质有:钙、硒、碘、维生素 B_{12} 和维生素 D 以及核黄素,但奇怪的是铁的摄取量并不比平均水平低。

然而,纯素食中含有比平均水平更高的维生素 C、镁、铜、叶酸、β – 胡萝卜素及必需脂肪酸。全脂肪摄取量25%,低于平均水平,饱和脂肪酸50%,也低于平均水平,碳水化合物近55%,这是最适宜的水平,但纤维摄取量比平均水平和普通素食者要高。

*纯素食的营养来源

钙:添加维生素的豆奶、白面包、烤豆、干无花果、带叶绿色蔬菜、豆腐、坚果、穆兹利、豆类。

硒:巴西坚果、小扁豆、葵花子、全麦面包、腰果。

碘:海藻、味康酸酵母、海带补充剂。

维生素 B_{12} 强化早餐谷类食物、强化豆奶、味康酸酵母、强化面包。

维生素 D:强化素食人造黄油、强化早餐谷类食物、强化豆奶、阳光。

核黄素:强化早餐谷类食物、豆奶、强化豆奶、麦脱酸酵母、味康酸酵母。

外出就餐和聚餐

外出吃饭和与朋友聚餐是很惬意的事情。不过,如果这种特殊场合的聚餐过分频繁的话,会导致体重增加,使人自责,这是很让人羞愧的。这里教你如何从菜单和烹调书里选择最适合自己心愿的食物,同时又不失其乐趣。

外出吃饭和请客在多大程度上影响你的营养等级和体重取决于两方面的因素。一是外出吃饭的频率。如果只是限制在一年几次,那么你吃什么及吃多少关系不大(但前提是如果一直都是比较健康的饮食,一下子沉溺于过度丰盛的大餐,消化系统会产生不良反应。参见胃灼热及消化不良)。

但许多人发现,商务餐、私人邀请加上到餐馆就餐,他们外出就餐的次数与在家里吃饭的次数一样多。这样的话,对菜肴精心挑选就很重要了,既要满足味觉,又要保证健康。这是第二个因素——做理性选择。

对于那些经常有"特殊场合"的人,这部分的下面几页很值得一看。

午餐

现在外出吃午饭更像是在完成一项职责,不再怡然自得了。下面我们看看关于在餐馆就餐的几个注意事项。

幸运的是,一般的商务午餐不需要特别丰盛、漫长,也不会使我们的腰围变粗。大多数情况下,午餐限制在一个或两个清淡的菜就可以了,不需要饭后甜食,而且午餐中人们越来越少喝酒了。如果是你邀请他人吃午餐,通常应该提出喝酒,但不必觉得一定要喝得很多——冰水也很好。

如果是由你来选择午餐地点,而且附近有很多餐馆可供选择,那么可选择鱼餐馆、日本及现代化的英国、法国餐馆的菜,因为它们比较清淡爽口。大多数顶级厨师都有国际化观念,对清淡健康饮食的需要是比较注意的。

选择午餐时,要牢记健康饮食的指导方针。切记:高碳水化合物的淀粉类食物,如面食,会使你整个下午反应迟钝。一份色拉或清淡的鱼才是理想的选择,再配点开胃的水果和面包。

另外,还要考虑一下晚上要吃什么,这样选择午餐的时候就能兼顾到一天的饮食平衡。

关于饮食选择是否健康的具体指导方针,参见下面几点建议。

晚餐

据估计,去餐馆就餐或到别人家里吃晚饭,一顿饭中摄取的热量相当于平时至少一天的热量甚至更多。统计显示,外面的食物与家里相比,脂肪、饱和脂肪含量更高,有50%的热量来自脂肪。所以一个经常在外吃饭的人,食用的是脂肪和饱和脂肪含量高的不健康食品,体重当然会增加。

所以要考虑的主要问题就是限制餐馆饮食中的热量及脂肪含量。普通餐馆的饭菜蛋白质含量也比需要量多,因此选择外卖时,要选择那些含有充足纤维及新鲜蔬菜、水果的食物。

这里有一些帮你达到目的的窍门:

家庭生活万事通

*从面包篮里选普通的面包,不要黄油。

*每顿饭只要一道丰盛的主菜,其他菜要清淡。

*除非不得已,只吃两个菜就足够了。

*至少有一个菜是水果或色拉,如饭前色拉、饭后水果。

*主菜里富含蔬菜,不要选择蔬菜分量少的餐馆。

*当心每道菜中添加的黄油、脂肪、奶油和奶酪。油炸、爆炒或加调料的食物脂肪含量高。

*在非正式的私人场合,大家共同享用一些菜肴可以减少热量及脂肪的摄取量,而不会减少乐趣。例如,六个人在餐馆吃饭,主菜吃过后不感觉饥饿了,想尝尝甜点,那么点两三种甜点大家一起吃。多数餐馆会大方地接受这种做法。

*如果是自助餐,要少吃脂肪含量高的食物。

■现在我们来看几类比较受欢迎的餐馆菜系,挑选对健康有益的菜肴。

典型的意大利餐馆菜肴

约 2050 卡热量,100 克脂肪

选择这类饮食——1 餐的脂肪占热量的 45%,相当于大多数女性 1 天应该摄入的热量总和,远远超出 1 天的脂肪摄入量(无论是男性还是女性),而且饮食中缺少足够的水果、蔬菜和纤维。意大利蒜味面包,重 75 克,约 350 卡热量,12 克脂肪。

开胃菜:1 份(油炸)乌贼,约 300 卡热量,15 克脂肪。

主菜:1 份意粉加烤面条加干酪沙司,约 900 卡热量,45 克脂肪。这道菜含有鸡蛋、奶油和咸肉,脂肪和饱和脂肪的含量都很高。

甜食:1 份意大利提拉米苏蛋糕,约 500 卡热量,30 克脂肪。意大利提拉米苏蛋糕的主要原料是鸡蛋和麦斯卡波奶酪,是典型的意大利甜食。

健康的意大利菜肴　　　　　　　　　　　　　　★★★★★

约 1150 卡热量,41 克脂肪

热量几乎是典型饮食的一半,脂肪还不到一半,而且含有大量的水果/色拉。

普通面包,75 克,约 240 卡热量,5 克脂肪。

开胃菜:麦伦和帕尔马火腿(约 150 卡热量,5 克脂肪)。麦伦火腿还含有维生素 C 和纤维,1 份普通的帕尔马火腿只有大约 50 克,脂肪含量低。

主菜:意大利面条(约 450 卡热量,10 克脂肪)。配菜为大份混合色拉浇橄榄油(120 卡热量,10 克脂肪)。番茄酱是理想的意大利食品——加海鲜或一点奶酪末可以增加蛋白质。色拉提供维生素 C 和纤维。橄榄油属于健康烹饪油。

甜食:1 份酒香蛋蜜汁(200 卡热量,11 克脂肪),属于低热量零食。

法国菜肴　传统的法国菜脂肪含量和热量都很高,每一样食物都是用黄油、奶油及黄油沙司烹制的。现在越来越多的法国厨师正在改变这种做法,使他们的招牌菜更清淡健康。但一般来说,法国餐馆仍不太愿意烹制蔬菜分量大的菜肴,做菜时仍是"主要考虑蛋白质,忘记碳水化合物"。法国南部的菜比较符合健康标准,看起来更有地中海特色。

*多吃:"普罗旺斯式"食物。其菜肴以番茄、辣椒及洋葱为主,含大量橄榄油,热量高,所以要选择清淡的开胃菜或甜食,这样就可以保持饮食的平衡。烤鱼和贻贝也是很好的选择。

*少吃:"加奶油煎"的食物;大量使用奶油沙司的食物;乳脂涂抹料、鲜奶油慕思;丰盛的法式沙锅菜,如用肥腊肉片或猪肉烹制的;空心甜饼和奶油蛋糕。

意大利菜肴　意大利北部食品的脂肪和热量都很高,南方的食品虽然使用很多高热量橄榄油,但比较符合健康标准。英国的许多意大利餐馆结合了南北风味,几乎所有的意大利咖啡店都有健康食品可供选择。这对我们来说是个好消息。

*多吃:开胃蔬菜和水果,如烤蔬菜或洋蓟色拉,无花果和帕尔马火腿或豆类蔬菜汤;不加奶油类调味品的意粉——可加番茄沙司,海鲜沙司、香蒜沙司等;罐焖鸡肉,金枪鱼和白豆色拉:还有烤小牛肝和花椰菜、鱿鱼(用沙锅炖,不用油炸)。

*少吃:富含奶油和奶酪的面食,如,烤碎肉卷或烤面条加干酪沙司;意粉配肉菜,如波伦亚意粉;油炸乌贼;含有熟肉的开胃菜。餐馆里的干酪洋葱鸡肉饭大都含有大量的黄油或油和奶酪。

比萨饼品种繁多。顶部是肉和奶酪的比萨饼脂肪含量和热量都很高。如果是番茄,海鲜和蔬菜的比萨饼,脂肪和热量要少一些。许多意大利甜点脂肪含量和热量极高,所以上面总是插着格兰尼它冰糕、新鲜水果或烤桃子。

远东菜肴　中国、泰国及大多数远东国家的菜中有许多是健康菜肴,但仍要注意,这些菜分量很大,脂肪含量高,特别是泰国菜,用了很多椰奶。但是,许多菜肴中蔬菜、纤维和维生素 C 丰富,只是东方菜盐分偏高。

*多吃:鸡肉和甜玉米或酸辣汤;炒菜和对虾:猪肉、豆腐或鸡肉,米饭或面条;沙锅鸡肉、豆腐或对虾和蔬菜:猪排骨、白米饭、辣椒对虾或螃蟹;日本寿司;荔枝。

家庭生活万事通

*少吃:春卷、锅贴、炸猪排等;特色炒饭、酱猪排;咖喱椰子;焦糖香蕉。

印度菜肴 多数传统的印度菜营养均衡,含有大量的复合碳水化合物、蔬菜及植物蛋白质。但是许多西式印度餐馆为了迎合西方口味,菜中含有越来越多的动物蛋白、脂肪和奶油,所以尽量到传统的印度餐馆就餐。即使如此,也要注意体重的变化,因为印度菜放油多。印度菜中的香料有助于消化,刺激食欲,而且促进新陈代谢。

*多吃:咖喱蔬菜、小扁豆、木豆、米饭、无盐无糖面包,包括薄煎饼;泥炉烹调的食物、水果色拉、芒果。

*少吃:印度式色拉和含有奶油的椰汁咖喱:咖喱椰果、油炸萨莫萨三角饺、洋葱球。

传统英国菜/牛排/自助餐馆

> **有趣的菜单**
>
> 草药浸泡的香菇
> 柠檬草烧金枪鱼
> 黑莓冰块
>
> 烤小番茄和罗勒
> 炖土耳其羊羔肉
> 油煎水果色拉
>
> 黄瓜薄荷汤
> 罗非鱼、西红柿和橄榄食物包
> 芒果馅饼
>
> 蘑菇和红菜椒串
> 泰式几内亚家禽肉加腰果和菠萝
> 橘汁格兰尼它冰糕

经常在传统的英国餐馆和自助餐馆里吃饭,如果不注意饮食搭配,营养会不均衡,蛋白质、脂肪偏多,碳水化合物、水果和蔬菜偏少。牛排店里比较典型的菜肴有基围虾、牛排和薯条、奶油蛋糕或奶酪、饼干,这些食品的脂肪、饱和脂肪和蛋白质的含量通常是建议的最大摄取量。

*多吃:瓜;烤鸡、火鸡、鲑鱼、鳟鱼;烤土豆;大碗色拉;果汁雪糕;草莓、冰激凌。

*少吃:馅饼、基围虾;大份牛排、炸薯条;苹果馅饼和奶油。

家中的健康饮食

如果请人吃饭,可以决定吃什么,所以选择健康而又美味的饭菜应该不成问题。即使某些菜里不含黄油、奶油和浓调味汁,客人们也不会觉得招待不周,毕竟味道、色泽和摆放样式很重要。精心准备的富有民族特色的菜肴总是很受欢迎的。

本书中的许多食谱以及上文中建议的三道菜都很适合宴请客人。这里有更多窍门帮助你准备一顿别致而又营养均衡的美餐。

*饭前小吃。可以准备开胃菜或意大利面包和上文食谱中的一种沙司,如鳀鱼酱、(希腊)蒜味汁、胡椒味大蒜酱或兰姆酒酵蛋糕,这些食物比油炸土豆片和坚果的含盐量少。

*先确定主菜再准备饭前的开胃菜、饭后甜点来保持饮食的营养平衡。例如,主菜是肉,开胃菜就需要蔬菜、清淡的鱼或贝类海鲜。如果主菜是高碳水化合物的食物,如意粉,开胃菜最好是一小份高蛋白质食物,如螃蟹或对虾。尽量使每道菜里都有色拉、蔬菜或水果,如开胃菜是蟹肉色拉,主菜为烤蔬菜和谷物,甜点是水果。

*快捷、方便又健康的开胃菜是烤菜椒浇调味酸辣酱油,嫩芦笋浇香脂醋,油浸朝鲜蓟菜心沥干后加鹌鹑蛋。

*时间来不及就不要准备甜点了。水果、山羊奶酪及燕麦蛋糕就很好。几乎不需要花费时间准备的是水果蜜饯(如,在酒中微煮过的夏季水果)或水煮菠萝和香蕉。

饮酒和驾车前应该考虑的事情

如果在外面吃晚饭,会喝几杯酒。但如果开车,无论自我感觉有多清醒,都要注意自己的饮酒量。正如我们所看到的,1 个单位的酒含 8 克纯酒精:健康的安全限制是女性 1 天 3 个单位,男性 1 天 4 个单位。对大多数人来说,他们还是不清楚喝多少酒会导致血液中的酒精浓度上升到不能开车的水平。

在英国,如果血液中酒精浓度超过 80 毫克/100 毫升血液,就超标了(不久这个标准会降到 50 毫克/100 毫升)。作为指导,1 个男性可以喝 7 个单位的酒(4 小时之内),女性可以喝 5 个单位,才不会超标。但并不是每个人都符合这个标准,相对于个子矮、体重轻的人来说,个子高、体重大的人可以喝得较多。年轻人和不习惯喝酒的人更易受酒精影响。酒精会比较快地影响女性,因为女性的脂肪比例大,体内可以稀释酒精的水分比例较低。

酒喝得太快,血液中酒精浓度会迅速上升。在 1 小时内,男性喝下 5 个单位,女性喝下 3 至 4 个单位,肯定会超标。要等 1 至 3 小时浓度才能降到低于 80 毫克/100 毫升。

下面的表格提供了"限度"的指导标准。不过,这只是参考,要因人而异。即使只喝一至两个单位,虽然并未超标,人的判断力仍然受影响,酒后不开车是最安全的。在社交场合,下面的建议可以帮你减少酒精的摄入量或血液中的酒精浓度。

　　*切记食物会减慢酒精的吸收。刚开始吃饭的时候不要喝酒,空腹喝酒会使血液中酒精浓度迅速上升。

　　*不要用酒解渴,多喝水,你会发现喝酒的速度会慢下来。

　　*酒要慢慢喝,尽可能酒水交替。

　　*请客时,要保证提供充足的低酒精或无酒精饮料。冬天,可以饮用低酒精的潘趣酒,夏天是桑格利亚汽酒,还有果汁、矿泉水、不含酒精的啤酒或葡萄酒。

　　*不要以为浓咖啡可以解酒或降低血液里酒精的浓度。它与喝水及维生素 C 一样,不会冲淡酒精。一旦酒精进入体内,只能靠时间把它冲淡。健康的肝脏以大约每小时一个单位的速度中和酒精,不过因人而异。

所以这可能意味着,如果晚上喝得很多,比如,2 大瓶杜松子酒,1 瓶酒精浓度 12% 的葡萄酒和 1 大瓶白兰地(总计 15 个单位),那么第二天早晨仍然会超出酒后驾驶的最高限度。这一点需要警惕。

限度

饮酒达到下列数量,血液的酒精浓度会达到限定的标准:

男性			
10 英石	3 个单位/小时	5 个单位/3 小时	6 个单位,4 小时
12 英石	4 个单位/小时	6 个单位/3 小时	7 个单位,4 小时
女性			
8 英石	2 个单位/小时	3 个单位/3 小时	4 个单位,4 小时
10 英石	2.5 个单位/小时	4 个单位,3 小时	5 个单位,4 小时

家庭生活万事通

☞ 40. 维生素与矿物质的安全剂量

增补剂的安全系数有多高？如果摄入比人体需要量还多的维生素或矿物质会出现怎样的后果？如何才算过量？这些都是常见的顾虑，而媒体的报道还经常将维生素 C 与肾结石联系在一起，并提醒妊娠期妇女谨慎使用维生素 A。这其中有多少是事实？又有多少是杜撰呢？

任何一种营养物质的最佳摄入量对每个人都不同，视年龄、性别、健康状况及许多其他因素而定。因此，可以设想引发中毒现象的水平也因人而异。在患病时，身体对某种维生素的需要量会急剧上升。在抵御感染的时候，维生素 C 是很好的例子。在本章中，我选择了稳妥的做法，列出可能会在一小部分人中引发中毒现象的水平，这些对短期服用（至多一个月）或长期服用（3 个月至 3 年）均有效，并说明哪些症状会一直存在，而哪些症状会在减少摄入量后逐渐消失。

请注意，如果过量服用，每种东西都是有毒的。1990 年，一个人因为在两小时内喝下了 10 升水而造成死亡。因此关键问题是：实际摄入量要比需要量多多少才算达到中毒水平？也就是说，安全和中毒之间的临界点在哪里？

维生素的安全问题

在对一百多篇发表在学术杂志上的研究论文进行调查后得到的一般性结论表明，除维生素 A 及维生素 D 之外，比美国推荐日摄食量（USRDA）高 100 倍的服用剂量如在长期内消化仍属安全。也就是说，除非服用大大多于推荐量的增补剂，否则即使高量服用健康食物商店出售的增补剂，所引发的中毒几率也是极低的。这个结论也与因营养增补所致死亡的公共健康记录相吻合。例如，由美国地方中毒控制中心在 1983 至 1987 年所做的调查列出 1182 例因药物中毒导致的死亡，其中没有一例是由于补充维生素造成的。在英国，作者未能找到因补充维生素而导致死亡的案例细节，而每年因药物中毒导致的死亡却有 1.5 万例。但是，死亡本身又是一种过于严格的安全性判定标准。中毒现象或副作用又如何呢？同样，因增补维生素而导致中毒现象或产生副作用的案例也很少。在近 20 年的实际经验中，作者尚未遇到过一起这样的案例。

维生素 A

维生素 A 有两种存在的形态：动物性的视黄醇，它可以在体内聚积；植物性的 β – 胡萝卜素，如体内含量不高则被转化为视黄醇。因此，β – 胡萝卜素不被认为有毒性，过量补充会造成皮肤发黄，但是可以治愈。

增补视黄醇导致负面作用的病例已发生过许多次，一般是由于长期摄入 50 万国际单位以上所造成。症状包括脱皮和皮肤泛红、毛发生长紊乱、食欲不振以及呕吐。根据剑桥哥顿学院（Girton College）的医学主任约翰·马克（John Mark）医生的说法，"3 万国际单位以下的摄入量极少产生中毒反应……若每天有控制，成人摄入 5 万国际单位也属安全。"这种说法也与人类祖先在热带环境中摄入 4 万国际单位维生素 A 的估测量相一致，尽管其中有很大一部分来自于 β – 胡萝卜素。

已报道作为药物保肤灵出售的维生素 A 异维甲酸与中毒和先天性缺陷的数宗案例有关。这些负面作用已不适当地波及到天然维生素 A。已经出现 5 宗大剂量（每天 2.5 万～50 万国际单位）服用视黄醇的妇女产下有先天性缺陷婴儿的案例；但是，尚未有任何案例在二者之间建立起因果关系。其他研究表明服用包括维生素 A 在内的多种维生素增补剂的妇女（一般为7500～2.5 万国际单位）产下有先天性缺陷婴儿的概率极低。1995 年发表的一项研究结果曾发现在 22747 名妇女中，有 121 名妇女产下有先天性缺陷的婴儿，且与包括维生素 A 中毒在内的多种原因可能有关。在这 121 名妇女中，有两名可能是由于过量服用 1 万国际单位的视黄醇所引起。鉴于大剂量视黄醇可能会引起婴儿的先天性缺陷，因此怀孕的妇女最好不要服用超过 1 万国际单位的视黄醇。但这一注意事项不适用于 β – 胡萝卜素。

维生素 D

在所有维生素中，维生素 D 是最有可能导致中毒反应的。维生素 D 可以加强对钙质的吸收，因此过量补充可能会导致软组织的钙化。但是，会产生这种反应的补充水平肯定要超过 1 万国际单位，甚至可能超过 5 万国际单位。成人每天摄入不超过 2000 国际单位，儿童每天摄入不超过 1000 国际单位的维生素 D 被认为是在安全的范围之内。

维生素 E

对维生素 E 的中毒反应已有很多的研究。对 1 万名病人进行过的 216

次高剂量维生素 E 试验表明,最长在 11 年内每日摄入 3000 国际单位维生素E 以及几个月内每日摄入 5.5 万国际单位维生素 E 都不会造成有害的影响。但是,低于 2000 国际单位的摄入量常会产生不良的反应,特别是对于儿童,原因可能是对维生素 E 的来源产生过敏。维生素 E 似乎会增加华法令阻凝剂的抗凝固作用,因此不建议服用华法令阻凝剂的病人摄入过多的维生素E。患风湿热的病人也须尽量避免摄入太多的维生素 E。患乳腺癌的妇女不应补充维生素 E 的说法是错误的。正好相反,她们补充维生素 E 的好处是显而易见的。每天最多补充 1500 国际单位的维生素 E 属于安全范围之内。

维生素 C

维生素 C 可溶于水,因此过量的摄入会从身体中排泄出去。推荐日摄食量因国家而异。根据最新研究结果得出的一致意见是每天 100 毫克为健康的基本摄入量;最佳摄入量可能为每天 1000～3000 毫克。有许多试验已经使用每天 1 万毫克的剂量来调查维生素 C 对某些特定疾病的效果。建议使用的高剂量已经招致非议,声称维生素 C 会导致肾结石,妨碍维生素 B12的吸收,并在停止补充时会产生"反弹式坏血症"。但所有这些言论都不具实质性的内容。大剂量服用维生素 C 的惟一坏处是会产生轻泻剂的作用。一般而言,补充至多 5000 毫克维生素 C 被认为属于安全水平。

维生素 B

维生素 B 可溶于水,过量摄入会随尿液从身体中排泄出去,因此毒性一般很低。即使服用量达到美国推荐日摄食量的 100 倍,硫胺(维生素 B1)、核黄素(维生素 B2)、泛酸(维生素 B5)、维生素 B12 以及维生素 H 仍不会出现中毒的迹象。烟酸形态的维生素 B3 在摄入量达到 75 毫克或以上时会使脸色泛红。这属于自然反应的一部分,因此一般不认为是中毒现象。根据剑桥哥顿学院(Girton College)的医学主任约翰·马克(John Mark)医生的说法,"在医生的控制下,每天 200 毫克至 10 克的剂量在医学上被用于降低血内胆固醇的水平,时间最长可达 10 年或以上。虽然曾出现某些反应,但这些反应在停止用药后会逐渐消失,甚至经常会在用药继续的情况下自行消失。"持续每天至多补充 2000 毫克被认为属于安全的水平。

维生素 B6 的毒性已经被众多研究机构调查,其中包括美国食品药物管理局(FDA)。该管理局得出结论,"对于人类,在受监督的情况下,每天服用50～200 毫克达数个月之久并未出现副作用"。大多数有关低剂量维生素

B6会造成神经损伤的无理由报道似乎是基于一宗广为记录的案例,即一名妇女在两年的时间内将维生素B6的增补剂量从500毫克增加至5000毫克,并产生了肌肉无力以及疼痛的现象,原因则是神经受损。一位研究人员在对7名长时间每日补充2000~5000毫克维生素B6的病人进行调查后,认为"在停止使用吡哆醇后几个月内,所有病人状况都出现好转,一般是行走方面的改善,四肢不适减少。但一部分人还存在遗留的神经不适的症状"。在对鼠类的注射量达到每天600毫克/公斤后,相当于140磅的人每天摄入3.8万毫克,产生了"周边性神经病变",并伴有四肢发麻的现象。

缺乏维生素B6也有相同症状。可能的解释是,为了变得活跃以帮助体内的酶进行工作,吡哆醇必须转化为磷酸吡哆醛。如果体内已有过多的吡哆醇,则这个转化过程不会发生:酶被简单吡哆醇饱和,而不能正常工作。因此,体内吡哆醇过多也会引起维生素B6缺乏的症状。由于吡哆醇转化为磷酸吡哆醛的过程需要锌元素,因此连同锌一起服用维生素B6会降低毒性。不管如何,持续每天至多补充200毫克一般被认为属于安全的水平。

矿物质的安全问题

矿物质的安全取决于三个因素:数量、形态、以及与饮食中其他矿物质的均衡状况。首先,所有矿物质在剂量过大时会显现毒性。对于形态,举个例子说,三价铬是身体维持健康状态必需的,而六价铬(在食物或补充品中不存在)却是有毒的。对于均衡,由于铁是锌的拮抗物,补铁会加剧锌缺乏症。拮抗作用的原因是许多矿物质的原子形状非常相似。它们只是嵌齿的大小不同,因此如果缺乏一种元素而另一种形状相似的元素却过多,则另一种元素会嵌入错误的酶,使其或加速,或减速,或干脆停止工作。

钙

钙最容易被吸收的形态包括抗坏血酸钙、氨基酸螯合钙、葡萄糖酸钙以及碳酸钙。一般而言,健康的人不会出现中毒的现象,因为身体会排泄出体内过多的钙质。在某些民族中,人们每天从饮食中摄入的钙的数量会超过2克,因此这一水平应是安全的。治疗缺钙性紊乱使用每天3.6克的剂量。钙摄入过多引起的问题还可能是由于其他因素导致的,如维生素D过多(每天服用的剂量超过2.5万国际单位),甲状旁腺或肾脏功能紊乱。钙与镁和磷能互相作用,因此补钙应保证服用者体内含有足量的镁和磷,或正在同时增补镁和磷。磷缺乏症并不常见,而镁缺乏症却是常见的现象。理想的钙磷比例大约是1:1。最好不低于1:2。理想的钙镁比例大约是3:2。

镁

镁最容易被吸收的形态包括天门冬氨酸镁、抗坏血酸镁、氨基酸螯合镁、葡萄糖酸镁以及碳酸镁。中毒现象包括肤色泛红、口渴、低血压、反应能力降低以及呼吸困难。只有肾脏有问题并增补镁的人才会出现中毒的现象。在正常的情况下,健康的成人每天摄入1000毫克属于安全的水平。镁与钙能互相作用,因此补充镁元素应保证服用者体内含有足量的钙,或正在同时补充钙元素。理想的镁钙比例大约是2:3,若镁缺乏则为1:1。

铁

铁是人体最容易缺乏的元素。英国至少有6%的妇女的饮食中,铁含量低于推荐日摄食量。铁有很多种形态,最容易被吸收的形态包括天门冬氨酸亚铁、氨基酸螯合铁、丁二酸铁、乳酸铁以及葡萄糖酸铁。三价铁的吸收能力稍差一些。硫酸亚铁比三价铁盐的毒性要低。即使如此,3克硫酸亚铁也会使婴儿死亡,而成人的致死量是12克。含大量铁的增补剂应存放在儿童无法触及的容器中。铁会在体内积聚,因此长期过量摄入会造成中毒,产生血铁质沉着病(人体组织吸入过多铁)或血色素沉着,而这是一种能导致肝硬化、皮肤的棕色沉着、关节炎以及心脏不正常的遗传病。因饮食而造成上述两种疾病的几率很低。每天补充50毫克一般被认为属于安全的水平。

铁与许多其他微量元素之间会发生拮抗作用,包括锌元素,而妊娠期和哺乳期妇女特别容易会出现锌缺乏的现象。因此,补铁应保证服用者体内含有足量的锌,或正在同时补充锌。身体对锌和铁的正常需要量基本相等。

锌

锌是我们研究得最彻底的一种矿物质,也是最容易出现缺乏症的一种矿物质。每年大约有1000份论文发表指出它在多种疾病的治疗中所产生的效果。锌最易于被身体吸收的形态包括吡啶甲酸锌、氨基酸螯合锌、柠檬酸锌以及葡萄糖酸锌。相对来说,补充锌元素是不会无毒的。在服用的剂量达到2000毫克时,可能产生恶心、呕吐、发烧以及严重贫血的症状。少量的锌元素,特别是硫酸锌,在空腹服用时会对消化道造成刺激。还有一些证据表明,每日的服用剂量如果达到300毫克,可能不仅不会增强免疫系统,反而

家庭生活万事通

会对其造成损伤。通常认为每日最多增补50毫克是属于安全的范围。

锌是铁、锰以及铜的拮抗体，因此如果长期大量服用锌增补剂，最好同时补充适量的上述三种矿物质。身体对锰元素的吸收很差，如果每日服用锌的剂量超过了20毫克，最好再补充一半的锰。通常人体对锌的需要量是铜的10倍。由于健康饮食条件下，人们平均的铜的摄食量大约为2毫克，如果锌的增补数量超过了20毫克，最好对于每超过的10毫克锌，再增加1毫克的铜。同时如果锌的增补剂量超过了20毫克，最好还要确保补充12毫克的铁元素。

铜

铜缺乏症非常罕见，这大概是因为我们可以从铜制的水管运送的水中以及未经过精制加工的食物中获得铜元素。铜最易于吸收的形态包括氨基酸螯合铜以及葡萄糖酸铜。人体对铜的需要量很低，只有每日2毫克，即使是治疗铜缺乏症也只需要5毫克。中毒现象确实会发生，这主要是因为从由铜制的水管运送的水中摄入了过量的铜。铜还是锌的强拮抗体，出于这个原因，铜的增补剂量最好不要超过2毫克或锌摄入量的1/10。铜还会消耗体内的锰元素。

锰

饮食中只有不超过2%～5%的锰可以被人体吸收，因此通过饮食增加锰的摄入量以提高体内锰的含量，收效甚微。锰比较容易吸收的形态包括氨基酸螯合锰、葡萄糖酸锰以及氨基咪唑甲酰胺乳清酸锰。有一些证据表明维生素C可能有助于锰的吸收。在动物体内，锰是微量元素中毒性最小的一种。人类尚未产生过中毒的现象。每日最多摄入50毫克被认为是安全的。过量摄入锌或铜会妨碍锰的吸收。

硒

这种微量元素的需要量非常低，只有每日25～200微克。硒的存在形态有两种：有机形态，如蛋胺酸硒或半胱氨酸硒，有时候还以硒酵母的形态存在；无机形态，如亚硒酸钠。无机形态的硒毒性更强一些，服用剂量达到或超过1000微克会出现中毒现象。而有机形态的硒在服用剂量超过2000微克才会出现中毒的现象。两种形态的服用剂量在750微克，都尚未出现过中毒现象。通常认为成人的摄入量不超过500微克是安全的。鉴于有益剂量与有害剂量相差不是很多,因此硒应该置于儿童无法拿到的地方保存。

铬

铬在自然界以两种形态存在:六价铬以及三价铬,而六价铬的毒性很强。但是六价铬既不存在于食物中,也不存在于增补剂中,因此接触的惟一途径只有职业的原因。铬更易于吸收的形态为吡啶甲酸铬以及氨基酸螯合铬。三价铬的毒性很低,有一部分原因是人体对它的吸收很差。通常认为,不超过 500 微克的摄入量是绝对安全的。

☞ 41. 食品补充剂——增进健康的聪明之举,还是浪费金钱?

英国每年花在维生素、矿物质和食品补充剂上的费用高达 2.8 亿英镑——远远多于任何非处方健康产品(头疼药例外)的消费——而且这还不包括邮购和在健康食品店的花费。

最普通的食品补充剂是鱼油、多种维生素片、月见草油、单种维生素和大蒜素,但实际上还有几百种产品存在于各种合成物中,而且新产品一直不断地开发出来。下面我们看看这些食品补充剂是不是物有所值。

维生素和矿物质补充剂

医生为了使病人保持身体健康、预防疾病或治愈疾病会经常开列各种维生素和矿物质补充剂。例如,铁补充剂用于治疗贫血,叶酸是为了孕妇在怀孕初期补充营养,维生素 D 适合老年人,维生素 B_{12} 则是开给素食者的,等等。显而易见,这些补充剂是我们——至少是一部分人——保持身体健康必要而且重要的物质。

不过,越来越多的维生素和矿物质补充剂是消费者根据自己的健康状况和营养需要购买的。大约有 1200 百万的消费者长期服用补充剂作为"健康保险",这样做明智吗? 有必要吗?

大多数医生和营养师会说,只要坚持基本健康饮食,而且身体健康的话,补充维生素或矿物质是浪费金钱。如果身体不好或自己觉得应该补充营养成分,最好向医生进行咨询(如果有必要补充,医生会开处方)。

医生和营养师还会说,没有专业建议就补充营养成分会引起许多问题,如服用过量、中毒、导致营养失衡,或者受错误观点的误导——不管饮食多么不合理,只要服用维生素片就可以解决问题,他们认为食品中的营养是药片无法替代的。他们还会引用试验说明有时营养补充剂本来是治疗疾病,结果却适得其反。

其他一些营养师和注册医生持相反看法,他们认为目前(英国)营养摄入参考值规定的维生素和矿物质的服用量太低,只能预防那些因营养缺失导致的疾病,如软骨病(缺乏维生素D)和坏血病(缺乏维生素C),但是要保持最佳健康状态,预防疾病,几种维生素和矿物质都需要增加用量,但通过正常健康饮食很难获得,所以服用补充剂是惟一的选择。

下面我们详细地分析一下这些观点。

对于健康人来说,推荐的营养成分量太低吗?

在某些时期和情况下,人体需要的营养量比欧共体每日推荐量或英国营养摄入参考值规定的标准要高,而且有时候很难从饮食中获取。例如,患缺铁性贫血严重的女性肯定需要服用铁补充剂使血液量恢复正常。又如,大量吸烟和喝酒的人缺.少维生素B族和C,也需要补充缺失的营养成分。下文的图表列举了主要的维生素和矿物质补充剂的典型用途。

但是,很难确切地证明没有疾病、不缺少营养的健康人是否能从补充的营养物质中获益。民间有些事实证明补充剂使人感觉更好,比如,有人每年冬天都容易患几次感冒,每天服用维生素C和锌后,就不再感冒了,所以他认为是补充剂的功劳。的确,有些令人信服的证据表明每天至少服用1克维生素C(远远多于英国营养摄入参考值规定的60毫克)有助于最大限度地缩短感冒的持续时间,缓解感冒的症状。还有证据说明大量服用维生素B_6对经期问题有益。但是,从维生素和矿物质补充剂中获益最大的人——老年人和穷人,都是饮食中营养成分摄取量低的人,而且是买不起营养物质的人。

一致的看法是如果身体能获得最佳量的维生素和矿物质,额外服用补充剂最好的结果也只是浪费时间,而最糟的结果则是导致中毒。

大量服用补充剂能有助于预防重大疾病吗?

对于重大疾病的患者,如冠心病或癌症患者,试验显示,补充剂的作用有好有坏。例如,维生素 E 减少了非致命性心脏病的发作次数,维生素 C 在试验中用得也很成功,但是在其他试验中维生素 E、C 和 β－胡萝卜素却起了相反的作用(增加了心脏病发作的次数,使癌症加重)。

尽管食品中的 β－胡萝卜素有助于预防癌症和心脏病,但专家现在认为不要服用补充剂。其他一些专家认为正常的饮食不可能获取充足的维生素 E,所以补充剂是必要的。此外,我们的饮食中也缺少足量的硒,一些专家建议服用补充剂。对某些心脏病患者,疾病与 B 族维生素中的叶酸有关,所以服用相关的补充剂也是必要的。

如果想通过服用补充剂预防疾病应该遵循专家的建议。因为研究结果显示,它们的"有效活性成分"可能超过,也可能低于标签上注明的含量。

服用补充剂有危险吗?

是的,有危险。有些补充剂服用过量有毒性。服用过多的维生素 A 对孕妇尤其有危险,通常她们也要避开所有的草药,因为草药可能含有秋水仙碱,会伤害胎儿。大量摄取铁、锌和硒也是有毒的,过量服用维生素 C 会导致胃功能失调。

服用抗凝血剂的病人不应再服用维生素 E 补充剂。患肾结石或癌症的病人也不应服用钙补充剂。

有时补充剂造成中毒是因为其他原因——比如,鱼油补充剂含有二氧(杂)芑和其他毒素,只要剂量大一点就有危险。

此外,某些草药会与西药发生反应,所以,如果要服用西药,要告诉医生正在服用什么补充剂。几乎所有的维生素和矿物质大剂量服用都有副作用。

关于每种维生素和矿物质的恰当服用量,参见第一部分和下页推荐的最大用量。

补充剂会导致营养失衡吗？

肯定会的。这是因为维生素、矿物质和其他的营养成分一起在人体内起作用，某种营养成分过多会以各种方式产生"撞击作用"。下面是具体的例子：

＊服用钙补充剂的同时也要服用镁补充剂，因为两者一同起作用。

＊铁补充剂会减少锌的吸收。

＊大量摄取锌也要摄取铜。

＊应该服用维生素 B 族，不要只服用某一种维生素 B，否则一种成分过量会破坏平衡。

＊大量摄取铁会阻碍维生素 E 的吸收。

综上所述，如果不确定应该服用什么营养补充剂，该服用多大的剂量，为什么要服用，最好向医生或专业营养师咨询。除非医生建议，绝对不要大剂量地服用补充剂。在不久的未来，欧洲有望出台新的营养成分每日推荐量标准，涵盖所有补充剂的摄取剂量。

营养补充剂能弥补不良饮食吗？

大多数营养专家都认为没有一种补充剂能取代健康饮食，最好从饮食中摄取营养成分。换句话说，从食物中提取的营养物质（或人工合成的，如维生素）对人体的作用不如天然饮食含有的营养成分作用大。最有说服力的例子就是 β－胡萝卜素，正如一项试验所显示的，服用 β－胡萝卜素补充剂反而会增加吸烟者患癌症的危险。

当多样化的饮食能提供所需的全部营养时，不要再过量摄入营养。另一个重要的因素是一些研究者认为食物中的"有效活性成分"不只是维生素，还包括一些合成物，例如，水果和蔬菜中的植物营养素。许多不同的植物营养素与维生素一起组合发挥作用，但这方面的例子太少，目前只知道维生素 C 和生物类黄酮一起被吸收。

食物好于补充剂的第三个原因是食物含有热量、蛋白质、必需脂肪酸、纤维和我们所需要的一切。吃一个橘子比服用一片维生素 C 获取的营养成分要多。

当然，有时候服用维生素片或矿物质药片比什么也不吃要好，比如，因为厌食或疾病没有胃口。但无论如何，服用营养药片仍摄取不良的饮食绝不是合理的解决办法。

主要的维生素和矿物质补充剂及其典型用途

典型日剂量	最大日剂量＊＊	典型用途
维生素		
A	1－2000 微克	女性 7500＊微克 男性 9000 微克	皮肤干燥、粉刺、夜间视力差
β－胡萝卜素	6－15 毫克	n/K	抗癌、抗冠心病,但有争议
B 族	100%英国营养摄入 参考值	n/K	压力或紧张的状况；吸烟者、酗酒者
B_6	10 毫克	200 毫克	经前综合症、水分滞留
B_{12}	100 微克	n/K	素食者
叶酸	400 微克	400 微克	怀孕前、孕期（有助于预防出生缺陷）
C	250－1000 毫克	2000～3000 毫克	抗氧化剂；抗菌；吸烟者、酗酒者、压力、皮肤问题
D	5～10 微克	10 微克	老年人、行动不便者
E	275 毫克	800 毫克	抗氧化剂；伤口愈合；皮肤问题
矿物质		
钙	800－1000 毫克	1500 毫克	骨质疏松症家族史；失眠
铁	14 毫克	20 毫克	贫血、经期量多、怀孕、疲劳
镁	150 毫克	n/K	钙摄取量高、失眠、压力
锌	7－15 毫克	50 毫克	钙和铁摄取量高,增强免疫力；胃口不好；伤口愈合；痤疮
硒	100－200 微克	500 微克	抗氧化剂；艾滋病毒、癌症、关节炎
多维剂/矿物质	50%－100%英国营养摄入参考值	n/K	减肥者：胃口不好、不良饮食
＊孕期禁服	＊＊健康成年人,未孕		

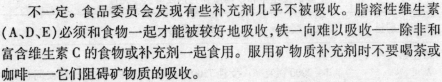

维生素和矿物质补充剂容易被人体吸收吗?

不一定。食品委员会发现有些补充剂几乎不被吸收。脂溶性维生素(A、D、E)必须和食物一起才能被较好地吸收,铁一向难以吸收——除非和富含维生素C的食物或补充剂一起食用。服用矿物质补充剂时不要喝茶或咖啡——它们阻碍矿物质的吸收。

"长效型"胶囊有助于维生素的吸收。矿物质补充剂通常和与其他合成物结合(或螯合)的矿物质一起出售。螯合有机化合物的矿物质,如氨基酸螯合物、葡(萄)糖酸盐、甲基吡啶、柠檬酸比螯合无机化合物的矿物质,如硫化物或磷酸盐更容易被吸收(查看标签)。

通常天然维生素E(d-a生育酚)比合成维生素E(dl-a生育酚)更容易吸收,但合成维生素C与天然提取的维生素C一样有效。

注射维生素和矿物质不可取,除非是由于医疗的需要,而且要在医生的监督下,因为注射会产生危险的副作用。

营养补充剂中除了"有效活性成分"还有什么呢?

补充剂胶囊是由骨胶或素食替代物制成的。脂溶性维生素胶囊的基本成分是蔬菜油。片剂含有粘合剂、填料和其他成分,包括糖、人工甜味剂、酵母、色素和脂肪。

食品补充剂

日益扩大的补充剂市场除了传统的维生素和矿物质,就是食品。食品补充剂通常在健康食品店出售,也可以邮购,但现在越来越多的食品补充剂出现在超市和药店的货架上。这些补充剂的种类不一而足,既有经过严格检验的食品,如大蒜和月见草油,又有毒性更强的药品,如昆布茶(kombucha)和卡法椒。

与维生素和矿物质补充剂类似,这些食品补充剂也宣称有各种各样的用途,如增强体质、促进健康、预防疾病、缓解病症、治愈疾病、延缓衰老等等。大多数食品补充剂都没有医疗许可,所以不应该声称有治疗功效。而且,这些补品不是药品,是食品,所以可以避开医疗的规章制度,不用像药品一样必须通过安全测试,因此关于这些保健品有效性的科学研究几乎是空白。

下面我们详细地介绍一些普通的食品补充剂,并评估一下它们的价值。这些补充剂的效用经常是口头传播的,而且有些补充剂(最初是草药的形式)在某些国家已经有几百年的历史了(草药和最常见的草药制品以后再讨论)。

这是来自古老的地中海的一种药物,由西洋牡荆树的果实制成,在严格控制的试验中,一半以上服用圣洁莓的女性经前期症状缓解了 50%,惟一没有改善的症状是腹胀。

芦荟

从古代起,芦荟就被当做药物使用。芦荟中最活跃的成分是黏多糖,有助于缓解感染、过敏和发炎等症状。口服或外敷芦荟据说能缓解皮肤病的症状,如皮肤干燥、瘙痒、皮疹、伤口、痤疮以及牛皮癣。芦荟还用于治疗肠失调综合症、假丝酵母菌感染、肌痛性脑脊髓炎、关节炎、感染、"排毒"以及其他一些疾病。芦荟中另一种活性成分是芦荟素(alloin),据说能治疗便秘。新鲜的芦荟汁可以直接饮用(有点苦)或制成胶囊。芦荟粉制成片剂药效就会减弱。怀孕期间不要服用芦荟补充剂。

黑升麻

黑升麻可治疗绝经期的病症,经常与卡法椒一起服用。关于黑升麻的作用多是民间传言。

蓝绿海藻

温带淡水湖(现在都是种植在水池内)中的海藻晒干后制成片剂可当做食品补充剂。海带和小球藻是海藻的两种主要形式。海藻补充剂含有多种营养成分,包括铁、β-胡萝卜素、硒和维生素 B_{12},还有必需脂肪酸和蛋白质,但是因为海藻补充剂——海藻片或海藻粉(一克晒干的海藻)一日量的剂量很少,所以这些营养成分含量也少,价格也就变得昂贵。例如,某种品牌的海藻补充剂,1 天的剂量含有 350 微克铁,相对于 1 天平均 14 毫克的需

家庭生活万事通

求量实在是微乎其微。据说海藻还能增强免疫力,有助于锻炼后迅速恢复、排毒、提高身体机能,只是这些都是民间传言。海藻几乎没有不良的副作用。

菠萝蛋白酶

菠萝蛋白酶是从菠萝中提取的酶,是天然的止疼药,能缓解风湿性关节炎的肿胀等症状。在一项试验中,73%的服用菠萝蛋白酶补充剂的病人都减轻了疼痛。

猫爪草

猫爪草是从一种秘鲁的藤状植物中抽取的,制成胶囊或茶具有抗病毒、抗菌、增强免疫力、消炎等功效,是一种抗氧化剂,而且能治疗消化不良。据说秘鲁藤已经使用了几百年,不过在西方的临床试验中还很少见。

鱼肝油

鱼肝油富含维生素 A 和 D 以及必需脂肪酸,多年来一直用作天然补充剂。鱼肝油能缓解关节疼痛和关节炎,改善免疫系统。服用的剂量不要超过推荐的标准,因为过量的维生素 A 和 D 有毒。几年前(英国)农业、渔业和食品部发现某些瓶装鱼肝油配制品中的有毒化学成分含量过高,尤其是对一岁左右的儿童。怀孕期间不宜服用鱼肝油。

辅酶 Q10（co－enzymeQ10）

辅酶 Q10 有助于将食物转化为能量,能强化心脏,增加运动耐力,还能充当抗氧化剂,甚至最大限度地减轻女性更年期时的潮热。人体在年轻时能产生辅酶 Q10,而且食物中含有辅酶 Q10,但随着人变老或生病,人体内的辅酶 Q10 水平会降低,有必要服用补充剂,尤其是锻炼身体时。辅酶 Q10 还有助于保持齿龈健康。

家庭生活万事通

排毒药

有几种排毒药,有时单独服用,有时是两种或两种以上一起服用,连续服用三天至三个星期。这些排毒药有助于"清洁"消化系统、净化血液、通过提高肝脏和膀胱的功能排除"有毒的废物"(了解排毒的更多信息)。这些排毒药包括具有排毒性的植物和草药配制品,服用时最好少进食(接近禁食)或配以特别的饮食。在一些客观的试验中,这些排毒药的效果有好有坏,但值得一试。

魔鬼爪

魔鬼爪来自纳米比亚,也有消炎的功效,据说有助于缓解关节炎引起的疼痛,不过目前还没有科学试验证明其效力。

紫锥菊

服用紫锥菊能增强免疫力已得到广泛的证明。紫锥菊制剂或胶囊含有主要的活性成分(echinocosides),每年冬天服用两三次有助于预防感冒、流感和细菌感染,还有助于预防唇疱疹。紫锥菊还含有黏多糖(参见芦荟)。

月见草油

月见草油含有丰富的 $\varepsilon-6$ 脂肪酸中的 Y - 亚麻油酸,它能产生前列腺素,用以控制人体中许多重要的生理过程,包括水分平衡和生殖系统的运行。Y - 亚麻油酸有助于预防或减轻更年期症状、乳腺疼痛和水分滞留,而且还具有消炎功能,所以能缓解关节炎和湿疹的症状。一些经期疾病患者也在服用 Y - 亚麻油酸补充剂,但疗效还未被证实。人体自身能够将必需脂肪酸亚油酸转化成 Y - 亚麻酸,不过有时候这种转化不是很有效,所以服用月见草油能维持正常的 Y - 亚麻酸水平。用于治疗,每天最多可服用 3000 毫克;如果用于维持 Y - 亚麻油酸水平,每天可服用 50 至 1000 毫克(1000 毫克的月见草油能产生 100 毫克的 Y - 亚麻油酸)。目前按照推荐的剂量服用还没发现有不良的副作用。

家庭生活万事通

亚麻子油

亚麻子油含有最丰富的 $\varepsilon-3$ 必需脂肪酸和 $\alpha-$ 亚麻油酸,能转化成人体所需的脂肪酸二十碳五烯酸和二十二碳六烯酸(皆存在于鱼油中),素食者服用亚麻子油能增加 $\varepsilon-3$ 的摄取量。1000 毫克的亚麻子油就能满足人体一天对 $a-$ 亚麻油酸的需求量(大约 500 毫克),而且还能提供其他的必需脂肪酸、亚麻油酸。

大蒜

大蒜的功效在本书的其他章节已经详尽地论述过了。不过,对于工业产品形式的大蒜——片剂、胶囊等,其预防疾病的特性存在一些争议。某些专家认为大蒜中的活性成分很容易挥发,即使是新鲜的大蒜在烹调后作用都会减少,所以大蒜补充剂效力不大,应该少用。

上述这些理论正在进行验证——在有明确的结果之前,如果服用大蒜补充剂,不要服用那些已经"祛除蒜味"的产品,因为这些产品中活性大蒜素已经没有效力了:也不要服用那些经过加热处理的产品,因为其中易挥发的成分已经被破坏;可直接服用"被最少加工"的胶囊。

目前还不清楚每天应服用多少量的大蒜,有些专家建议至少是相当于两瓣大蒜的剂量,如某些品牌的大蒜胶囊两粒。查看标签。

银杏叶

银杏树叶有助于保持大脑的正常运转,如保持记忆、思维敏捷和集中注意力,因为银杏叶能保证向大脑正常供血并进行氧化,有些试验已经证明了这个理论。银杏还能增加向手和脚的供血,所以是老年人理想的补充剂,而且有研究表明银杏有助于缓解早老性痴呆症的症状。

银杏叶补充剂的质量千差万别,有些只是初步加工过的干树叶,至少1000 毫克的剂量才起作用:有些则是从树叶中提取活性成分——黄酮糖苷和其他合成物。质量好的银杏药片含有 40 毫克的提取物(24% 是黄酮糖苷),每天服用 1 至 3 片就足够了。孕妇禁服。

人参

人参是东方最著名的食品补充剂,至少在 7000 年前就被当做补药来用了。目前人参补充剂有两种——高丽参和西洋参,都属于葱木类植物,高丽参是多年生植物,而西洋参是灌木。两者都被称为"强参",意思是增强体质,抵抗疾病。

这两种人参的作用略微有些差别,概括如下。

高丽参是"传统"的人参,含有人参总皂甙合成物,近似于人体自身的应激激素,有助于人体应付各种生理或情感的压力,是常见的补药和镇痛药,而且还能刺激免疫系统,增强肝功能。最近的试验显示高丽参还具有抗菌特性。

东方的运动员、老年人和男性偏爱高丽参。一天标准的剂量是 5 至 600毫克的胶囊,服用时应持续几周。高丽参有刺激作用,应在早晨服用。孕妇和高血压患者忌服。

西洋参也是一种兴奋剂,而且能缓解压力,对身体很有好处——一些试验表明能提高运动员的成绩达 9% 以上。西洋参也能促进免疫力,缓解长期疲劳,有证据表明还有排毒功效。西洋参一天标准的剂量是 1000 毫克的胶囊,连续服用几周。

硫酸葡(萄)糖胺

葡(萄)糖胺是软骨组织的基本成分,科学试验表明能缓解骨关节炎患者的疼痛和不便,甚至改善病情。

绿唇贻贝

风湿病和骨关节炎患者服用绿唇贻贝补充剂似乎能缓解病情,研究发现是其中的合成物利筋诺在起作用,利筋诺具有消炎的功效,能缓解关节疼痛和肿胀。利筋诺是一种黏多糖,芦荟和葡(萄)糖胺中也含有黏多糖。

服用绿唇贻贝胶囊四至八周就会有疗效。

家庭生活万事通

卡法椒

卡法椒是太平洋岛屿的一种灌木,是著名的弛缓药,能缓解焦虑、改善睡眠、增强体质,其主要的活性成分卡法是一种镇静剂。卡法椒有抗菌、止痛的疗效。可按照建议的剂量服用胶囊,不要过量,否则有麻醉效果。

海草灰

海草灰(Fucus vesiculosus)是一种海藻,富含碘,能增强免疫力、刺激甲状腺。有人认为海草灰有助于减肥,所以经常用作减肥药,但没有科学依据。每天可服用150微克的海草灰片剂,不要过量,孕妇和甲状腺过分活跃的病人忌服。

昆布茶(Kombucha)

昆布茶来自俄罗斯和中国,是一种真菌饮品,多年来一直用作滋补品,据说有多种好处。它可以抗癌、抗菌、增强免疫力、排毒,还可治疗关节炎、白内障、哮喘、头皮屑、皮肤瘙痒、性欲低下等等。只是这些都是民间传言,缺乏科学依据。昆布茶可以自制,也可以买到现成的。一些人长期饮用昆布茶后也出现了一些不良后果,包括黄疸、恶心和过敏反应。

奶蓟

奶蓟(Silybum marianum)含有合成物水飞蓟素,在欧洲几百年来一直用于治疗肝脏疾病。研究似乎支持这种疗法,现在的草药医生也利用奶蓟辅助治疗黄疸和肝炎,预防酗酒导致的肝脏疾病,还用来缓解压力。奶蓟提取的水飞蓟素可制成酊剂和胶囊。

ε-3 鱼油

鱼油的功效已在本书的其他章节中详细地描述过了。鱼油胶囊含有高脂肪鱼中的"活性成分"——ε-3 脂肪酸、二十碳五烯酸和二十二碳六烯酸。

不愿吃鱼的人可遵医嘱服用鱼油胶囊以增加二十碳五烯酸和二十二碳六烯酸。

高胆固醇患者,每周至少食用2到3份高脂肪鱼,相当于连续1周每天服用400毫克1粒的鱼油胶囊2到3粒。稍微过量效果更好,不会损害人体。

西番莲

西番莲是绝佳的治疗失眠的药品和温和的镇静剂,经常与其他具有镇静效果的植物,如蛇麻草、甘菊和缬草一起制成造价低廉、不会上瘾的"安眠药片"。

肠益菌活糖

服用抗生素抵抗细菌感染时,抗生素不仅杀死了"有害的"细菌,而且也杀死了"有益的"细菌一这些细菌平衡体内的菌群,而且预防鹅口疮、假丝酵母菌感染和膀胱炎。如果"有益的"细菌数量减少,就需要增加。天然多醣体是一种被称做寡糖的食品成分,含有溶解性纤维,能刺激二裂杆菌的生长。菊芋、洋葱和菊苣中含有的果糖寡糖效果更好,服用抗生素一周或两周后每天服用五至十克的片剂会有良好的效果。

益生菌

含有益生菌的食品补充剂能增加肠益茵活糖的功效。益生菌是一种"有益的"消化道细菌,包括嗜酸乳杆菌和双歧乳酸杆菌。活性酸奶中含有这些细菌,但含量较低,所以服用片剂更能获得足量的细菌,效果也会不同。益生菌还能减少儿童的呼吸道感染和腹泻。益生菌和肠益菌活糖很容易被光和热破坏,所以要到专门的零售店购买,并且要储存在冰箱中。

蜂胶

蜂胶是蜜蜂用来给蜂箱消毒的,人服用蜂胶补充剂能够抗菌、抗病毒、消炎和治疗齿龈炎。大部分人都可以服用蜂胶,但花粉热或哮喘患者不宜服用。蜂胶止咳糖还能缓解咽喉疼痛。

蜂王浆

蜂王浆是工蜂专门喂养蜂王的食物,蜂王的寿命大约三至五年,而工蜂只有六至八周,所以很多人出于这个原因服用蜂王浆,蜂王浆也因此成为最近几年畅销的食品补充剂。但是,几乎没有证据证明蜂王浆具有人们所期望的增加精力、生殖力和寿命的效果。蜂王浆中惟一与众不同的营养成分是一种脂肪酸,被称为德耳塔羟基 2 癸烯酸(transl hydroxydelta2)——在其他食物中没有,所以支持者就此认定这是一种"神奇的成分",但没有任何的证明。

七瓣莲油

七瓣莲(琉璃苣)油含有极其丰富的 Y – 亚麻酸,比月见草油的含量还多 1 倍,即 1000 毫克七瓣莲油能产生 200 毫克的 Y – 亚麻酸。虽然相应的补充剂比月见草油价格昂贵,但是服用的胶囊数量也少,可能对某些人群有益处。

圣约翰草

金丝桃属植物中最有名的就是圣约翰草了,它是欧洲产的一种多年生野生植物,英国许多地方也有这种植物。圣约翰草的黄色花被晒干制成酊剂或食品补充剂可用来治疗中度抑郁症和压力,现在有 200 万人慕名使用这种植物。

一些试验已经证实了圣约翰草治疗中度抑郁症的效力,但最近在美国进行的试验发现圣约翰草对严重抑郁症没有疗效。圣约翰草还具有抗病毒的效果,能治愈更年期综合症和其他一些病症,不过这些大多是民间的传言。每天服用 1000 微克或 10 滴酊剂可治疗抑郁症。

注意:圣约翰草可与其他一些药物相互反应,服用抗凝血剂、抗抑郁剂或避孕药时,如果要服用圣约翰草补充剂最好先向医生咨询。

缬草

缬草也是治疗失眠症的常见药,经常与西番莲和蛇麻草一起服用。

小麦草

小麦草是最近流行的一种健康饮品,主要是让小麦发芽,长出嫩芽草,然后制成浓汤状。据说,小麦草是抗氧化剂,能增强免疫力,具有滋补和排毒的功效,含有许多营养物质和叶绿素,还能清肠胃。美国的一些研究认为小麦草能抗癌,但证据不够充分。

☞ 42. 揭秘排毒

我们经常自我排毒。"排毒"饮食似乎是千百年来人类应对日常不良饮食的对策。任何人感觉极度疲倦、疲劳,或有其他不符合健康的症状,排毒似乎就是解决办法。那么什么是"排毒"饮食呢?真起作用吗?

毒素可通过食物进入人体(杀虫剂、除草剂、激素、防腐剂等),即使是"健康饮食"也含有大量的"隐藏的多余毒素"。而且"健康饮食"过量,也产生毒素,例如,食用胡萝卜或鱼肝油过量会使人中毒。或者饮食过程中对某种食物产生轻度的不耐性却没有察觉。

病毒和细菌有机物通过食品、皮肤和肺进入人体,这些都是有毒的物质,因为人体排斥这些毒素。频繁或反复出现的轻微——甚至轻微得不易觉察的疾病表示免疫系统有点无力应对这些毒素。淋巴结肿胀(例如,颈部或手臂上部)虽然不一定说明人患病,但感觉"低于正常状态"表明需要"排毒"。

吸烟产生的大量毒素都会被我们吸入体内(即使我们不吸烟,但别人吸烟仍影响我们)。饮酒过量,或经常饮酒也产生毒素。药品和毒品也有毒——即使是非处方药对胃、肝等部位也造成很大的影响。

身体和情感的压力会使体内的毒素问题变得更加复杂。所以,如果感觉不舒服,或者出于上述的某些原因体内存毒,就需要"排毒"。

"排毒饮食"如何起作用?

淋巴系统——腺状和管状器官系统的工作就是排出身体组织的多余水

分。在淋巴结里,不相关的物质和不受欢迎的微生物,如传染物,会在淋巴水分进入血液之前被过滤出去。淋巴反应迟缓的外在症状是眼睛肿胀或鼓起、脚踝肿胀、眼睛和皮肤干燥。

肝脏承担着最童要的"排毒"工作,是人体最辛苦、功能最多的器官。肝脏的一项工作是将人体内的废物——如氨(体内蛋白质分解时产生的毒素)和体外的毒素,如药物、酒,吸入的毒素和食物本身的毒素——转换成无害的,或至少是危害较小的化合物,以便排出体外。

要完成这一过程,健康的胆囊和泌尿系统也很重要。饮食和锻炼计划也是"排毒"常规过程的一部分,有助于加速体内的废物通过尿液排出体外。肠也处理一部分废弃物,所以有规律的肠运动也很重要。废弃物通过汗水和呼吸最终排出体外,这两个过程可通过饮食和锻炼得到强化。

由此,有效的"排毒"饮食通过促进毒素的处理和清除以及远离可能有毒的食品从而达到排除身体毒素的目的。最后,富含抗氧化剂植物营养素的饮食能帮助身体还原,并中和排毒期产生的有毒成分。定期锻炼身体能增加淋巴活动(运动期间,淋巴的流动增加 15 倍以上),利尿,促进肠运动,增加血液循环和肝脏活动,排汗,所以有助于身体排毒。

排毒食品和草药:

　　促进肝脏和胆囊活动的草药和食品:蒲公英根、金盏花(花和叶)、欧芹、牛蒡(花或根)、奶蓟(可用作补充亮剂)、胡椒薄荷、土大黄(又名羊蹄根)、朝鲜蓟、苹果、橄榄油、黄瓜、洋葱。

　　刺激淋巴系统和血液循环的草药和食品:当归、独活草、金盏花、牛至、迷迭香、土大黄、紫锥菊、姜、辣椒。

　　清除水分的草药和食品:蒲公英、独活草、荨麻、迷迭香、龙蒿、苹果、黄瓜、洋葱、土大黄。

　　净化血液的草药和食品:大蒜、洋葱、韭菜、蒲公英、荨麻、紫锥菊、必需脂肪酸。

　　利于放松的草药和食品:橄榄油、牛蒡、土大黄、芦荟汁。

　　增加身体热量/排汗的草药和食品:金盏花、百里香、大蒜、洋葱、细香葱、芥末、绿茶。

　　注意事项:服用草药不应连续超过六周,除非有医生建议。

短期性一日排毒食谱

每天喝六杯纯净水。

起床后

喝水和鲜榨苹果汁,服用两片牛奶蓟药片。

早餐

新鲜水果色拉加活性酸奶和芝麻。

蒲公英和牛蒡水煎服。

上午

芦荟汁。

午餐

混合色拉,包括金盏花花瓣、黄瓜、洋葱、荨麻叶,加橄榄油和柠檬汁。

鲜核桃和杏仁。

蒲公英和牛蒡水煎服。

下午

绿茶。

晚餐

朝鲜蓟浇橄榄油和酸橙汁。

开胃菜加活性酸奶。

辣椒和细香葱蘸酱。

苹果和向日葵种子。

蒲公英和牛蒡水煎服。

睡前

甘菊茶。

小片全麦面包(自由选择)。

注意事项: 排毒几天后,每天至少两餐,添加淀粉类蔬菜或全麦食品。

锻炼: 每天散步或游泳两次,每次 20 分钟,注意调整呼吸。

应遵循何种类型的饮食呢?

某些排毒饮食近乎绝食。只是喝水,所以杜绝了毒素进入体内,可如果持续两天以上就有危险了。

对于大多数人来说,应该有个好的排毒计划,可以坚持两天以上。排毒应在正常生活的状态下,饮食需要多样化,而且有足够的热量。所以,如果排毒计划中含有大量的食物和草药馨更有效,有助于身体自行排毒。

"排毒"时,可从上文列出的每种食品类别中选择一两种。有几种是草药或根——如何浸泡和熬草药。

对人体有益的食物是所有有。机生长的新鲜水果、果汁、色拉和非淀粉类蔬菜——可直接食用、蒸食或稍加烹调,此外还有新鲜的草药、橄榄油、其他一些未烹制的蔬菜和菜子油、活性酸奶和生的坚果和种子。

如果工作清闲,运动量不大,这样的饮食可以持续几天,它们能向人体提供大量的抗氧化剂。若长期排毒,再加一些谷类食品和淀粉类蔬菜,如糙米、藜麦、一些有机全麦面包、马铃薯等。

少吃或完全不吃的食品包括肉类、酸奶之外的所有奶制品、咖啡、酒和所有加工食品。不要吸烟,不要服用药物,除非医生规定必须要服。

家庭生活万事通

多喝纯净泉水,每天1.75至2.25升(3至4品脱),还要多喝鲜榨果汁和蔬菜汁。也可喝自制的或天然的药茶和绿茶。

每天早睡,睡觉时最好开窗或使用空气净化器保持室内空气清新。每天到户外呼吸新鲜空气,做深呼吸运动。

排毒饮食持续多久才会感觉舒服呢?

如果对某一种或几种食品有不耐性,排毒饮食中去掉这种食品,会产生适应性的"头疼"或类似流感的症状。对咖啡上瘾的人,在不喝咖啡四五天后会感觉轻度乃至严重的头疼。如果体内的毒素(如杀虫剂)堆积成脂肪,只喝水的禁食能立即减去大量脂肪,但会引起其他症状。

所以在严格禁食前几天要做准备,逐渐适应排毒饮食计划——如,不喝酒、不吸烟。在感觉疲劳、不舒服,嘴里无味几天后,大多数排毒者都有所好转,一周后感觉精力充沛、思维敏捷。

何时停止排毒呢?

不要突然停止排毒饮食,最好每天增加几种食物,逐渐恢复到所有的健康饮食。如果排毒对身体有益,可以保持其做法,多吃新鲜、天然的食品,尽量远离各种毒素。

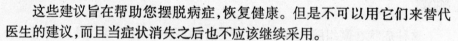

第七章　营养学疗法完全档案

　　每个人都应该根据自己的情况来确定自己的营养需求,这个过程是不可以替代的,但是对于受到某些健康问题困扰的患者来说,下面的这些营养建议会有一定的帮助。如果症状更加严重,那么最好在您的医生或者营养咨询师的监督下采用这些营养方案。建议补充的营养物质的种类是按照成人的情况确定的,其数量是根据本书中给出的公式计算出的。由于剂量是非常重要的,因此最好按照这些公式规定的数量进行补充。如果其中给出了某一营养物质的需要量,那么这就是总共需要进行补充的数量。另外还要避免"重复补充"的现象,例如,根据补充多种维生素增补剂一项补充了维生素A,根据补充抗氧化剂一项又补充了维生素A,而后又根据单独列出的维生素A的增补建议,再次进行补充,这种情况是要避免的。对于补充剂量进一步的指导就是,如果这些营养物质对某些症状的效果极其显著,或者患者出现了缺乏某些营养物质的症状,那么可以使用更高一些的剂量,但是不要超过本书中给出的范围。

　　这些建议旨在帮助您摆脱病症,恢复健康。但是不可以用它们来替代医生的建议,而且当症状消失之后也不应该继续采用。

痤疮

　　该症状广泛存在于青少年之中,在这个年龄段中体内荷尔蒙的变化是导致众多皮肤问题的根源所在。这种荷尔蒙的变化引起皮脂腺皮脂分泌过多,阻塞皮肤毛孔因而更容易造成感染。如果饮食中包括大量饱和脂肪以及煎炸食物,则同样也有可能造成皮肤毛孔的阻塞。缺乏维生素A会使得皮肤细胞过度角质化并造成皮肤充血。维生素A以及锌缺乏症会导致抵抗感染的能力下降,同样体内缺乏有益菌(由于过量服用抗生素)也会造成抵抗感染能力的下降。最佳营养学的方案有助于平衡体内荷尔蒙的水平并降低被感染的可能性。治疗痤疮最重要的营养物质包括维生素A、维生素B合成物(特别是维生素B6)、维生素C和维生素E、以及锌,烟酸可以增加面部的红润色彩、维生素 E 则有助于伤口的愈合。良好的饮食及清洁是必不可少的。要慎重选择添加了碘的增补剂,因为它会使痤疮更加严重。

饮食建议

采用最佳饮食方案并大量饮水。富含硫元素的食物,如蛋类、洋葱以及大蒜对治疗痤疮也有一定的帮助。要避免食用糖类、吸烟、煎炸以及高脂肪的食物。要食用大量新鲜的水果以及蔬菜(水分含量较高的食物)。

增补建议

- 多种维生素增补剂及多种矿物质增补剂
- 抗氧化合成物
- 2 × 维生素 C1000 毫克
- 维生素 B6100 毫克
- 锌 15 毫克
- 维生素 E500 国际单位(有助于皮肤的修复)
- 烟酸(维生素 B3)100 毫克补充 30 天(增加面部红润色彩以及净化皮肤)

酗酒

这种症状在高组胺人群中较为广泛,酗酒在一定程度上是他们消耗体内过多能量的一种方法。酒精会破坏体内的 B 族维生素,特别是维生素 B1、维生素 B2、维生素 B3 以及维生素 B6,这会对肝脏以及神经系统造成很大的影响。碱性较高的饮食可以降低对酒精的需要。情绪上的问题总是造成酗酒的根本原因,因此必须解决这种情绪问题以及对酒精的嗜好——通常还存在对糖类的嗜好。

饮食建议

采用本书中推荐的饮食方案并食用大量的粗粮、蚕豆以及小扁豆。要大量饮水。通常对酒精的嗜好会替代对糖类的嗜好,而事实上酒精只不过是另外一种形式的糖而已,因此最好避免食用糖类以及刺激性食物。要经常食用一些含有蛋白质的食物,如坚果、植物种子、鱼类、鸡肉、蛋类或者牛奶制品。

增补建议

- 多种维生素增补剂以及多种矿物质增补剂
- 抗氧化合成物
- 3 × 维生素 C1000 毫克
- 维生素 B6100 毫克 + 锌 10 毫克
- 骨骼矿物质合成物（提供 500 毫克的钙以及 300 毫克的镁）

过敏症

　　"过敏"这个词通常会有本意之外的其他含义。过敏症是指对某种物质的不耐性。例如，如果我们大量饮用咖啡会导致一系列症状的出现，那么我们就是对咖啡过敏。有一些人食用简单的食物，如小麦或牛奶都会产生明显的症状。过敏症与对某种食物的嗜好相似，通常最喜好食用的食物可能就是引起过敏的根源。如果你感觉自己可能有过敏症，但是又不确定对哪种食物过敏，那么最好去咨询一下营养咨询师或者过敏症专家，他们可以为你进行测试，并解决任何潜在的有可能引起过敏症的消化失衡。在大多数情况下，最佳营养学的方案可以在很大程度上减轻或者消除过敏反应。维生素 C、钙以及镁有助于减轻过敏反应的程度。L－谷酰胺则有助于内脏的恢复，并有助于支持免疫系统以及降低出现过敏的可能性。

　　饮食建议

　　采用全面健康的饮食方案。避免食用有可能引起过敏的食物、乳制品以及谷物（最常见的过敏原），特别是小麦。经过两个月之后，你就可以每隔3 天重新食用一次这些物质，而且不会再有任何过敏反应。最终你就可以每天少量食用这些曾经引起你过敏的食物了。

　　增补建议

- 多种维生素增补剂以及多种矿物质增补剂
- 抗氧化合成物
- 4 × 维生素 C1000 毫克
- 钙/镁合成物（分别提供 500 毫克的钙以及 300 毫克的镁）
- L－谷酰胺粉，每日 3 克

心绞痛与动脉硬化症

动脉硬化症是由于脂肪堆积而造成的动脉变窄。当这种症状愈加明显的时候,血压便开始升高。如果在为心脏提供氧气的动脉中出现明显的阻滞,就会引起心绞痛,其症状为胸部在用力的时候疼痛。最佳营养学的方案是防止这两种症状出现的主要的方法。抗氧化营养物质有助于防止可能引起这些问题的细胞损伤的发生。维生素 C 以及赖氨酸则有助于防止动脉硬化的发生。维生素 B3(烟酸)可以提高高密度脂蛋白(HDL)的含量,将胆固醇清运出血管。鱼油中富含 EPA(二十碳五烯酸)以及 DHA(二十二碳六烯酸),可以降低血液的粘稠度并减少胆固醇的含量。

饮食建议

严格遵守本书中的饮食建议,避免食用糖、盐、饱和脂肪含量高的食物、咖啡以及过量的酒精。可以通过食用植物种子,确保饮食中必需脂肪的含量。在能力所及的范围内进行足够的体育锻炼。

增补建议

- 多种维生素增补剂以及多种矿物质增补剂(包括至少 300 毫克的镁)
- 2×抗氧化合成物
- 4×维生素 C1000 毫克
- 2×赖氨酸 1000 毫克
- 维生素 E500 国际单位
- "不会引起潮红反应的"烟酸 500 毫克
- 2×EPA(二十碳五烯酸)鱼油 1200 毫克

关节炎

关节炎有两种主要的形式,而造成这两种关节炎的病因则很多。骨关节炎常见于老年人,其症状是关节处的软骨磨损,导致支承身体重量的关节发生疼痛以及僵硬。风湿性关节炎则会影响全身,而不仅仅是某处的关节。抗氧化营养物质、必需脂肪以及维生素 B5 可以减轻炎症。B 族维生素以及维生素 C 可以支持内分泌系统,从而控制体内钙质的平衡。维生素 D、钙、镁以及硼元素都有助于骨骼的健康。

饮食建议

采用本书中的理想饮食方案，并确保不食用任何刺激肾上腺的食物，如茶、咖啡、糖类以及精制碳水化合物。大量饮水和香草茶。进行过敏检查以及头发矿物质分析，以检查体内矿物质的水平。

增补建议

- 多种维生素增补剂以及多种矿物质增补剂
- 抗氧化合成物
- 2×维生素 C1000 毫克
- 维生素 B5(泛酸)500 毫克
- GLA(γ－亚麻酸)150－300 毫克
- EPA(二十碳五烯酸)1200 毫克
- 骨骼矿物质合成物

哮喘

这种发炎的症状会影响到肺脏以及呼吸，其特征是呼吸困难且咳嗽频繁。通常情况下，发病是由于潜在的过敏反应、压力事件或环境条件的变动，如天气变化而引起的。维生素 A 有助于保护肺脏的内壁，而维生素 C 则有助于化解环境中的毒素。抗氧化营养物质以及必需脂肪都具有抗发炎的作用。

饮食建议

采用本书中推荐的理想饮食方案，保证摄入适量的必需油类。如果你怀疑自己有过敏症，最好向营养咨询师进行咨询。

增补建议

- 多种维生素增补剂以及多种矿物质增补剂
- 抗氧化合成物
- 2×维生素 C1000 毫克
- 2×GLA(γ－亚麻酸)150 毫克食物来源:月见草油或玻璃苣油

乳腺癌

　　大多数的乳腺癌都与体内荷尔蒙的水平相关,即雌激素过剩以及黄体酮不足。压力、过量使用刺激性物质以及接触杀虫剂都会破坏体内荷尔蒙的平衡。但是有一些形式的乳腺癌更多的与致癌物质有关。抗氧化营养物质已被证明可以降低患病风险并增加存活的可能性。使用天然黄体酮可以防止肿瘤细胞的扩散。如果要测试你体内的荷尔蒙水平,请咨询你的医生或营养咨询师,并考虑是否使用天然黄体酮乳。

饮食建议

　　采用本书推荐的饮食方案。要选择含有大量抗氧化剂的食物,并避免食用牛奶及肉类,因为它们都含有大量的激素,还要尽量食用有机食物。要保持非常低的饱和脂肪的摄入量,并确保从植物种子以及冷榨植物油中获得充足的必需脂肪。

增补建议

- 多种维生素增补剂以及多种矿物质增补剂
- 2 × 抗氧化合成物
- 4 × 维生素 C1000 毫克
- GLA(γ - 亚麻酸)150 毫克

支气管炎

　　该症状是由于肺部的组织发炎引起的。最佳营养学的方案可以增强免疫系统并有助于维持肺部的健康,因此可以帮助预防支气管炎的发生。维生素 A、维生素 B 合成物、维生素 C、维生素 E 以及矿物质中的硒和锌都可以增强免疫系统。维生素 A 以及维生素 C 还可以保护肺部组织。

饮食建议

　　采用本书中推荐的饮食方案,并且不要吸烟。如果少食用粘液性的食物,如牛奶以及牛奶制品,也可以在一定程度上减轻症状。要保持非常低的饱和脂肪的摄入量,并确保从植物种子以及冷榨植物油中获得充足的必需脂肪。

增补建议

- 多种维生素增补剂以及多种矿物质增补剂
- 抗氧化合成物
- 2×维生素 C1000 毫克
- 2×GLA(γ−亚麻酸)150 毫克食物来源：月见草油或玻璃苣油
- 维生素 E400 国际单位

灼伤、割伤及淤伤

　　上述这些症状都需要皮肤进行愈合，这就需要大量的维生素 A、维生素 C、维生素 E、锌以及生物类黄酮。这些营养物质可以减轻淤伤、加快伤口愈合并缩小疤痕组织。可以将维生素 E 胶囊刺破，将维生素 E 涂在伤口周围进行摩擦，但是不要接触割伤或灼伤的伤口。富含维生素 A、维生素 C 或维生素 E 的可以渗透皮肤的乳剂也十分有效，如含有视黄醇、抗坏血酸以及生育酚的棕榈酸盐的乳剂。

饮食建议

　　采用本书中推荐的饮食方案。大量饮水。并确保从植物种子以及冷榨植物油中获得充足的必需脂肪。

增补建议

- 多种维生素增补剂以及多种矿物质增补剂，包括维生素 A 以及 β−胡萝卜素各 7500 国际单位(2270 微克)
- 抗氧化合成物
- 2×维生素 C 合成物 1000 毫克，包括生物类黄酮至少 150 毫克
- 2×GLA(γ−亚麻酸)150 毫克食物来源：月见草油或玻璃苣油
- 维生素 E500 国际单位
- 锌 15 毫克

家庭生活万事通

329

癌症

癌症有许多种类,其病因也各不相同。大多数的癌症都与接触或摄入了致癌物以及免疫能力欠佳相关。癌症通常都会涉及到自由基对细胞的破坏,从而使它们发生癌变。根据癌症的种类不同,首先需要做的是消除诱发癌症的因素——吸烟、高脂肪饮食、HRT(荷尔蒙替代疗法)、过度照射阳光或接触杀虫剂、含有大量肉类的饮食以及酒精等等。下一步就是要强健免疫系统,这要通过饮食、增补剂以及增加抗氧化营养物质的摄入量来实现。

饮食建议

严格遵守本书中推荐的饮食建议。增加高度抗氧化食物的摄入量。停止食用红色肉类(在未烹制前呈深色的肉类,如牛肉和羊肉等——译者)、停止饮酒,减少饱和脂肪的摄入量。严格的素食类型的饮食最佳。另外,还要大量饮水以及香草茶,特别是猫爪草茶,它可以有效增强免疫系统。

增补建议

* 多种维生素增补剂以及多种矿物质增补剂
* 2×抗氧化合成物
* 4×维生素 C1000 毫克(每日最多 10 克)
* 2×GLA(γ-亚麻酸)150 毫克食物来源:月见草油或玻璃苣油
* 维生素 A 每日 1 万国际单位(3000 微克)(检查抗氧化合成物以及多种维生素增补剂一项,避免重复补充)
* 维生素 E 每日 600 国际单位(检查抗氧化合成物以及多种维生素增补剂一项,避免重复补充)
* 硒每日 200 微克(检查抗氧化合成物以及多种矿物质增补剂一项,避免重复补充)

念珠菌病

白色念珠菌是一种类似酵母菌的真菌,它可能在人体的任何部位过度生长,最常见的是消化道以及阴道,并会引起鹅口疮及酵母菌感染。轻微的生长过度可以通过下面这四个步骤消除:首先,服用抗真菌制剂,如羊脂酸以及葡萄柚籽提取物;然后补充有益菌;再次,采用有助于增强免疫力的饮食方案以及增补剂;最后,采用抗念球菌饮食方案(见下面内容)。在通常情况下,最好咨询一下营养咨询师,因为他们可以通过适当的检查确定感染的范围。

饮食建议

避免食用任何糖类,特别是快速释放能量的糖类(在第一个月里,水果也不可以食用)。同时还要避免食用含有酵母菌的食物、蘑菇以及发酵食物,如酒精和醋。最好减少小麦的摄入量,因为它会刺激肠道。这就意味着只可以食用蔬菜、谷物、蚕豆、小扁豆、坚果以及植物种子。确实值得去买一本好的抗念珠菌的食谱!

增补建议

- 多种维生素增补剂以及多种矿物质增补剂
- 抗氧化合成物
- 2×维生素 C1000 毫克
- 羊脂酸 700 毫克每日 2 次
- 葡萄柚籽提取物 15 滴每日 2 次
- 益生素增补剂,如嗜酸性乳酸杆菌/双岐乳酸杆菌(与羊脂酸以及葡萄柚籽提取物分开服用,可以在睡前服用)

感冒和流感

除非你过隐居的生活,否则接触病毒就是不可避免的。但你是否能够战胜病毒就取决于感染时你的免疫系统的抵抗能力。研究已经反复证明每日补充至少 1 克的维生素 C 可以降低感冒的发病率、减轻症状并缩短患病时间。但是采用最佳营养学的饮食方案并补充可以增强免疫系统抵抗力的营养物质,能够在感冒流行的时期收到更好的效果。

饮食建议

避免食用任何乳制品、蛋类、过量的肉类以及大豆,因为这些食物都是粘液性的。食用新鲜的水果和蔬菜以及它们水果汁和蔬菜汁,从而给身体提供高能量的纯天然食物。每日喝猫爪草茶 3 次,以增强免疫系统。

增补建议

- 多种维生素增补剂以及多种矿物质增补剂
- 抗氧化合成物
- 2×维生素 C1000 毫克(每 4 小时 4 克仅限感染的时候)
- 接骨木果提取物(每日 4 次每次 1 甜点匙仅限感染的时候)
- 紫锥花汁(每日 2~3 次每次 10 滴)

结肠炎

　　结肠炎的症状是大肠的一部分发炎。它通常是由压力引起的;但也有可能是因为饮食欠佳、排泄不畅、过敏症或者营养状态没有达到最佳状况所致。由于存在炎症,因此第一步就是要减少食用任何可能导致炎症恶化的食物,包括酒精、咖啡以及小麦。可以选择一些能够轻松通过消化道的食物和饮料来代替它们,如清蒸蔬菜、米饭、鱼类以及水果,再加上消化酶增补剂。富含 GLA(γ – 亚麻酸)的必需脂肪是非常有效的抗发炎制剂。抗氧化剂也有助于减轻炎症。

饮食建议

　　本书中推荐的饮食方案是十分有效的,但是在这种情况下,大量的纤维会对肠道造成刺激。因此轻微蒸过的蔬菜、鱼类以及烹制的谷物通常是更适合的饮食方案,并可以将容易消化的水果作为小食。避免食用任何消化刺激物,包括所有你过敏的食物,如小麦、酒精、咖啡以及调味品。

增补建议

- 多种维生素增补剂以及多种矿物质增补剂
- 抗氧化合成物
- 2×GLA(γ – 亚麻酸)150 毫克
- 维生素 C500 毫克(抗坏血酸盐最多 2000 毫克,因为抗坏血酸会对发炎的肠道造成刺激)
- 正餐时补充消化酶

便秘

普遍的观点认为我们每日只要排泄一次就足够了,但事实上我们每日需要排空肠道两到三次。健康的粪便应该比较容易排出,而不需过多的用力。如果按照上述的标准来判断,那么大多数人都患有便秘。纤维含量高的饮食有助于消除便秘,同样有效的方法还包括减少肉类以及牛奶制品的摄入量。体育锻炼是至关重要的,因为它可以增强腹部的肌肉。非刺激性的轻泻剂以及果寡糖粉都有助于减轻严重便秘的症状。

饮食建议

采用本书中推荐的饮食建议,特别是要食用纤维含量高的食物。每日至少喝 1 升(1.75 品脱)的水,最好在餐间饮用。减少食用肉类以及牛奶制品。在饮食中加入燕麦以及梅脯,可以将它们磨碎然后撒在食物上。

增补建议

- 多种维生素增补剂以及多种矿物质增补剂
- 3 × 维生素 C1000 毫克
- 维生素 E500 国际单位

慢性疲劳

慢性疲劳的病因很多,最常见的是由于营养状况没有达到最佳状态所致。体内制造能量需要的营养物质包括维生素 C、维生素 B 合成物、铁以及镁。但是,更加明显的症状通常被称为 ME,它可能包括用力后的极度疲劳。这些都有可能是由于身体的解毒能力超负荷运转造成的。任何制造能量(锻炼)和消化(进食)的过程都会产生毒素,并需要身体对其进行处理。如果在锻炼或进餐后出现上述症状,则需要去咨询营养咨询师,请他测试一下你肝脏的解毒能力。

饮食建议

少食多餐,选择缓慢释放能量的碳水化合物并以水果作为小食。避免食用糖类以及刺激性食物,如茶、咖啡、巧克力以及酒精。总之要遵守本书

333

中给出的饮食建议。

增补建议

- 多种维生素增补剂以及多种矿物质增补剂
- 3×维生素 C1000 毫克
- 维生素 B 合成物
- 抗氧化合成物

膀胱炎

膀胱炎是指膀胱发生的炎症和感染,它会引起尿频以及尿痛。维生素 c 以及维生素 A 可以预防这种感染,维生素 C 可以非常有效地消除该症状。葡萄柚籽提取物也有同样的效果。以下的建议只适用于消除膀胱炎的症状,平时不应采用。

饮食建议

采用本书推荐的饮食方案。避免食用糖类。每日饮用 2 升(3.5 品脱)水。

增补建议

- 多种维生素增补剂以及多种矿物质增补剂
- 抗坏血酸钙粉每日 10 克溶于水/果汁中直到症状消除
- 2×维生素 A7500 国际单位(2270 微克)
- 葡萄柚籽提取物 10 滴每日 3 次

抑郁症

抑郁症的病因很多都与营养学相关,最常见的就是由于营养状况没有达到最佳,因而导致脑力以及体力状况欠佳。血糖浓度失衡会导致抑郁症的发生。体内组胺分泌过多的人也容易患抑郁症。压力以及过量摄入刺激性食物会引起肾上腺衰竭,这同样会引发抑郁症。过敏症也是如此。营养咨询师能够帮助你确定可以通过营养方案进行改善的因素。

饮食建议

停止食用糖类以及精制食品。减少摄入刺激性食物——茶、咖啡、巧克力、可乐饮料、香烟以及酒精。采用本书中推荐的饮食方案。进行为期两周的测试,期间停止食用小麦以及乳制品。

增补建议

- 多种维生素增补剂
- 多种矿物质增补剂至少包括锌 10 毫克、镁 200 毫克、锰 5 毫克以及铬 100 微克。
- 2×维生素 C1000 毫克
- 泛酸 500 毫克

皮炎

皮炎字面上的意思就是皮肤发炎,与湿疹相似。通常在该症状的起因为接触性过敏时,使用"皮炎"这个词。引起皮炎的原因很多,包括首饰以及手表上的金属、香水、化妆品、清洁剂、肥皂以及洗发香波。接触性过敏通常也伴随着食物过敏:最常见的罪魁祸首就是乳制品及小麦。有的时候症状只有在食物过敏和接触性过敏同时发生的时候才会显现出来。另外一种常见的原因是植物种子以及植物种子油中的必需脂肪酸,它们在体内可以转化为抗发炎的前列腺素。过多的饱和脂肪或煎炸食物,以及缺乏某些重要的维生素或矿物质都会阻碍前列腺素的生成。皮肤也是身体可以利用来排出毒素的一条通路。有一种皮炎被称为肢皮炎,通过补充锌可以非常有效解除症状,这种皮炎主要就是由于缺乏锌元素引起的。

饮食建议

采用严格素食类型的饮食方案,最好是只包括少量的饱和脂肪,但是要有充足的来源于植物种子的必需脂肪。如果你怀疑自己对乳制品或小麦过敏,可以避免食用这些食物,进行一下测试。

增补建议

- 多种维生素增补剂以及多种矿物质增补剂(包括镁 300 毫克以及锌 15 毫克)

家庭生活万事通

- 2 × 维生素 C1000 毫克
- 抗氧化合成物
- GLA(γ - 亚麻酸)300 毫克
- 维生素 E500 国际单位

糖尿病

儿童型糖尿病以及成人型糖尿病都是由过高的血糖浓度引起的。一般认为儿童型糖尿病是由牛奶和牛肉中的蛋白质以及胰腺中的蛋白质之间的交叉反应引起的。如果是基因上易患糖尿病的儿童,在出生后的最初几个月被喂食了乳制品或牛肉,那么他们就有可能患上儿童型糖尿病,因为在那个时候婴儿的消化道和免疫系统尚未发育成熟。成人型糖尿病通常是由不良的饮食习惯(过量摄入糖类及刺激性食物)造成的,通常的前兆就是血糖过低。在处理各种类型的葡萄糖不耐症以及糖尿病的过程中,非常重要的一点就是要确保体内可以分泌适量的肾上腺荷尔蒙、胰岛素以及葡萄糖容许量因子。特别重要的营养物质包括维生素 C、维生素 B3、维生素 B5、维生素 B6、锌以及铬。在对你的饮食做出任何变动之前,最好咨询一下你的医生。

饮食建议

糖尿病饮食方案最关键的就是要保持血糖水平稳定。要实现这一点最好的方法就是少食多餐,并选择缓慢释放能量的碳水化合物,再加上一些蛋白质。这就意味着下面的这些食物都是可选的:坚果和水果、"种子类"蔬菜,如玉米、豌豆、青豆或粗粮、蚕豆或小扁豆,它们既含有缓慢释放能量的碳水化合物又含有蛋白质。要避免食用糖类以及浓缩的糖分,如浓缩果汁,甚至还要避免过量食用可以快速释放能量的水果,如椰枣以及香蕉,或水果干。同样还要避免食用过多的会对肾上腺造成刺激的食物,如茶、咖啡、酒精、香烟以及食盐。

增补建议

- 多种维生素增补剂以及多种矿物质增补剂
- 2 × 维生素 C1000 毫克
- 维生素 B 合成物

- 锌 20 毫克
- 铬 200 微克

憩室炎

　　这是一种出现在小肠和大肠的病症,肠壁上的囊袋膨胀,于是更容易感染或发炎。这种症状主要是由于缺乏足够的纤维以及体育锻炼所致,因此在原始社会是非常罕见的。建议采用全面的维生素方案,以支持肠部周围肌肉的韧性,并维持强健的抵御感染的系统。最主要的治疗方法是增加可溶性纤维的摄入量并定期进行体育锻炼,如游泳。

饮食建议

　　采用本书中推荐的饮食方案,特别要增加高纤维含量食物的摄入量。但是如果炎症非常严重,最好还是食用轻微蒸过的蔬菜、燕麦(含有可溶性纤维)以及磨碎的植物种子和坚果,并避免食用添加"硬"纤维的食物,如麦麸。最好将谷物像燕麦那样浸泡在水中,以最大限度的增加其含水量;这些食物可以提供所需的纤维,不会对发炎的部位造成刺激。同时还可以食用富含 Ω−3 系列以及 Ω−6 系列脂肪酸的冷榨油类,它们都有助于减轻炎症。

增补建议

- 多种维生素增补剂以及多种矿物质增补剂
- 维生素 E500 国际单位
- 维生素 C1000 毫克

耳部感染

　　这种感染通常都是由于潜在的过敏症引起的。过敏反应导致发炎,并阻塞连接鼻窦和耳部的狭窄通道。一旦发生肿胀和阻塞,内耳室就极易发生感染。利用抗生素的治疗方法会将患其他感染的可能性增加 4 倍。这可能是因为抗生素会刺激肠壁,致使它更容易被渗透,从而加重过敏症所致。

饮食建议

　　采用本书中推荐的饮食方案。食用大量的水果与蔬菜,并饮用足够的

家庭生活万事通

水果汁与蔬菜汁。大量饮水、香草茶,每日饮用 3 杯猫爪草茶。避免食用粘液性食物——乳制品、肉类以及蛋类。乳制品过敏是耳部感染最常见的病因。

增补建议

- 多种维生素增补剂以及多种矿物质增补剂
- 抗氧化合成物
- 3 × 维生素 C1000 毫克
- 紫锥花汁 10 滴每日 2 次
- 每日一定量的库拉索芦荟汁(龙舌兰)要根据瓶子上的说明进行服用(选择质量最好的,因为其中的有效成分相差很大)
- 葡萄柚籽提取物 10 滴每日 2 次

如果是儿童,则根据体重将这些剂量按比例降低。例如,体重为 60 磅(普通成人体重的一半)的儿童,可以服用 5 滴的紫锥花汁以及葡萄柚籽提取物,维生素 C 每日 3 次,每次 500 毫克(总共 1500 毫克),以及适合儿童服用的多种维生素增补剂、多种矿物质增补剂以及抗氧化合成物。

湿疹

患湿疹会令人非常痛苦,皮肤出现鳞状且发痒,皮肤可能会出现裂纹而且非常疼痛。皮炎与湿疹在性质上十分相似,在病因上也有一些相似之处。过敏症的可能性非常大。虽然作用机理尚不清楚,但是最佳营养学的方案通常有助于这种病症的解除。维生素 A 与维生素 C 可以强化皮肤,而维生素 E 和锌则可以促进愈合。如果没有开裂的伤口,维生素 E 油可以用来帮助皮肤的修复。同时必需脂肪有助于减轻炎症。

饮食建议

采用严格素食类型的饮食方案,最好只摄入少量饱和脂肪,并通过食用植物种子保证获得充足的必需脂肪。如果你怀疑自己对乳制品或小麦过敏,可以避免食用这些食物,并进行测试。

增补建议

- 多种维生素增补剂以及多种矿物质增补剂（包括镁 300 毫克以及锌 15 毫克）
- 2×维生素 C1000 毫克
- 抗氧化合成物
- GLA（γ-亚麻酸）300 毫克
- 维生素 E500 国际单位

胆结石

　　胆囊中储存了用于消化脂肪的胆汁，并通过与肝脏相连的胆管运送到肝脏，如果其中堆积了钙质和胆固醇就会引起胆结石。如果胆管被阻塞，身体就无法正常地吸收脂肪，会进一步引发黄疸。胆结石的病因并非饮食中包含了过量的钙质或胆固醇，而是体内处理这些物质的过程出了问题。通常，胆结石患者的胆管天生狭窄，更增加了他们患胆结石的可能性。卵磷脂有助于对胆固醇的乳化，而全面的最佳营养学饮食方案也应该有助于防止这种异常现象的出现。含有脂肪酶的消化酶增补剂可以帮助消化脂肪。

饮食建议

　　采用本书中推荐的饮食方案，并避免食用饱和脂肪，保持正常的必需脂肪的摄入量，如可以在早餐的时候选择植物种子；而在中餐和晚餐时，选择 1 甜点匙富含 Ω-3 系列以及 Ω-6 系列脂肪酸的冷榨油类。

增补建议

- 多种维生素增补剂以及多种矿物质增补剂
- 抗氧化合成物
- 维生素 C1000 毫克
- 每餐补充 1 甜点匙磷酸脂粒剂或 1 颗磷酸脂胶囊
- 1×消化酶（含有脂肪酶）每餐补充

痛风

　　痛风是由于蛋白质新陈代谢不当造成的，导致尿酸晶体沉积于手指、脚趾以及关节并引发炎症。脂肪含量低且蛋白质含量适中的饮食有助于减轻这种症状,体育锻炼同样十分有效。但是,蛋白质新陈代谢过程中涉及到的许多营养物质特别是维生素 B6 和锌,同样也是预防痛风的营养方案中的重要组成部分。

饮食建议

采用本书中推荐的饮食方案,避免摄入红色肉类以及酒精。确保每日饮用至少 1 品脱(600 毫升)的水。

增补建议

- 多种维生素增补剂以及多种矿物质增补剂
- 3 × 维生素 C1000 毫克
- 维生素 B6100 毫克
- 锌 15 毫克
- 骨骼矿物质合成物(富含碱性的钙以及镁)

头发问题

有很多种不同的头发问题,包括干性头发或油性头发以及头发过早脱落,但在多数情况下,这些问题都与你所选择的食物有关。缺乏维生素 B 时头发就会出现油性的特征。干性或易断的头发通常都表明缺乏必需脂肪。头发生长缓慢或脱色是缺乏锌的症状。头发脱落表明全面营养缺乏,特别是缺乏铁、维生素 B1、维生素 C 或赖氨酸(一种氨基酸)。一些头发保养剂中含有所有的这些营养物质。按摩头皮也有一定的作用,倒立也是如此,因为它可以增加头皮的血液循环。已证实的解决头发脱落的最佳方法就是将最佳营养学方案、增加头皮血液循环以及调节荷尔蒙平衡三者结合起来。但是现在尚无任何方法解决头发灰白的问题,也没有任何明显的证据表明它与营养学相关。

饮食建议

采用本书中推荐的饮食方案。确保你不会缺乏必需脂肪以及水分。避免食用糖类以及刺激性食物,如茶、咖啡和巧克力。

增补建议

- 多种维生素增补剂以及多种矿物质增补剂（包括铁 15 毫克以及锌 15 毫克）
- 维生素 B 合成物
- 维生素 C1000 毫克
- 赖氨酸 1000 毫克（仅限治疗头发脱落）

宿醉

过量摄入酒精的症状，包括脱水以及中毒。当超出了肝脏的解毒能力，身体内就会产生有毒的物质，正是这些有毒的物质进而会引起头痛。如果在饮酒前采用下列的建议方法，就可以减轻宿醉的症状。另外还可以饮用大量的液体，稀释体内的酒精。毋庸赘言，大量饮酒肯定不符合最佳营养学的原则！

饮食建议

采用本书中推荐的饮食方案。食用天然的食物，减轻身体解毒的负担。水果和蔬菜汁都富含大量的抗氧化剂，对身体极为有益，水也是如此——每日饮用 2 升（3.5 品脱）水。另外还要饮用猫爪草茶。

增补建议

- 多种维生素增补剂以及多种矿物质增补剂（最好包括钼）
- 6×维生素 C1000 毫克（每 2 小时 1 次）
- 3×抗氧化合成物

花粉热

对花粉的过敏反应被认为是花粉热的病因，但是其他的因素也会使人更容易打喷嚏。与农村地区相比，城市中花粉热的发病率迅速上升，这使得人们发现污染物，如汽车排放的废气会刺激免疫系统做出反应。在夏季，由于阳光对氧气分子的作用使得污染地区的空气中含有更多的自由基，因此城市居民就会吸入更多的污染物。进行全面的抗氧化剂的补充将有助于增强你的抵抗力，补充的营养物质包括：维生素 A、维生素 C 和维生素 E、β-胡萝卜素、硒和锌、以及氨基酸半胱氨酸或谷胱甘肽（氨基酸中最有效的是 N

家庭生活万事通

– 已酰半胱氨酸,有时被称为 NAC 或还原型谷胱甘肽)。氨基酸蛋氨酸与钙共同服用可以有效地抵抗组胺。你需要每日 2 次服用 500 毫克的 L - 蛋氨酸以及 400 毫克的钙质。维生素 C 有助于控制体内过高的组胺含量。维生素 B6 以及锌可以平衡体内的组胺含量并增强免疫系统。而维生素 B5 则有助于减轻花粉热的症状。

最常见的三种反应物质分别是花粉、小麦以及牛奶。尽管尚无证据证明它们之间的联系,但是非常有趣的是它们最初都来源于禾本科植物。一种可能是一些花粉热患者逐渐对谷物、青草可能还包括牛奶中常见的蛋白质产生了过敏。不管怎样,乳制品会增加粘液的生成。同样,现代的小麦品种中含有大量的麸质,它会对消化道造成刺激,也会增加粘液的生成。

饮食建议

避免食用或至少要限制小麦、乳制品以及酒精的摄入量。食用大量富含抗氧化剂的水果与蔬菜,以及富含硒以及锌的植物种子。如果可能,要避免接触花粉以及汽车排放的废气。

增补建议

* 多种维生素增补剂以及多种矿物质增补剂(提供维生素 B6100 毫克以及锌 15 毫克)
* 抗氧化合成物
* 3 × 维生素 C1000 毫克

如果症状确实严重,可以尝试:
* L - 蛋氨酸 500 毫克每日 2 次
* 钙 400 毫克每日 2 次
* 泛酸 500 毫克每日 2 次

头痛和偏头痛

头痛及偏头痛的病因很多,包括血糖浓度降低、脱水、压力或紧张过敏或是几种原因的综合。肾上腺素以及血糖浓度的起伏可能引起头痛。通常采用最佳营养学的方案就可以解除这些症状。如果病症依然存在,那么就需要仔细检查,看是否存在过敏症。观察你所食用的食物以及头痛发作的时间,看看其中是否有一定的联系。

对于患偏头痛的患者来说,现在他们可以不再服用阿司匹林,或收缩血管治疗偏头痛的药物。相反,可以尝试一下服用 100~200 毫克烟酸形式的维生素 B3,这是一种血管舒张剂。开始的时候可以先选择小剂量服用:这通常可以在偏头痛加重之前,就解除或减轻这种症状。最好在家里比较放松的环境下,尝试这种方法,这样你就不必烦恼通常会出现发热和潮红的感觉了。

饮食建议

少食多餐并避免长时间不进食,特别是压力或紧张的状态下。还要确保定时饮水。避免食用糖类以及刺激性食物,如茶、咖啡以及巧克力。

增补建议

- 多种维生素增补剂以及多种矿物质增补剂
- 维生素 B 合成物
- 维生素 C1000 毫克
- 维生素 B3 烟酸 100 毫克

高血压

动脉硬化症(动脉变窄变厚)、动脉张力以及血液粘稠都可能导致高血压。钙、镁、钾与钠(食盐)的摄入量之间的关系可能引起动脉张力。压力也是一个可能的原因。改变它们之间的这种数量关系就可以在 30 天内将血压降下来。维生素 C、维生素 E 以及富含 EPA(二十碳五烯酸)与 DHA(二十二碳六烯酸)的鱼油都有助于保持血液不出现粘稠。

饮食建议

采用本书中推荐的饮食方案。避免食用盐类以及添加盐的食物。增加水果(每日至少 3 个)和蔬菜的摄入量,因为它们都富含钾元素。每日食用 1 汤匙磨碎的植物种子粉,以额外补充钙和镁。如果你不是素食者,可以每周食用两次水煮、烤制或烘焙的金枪鱼、大马哈鱼、鲱鱼或者鲭鱼。

增补建议

- 多种维生素增补剂以及多种矿物质增补剂

家庭生活万事通

- 抗氧化剂
- 2×维生素 C1000 毫克
- 维生素 E500 国际单位
- 骨骼矿物质合成物(提供 500 毫克的钙以及 300 毫克的镁)
- EPA(二十碳五烯酸)/DHA(二十二碳六烯酸)鱼油 1200~2400 毫克

或食用含油的鱼类。

消化不良

引起这种症状的原因有很多,包括胃部产生的盐酸太多或太少。胃酸过多或食管裂孔疝通常会导致胃灼热。胃内盐酸不足或缺乏消化酶则通常会引起不消化的感觉并降低用餐的效用。肠道细菌数量失衡或真菌感染同样也会导致上述症状的出现以及餐后胃胀,因为进食促进了身体内无益的细菌或真菌的繁殖。营养咨询师可以对这些可能性进行测试并确定致病的原因。但是下面的建议可以作为治疗的一个良好开端。

饮食建议

采用本书中推荐的饮食方案。平衡饮食中的酸性食物和碱性食物。避免摄入会对胃部造成刺激的食物,如酒精、咖啡、红辣椒、浓缩蛋白质以及任何你怀疑可能引起过敏的食物。

增补建议

- 多种维生素增补剂以及多种矿物质增补剂
- 维生素 C1000 毫克
- 益生素,如嗜酸性乳酸杆菌/双岐乳酸杆菌
- 进正餐时补充消化酶(如果存在心痛的症状,则不要补充盐酸甜菜碱)

感染

当免疫系统的能力下降,就会发生感染。许多营养物质以及植物营养物质都有助于增强免疫功能。这些营养物质包括:维生素 C、所有的抗氧化剂、以及植物中的紫锥花、猫爪草以及库拉索芦荟。另外还有很多天然的可

以抵御感染的物质,包括益生素(抵御细菌感染)、羊脂酸(抵御真菌感染)、接骨木果汁(抵御病毒感染)以及对以上三种感染都有抵御功效的葡萄柚籽提取物。根据感染的类型选择最有效的疗法。下面只是一个一般的抵御感染的方案。

饮食建议

采用本书中推荐的饮食方案。大量食用水果和蔬菜,并饮用水果以及蔬菜汁。每日大量饮水、香草茶以及3杯的猫爪草茶。避免食用粘液性的食物——乳制品、肉类以及蛋类。

增补建议

- 多种维生素增补剂以及多种矿物质增补剂
- 抗氧化合成物
- 3×维生素 C1000 毫克
- 紫锥花汁 10 滴每日 2 次
- 每日一定量的库拉索芦荟汁(龙舌兰)要根据瓶子上的说明进行服用(选择质量最好的,因为其中的有效成分相差很大)
- 葡萄柚籽提取物 10 滴每日 2 次

不育症

尽管 30% 的无法生育的夫妻认为原因出自男性一方,但事实上不育症在女性中的发病率要高于男性。补充维生素 E、维生素 B6、硒以及锌对于男女双方都非常重要,对于男性来说,补充维生素 C 也十分重要。同样重要的还有必需脂肪酸。但是,除了营养缺乏之外,不育症还可能有很多其他的病因,如最常见的荷尔蒙失衡,特别是女性的荷尔蒙失衡。营养咨询师或你的医生可以通过在一个月内定期采集的唾液样本,检查是否存在荷尔蒙失衡的问题。

饮食建议

采用本书中推荐的饮食方案。必需脂肪酸常见于冷榨植物油中,因此确保你每日的饮食中包括 1 汤匙的混合油类,以提供 $\Omega-3$ 系列以及 $\Omega-6$ 系列脂肪酸,或者选择 1 满汤匙磨碎的植物种子粉。

家庭生活万事通

345

增补建议

- 多种维生素增补剂以及多种矿物质增补剂(包括 15 毫克锌以及 100 微克硒)
- 维生素 E500 国际单位
- 2×维生素 C1000 毫克
- GLA(γ–亚麻酸)150 毫克

炎症

许多健康问题,包括那些英文名称中以"itis"结尾的疾病,都是炎性的。也就是说,身体的某一部位,如肌肉或关节、肠道或呼吸道出现了炎症。这表明身体在试图对抗某种物质或过度对抗这种物质。这种情况的出现通常是由于体内缺乏必需脂肪以及支持它们的营养物质、维生素 B3、维生素 B6、维生素 H、维生素 C、锌以及镁。皮质醇是体内抗发炎的荷尔蒙,它的制造过程还需要泛酸(维生素 B5)。鲍斯威酸常见于一种称为乳香的植物,它是一种天然的抗发炎的乳剂,可以外用于发炎的关节以及肌肉。L–谷酰胺有助于减轻发炎的症状。抗氧化营养物质同样也被用于治疗炎症。但是如果引起发炎的病因一直存在,仅仅减轻发炎的症状是没有什么意义的。这种病可能是食物过敏或诸如酒精等刺激性食物引起的。

饮食建议

避免食用抑制免疫系统或具有刺激性的食物,如咖啡、酒精以及味重的调味品。停止食用可能造成过敏的食物,如小麦以及乳制品 10 天,以观察你对它们的反应。或者,你可以完全遵循本书中给出的饮食指导方法。

增补建议

- 多种维生素增补剂以及多种矿物质增补剂(包括 300 毫克镁以及 15 毫克锌)
- 抗氧化合成物
- 2×维生素 C1000 毫克
- 1×泛酸 500 毫克
- L–谷酰胺粉每日 3 克

- GLA(γ-亚麻酸)300 毫克
- EPA(二十碳五烯酸)/DHA(二十二碳六烯酸)鱼油每日 1200 毫克
- 鲍斯威酸胶囊或乳剂(随意)

肠易激综合症

　　肠易激综合症是指间歇的腹泻或便秘、急需通便、腹部疼痛以及消化不良。很多原因都可能引起上述的一个或多个症状,这些原因包括食物过敏、肠道发炎、肠部肌肉过度兴奋、压力、感染以及毒素过多。因此在治疗之前,最好咨询一下营养咨询师,以确定发病的原因。必需脂肪以及氨基酸谷酰胺可以减轻炎症、抗氧化剂可以帮助身体解毒、而适量的矿物质有助于肠道肌肉正常工作。

饮食建议

　　采用简单、天然的饮食方案,包括轻微烹制的蔬菜、鱼类、不含麸质的谷物(稻子米、小米、玉米以及奎奴亚藜)、小扁豆和蚕豆、以及可以提供必需脂肪的磨碎的植物种子粉。避免食用任何可能引起过敏的食物,包括小麦、乳制品、咖啡、酒精以及调味品,10 天后观察这样是否带来一些情况的好转。

增补建议

- 多种维生素增补剂以及多种矿物质增补剂
- 抗氧化合成物
- 2×维生素 C500 毫克
- L-谷酰胺粉每日 3 克
- GLA(γ-亚麻酸)300 毫克
- 每餐补充消化酶(如果出现消化不良的症状)

更年期综合症

　　更年期综合症包括疲劳、抑郁、体重增加、骨质疏松症、性欲减退、阴道干涩以及潮红。尽管最佳营养学的方法可以减轻上述这些症状,但是许多女性少量使用天然黄体酮乳剂也有一定的效果。这种乳剂可以凭医生的处方购买。同时补充维生素 C、维生素 E 以及生物类黄酮有助于减轻潮红症状。充足的必需氨基酸对于解除上述症状以及包括阴道干涩在内的其他症状非常重要,它可用于制造有助于平衡荷尔蒙水平的前列腺素。前列腺素的正常工作需要充足的维生素 B6、锌以及镁。

饮食建议

采用本书中推荐的饮食方案。降低糖类以及刺激性食物的摄入量。每日食用 1 汤匙冷榨混合油类或 1 满汤匙磨碎的植物种子粉,以补充必需脂肪、镁和锌。

增补建议

- 多种维生素增补剂以及多种矿物质增补剂
- 2 × 维生素 C1000 毫克包括 500 毫克生物类黄酮
- 维生素 E500 国际单位
- 骨骼矿物质合成物(包括额外添加的镁以及锌)
- GLA(γ – 亚麻酸)300 毫克

肌肉疼痛及痉挛

痉挛通常是由于钙/镁比例失衡而引起的,只要补充 500 毫克的钙以及 300 毫克的镁,症状就会消除。尽管一般的看法并不这么认为,但缺乏盐分并不大可能引起肌肉痉挛。事实上,在饮食中最好避免摄入添加的盐分,并保证流质食物较高的摄入量。水果中富含钾以及水分,其中钠的含量也足够满足身体的需要量。肌肉疼痛可能是由同样的原因引起的,另外一种可能的原因是因为肌肉细胞无法有效地将葡萄糖转化为能量。镁,特别是苹果酸镁在这方面有一定的作用,B 族维生素也有同样的功效。疼痛还有可能是由炎症引起的。

饮食建议

采用本书中推荐的饮食方案。避免摄入食盐,增加水果(富含钾)以及植物种子(富含钙以及镁)的食用量。大量饮水。

增补建议

- 多种维生素增补剂以及多种矿物质增补剂

- 维生素 C1000 毫克
- 维生素 B 合成物
- 骨骼矿物质合成物(以提供 500 毫克钙以及 300 毫克镁)或苹果酸镁以及钙

肥胖症

不要摄入超过身体需要数量的食物,选择可以保持血糖浓度平衡的食物,摄入最佳数量的营养物质以帮助平衡血糖水平,所有这些都有助于稳定食欲、燃烧脂肪,从而达到减轻体重的目的。这些营养物质包括维生素 B3、维生素 B6、维生素 C、锌以及铬。魔芋纤维中含有葡甘露聚糖,有助于稳定血糖水平。具有同样功效的还有 HCA(羟基柠檬酸),它可以减缓身体将多余的营养物质转化为脂肪的过程。对于一些人来说,食物过敏会引起腹水,进而引起肥胖症。如果你怀疑有些食物会使你产生过敏反应,如最常见的过敏原就是小麦以及乳制品,那么停止食用这些食物 10 天,并观察它们是否与体重增加有关系。甲状腺问题也可能是引发肥胖症的一个因素。如果找不到其他引起肥胖症的原因,就让你的医生检查一下你的甲状腺。

饮食建议

采用本书中推荐的饮食方案,并重点食用缓慢释放能量的碳水化合物以及含水量高的食物,如新鲜水果与蔬菜。避免食用所有的快速释放能量的糖类。每周禁食 1 天或只食用水果。每日定时做有氧运动。

增补建议

- 多种维生素增补剂以及多种矿物质增补剂
- 维生素 B6100 毫克以及锌 10 毫克
- 铬 200 微克以及 HCA(羟基柠檬酸)750 毫克
- 维生素 C1000 毫克
- 3 克葡甘露聚糖/魔芋纤维(随意)

骨质疏松症

骨质疏松症使得骨骼的密度降低,从而增加了骨折的可能性以及对脊椎骨的压迫。从营养学的角度分析，骨质疏松症有三个主要的病因，分别为：过高的蛋白质摄入量，这会导致骨骼中的钙质流失，以中和过高的血液酸度；雌激素相对于黄体酮过盛，而后者是促进骨骼生长的主要物质；缺乏骨骼生长所需的营养物质，包括钙、镁、维生素 D、维生素 C、锌、硅、磷以及硼。根据医生的处方可以获得天然黄体酮乳剂，研究已经证明在恢复骨骼密度方面，它的有效性比合成的雌激素 HRT（荷尔蒙替代疗法）高 4 倍。

饮食建议

采用本书中推荐的饮食方案，尽量减少饱和脂肪的摄入量，因为它们具有雌激素的效果。每日使用 1 满汤匙磨碎的植物种子粉，以补充钙、镁以及锌。

增补建议

- 多种维生素增补剂以及多种矿物质增补剂
- 维生素 C1000 毫克
- 骨骼矿物质合成物

经前期综合症

经前期综合症包括一系列的症状，如腹胀、疲劳、易怒、抑郁、乳房松弛以及头痛，这些症状通常发生于月经前一周。经前期综合症有三个主要的病因：雌激素过盛以及黄体酮相对不足——这可以通过补充天然黄体酮并避免摄入雌激素消除；葡萄糖不耐性，主要表现为嗜食甜食以及刺激性食物；缺乏必需脂肪酸、维生素 B6、锌以及镁，这些是制造可以平衡荷尔蒙水平的前列腺素必需的营养物质。尽管对这些营养物质的需要量在月经前会增加，但是最好还是在整个月中都进行补充。如果饮食以及营养补充的方法都没有十分明显的效果，那么就需要咨询营养咨询师，以检查你体内的荷尔蒙水平。

饮食建议

采用本书中推荐的饮食方案。在月经前要少食多餐，并以水果作为小食。避免食用食糖、糖果以及刺激性食物。保证每日的饮食中包括 1 汤匙冷榨蔬菜油，因为它们富含 $\Omega-3$ 系列以及 $\Omega-6$ 系列脂肪酸。

家庭生活万事通

增补建议

- 多种维生素增补剂以及多种矿物质增补剂
- 2×维生素 B6100 毫克以及锌 10 毫克
- 维生素 C1000 毫克
- 镁 300 毫克
- GLA(γ–亚麻酸)300 毫克

前列腺问题

最常见的前列腺问题包括前列腺炎以及良性的前列腺增生,即前列腺膨大,它会妨碍尿液的流动。一般认为前列腺问题的病因是体内荷尔蒙失衡,可能是睾丸激素缺乏或雌激素过盛,这些都会影响具有抗发炎作用的前列腺素发挥作用。可以通过补充必需脂肪酸以及睾丸激素来消除病症。另外具有重要作用的还有锌及一种称为橘棕榈的药草。前列腺还容易产生癌症,通常也是由体内荷尔蒙失衡引起的。

饮食建议

采用本书中推荐的饮食方案,特别注意食用抗氧化物质含量高的食物,并避免食用牛奶及肉类,因为它们中都含有激素。尽量选择有机食物。少量食用饱和脂肪,并确保从植物种子以及冷榨植物油中获得足够的必需脂肪。

增补建议

- 多种维生素增补剂以及多种矿物质增补剂
- 抗氧化合成物(前列腺癌服用剂量加倍)
- 2×维生素 C1000 毫克(前列腺癌服用剂量加倍)
- GLA(γ–亚麻酸)300 毫克
- 橘棕榈 300 毫克(仅限前列腺增生)

牛皮癣

这是一种与湿疹和皮炎完全不同的皮肤症状,通常营养学方案的效果并不十分明显。它在身体"中毒"的时候发生,可能的原因包括:白色念珠菌的过度生长、能够导致中毒的消化问题或肝脏解毒能力欠佳。如果不是这样,就需要考虑已经讨论过的引起湿疹或皮炎的因素。

饮食建议

采用本书中推荐的饮食方案,特别注意要减少食用肉类以及乳制品(从而保证少摄入饱和脂肪),但要食用足够的植物种子以及植物油以获得必需脂肪。如果你怀疑自己对乳制品或小麦过敏,则要避免食用这些食物,并进行测试。

增补建议

- 多种维生素增补剂以及多种矿物质增补剂
- 抗氧化合成物
- 维生素 C1000 毫克
- GLA(γ – 亚麻酸)300 毫克
- 每日补充鱼油或亚麻籽油

精神分裂症

这是一种严重的精神健康问题,发病率为 1/100。引发精神分裂症的病因有很多,大多数都可以通过营养学的方法得以减轻。如果你有精神分裂症的症状,我们强烈推荐你去咨询营养咨询师,他们可以通过测试确定导致这种症状的原因是否是生化失衡。有助于精神分裂症治疗的营养物质包括叶酸、必需脂肪酸以及大剂量的烟酸(维生素 B3)。这些并不是对所有的患者都有效,甚至还可能造成某些类型病症的恶化——因此需要进行测试。患者通常都会有葡萄糖失衡以及过敏的症状。

饮食建议

停止食用或至少减少糖类以及精制食物的摄入量。停止食用刺激性食物——茶、咖啡、巧克力、可乐饮料、香烟以及酒精。采用本书中推荐的饮食方案。在两周内不要进食小麦和乳制品,以进行测试。

增补建议

- 多种维生素增补剂
- 2×维生素 C1000 毫克
- 多种矿物质增补剂,包括锌、镁、锰以及铬
- 最好尝试额外补充叶酸、烟酸或必需脂肪酸(仅限有医生监督)

衰老症

衰老症主要表现为记忆力丧失,但是目前尚不清楚确切的病因。可能造成这种症状的因素包括血液循环欠佳、缺乏抗氧化剂并导致氧气利用率低、大脑化学物质乙酰胆碱含量下降以及有毒元素在体内的过量堆积,如铝元素。应该进行头发矿物质分析以确定是否存在任何程度的金属毒素,特别是铝。有助于增强记忆力的营养物质包括胆碱、泛酸、DMAE(二甲基乙醇胺)以及焦谷氨酸盐。抗氧化剂也可以起一定的作用。衰老症还有可能是由于多年欠佳的营养状况造成的。通常症状可以得到改善,但是不大可能消除。

饮食建议

采用本书中推荐的饮食方案,并确保每日大量饮水。鱼类,特别是沙丁鱼是优质的大脑营养物质的来源。避免食用煎炸食物、刺激性食物及酒精。

增补建议

- 多种维生素增补剂
- 多种矿物质增补剂(至少包括 10 毫克锌)
- 有助于增强记忆力的营养物质合成物[包括胆碱、泛酸、DMAE(二甲基乙醇胺)以及焦谷氨酸盐]
- 2×抗氧化合成物
- 2×维生素 C1000 毫克
- 另外值得尝试的是银杏 100～200 毫克每日 2～3 次

鼻窦炎

鼻窦炎是发生在鼻窦以及鼻道的炎症,鼻窦炎通常会引发鼻窦感染。致病因素包括鼻腔刺激物,如汽车排放的废气、香烟、多烟的场所、灰尘以及

家庭生活万事通

花粉;过敏症,通常是对粘液性的乳制品以及小麦过敏;以及免疫系统抵抗能力减弱。过量饮酒、煎炸食物、压力、睡眠不足以及暴食都会造成免疫系统抵抗能力的减弱。除了其他营养物质,维生素 A、维生素 C 以及锌有助于增强免疫系统。控制炎症还需要必需脂肪。

饮食建议

饮食清淡,但是要食用大量的必需食物,如最好的有机水果和蔬菜(嫩蔬菜,刚刚发芽)以及植物种子。你还需要蛋白质(奎奴亚藜、植物种子、坚果、鱼类以及豆腐等等),但是要避免使用粘液性的食物,如牛奶、蛋类以及肉类。

沐浴时吸一些茶树油,或直接将它放到你的鼻子下面(小心不要刺激皮肤),以消除鼻塞。万金油对胸部很有效。还可以饮用自制的姜汁肉桂茶(在热水瓶中放入 5 片新鲜姜根以及 1 颗肉桂,然后加入 1/2 品脱的沸水)或猫爪草茶以增强免疫系统。

增补建议

- 多种维生素增补剂以及多种矿物质增补剂
- 抗氧化合成物
- 2×维生素 C1000 毫克(每 4 小时 3 克,仅限感染时)
- 2×维生素 A7500 国际单位(2270 微克,仅限感染时)或饮用 1 杯胡萝卜汁
- 2×锌 15 毫克
- 紫锥花汁 15 滴溶于水中,每日 3 次

睡眠问题

对于受睡眠问题困扰的患者来说,失眠最主要的问题就是会在半夜醒来;而另外一些人则根本无法入睡。这两种症状都有可能是由于神经系统营养欠佳或过度压力及忧虑而致。钙、镁以及维生素 B6 都具有镇静的作用。色氨酸是蛋白质的构成成分之一,它的镇静效果最强。如果服用剂量达到 1000—3000 毫克,对治疗失眠极为有效。它发挥效力需要大概半小时时间,而且效力可以持续高达 4 个小时。虽然色氨酸不是一种添加剂且尚未发现任何副作用,但是不宜定期服用——最好的方法还是调整你的生活方

家庭生活万事通

式,这样就不需要任何镇静剂了。

饮食建议

采用本书中建议的饮食方案,避免食用任何刺激性食物。不要在晚间吃糖、喝茶或者咖啡。同样不要在很晚的时候进食。要食用富含钙以及镁的食物,如植物种子、坚果、根茎类蔬菜以及绿色多叶的蔬菜。

增补建议

- 多种维生素增补剂以及多种矿物质增补剂
- 维生素 B6100 毫克以及锌 10 毫克
- 钙 600 毫克以及镁 400 毫克
- 维生素 C1000 毫克
- 2×L–色氨酸 1000 毫克(仅限绝对需要)

甲状腺问题

甲状腺生于喉咙的基部,它控制我们新陈代谢的速度。甲状腺出现甲状腺机能亢进或过度活跃时,常见的症状包括过分活跃、体重下降以及神经过敏等;甲状腺出现机能减退或不够活跃时,常见的症状则是精力缺乏、体重超常以及甲状腺肿,即喉咙部肿胀。常见的造成甲状腺不够活跃的因素包括压力和刺激性物质对内分泌的过度刺激以及雌激素过盛。另外一种可能是碘缺乏,虽然非常罕见,但是建议患者摄入海藻中的碘元素以帮助缓解症状。由于甲状腺是由脑垂体和肾上腺控制的,因此这 3 个腺体制造和调节荷尔蒙的过程中所涉及到的营养物质都是十分重要的。这些营养物质是维生素 C、维生素 B 合成物(特别是维生素 B3 以及维生素 B5)镁以及锌。硒也有助于维护甲状腺的健康。氨基酸酪氨酸也是如此,它是制造甲状腺素的原料。通常情况下,需要服用小剂量的酪氨酸以消除症状。

饮食建议

避免食用所有的刺激性食物,并采用本书中推荐的饮食方案。

增补建议

- 多种维生素增补剂以及多种矿物质增补剂

家庭生活万事通

- 维生素 B 合成物
- 维生素 C1000 毫克
- 锰 10 毫克
- 仅限甲状腺机能减退:含碘以及酪氨酸的海藻 1000 毫克

溃疡

溃疡可能发生在胃部以及十二指肠——小肠的第一部分,不像肠道的其他部分,它很容易接触到胃部分泌的胃酸。长期的压力会导致胃部过量分泌胃酸,因此压力可能是一个病因。另外还要避免酸度太高的饮食。维生素 A 是保护十二指肠内壁所需的主要营养物质。尽管维生素 C 可以帮助人们消除十二指肠溃疡,但是服用量不能超过 500 毫克,否则可能会引起不适。如果在服用维生素 C 后有灼热感,则表明服用的剂量太高了。溃疡最常见的病因是幽门螺杆菌感染。这需要你的医生通过测试来确定,并利用特殊的抗细菌制剂进行治疗。

饮食建议
采用本书中推荐的饮食方案。主要食用列出的碱性食物。

增补建议
- 多种维生素增补剂以及多种矿物质增补剂
- 2 × 维生素 A7500 国际单位(2270 微克视黄醇,仅限短期服用)若已怀孕则停止服用
- 维生素 C500 毫克(抗坏血酸钙)
- 治疗螺杆菌感染时,在服用抗生素后,补充有益菌,如嗜酸性乳酸杆菌/双歧乳酸杆菌

静脉曲张

静脉可以携带血液流回心脏。发生曲张的静脉会扩张并出现肿胀;这种症状通常会出现在腿部,因为那里的血液循环最不畅。对于已经发生曲张的静脉,最佳营养学的饮食方案也不会起很大的作用;但是适量的维生素 c 和维生素 E 以及其他的抗氧化剂有助于防止这种情况再次发生。一些证

据还表明高纤维的饮食同样也有助于预防静脉曲张。

饮食建议

采用本书中推荐的饮食方案。定期的锻炼，特别是游泳可以改善血液循环。将双脚垫高以及轻柔的腿部按摩都有一定的帮助。使用维生素 E 乳剂也很有效。

增补建议

- 多种维生素增补剂以及多种矿物质增补剂
- 抗氧化合成物
- 维生素 E500 国际单位
- 2×维生素 C1000 毫克以及生物类黄酮

第八章　营养物质完全档案

维生素

■维生素 A(视黄醇与 β－胡萝卜素)

功效　保持身体内部和外部皮肤健康所必需的营养物质,可以防止感染。是一种抗氧化剂,并可以增强免疫系统。能够预防多种形式的癌症。是夜视必需的营养物质。

缺乏的症状　口腔溃疡、夜视能力差、痤疮、经常感冒或感染、皮肤干燥且呈鳞状、头屑、鹅口疮或膀胱炎以及腹泻。

用量

推荐日摄食量　儿童 350～500 微克 RE　成人 600 微克 RE

建议最佳营养物质摄入量　儿童 800～1000 微克 RE　成人 2000 微克 RE(6000 国际单位)

治疗用量每日 2250～6000 微克视黄醇[如果已怀孕或准备受孕,则用量不要超过3000 微克(1 万国际单位)];3000～3 万微克 β－胡萝卜素

(注:RE＝视黄醇等效物。1 微克 RE＝3.3 国际单位)

中毒　超过下列剂量可能发生中毒现象

儿童　每日 4000～2 万微克或单次服用剂量达 2.5 万微克的视黄醇

成人　长期每日 8000～3 万微克或单次服用剂量达 30 万微克的视黄醇

最佳食物来源　牛肝脏(35778 国际单位)、小牛肝脏(26562 国际单位)、胡萝卜(28125 国际单位)、豆瓣菜(4770 国际单位)、卷心菜(3000 国际单位)、西葫芦(7000 国际单位)、甘薯(17055 国际单位)、瓜类(3224 国际单位)、南瓜(1600 国际单位)、芒果(3894 国际单位)、番茄(1133 国际单位)、椰菜(1541 国际单位)、杏、番木瓜果(2014 国际单位)、橘子(920 国际单位)以及芦笋(829 国际单位)。

最佳增补剂　视黄醇(动物性来源)、天然 β一胡萝卜素以及视黄醇棕

桐酸盐(植物性来源)。

有助于吸收的物质　与锌共同作用。维生素 C 和维生素 E 有助于保护维生素 A。最好作为多种维生素或抗氧化剂配方的一部分,在进餐的时候服用。

妨碍吸收的物质　加热、光照、酒精、咖啡以及吸烟。

■维生素 B1(硫胺)

功效　能量制造、大脑活动以及消化过程必需的营养物质。可以帮助身体利用蛋白质。

缺乏的症状　肌肉松弛、眼睛疼痛、易怒、注意力不集中、腿部刺痛、记忆力欠佳、胃部疼痛、便秘、手部刺痛及心跳过速。

用量

推荐日摄食量　儿童 0.4 ~ 1.1 毫克　成人 0.8 ~ 1 毫克

建议最佳营养物质摄入量　儿童 3.1 ~ 3.3 毫克　成人 3.5 ~ 9.2 毫克

治疗用量　儿童 12.5 ~ 50 毫克　成人 25 ~ 100 毫克

中毒　无需担心。

最佳食物来源　豆瓣菜(0.1 毫克)、西葫芦(0.05 毫克)、小胡瓜、羔羊肉(0.12 毫克)、芦笋(0.11 毫克)、蘑菇(0.1 毫克)、豌豆(0.32 毫克)、生菜(0.07 毫克)、辣椒(0.07 毫克)、花椰菜(0.10 毫克)、卷心菜(0.06 毫克)、番茄(0.06 毫克)、球芽甘蓝(0.10 毫克)以及蚕豆(0.55 毫克)。

最佳增补剂　硫胺。

有助于吸收的物质　与 B 族维生素、镁以及锰元素共同作用。最好作为维生素 B 合成物的一部分,在进餐的时候进行补充。

妨碍吸收的物质　抗生素、茶、咖啡、压力、避孕药片、酒精、碱性制剂,如发酵粉、二氧化硫(防腐剂)、烹制过程以及食物精制/加工的过程。

■维生素 B2(核黄素)

功效　有助于将脂肪、糖类以及蛋白质转化为能量。是修复和维护身体内部及外部皮肤健康必需的营养物质。有助于调节体内的酸碱度。对头发、指甲和眼睛的健康也很重要。

缺乏的症状　眼部灼痛或砂眼、强光过敏、舌部疼痛、白内障、头发干枯或出油、湿疹或皮炎、指甲断裂以及唇部干裂。

用量

推荐日摄食量　儿童 0.4 ~ 1.1 毫克　成人 1.1 ~ 1.3 毫克

建议最佳营养物质摄入量　儿童1.8~2毫克　成人1.8~2.5毫克

治疗用量　儿童12.5~50毫克　成人25~100毫克

中毒　尚无任何中毒记录。体内流失或服用过量会导致尿液呈淡黄绿色。

最佳食物来源　蘑菇(0.4毫克)、豆瓣菜(0.1毫克)、卷心菜(0.15毫克)、芦笋(0.12毫克)、椰菜(0.3毫克)、南瓜(0.04毫克)、豆芽(0.03毫克)、鲭鱼(0.3毫克)、牛奶(0.19毫克)、竹笋、番茄(0.04毫克)以及麦胚(0.25毫克)。

最佳增补剂　核黄素。

有助于吸收的物质　与其他B族维生素和硒共同作用。最好作为维生素B合成物的一部分，在进餐的时候进行补充。

妨碍吸收的物质　酒精、避孕药片、茶、咖啡、碱性制剂，如发酵粉、二氧化硫(防腐剂)、烹制过程以及食物精制/加工的过程。

■维生素B3(烟酸)

功效　是能量制造、大脑活动以及皮肤健康所必需的营养物质。可以帮助平衡血糖水平并降低胆固醇浓度。还可以用于炎症和消化问题的治疗。

缺乏的症状　精力缺乏、腹泻、失眠、头痛或偏头痛、记忆力欠佳、焦虑或紧张、抑郁、易怒、出血或牙龈过敏、痤疮以及湿疹/皮炎。

用量

推荐日摄食量　儿童5~10毫克　成人13~17毫克

建议最佳营养物质摄入量　儿童25毫克　成人25~30毫克

治疗用量　儿童25~50毫克　成人50~150毫克

中毒　服用剂量不超过3000毫克尚无任何中毒记录。

最佳食物来源　蘑菇(4毫克)、金枪鱼(12.9毫克)、鸡肉(8.2毫克)、大马哈鱼(7.0毫克)、芦笋(1.11毫克)、卷心菜(0.3毫克)、羔羊肉(4.18毫克)、鲭鱼(8.0毫克)、火鸡肉(8.5毫克)、番茄(0.7毫克)、小胡瓜与西葫芦(0.54毫克)、花椰菜(0.6毫克)以及全麦(4.33毫克)。

最佳增补剂　烟酸(可能会引起潮红反应)以及烟酰胺。

有助于吸收的物质　与其他维生素B合成物以及铬共同作用。最好在进餐的时候服用。

妨碍吸收的物质　抗生素、茶、咖啡、避孕药片以及酒精。

■ 维生素 B5 (泛酸)

功效 参加体内能量的制造,并可以控制脂肪的新陈代谢。是大脑和神经必需的营养物质。有助于体内抗压力荷尔蒙(类固醇)的分泌。可以保持皮肤和头发的健康。

缺乏的症状 肌肉颤搐或痉挛、冷淡、注意力不集中、足部灼痛或足跟疼痛、恶心或呕吐、精力缺乏、轻微锻炼后即筋疲力尽、忧虑或紧张以及磨牙。

用量

推荐日摄食量 儿童及成人 3 ~ 7 毫克

建议最佳营养物质摄入量 儿童 10 毫克 成人 25 毫克

治疗用量 儿童 25 ~ 150 毫克 成人 50 ~ 300 毫克

中毒 服用剂量不超过推荐日摄食量的 100 倍尚无中毒现象。

最佳食物来源 蘑菇(2 毫克)、豆瓣菜(0.10 毫克)、椰菜(0.10 毫克)、紫花苜蓿芽(0.56 毫克)、豌豆(0.75 毫克)、小扁豆(1.36 毫克)、番茄(0.33 毫克)、卷心菜(0.21 毫克)、芹菜(0.40 毫克)、草莓(0.34 毫克)、蛋类(1.8 毫克)、西葫芦(0.16 毫克)、鳄梨(1.07 毫克)以及全麦(1.1 毫克)。

最佳增补剂 泛酸。

有助于吸收的物质 与其他维生素 B 合成物共同作用。维生素 H 以及叶酸有助于维生素 B5 的吸收。最好在进餐的时候服用。

妨碍吸收的物质 压力、酒精、茶以及咖啡。加热和食品加工的过程都会破坏其成分。

■ 维生素 B6 (吡哆醇)

功效 蛋白质的消化和利用、大脑活动以及荷尔蒙制造必需的营养物质。有助于平衡性激素,因此被用于经前期综合症以及更年期的治疗。是天然的抑制剂和利尿剂。有助于控制过敏反应。

缺乏的症状 偶尔会回忆起做过的梦、水肿、手部刺痛、抑郁或神经过敏、易怒、肌肉颤搐或痉挛、精力缺乏和鳞状皮肤。

用量

推荐日摄食量 儿童 0.5 ~ 1 毫克 成人 1.2 ~ 1.4 毫克

建议最佳营养物质摄入量 儿童 2 ~ 5 毫克成人 10 ~ 25 毫克

治疗用量 儿童 25 ~ 125 毫克 成人 50 ~ 250 毫克

中毒 服用剂量超过 1000 毫克曾出现中毒现象——因为未同时服用维

家庭生活万事通

361

生素 B 合成物来平衡其摄入量。

最佳食物来源 豆瓣菜(0.13 毫克)、花椰菜(0.20 毫克)、卷心菜(0.16 毫克)、辣椒(0.17 毫克)、香蕉(0.51 毫克)、西葫芦(0.14 毫克)、椰菜(0.21 毫克)、芦笋(0.15 毫克)、小扁豆(0.11 毫克)、红菜豆(0.44 毫克)、球芽甘蓝(0.28 毫克)、洋葱(0.10 毫克)以及植物种子和坚果(各异)。

最佳增补剂 吡哆醇以及肠溶性的吡哆醛 − 5 − 磷酸盐(标签上注明)。

有助于吸收的物质 与其他维生素 B 合成物、锌以及镁共同作用。最好在进餐的时候与锌同时进行补充。

妨碍吸收的物质 酒精、吸烟、避孕药片、蛋白质摄入量过高以及加工食品。

▦维生素 B12(氰钴维生素)

功效 人体利用蛋白质必需的营养物质。有助于血液对氧气的携带，因此在能量释放过程中是不可或缺的。它是合成脱氧核糖核酸必需的营养物质。同时对于体内的神经也是必不可少的。它可以化解烟草中的毒素及其他的毒素。

缺乏的症状 头发状况欠佳、湿疹或皮炎、口腔对冷热过敏、易怒、忧虑或紧张、精力缺乏、便秘、肌肉松弛或疼痛以及面色苍白。

用量

推荐日摄食 量儿童 0.3 ~ 1.2 微克　成人 1.5 微克

建议最佳营养物质摄入量 儿童 2 微克　成人 2 ~ 3 微克

治疗用量 儿童 2.5 ~ 25 微克　成人 5 ~ 100 微克

中毒 口服尚无任何中毒记录。注射可能产生过敏反应，但极其罕见。

最佳食物来源 牡蛎(15 微克)、沙丁鱼(28 微克)、金枪鱼(5 微克)、羔羊肉(微量)、蛋类(1.7 微克)、小虾(1 微克)、白软干酪(5 微克)、牛奶(0.3 微克)、火鸡肉与鸡肉(2 微克)以及干酪(1.5 微克)。

最佳增补剂 氰钴维生素

有助于吸收的物质 与叶酸共同作用。最好作为维生素 B 合成物，在进餐的时候进行补充。

妨碍吸收的物质 酒精、吸烟以及胃酸缺乏。

▦维生素 H

功效 在儿童时期尤为重要。可以帮助身体利用必需脂肪，并有助于促进皮肤、头发以及神经的健康。

缺乏的症状 皮肤干燥、头发状况欠佳、少白头、肌肉松弛或疼痛、食欲欠佳或恶心以及湿疹或皮炎。

用量

推荐日摄食 量儿童以及成人 10～200 微克

建议最佳营养物质摄入量 儿童以及成人 50～200 微克

治疗用量 儿童 25～100 微克 成人 50～200 微克

中毒 尚无任何中毒记录。

最佳食物来源 花椰菜(1.5 微克)、生菜(0.7 微克)、豌豆(0.5 微克)、番茄(1.5 微克)、牡蛎(10 微克)、葡萄柚(1.0 微克)、西瓜(4.0 微克)、甜玉米(6.0 微克)、卷心菜(1.1 微克)、杏仁(20 微克)、樱桃(0.4 微克)、鲱鱼(10.0 微克)、牛奶(2.0 微克)以及蛋类(25 微克)。

最佳增补剂 维生素 H。

有助于吸收的物质 与其他 B 族维生素、镁以及锰共同作用。最好作为维生素 B 合成物的一部分,在进餐的时候进行补充。

妨碍吸收的物质 生蛋清中含有的抗生物素蛋白(熟蛋清中含量明显下降)以及煎炸食物。

■维生素 C(抗坏血酸)

功效 可以增强免疫系统——抵抗感染。可以用来制造胶原质并保持骨骼、皮肤以及关节的牢固与强健。是一种抗氧化剂,可以化解污染物中的毒素并可预防癌症和心脏病。有助于抗压力荷尔蒙的分泌以及将食物转化为能量的过程。

缺乏的症状 经常感冒、精力缺乏、频繁感染、出血或牙龈过敏、容易淤血、流鼻血、伤口愈合缓慢以及皮肤上出现红色丘疹。

用量

推荐日摄食量 儿童 25～30 毫克成人 40 毫克

建议最佳营养物质摄入量 儿童 150 毫克 成人 400～1000 毫克

治疗用量 儿童 150～1000 毫克 成人 1000～1 万毫克

中毒 如果过量服用可能引起腹泻,但是这并不是中毒的症状。减少用量后,该症状会迅速消失。

最佳食物来源 辣椒(100 毫克)、豆瓣菜(60 毫克)、卷心菜(60 毫克)、椰菜(110 毫克)、花椰菜(60 毫克)、草莓(60 毫克)、柠檬(80 毫克)、猕猴桃(85 毫克)、豌豆(25 毫克)、瓜类(25 毫克)、橙子(50 毫克)、葡萄柚(40 毫

家庭生活万事通

363

克)、酸橙(29 毫克)以及番茄(60 毫克)。

最佳增补剂 维生素 C 是抗坏血酸。它在消化道中呈弱酸性,且并非所有人都适合大剂量(5 克以上)服用。抗坏血酸盐(如抗坏血酸钙以及抗坏血酸镁)呈弱碱性,且不易引起不适反应。但是如果你进餐的时候大量的服用,则可能中和掉消化蛋白质需要的胃酸。如果你还希望补充与抗坏血酸根相结合的矿物质,那么抗坏血酸盐是很好的选择。维生素 C 与生物类黄酮共同作用。最佳的增补剂包括以上列举的这些。酯 C 也是一种很好的增补剂。

有助吸收的物质 水果和蔬菜中的生物类黄酮可以增强它的效果。与 B 族维生素共同作用制造能量。作为抗氧化剂,与维生素 E 共同作用。

妨碍吸收的物质 吸烟、酒精、污染、压力以及煎炸食物。

■**维生素 D(钙化醇、胆钙化醇)**

功效 可以保存钙质,因此有助于保持强壮而且健康的骨骼。

缺乏的症状 关节疼痛或僵硬、背部疼痛、蛀牙、肌肉痉挛以及头发脱落。

用量

推荐日摄食量 儿童及成人均为 10 微克

建议最佳营养物质摄入量 儿童以及成人 10 ~ 20 微克

治疗用量 儿童 5 ~ 12 微克 成人 10 ~ 25 微克(400 ~ 1000 国际单位)

中毒 服用剂量达到 1250 微克有可能造成中毒。

最佳食物来源 鲱鱼(22.5 微克)、鲭鱼(17.5 微克)、大马哈鱼(12.5 微克)、牡蛎(3 微克)、白软干酪(2 微克)以及蛋类(1.75 微克)。

最佳增补剂 胆钙化醇(动物性来源)以及钙化醇(酵母来源)。

有助于吸收的物质 维生素 D 在皮肤中生成,因此需要保证充足的日照。在满足了这些条件的情况下,不需要再通过食物补充维生素 D。维生素 A、维生素 C 以及维生素 E 可以保护维生素 D。

妨碍吸收的物质 缺乏日照以及煎炸食物。

■**维生素 E(d - α 生育酚)**

功效 一种抗氧化剂,可以防止细胞被破坏,也可预防癌症。帮助身体利用氧气,防止血液凝块、血栓的产生并预防动脉硬化症。可以加快伤口愈合速度,增强生育能力。是一种对皮肤有益的营养物质。

缺乏的症状 性欲低下、轻微锻炼即筋疲力尽、容易淤血、伤口愈合缓慢、静脉曲张、肌肉失去韧性以及不育症。

用量

推荐日摄食量 儿童0.3毫克 成人3~4毫克

建议最佳营养物质摄入量 儿童70毫克 成人100~1000毫克

治疗用量 儿童70~100毫克 成人100~1000毫克

中毒 长期服用d-α生育酚剂量不超过2000毫克尚无任何中毒记录,短期服用剂量不超过3.5万毫克尚无任何中毒记录。

最佳食物来源 未精炼的玉米油(83毫克)、向日葵籽(52.6毫克)、花生(11.8毫克)、芝麻籽(22.7毫克)、其他"植物种子类"食物,如蚕豆(7.7毫克)、豌豆(2.3毫克)、麦胚(27.5毫克)、金枪鱼(6.3毫克)、沙丁鱼(2.0毫克)、大马哈鱼(1.8毫克)以及甘薯(4.0毫克)。

最佳增补剂 d-α生育酚(并非合成的dl-α生育酚)

有助于吸收的物质 与维生素C以及硒共同作用。

妨碍吸收的物质 高温烹制,特别是油炸。空气污染、避孕药片以及过量摄入精制或加工过的脂肪和油脂。

■**叶酸**

功效 在怀孕期间是胎儿大脑和神经发育必不可少的营养物质。对于大脑和神经的活动总是不可或缺的。是蛋白质利用和红血球生成必需的营养物质。

缺乏的症状 贫血、湿疹、唇部干裂、少白头、忧虑或紧张、记忆力欠佳、精力缺乏、食欲不振、胃痛以及抑郁。

用量

推荐日摄食量 儿童50~150微克 成人200微克

建议最佳营养物质摄入量 儿童300微克 成人400~1000微克

治疗用量 儿童25~300微克 成人400~1000微克

中毒 中毒现象非常罕见。但是服用剂量超过15毫克,可能引起胃肠不适以及睡眠问题。

最佳食物来源 麦胚(325微克)、菠菜(140微克)、花生(110微克)、球芽甘蓝(110微克)、芦笋(98微克)、芝麻籽(97微克)、榛子(72微克)、椰菜(130微克)、腰果(69微克)、花椰菜(39微克)、胡桃(66微克)以及鳄梨(66微克)。

最佳增补剂 叶酸。

有助于吸收的物质 与其他维生素 B 合成物,特别是维生素 B12 共同作用。最好作为维生素 B 合成物的一部分,在进餐的时候进行补充。

妨碍吸收的物质 高温、光照、食品加工过程以及避孕药片。

■维生素 K(叶绿醌)

功效 控制血液凝块的形成。

缺乏的症状 溢血(容易出血)。

用量

推荐日摄食量 尚未制定。肠道中的有益菌可以制造足够的数量。

建议最佳营养物质摄入量 儿童 45 微克 成人 55～80 微克

治疗用量 不需要进行补充。

中毒 无需担心。

最佳食物来源 以微克/100 克计。花椰菜(3600 微克)、球芽甘蓝(1888 微克)、生菜(135 微克)、卷心菜(125 微克)、蚕豆(290 微克)、椰菜(200 微克)、豌豆(260 微克)、豆瓣菜(56 微克)、芦笋(57 微克)、马铃薯(80 微克)、玉米油(50 微克)、番茄(5 微克)以及牛奶(1 微克)。

最佳增补剂 不需要进行补充。

有助于吸收的物质 健康的肠道细菌——这样就不需要再通过食物进行补充了。

妨碍吸收的物质 抗生素以及婴儿时期缺乏母乳喂养。

矿物质

■钙

功效 可以促进心脏的健康,止血,促进神经健康,收缩肌肉,促进皮肤、骨骼以及牙齿的健康,减轻肌肉和骨骼的疼痛,维持体内正常的酸碱度,减少痛经以及月经颤搐。

缺乏的症状 肌肉痉挛或颤搐、失眠或神经过敏、关节疼痛或关节炎、蛀牙以及高血压。

用量

推荐日摄食量 儿童 600 毫克 成人 800 毫克

建议最佳营养物质摄入量 儿童 600～800 毫克 成人 800～1200 毫克

治疗用量 儿童 600～800 毫克成人 800～1200 毫克

中毒 其他的因素如维生素 D 摄入过多(每日超过 2.5 万国际单位)会引起钙质摄入过量的问题。过量摄入钙质会妨碍其他矿物质的吸收,特别是在其他矿物质摄入量相对较低的时候,可能会导致肾脏、心脏以及其他软组织的钙化,如肾结石。

最佳食物来源 瑞士硬干酪(925 毫克)、切达干酪(750 毫克)、杏仁(234 毫克)、啤酒酵母(210 毫克)、欧芹(203 毫克)、玉米饼(200 毫克)、朝鲜蓟(51 毫克)、梅脯(51 毫克)、南瓜籽(51 毫克)、煮熟晾干的蚕豆(50 毫克)、卷心菜(4 毫克)以及冬小麦(46 毫克)。

最佳增补剂 任何形式的钙质都比较易于吸收。最适于补充的钙质的形式是氨基酸螯合钙或柠檬酸钙,它们的吸收率大概是碳酸钙的两倍。

有助于吸收的物质 与镁在 3:2 的比例下共同作用效果最佳,与磷在 2:1 的比例下共同作用效果最佳。维生素 D 和硼以及体育锻炼。

妨碍吸收的物质 荷尔蒙失衡、酒精、缺乏锻炼、咖啡因以及茶。缺乏盐酸、摄入过量的脂肪和磷都会妨碍吸收。压力会导致大量的钙被排出体外,造成流失。

■铬

功效 葡萄糖耐量因子(GTF)的构成物质,可以平衡血糖浓度,有助于调节饥饿感,降低食欲,延长寿命,帮助保护体内的脱氧核糖核酸和核糖核酸,并且是心脏功能必需的营养物质。

缺乏的症状 大量出汗或冷汗、6 小时不进食会出现眩晕或易怒、需要频繁进食、手部冰冷、需要长时间睡眠否则白天昏昏欲睡、频繁口渴以及嗜食甜食。

用量

推荐日摄食量 儿童尚未制定 成人尚未制定

建议最佳营养物质摄入量 儿童 35~50 微克 成人 100 微克

治疗用量 儿童 35~50 微克 成人 20~200 微克

中毒 铬的服用剂量要达到很高才会对身体造成伤害。服用剂量超过 1000 毫克才会导致中毒,而这个剂量是最高治疗用量的 5000 倍。

最佳食物来源 啤酒酵母(112 微克)、全麦面包(42 微克)、黑麦面包(30 微克)、牡蛎(26 微克)、马铃薯(24 微克)、麦胚(23 微克)、青辣椒(19 微克)、蛋类(16 微克)、鸡肉(15 微克)、苹果(14 微克)、黄油(13 微克)、欧洲防风根(13 毫克)、麦片(12 微克)、羔羊肉(12 微克)以及瑞士硬干酪(11

家庭生活万事通

微克）。

最佳增补剂 聚烟酸铬/甲基吡啶铬以及啤酒酵母。

有助于吸收的物质 与维生素 B3 以及 3 种氨基酸——氨基乙酸、谷氨酸和胱氨酸共同构成葡萄糖耐量因子（GTF）。改善饮食以及加强体育锻炼。

妨碍吸收的物质 大量摄入精制的糖类和面粉、肥胖、添加剂、杀虫剂、石油产品、加工食品以及有毒的金属。

■铁

功效 作为血红蛋白的构成成分，铁可以携带氧气进入细胞，同时将二氧化碳携带出细胞。铁还是酶的构成成分，是体内能量制造必不可少的营养物质。

缺乏的症状 贫血，如面色苍白、舌部疼痛、疲劳、无精打采、食欲不振、恶心以及对寒冷敏感。

用量

推荐日摄食量 儿童 7~10 毫克 成人 10~14 毫克

建议最佳营养物质摄入量 儿童 7~10 毫克 成人 15 毫克

治疗用量 儿童 7~10 毫克 成人 15~25 毫克

中毒 服用剂量不超过 1000 毫克尚无任何中毒记录。

最佳食物来源 南瓜籽（11.2 毫克）、欧芹（6.2 毫克）、杏仁（4.7 毫克）、梅脯（3.9 毫克）、腰果（3.6 毫克）、葡萄干（3.5 毫克）、巴西坚果（3.4 毫克）、胡桃（3.1 毫克）、椰枣（3.0 毫克）、猪肉（2.9 毫克）、煮熟晾干的蚕豆（2.7 毫克）、芝麻籽（2.4 毫克）以及山核桃（2.4 毫克）。

最佳增补剂 氨基酸螯合铁的吸收率大约是硫酸铁或氧化铁的 3 倍。

有助于吸收的物质 维生素 C（增加铁的吸收量）、维生素 E、适量的钙质、叶酸、磷以及胃酸。

妨碍吸收的物质 草酸盐（菠菜与大黄）、鞣酸（茶）、肌醇六磷酸盐（麦麸）、磷酸盐（苏打软饮料以及食品添加剂）、抗酸剂以及大量摄入锌元素。

■镁

功效 可以增强骨骼与牙齿，有助于放松肌肉以促进肌肉的健康，因此是治疗经前期综合症的重要营养物质，同时对心脏肌肉以及神经系统也十分重要。是能量制造不可缺少的营养物质。是体内众多酶的辅因子。

缺乏的症状 肌肉颤搐或痉挛、肌肉无力、失眠或神经过敏、高血压、心率不齐、便秘、惊厥或抽搐、极度活跃、抑郁、精神错乱、食欲不振以及软组织内钙质沉淀,如肾结石。

用量

推荐日摄食量 儿童 170 毫克 成人 300 毫克

建议最佳营养物质摄入量 儿童 200～375 毫克 成人 375～500 毫克

治疗用量 儿童 400～800 毫克 成人 400～800 毫克

中毒 服用剂量不超过 1000 毫克尚无任何中毒记录。

最佳食物来源 麦胚(490 毫克)、杏仁(270 毫克)、腰果(267 毫克)、啤酒酵母(231 毫克)、荞麦粉(229 毫克)、巴西坚果(225 毫克)、花生(175 毫克)、山核桃(142 毫克)、熟蚕豆(37 毫克)、大蒜(36 毫克)、葡萄干(35 毫克)、青豆(35 毫克)、马铃薯皮(34 毫克)以及螃蟹(34 毫克)。

最佳增补剂 氨基酸螯合镁和柠檬酸镁的吸收率大约是碳酸镁和硫酸镁的两倍。

有助于吸收的物质 维生素 B1、维生素 B6、维生素 C、维生素 D、锌、钙以及磷。

妨碍吸收的物质 牛奶制品中大量的钙质、蛋白质、脂肪、草酸盐(菠菜和大黄)以及肌醇六磷酸盐(麦胚和面包)。

■**锰**

功效 有助于健康骨骼、软骨、组织以及神经的形成,可以激活 20 多种酶,包括抗氧化酶系统,可以稳定血糖浓度,促进脱氧核糖核酸与核糖核酸的健康,是生育和红血球合成必不可少的营养物质,还是制造胰岛素重要的营养物质,可以减少细胞损害,此外还是大脑活动必需的营养物质。

缺乏的症状 肌肉抽搐、儿童发育期疼痛、眩晕或平衡能力欠佳、惊厥、抽搐、膝部疼痛以及关节疼痛。

用量

推荐日摄食量 儿童 2.5 毫克 成人 3.5 毫克

建议最佳营养物质摄入量 儿童 2.5 毫克 成人 5 毫克

治疗用量 儿童 2.5～5 毫克 成人 2.5～15 毫克

中毒 无需担心

最佳食物来源 豆瓣菜(0.5 毫克)、菠萝(1.7 毫克)、秋葵荚(0.9 毫

家庭生活万事通

克)、菊苣(0.4 毫克)、黑莓(1.3 毫克)、覆盆子(1.1 毫克)、生菜(0.15 毫克)、葡萄(0.7 毫克)、利马豆(1.3 毫克)、草莓(0.3 毫克)、燕麦(0.6 毫克)、甜菜根(0.3 毫克)以及芹菜(0.14 毫克)。

最佳增补剂 氨基酸螯合锰、柠檬酸锰或葡萄糖酸锰。

有助于吸收的物质 锌、维生素 E、维生素 B1、维生素 C 以及维生素 K。

妨碍吸收的物质 抗生素、酒精、精制食品、钙以及磷。

▓钼

功效 可以帮助身体排出蛋白质分解产物,如尿酸,可以强健牙齿,并有助于降低龋齿发生的可能性,能够消除自由基、石化产品和亚硫酸盐对身体的毒害作用。

缺乏的症状 尚无任何已知的缺乏症状,除非过量的铜或硫酸盐妨碍了身体对钼的利用。动物缺乏该元素时会出现呼吸困难以及神经错乱的症状。

用量

推荐日摄食量 尚未制定

建议最佳营养物质摄入量 尚未制定

治疗用量 儿童尚未确定 成人 100~1000 微克(1 毫克)

中毒 每日服用的剂量如果超过 10~15 毫克很可能会导致类似痛风的症状,即血液中尿酸含量增高。

最佳食物来源 番茄、麦胚、猪肉、羔羊肉、小扁豆和蚕豆。

最佳增补剂 不建议额外补充钼。

有助于吸收的物质 蛋白质包括含硫的氨基酸、碳水化合物以及脂肪。

妨碍吸收的物质 铜以及硫酸盐。

▓磷

功效 构成并保持骨骼和牙齿的健康,是分泌乳汁必需的营养物质,构成肌肉组织,也是脱氧核糖核酸以及核糖核酸的组成成分,有助于维持体内的 pH 值并可以协助新陈代谢的进行以及体内能量的制造。

缺乏的症状 由于广泛存在于各种食物中,因此饮食缺乏的情况非常罕见。但是长期使用抗酸剂或经受压力,以及骨折都可能导致磷缺乏症。缺乏的症状包括全身肌肉无力、食欲不振、骨骼疼痛、佝偻病以及软骨病。

用量

推荐日摄食量　儿童800毫克　成人800毫克

建议最佳营养物质摄入量　尚未制定

治疗用量　不需要进行补充

中毒　尚无任何中毒记录；但是它有可能造成钙缺乏、神经兴奋以及抽搐。

最佳食物来源　几乎所有食物中都含有磷。

最佳增补剂　磷酸钙、卵磷脂以及磷酸二氢钠。

有助于吸收的物质　适当的钙磷比例、乳糖以及维生素D。

妨碍吸收的物质　过量的铁、镁和铝。

■钾

功效　可以确保营养物质被吸收进细胞，而代谢废物被排出细胞之外。可以促进神经与肌肉的健康，维持体液平衡，放松肌肉，有助于胰岛素的分泌，以控制血糖浓度持久释放能量，参加新陈代谢的过程，可以维持心脏的正常功能，并可以刺激肠道的蠕动以促进代谢废物排出体外。

缺乏的症状　心跳过速且心率不齐、肌肉无力、麻木、易怒、恶心、呕吐、腹泻、腹胀、脂肪团、钾钠比例失衡造成的低血压、精神错乱以及心理冷淡。

用量

推荐日摄食量　儿童1600毫克　成人2000毫克

建议最佳营养物质摄入量　儿童1600毫克　成人2000毫克

治疗用量　儿童200～1600毫克　成人200～3500毫克

中毒　服用1.8万毫克左右可能会导致心搏停止。

最佳食物来源　豆瓣菜（329毫克）、菊苣（316毫克）、卷心菜（251毫克）、芹菜（285毫克）、欧芹（540毫克）、小胡瓜（248毫克）、萝卜（231毫克）、花椰菜（355毫克）、蘑菇（371毫克）、南瓜（339毫克）以及蜂蜜（2925毫克）。

最佳增补剂　葡萄糖酸钾/氯化钾、缓慢释放能量的钾、海藻以及啤酒酵母。

有助于吸收的物质　镁有助于保持细胞内的钾。

妨碍吸收的物质　从食盐中摄入过量的钠、酒精、糖类、利尿剂、轻泻剂、皮质激素类药物以及压力。

■硒

功效　抗氧化剂的特性有助于保护身体免受自由基和致癌物质的侵

家庭生活万事通

害、可以减轻炎症,刺激免疫系统抵抗感染,可以促进心脏的健康并有助于维生素 E 的活动、是男性生殖系统以及新陈代谢必需的营养物质。

缺乏的症状 癌症家族史、未老先衰的迹象、白内障、高血压及频繁感染。用量

推荐日摄食量 儿童 30 微克 成人 70 微克

建议最佳营养物质摄入量 儿童 50 微克 成人 100 微克

治疗用量 儿童 30～50 微克 成人 25～100 微克

中毒 服用剂量不超过 750 微克尚无任何中毒记录。服用剂量达到 750 微克会妨碍头发、指甲以及皮肤中蛋白质的正常结构与功能,此外呼吸中可能会带有大蒜的味道。

最佳食物来源 金枪鱼(0.116 毫克)、牡蛎(0.65 毫克)、蜂蜜(0.13 毫克)、蘑菇(0.13 毫克)、鲱鱼(0.61 毫克)、白软干酪(0.023 毫克)、卷心菜(0.003 毫克)、牛肝脏(0.049 毫克)、小胡瓜(0.003 毫克)、鳕鱼(0.029 毫克)以及鸡肉(0.027 毫克)。

最佳增补剂 蛋氨酸硒以及半胱氨酸硒。

有助于吸收的物质 维生素 E、维生素 A 以及维生素 C。

妨碍吸收的物质 精制食品以及现代农业技术。

■**钠**

功效 可以保持体内水分的平衡,防止脱水的发生,有助于神经的活动,用于肌肉收缩,包括心肌的收缩。还用于体内能量的制造,并有助于将营养物质运送到细胞中。

缺乏的症状 眩晕、中暑衰竭、低血压、脉搏过快、精神冷淡、食欲不振、肌肉痉挛、恶心、呕吐、体重减轻以及头痛。

用量

推荐日摄食量 儿童 1900 毫克 成人 2400 毫克

建议最佳营养物质摄入量 儿童 1900 毫克 成人 2400 毫克

治疗用量 1600 毫克

中毒 从加工食品中或受限的水源中摄入大量的钠可能导致中毒,水肿、高血压以及肾脏疾病有可能导致钠中毒。

最佳食物来源 泡菜(664 毫克)、橄榄(2020 毫克)、小虾(2300 毫克)、日本豆面酱(2950 毫克)、甜菜根(282 毫克)、火腿(1500 毫克)、芹菜(875 毫克)、卷心菜(643 毫克)、螃蟹(369 毫克)、白软干酪(405 毫克)、豆瓣菜

（45 毫克）以及红菜豆（327 毫克）。

最佳增补剂 食物中的含量足够满足身体需要，不需要额外进行补充。

有助于吸收的物质 维生素 D。

妨碍吸收的物质 钾与氯化物可以中和钠，从而保持其在体内含量的均衡。

锌

功效 是体内 200 多种酶的构成成分，也是脱氧核糖核酸及核糖核酸的构成成分，是生长必需的营养物质，对于伤口愈合有重要的作用。控制荷尔蒙传递各个器官，如睾丸以及卵巢发出的信息。有助于增强有效处理压力的能力，可以促进神经系统以及大脑的健康，特别是正处于发育阶段的胚胎。有助于骨骼和牙齿的形成、头发的生长，并且是维持持久能量必不可少的营养物质。

缺乏的症状 味觉或嗅觉欠佳、两个以上手指甲上有白色斑点、频繁感染、延展的斑痕、痤疮、皮肤油脂分泌过多、生育能力较低、面色苍白、抑郁倾向以及食欲不振。

用量

推荐日摄食量 儿童 7 毫克 成人 15 毫克

建议最佳营养物质摄入量 儿童 7 毫克 成人 15～20 毫克

治疗用量 儿童 5～10 毫克 成人 15～50 毫克

中毒 服用剂量超过 2 克可能导致胃肠不适、呕吐、贫血、发育速度减慢、僵硬、食欲不振以及死亡。多年来一直限制病人服用 10 倍于食物摄入量的锌，并未发生任何不良反应，但是对于铜的摄入量应该进行一定的限制。

最佳食物来源 牡蛎（148.7 毫克）、姜根（6.8 毫克）、羔羊肉（5.3 毫克）、山核桃（4.5 毫克）、干裂的豌豆（4.2 毫克）、黑线鳕鱼（1.7 毫克）、青豆（1.6 毫克）、小虾（1.5 毫克）、芜菁甘蓝（1.2 毫克）、巴西坚果（4.2 毫克）、蛋黄（3.5 毫克）、全麦谷物（3.2 毫克）、黑麦（3.2 毫克）、燕麦（3.2 毫克）、花生（3.2 毫克）以及杏仁（3.1 毫克）。

最佳增补剂 氨基酸螯合锌、柠檬酸锌与甲基吡啶锌的效果要优于硫酸锌或氧化锌。

有助于吸收的物质 胃酸、维生素 A、维生素 E 和维生素 B6、镁、钙以及磷。

家庭生活万事通

妨碍吸收的物质　肌醇六磷酸盐(小麦)、草酸盐(大黄以及菠菜)、钙摄入量过高,铜、蛋白质摄入量不足,糖类摄入量过高以及压力;而且酒精也会妨碍锌的吸收。

半必需营养物质

▉生物类黄酮

功效　有助于维生素 C 发挥作用,可以增强毛细血管,加快伤口、扭伤以及肌肉损伤的愈合速度,是一种抗氧化剂。

缺乏的症状　容易淤血、静脉曲张以及频繁扭伤。

用量

推荐日摄食量　尚未制定

建议最佳营养物质摄入量　尚未制定

治疗用量　50～1000 毫克

中毒　尚无任何中毒记录。

最佳食物来源　浆果、樱桃以及柑橘类水果。

最佳增补剂　柑橘属生物类黄酮、野玫瑰果提取物以及浆果提取物。

有助于吸收的物质　维生素 C。

妨碍吸收的物质　自由基。

▉胆碱

功效　是卵磷脂的构成成分,有助于分解肝脏中的脂肪,可以促进脂肪进入细胞;有助于神经系统细胞膜的合成,并可以保护肺脏。

缺乏的症状　新生婴儿发育畸形、血液中胆固醇和脂肪含量过高、脂肪肝、神经退化、高血压、动脉硬化症、老年性痴呆以及对感染的抵抗力下降。

用量

推荐日摄食量　尚未制定。

建议最佳营养物质摄入量　尚未制定。

治疗用量　儿童 12.5～75 毫克　成人 25～150 毫克。

中毒　尚无任何中毒记录。

最佳食物来源　卵磷脂、蛋类、鱼类、动物肝脏、大豆、花生、粗粮、坚果、豆类、柑橘类水果、麦胚以及啤酒酵母。

最佳增补剂　卵磷脂。

有助于吸收的物质　维生素 B5 和锂。

妨碍吸收的物质　酒精以及避孕药片。

■辅酶 Q10

功效　在能量的新陈代谢中起主要作用。可以改善心脏功能以及其他器官的功能。有助于维持血压正常,提高锻炼耐力。是一种抗氧化剂,可以增强免疫力。

缺乏的症状　精力缺乏、心脏病、锻炼耐力欠佳以及免疫功能欠佳。

用量

推荐日摄食量　尚未制定。

建议最佳营养物质摄入量　尚未制定

治疗用量　每日 10 ~ 90 毫克。

中毒　尚无任何中毒记录。

最佳食物来源　沙丁鱼(6.4 毫克)、鲭鱼(4.3 毫克)、猪肉(2.4 ~ 4.1毫克)、菠菜(1.0 毫克)、大豆油(9.2 毫克)、花生(2.7 毫克)、芝麻籽(2.3毫克)以及胡桃(1.9 毫克)。

最佳增补剂　油基辅酶 Q10(可以帮助吸收)。

有助于吸收的物质　维生素 B 合成物以及铁。

妨碍吸收的物质　刺激性物质以及糖类。

■肌醇

功效　是细胞生长必需的营养物质。同时也是大脑、脊髓以及神经鞘的形成所需要的营养物质。是一种效力适中的镇静剂,还可以保持头发的健康,并降低血液胆固醇浓度。

缺乏的症状　易怒、失眠、神经过敏、过度兴奋、神经生长与再生减缓以及高密度脂蛋白(HDL)水平降低。

用量

推荐日摄食量　尚未制定。

建议最佳营养物质摄入量　尚未制定。

治疗用量　儿童 12.5 ~ 75 毫克　成人 25 ~ 150 毫克

中毒　尚无任何中毒记录。

最佳食物来源　卵磷脂粒剂、豆类、大豆粉、蛋类、鱼类、动物肝脏、柑橘类水果、瓜类、坚果、麦胚以及啤酒酵母。

最佳增补剂　卵磷脂粒剂或胶囊。

家庭生活万事通

有助于吸收的物质　胆碱。

妨碍吸收的物质　肌醇六磷酸、抗生素、酒精、茶、咖啡、避孕药片以及利尿剂。

家庭生活万事通

推荐日摄食量（RDAs）是以英国卫生部公布的推荐营养物质摄入量（RNIs）为基础制定的。它规定的摄食量稍低于美国的推荐日摄食量（US RDAs），而且很可能也会低于不久即将公布的欧盟推荐的日摄食量（EC RDAs）。后者的制定仅仅是为了做标签之用。因此，举例来说，欧盟和美国的推荐日摄食量标准中，维生素 C 的推荐日摄食量为 60 克，而推荐营养物质摄入量（即本书中使用的数量）规定的数值是 40 克。但是事实上这两个数量都不足以预防明显的维生素 C 缺乏症，如坏血病。

建议最佳营养物质摄入量（SONAs）是以切拉斯金医生和凌斯多夫医生的研究为基础制定的，其数值更接近于一般理想的日常营养物质的摄入量。由于环境的不同，每个人对这些营养物质的需要量会各不相同，因此按照本书的方法计算你自己的需要量要更准确一些。

最佳食物来源中按从多到少的次序罗列了每卡路里热量中营养物质含量最高的食物，括号中的数字是每 100 克该食物中所含的营养物质的数量。

第九章　食物档案

蛋白质食物有哪些？

　　食物中蛋白质的数量和质量各不相同。下页的表格会告诉你各种食物中蛋白质的含量（蛋白质占总热量的百分比）、要获取 20 克的蛋白质你需要摄入的该食物的数量以及该食物中蛋白质的"可用性"和它的质量评级。"可用性"较低的食物和其他食物搭配时，"可用性"会大大提高。大多数人每天需要的蛋白质不超过 35 克，所以下面任何两份都可以满足这个数量。如果蛋白质的质量很高，1.5 份可能就足够了。怀孕女性、手术复原期的病人、运动员和所有进行繁重体力工作的人每天则可能需要 3 份的数量。

蛋白质的数量和质量

食物	蛋白质占总热量百分比	获取 20 克蛋白质需要摄入的食物数量	蛋白质质量
谷物类/豆类			
奎奴亚藜	16%	100 克/1 杯脱水重量	高
玉米	4%	500 克/3 杯	中
精白米	8%	338 克/2.5 杯	中
糙米	5%	400 克/3 杯	高
菜豆	26%	99 克/0.66 杯	低
鹰豆	22%	109 克/0.66 杯	中
大豆	54%	60 克/1 杯	中
豆腐	40%	275 克/1 包	高
烘豆	18%	430 克/1 大罐	中
麦胚	24%	132 克/2 杯	中
小扁豆	28%	92 克/1/3 杯	低
鱼类/肉类			
罐装金枪鱼	61%	84 克/1 小罐	高
鳕鱼	60%	35 克/1 小块	高
罐装沙丁鱼	49%	100 克/1 份	高
扇贝	15%	133 克/1 份	高
牡蛎	11%	182 克/0.5 杯	高
羊排	24%	110 克/1 小块	中
牛肉	52%	80 克/2 片	高
鸡肉	63%	71 克/1 小片鸡胸烤面包片	高

家庭生活万事通

续表

食物	蛋白质占总热量百分比	获取20克蛋白质需要摄入的食物数量	蛋白质质量
坚果类/植物籽类			
向日葵籽	15%	188 克/1 杯	中
南瓜籽	21%	70 克/0.5 杯	中
腰果	12%	112 克/1 杯	中
花生	17%	90 克/0.5 杯	中
杏仁	13%	110 克/1 杯	中
蛋类/乳制品类			
蛋类	34%	169 克/2 个中等大小	高
天然酸奶	22%	440 克/3 小罐	高
切达干酪	25%	84 克/0.33 盎司	高
白软千酪	49%	120 克/1 小罐	高
全脂牛奶	20%	660 毫升/2 杯	高
艾登干酪	28%	70 克/2.5 盎司	高
卡门伯特干酪	25%	110 克/2 块	高
蔬菜类			
冷冻豌豆	26%	259 克/2 杯	中
青豆	20%	200 克/2 杯	中
椰菜	50%	600 克/大袋	中
菠菜	49%	390 克/大袋	中
马铃薯	11%	950 克/4 个大的	中

脂肪及油类有哪些?

　　食物中所含脂肪的质量和数量各不相同。理想饮食中脂肪的含量不应超过总热量的20%。但是更重要的是脂肪的种类。多不饱和脂肪,也被称为油类,因为它们总是以液体的状态存在。多不饱和脂肪是身体所必需的,而单不饱和脂肪和饱和脂肪则并非如此。理想的食物中多不饱和脂肪的含量应该更高一些。下面的表格会告诉你哪些含脂肪的食物应该避免食用,而哪些可以多食用一些。用黑体字表示的都是最好不要食用或限量食用的食物,因为这些食物中必需脂肪的含量很低,饱和脂肪的含量却很高而且总的脂肪含量也很高。

　　不饱和脂肪可分为若干种类。Ω-6系列和Ω-3系列脂肪是身体所必需的脂肪种类。理想的饮食中这两种脂肪的含量应该大致相等。Ω-9系列脂肪来源于单不饱和脂肪油酸,在橄榄油中含量较高。它们并不是身体所必需的,但是如果不过量食用对身体也没有害处。下面的表格将告诉你各种冷榨油中所含有的不饱和脂肪的种类。

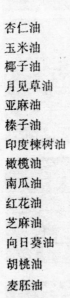
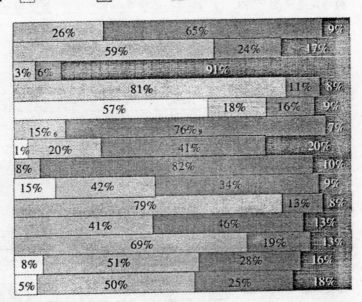

脂肪和油类——含有哪种不饱和脂肪?

坚果/植物种子油　□ %Ω-3　□ %Ω-6　□ %Ω-9　■ %饱和脂肪

	%Ω-3	%Ω-6	%Ω-9	%饱和脂肪
杏仁油		26%	65%	9%
玉米油		59%	24%	17%
椰子油	3%	6%	91%	
月见草油		81%	11%	8%
亚麻油	57%	18%	16%	9%
榛子油	15%	76%		7%
印度楝树油	1%	20%	41%	20%
橄榄油	8%	82%		10%
南瓜油	15%	42%	34%	9%
红花油		79%	13%	8%
芝麻油		41%	46%	13%
向日葵油		69%	19%	13%
胡桃油	8%	51%	28%	16%
麦胚油	5%	50%	25%	18%

碳水化合物有哪些?

碳水化合物应该是你饮食的主要组成部分,为你提供总消耗热量的2/3。由于每一克蛋白质和脂肪所含有的热量要多于碳水化合物,因此如果按照重量来计算,碳水化合物在饮食中的比例应该超过2/3。

食物中含有的碳水化合物的种类与其数量同样重要。碳水化合物可分为"合成碳水化合物"(淀粉)或"简单碳水化合物"(糖分)。在简单碳水化合物中,大多数是属于"快速释放热量"类型的,也就是说它们可以在短时间内提高你的血糖水平。但是果糖却可以"缓慢释放能量",它多富含于新鲜水果中。下页的表格会告诉你不同食物对血糖的影响,这个表格被称为血糖指数。

家庭生活万事通

家庭生活万事通

食物脂肪构成

□ % 多不饱和脂肪	▨ % 单不饱和脂肪	▧ % 饱和脂肪

食物		多不饱和	单不饱和	饱和
黄油	100	10%	29%	61%
橄榄油	100	13%	73%	14%
植物人造黄油	98	55%	20%	25%
鳕鱼	8	57%	16%	27%
黑线鳕鱼	7	45%	21%	34%
金枪鱼	32	40%	40%	20%
欧鲽(鱼)	22	34%	38%	28%
鲭鱼	63	32%	41%	27%
大马哈鱼	42	30%	43%	27%
沙丁鱼	62	22%	57%	21%
巴西坚果	85	40%	35%	25%
花生	73	30%	50%	20%
杏仁	74	20%	72%	8%
向日葵籽	73	67%	21%	12%
芝麻籽	73	45%	40%	15 %
鳄梨	80	8%	80%	12%
白软干酪	40	63%	11%	25%
切达干酪	74	33%	21%	47%
卡门伯特干酪	73	33%	21%	46%
全脂牛奶	49	5%	30%	65%
脱脂牛奶	5	5%	30%	65%
牛奶巧克力	36	3%	34%	63%
巧克力饼干	47	8%	39%	53%
牛肉	71	17%	48%	35%
猪肉	65	10%	48%	42%
熏肉	80	9%	48%	43%
香肠	77	9%	48%	43%
羔羊肉	76	7%	41%	52%
鸡肉	32	6%	49%	45%

家庭生活万事通

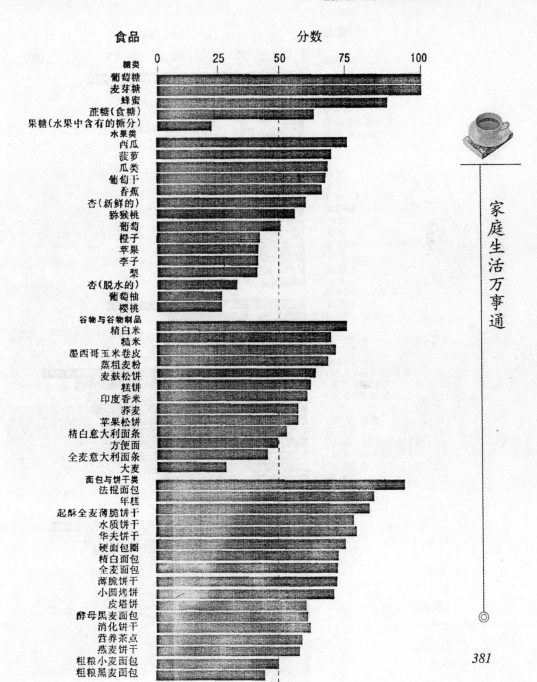

食品　　　　　　　　分数

糖类
葡萄糖
麦芽糖
蜂蜜
蔗糖(食糖)
果糖(水果中含有的糖分)
水果类
西瓜
菠萝类
瓜类
葡萄干
香蕉
杏(新鲜的)
猕猴桃
葡萄
橙子
苹果
李子
梨
杏(脱水的)
葡萄柚
樱桃
谷物与谷物制品
精白米
糙米
墨西哥玉米卷皮
蒸粗麦粉
麦麸松饼
糕饼
印度香米
荞麦
苹果松饼
精白意大利面条
方便面
全麦意大利面条
大麦
面包与饼干类
法棍面包
年糕
起酥全麦薄脆饼干
水质饼干
华夫饼干
硬面包圈
精白面包
全麦面包
薄脆饼干
小圆烤饼
皮塔饼
酵母黑麦面包
消化饼干
荞养茶点
燕麦饼干
粗粮小麦面包
粗粮黑麦面包

家庭生活万事通

食品　　　　　　　　　　　分数

| 0 | 25 | 50 | 75 | 100 |

麦片类
玉米片
爆米花
威特比麦片
小麦片
牛奶什锦早餐
开乐特制 K 麦片
开乐全麦麸麦片
麦片粥

豆类
烘豆
烘豆（不加糖）
利马豆
鹰豆
豇豆
扁豆
菜豆
小扁豆
大豆

乳制品及其替代品
豆腐冰激凌
冰激凌（低脂）
酸奶
脱脂牛奶
全脂牛奶

蔬菜类
欧洲防风根（烹制）
马铃薯（烤制）
马铃薯（即熟）
蚕豆
南瓜（煮熟）
炸薯条
马铃薯（时新，煮熟）
甜菜根（烹制）
甜玉米
甘薯
豌豆
胡萝卜（烹制）

小食与饮料类
Lucozade 运动型饮料
椒盐卷饼
豆形软糖
玉米煎饼
芬达
Mars 巧克力
果汁饮料（稀释）
带水果的牛奶什锦巧克力
牛奶什锦巧克力
爆玉米花（低脂）
炸薯条
橙汁
苹果汁
花生

纤维知多少？

食物中所含纤维的数量和质量各不相同。一种区分其质量的标准就是它可以吸收的水的数量,这个数值可以表明它将食物残渣变轻并使其膨胀的程度,这样食物残渣就可以更快地通过消化道。纤维理想的日摄入量应该不低于 35 克。上面的表格会告诉你要获取 10 克的纤维(或者是相当于 10 克谷物纤维,如果纤维的吸水性更强,那么你需要的数量就会相对较少),你需要摄入食物的数量。所有的测量都是以未加工的或干燥的食物为准。要注意烹制会降低食物中纤维的含量。这些食物中任何 4 份都可以满足纤维每日的理想摄入量。除非另有说明,所有的食物都是指未经加工的。

获取 10 克纤维需要摄入的食物数量

合物	数量(相当于 10 克谷物纤维)
麦麸	23 克/0.5
杯全麸	37 克/0.5 杯
脱水杏	42 克/1 杯
脱水无花果	54 克/0.3 杯
燕麦	75 克/1 杯
豌豆	83 克/1 杯
玉米片	91 克/3.5 杯
杏仁	107 克/0.8 杯
全麦面包	115 克/5 片
花生	125 克/1 杯
烘豆	137 克/小罐
梅脯	146 克/1 杯
向日葵籽	147 克/1 杯
黑麦面包	160 克/6 片
锅巴	222 克/8 杯
燕麦硬饼	250 克/10 块
烹制小扁豆	270 克/2 杯
胡萝卜	310 克/3 个
椰菜	358 个/1 个大的
精白面包	370 克 15 片
烤马铃薯(带皮)	400 克/1 个大的
凉拌卷心菜	400 克/1 大份
橙子	415 克/3 个
卷心菜	466 克/1 个中等大小的
花椰菜	475 克/1 个大的
苹果	500 克/3 ~4 个
时新土豆(煮熟)	500 克/7 个
香蕉	625 克/3 个
桃	625 克/6 个

家庭生活万事通

平衡酸度/碱度

当食物在体内被消化吸收,其残余物会改变体内的酸度和碱度。根据这些食物残余的化学构成,它们可以被分为"酸性食物"和"碱性食物"。这与食物自身的酸碱性是不同的。例如,橙子是酸的,因为它含有柠檬酸。但是柠檬酸在体内被完全地消化吸收,因此食用一个橙子对身体最终的作用是增加体内的碱度,根据这一点,橙子被归为碱性食物。在我们的饮食中,碱性食物应该占80%,而酸性食物占20%。下面的表格会告诉你各种食物的酸碱性。

哪些食物是酸性的、碱性的、中性的

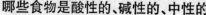

酸性		中性		碱性
高	中		中	高
	巴西坚果		杏仁	
	胡桃		椰子	
艾登干酪	切达干酪	黄油	牛奶	
蛋类	斯蒂尔顿干酪	人造黄油		
蛋黄酱			豆类	鳄梨
		咖啡	卷心菜	甜菜根
鱼类	鲱鱼	茶	芹菜	胡萝卜
甲壳类动物	鲭鱼	糖	小扁豆	马铃薯
		果汁	生菜	菠菜
熏肉	黑麦		蘑菇	
牛肉	燕麦		洋葱	
鸡肉	小麦		根菜类蔬菜	
动物肝脏	大米		马铃薯	
羔羊肉				
小牛肉	李子		杏	水果干
	酸果曼		苹果	大黄
	橄榄		香蕉	
			浆果	
			樱桃	
			无花果	
			葡萄柚	
			葡萄	
			柠檬	
			瓜类	
			橙子	
			桃	
			梨	
			覆盆子	
			橘子	
			梅脯	